BS-Remittende

Falladas Frühwerk
Band 1

Falladas Frühwerk in zwei Bänden
Band 1

Herausgegeben von Günter Caspar

HANS FALLADA

Der junge Goedeschal Ein Pubertätsroman

Anton und Gerda Ein Roman

Aufbau-Verlag

Der junge Goedeschal

1

Wozu ärgern? dachte Kai und warf das Heft, das sich rasch zublätterte, auf den Tisch zurück. All das ist Paukergeschwätz oder Seich, Neid. Die Eins gibt er mir – und dann sein Hohn? Warum?

Er warf sich in den Langstuhl, brannte eine Zigarette an. Den Rauch wolkig ausstoßend, dachte er weiter: Im Grunde hat er so unrecht nicht. Natürlich war der Aufsatz stark beeinflußt. Aber mir das so aufzutischen vor der ganzen Blase von Konpennälern: „Eine wackere Leistung, Goedeschal, wir haben Wilde gelesen. Gut nachempfunden" – darin lag die Gemeinheit!

Er stand unruhig auf und zerdrückte die Zigarette im Becher. Alles Einbohren, Erwägen half zu nichts, der Stachel blieb. Und es war umsonst, sich einreden zu wollen, daß diese zwei, drei Sätze von Tappert belanglos und zufällig gewesen seien. Eine geheime Feindschaft hatte aus ihnen geklungen.

Kai Goedeschal fuhr hoch. Mit den Fingern sein Haar strählend, ein wenig Pose, sagte er halblaut: „Er hat mich demütigen wollen. Als er diesen Aufsatz las, den ich in einigen Nachtstunden glühend und zitternd schrieb, spürte er wohl die Auflehnung: ich, Obersekunda, ein Name mit einer grüngoldenen Schülermütze, verstattete ihm in etwas Einsicht, ohne zugleich zu bemerken: ‚Das verdanke ich Ihnen.' Nein. Indem er meinen einsamen Wanderungen zuschaute, in denen nichts war als das Rascheln von Blättern, der Wind, irgendwo oben in Bäumen, manchmal ein weiter Blick oder der Ton eines jener Jagdhörner, die Eichendorff so liebte, – fühlte er, wie stark ich ablehnte, was er, schwach, verfälscht, verwässert gelehrt. Hier war Revolution, Neuland, Eigenes. Gab er mir uneingeschränkt die Eins, erkannte er diese Auflehnung an. So schrie er: ich kenn das auch! Wie des Swinegels Fru: ick bin all do! – Nachempfunden! Wer hat ihn mehr, wer fühlt ihn tiefer: Tappert oder Goedeschal? Es ist und bleibt eine Schweinerei, daß es immer nur heißt: Lehrer – Schüler, nie: Mensch – Mensch."

Im Spiegel fing Kais Blick die Bewegung der Lippen, wie sie sich unter den letzten Worten auseinandertasteten, wölbten. Er beugte sich vor, Zittern stieg in ihm auf. Dieses beinahe dreieckige, gelbliche Gesicht, von vier, fünf eintönigen Linien umzogen, war entfärbt durch die Glut eines breiten, seltsam dem Zittern von Libellenflügeln gleichenden Mundes. Aufgebogen, fleischig aus den Innerlichkeiten des Leibes mündend, mit einem fast blutendem Rot, dessen Struktur an rohes, hautloses Fleisch mahnte, bildete er einen Gegensatz zu der noch unbeschriebenen Leere der Gesichtsflächen, zu dem verschwimmenden, unsicheren Blick der Augen, einen Gegensatz, den Kai dunkel fühlte. Ein plötzlicher Impuls, den er erst in seinem Bewußtsein merkte, als er ihm schon gefolgt, ließ ihn den Zeigefinger der Hand heben und deutend auf diese Lippen weisen. So stand er sich selbst gegenüber, den eigenen Blick meidend, in die Betrachtung seines Mundes versunken, der, eine phantastische Blüte, auf der Spitze seines Fingernagels zu tanzen schien, blieb stehen, hob dann die Augen, begegnete einem Blick, der fremd und undurchdringlich war, lachte mit einem Achselzucken verlegen auf und trat eilig vom Spiegel fort.

Im Stuhle sitzend, das Gesicht in den Händen vergraben, während die Finger in den Haaren wühlten, mußte er unvermittelt an seine Berliner Schulzeit denken, nun drei, vier Jahre zurück. Wieder sah er sich, Untertertianer, verschüchtert, scheu, kraftlos, ohne Gegenwehr, zitternd in der griechischen Stunde aufstehen, vortreten, irgend etwas deklinierend, was er eben noch gewußt und schon völlig vergessen hatte, stotternd, fehlerhaft, ohne jede Möglichkeit, seine Aufmerksamkeit der Arbeit zuzuwenden und die Bruchstücke des Gewußten wiederzufinden. Denn da waren die Augen der andern, immerzu hingen sie an ihm, warteten, der Blick des Lehrers, den er seitlich in seinen Schläfen, brennend in den Augenhöhlen fühlte, wartete, er selbst, auch er wartete, bis dann das Schluchzen kam, die Tränen, die lieben Tränen, jede griechische Stunde, bei jeder Frage.

Er weiß, daß Wetten auf ihn abgeschlossen werden, vor der Stunde drängen sie ihn: „Goedeschal, nur heute einmal halte dich. Tu ihm nicht den Gefallen." Aber dann wieder, wenn er vorn steht, erhöht, allein, belauert von allen, dann spürt er dunkel die Machtlosigkeit allen Wehrens, er tut nichts dazu, ganz von selbst schon steigt es in ihm empor, in seiner Kehle verfängt es sich, seine Finger beben, und nun ist es da, und schon im Weinen seltsam erleichtert, denkt er: Es ist wieder da!

Kai Goedeschal fuhr hoch. „Kann ich nie vergessen? Ich will nichts mehr von jenem Berliner Kai wissen. Warum schmerzt das noch so frisch? Nein, ich würde heut nicht mehr weinen. Vielleicht anders, anders und doch das gleiche."

In ruhelosem Auf und Nieder suchte er vergebens die Quelle zu finden, aus der diese Gedanken strömten. Brennend wie einst glühten die Augen, verzweifelnd wie früher floh er die Spottreden der andern, die seine geflickten Hosen verachteten. Der gefüllte Schulhof, die Glocke inmitten, – kein Fleck, wo Ruhe war. Aus den Gängen durch den Zuruf des Lehrers verjagt, stand er wieder draußen, zitternd, bemerkt zu werden, schon bemerkt, schon verhöhnt.

Er riß sich herum. Dem Spiegel näher tretend, ging er in seinem Gesicht jener Spur nach, die ihn zum noch nicht Vergessenen geführt hatte. Er fand sie nicht, er fand nicht den schmerzlichen Widerspruch, der zwischen der Erblühtheit eines fleischigen Mundes und dem trübe Farblosen stets fliehender Augen bestand. Er zuckte die Achseln.

„Wozu noch daran denken! Ich will nicht. Dort die Bäume. Straßen. Menschen. Fenster. So vieles andere zu bedenken."

Sein Blick erfaßte das Heft. „Ja so, der Aufsatz." Er blätterte. Aber nun, da er diese Zeilen las, die schon durch ihre Farbe strafenden, roten Randbemerkungen des Lehrers überflog, schien all dies bereits verstaubt, lang vorbei. „Immerhin habe ich die Eins. Wieder einmal der Beste. Man kommt voran."

2

Es klopfte. Arne Schütt trat herein, groß, ausgewachsen, massig geformt, und ging zum Langstuhl, in den er sich warf. Dann, während er eine Zigarette anbrannte: „Servus, Kai. Was machst du?"

„Sieh da, Arne. Ich simuliere, wie unser gemeinschaftlicher Freund Biedermann sagen würde, über die Unzulänglichkeit des Lebens."

„Und?" Da Kai schwieg: „Wieso? Warum? Weshalb?"

„Ach nichts, ich habe mich über Tappert geärgert."

„Nanu? Er lobte dich über den grünen Klee."

„Das ist's ja grade. Du hast natürlich wie immer nicht aufgepaßt."

„Bitte. Bitte." Arne warf sein Gesicht vor, bewegte die

Hände salbungsvoll durch die Luft und imitierte verzerrt und faul: „Eine wackere Leistung, Goedeschal. Trefflich nachempfunden. Was denn?"

„Du hast es gehört und fragst, warum ich mich ärgere?"

„Hauptsache ist die Eins."

„Die Eins ist belanglos, wenigstens für mich. Den Eltern, Paukern und so weiter ist sie natürlich die Hauptsache. Aber –" Kai blieb am Fenster stehen, trommelte gegen die Scheiben und überlegte, während er auf den von einem Schneeschauer überpeitschten Schmuckplatz sah, ob er nicht doch lieber schweigen sollte. Aber die Lust zu sprechen war größer als die kleine, im Hintergrund liegende Hemmung. „Ich sagte vorhin: Unzulänglichkeit des Daseins, im Scherz. Nun wiederhole ich es ernsthaft."

„Was hat das mit deinem Aufsatz zu tun?"

„Du wirst hören." Kai schwieg. Er dachte nach, vieles drängte. Um den Worten mehr Gewicht zu geben, bildete er – unbewußt – am Munde zwei Falten, die er dann doch gleich als romanhaft markant ärgerlich mit der flachen Hand fortstrich. Er spürte auf den Lippen einen tauben Reiz und sagte nun hastig: „Hast du's nicht schon gefühlt, morgens beim Aufstehen, daß alles so trostlos grau war? Schule, Schule, nicht abzusehen, immer Schule, Arbeiten, Pauker, dann die Eltern, nichts, nichts. Alles war schon da, alles so alt, so reizlos. Du besinnst dich, du überlegst, was zu hoffen sei, was Neues. Du findest nichts. Am Ende scheint es dir so sinnlos, dich überhaupt anzuziehen, wozu? Lebst du denn? Was ist das? Eine Maschine, die rattert. Immer den gleichen Gang. Du faßt die Stühle an, siehst dich im Spiegel – alles war schon da, wird so immer da sein. Und während du dann am Fenster stehst, überkommt es dich plötzlich. Deine Handgelenke brennen. Von oben möchtest du sie in das spitze, splitternde Glas hineinschlagen, in die Pulsadern, so, so – nur damit du fühlst, am roten Strömen deines Blutes fühlst: du lebst, lebst, lebst."

Arne machte eine Bewegung, Kai rief hastig: „Nein, jetzt nicht!" Er ging schnell auf und ab; dann ruhiger: „Mehr: oder dann, abends, im Einschlafen, wenn ich träume, ist es, als ob ein Schleier fällt und noch einer und wieder einer. Ich stehe auf den Zehen, dränge mich an die Luft, schmiege mich in sie hinein, näher, näher, ich zittere. In den Fingerspitzen bebt schon die Nähe wärmerer Ströme. Aber dann – dann ist ein Widerstand da, nichts von außen, in mir – nein, nein, auch nicht in mir, – – – ein Widerstand, und grenzenlos enttäuscht sehe ich nichts als Schleier, Nebel, Nebel."

„Das verschleierte Bild von Sais, mein Lieber, das haben wir alle gefühlt."

„Wie falsch, oh, wie falsch, was du sagst. Hat's dich nie überrascht, wenn du etwas redetest, ganz plötzlich, sehr heiß: dies hast du doch nicht gesagt? Eben sprach doch etwas aus dir? – Oder – du liegst im Bett, und dann merkst du ein warmes Quellen in der Nähe, du ahnst die Wärme eines andern Körpers, und du duckst dich ganz hinein in dich, du wirst ganz klein, nur noch Kern, und deine Nervenspitzen stecken voll Warten in der Dunkelheit, und du wartest, du atmest nicht, warten, warten ... jetzt! Jetzt kommt es! – Du wirfst die gespreizten Hände in die Luft – – – nichts! nichts! Es war wieder nichts!"

Stille. Auf dem Gang draußen Schritte, die näherkamen, an der Tür zögerten und weiter verhallten. Eine Tür klappte. Arne warf von der Seite einen raschen Blick auf den Freund und sah verlegen fort.

„Aber das alles ist nicht das Schlimmste. Es gibt anderes. Grauenhaftes. Hast du schon einmal die Augen der Leute angesehen? Auf der Straße? Alle Augen sind gestorben, sind tot. Es ist, als seien Häutchen über sie gewachsen. Manchmal sehe ich mich voll Angst im Spiegel an, voll elender Angst, auch meine Augen könnten schon so sein. Daß ich falsch sehe, falsch sehen muß. Nicht mehr das Leben sehen kann. Und das ist es ja: es muß ja doch kommen, muß doch. Das nun, das ist Fratzerei, Verzerrung, Tod. Und da, im Warten baut man sich etwas, ein Stück Land, ein Fleckchen Garten, das einem selbst gehört, in dem man zu Haus ist, das sagt: du lebst, du bist du."

Arne sagte, unüberzeugt: „Ich verstehe. So dein Aufsatz."

Kai schwieg, dann wieder stiller: „Als ich schrieb, wanderte ich draußen in der Einsamkeit auf der Suche. Ich stürmte alle Hügel hinan, zu meinen Füßen raschelte das gepantherte Laub des Ahorn. Meine Einsamkeit flog oben am Himmel über mir als Habicht. Ich war es, mein näheres Leben weinte, als ich mein Haupt zwischen Gundermann und Schafgarbe am staubigen Grabenrand schluchzen ließ. Ich schämte mich, als ich den Aufsatz abgab. Nachts zitterte ich, daß hier ein wenig Wahrheit, die ich nie bei andern fand, offen an den Tag trat. Sah ich sein blasses Gesicht mit dem spitz verschnittenen Bart über die Arbeit gebeugt, preßte ich meine Hände zusammen, um nicht aufzuschreien. Dann gab er sie zurück. Es zuckte in seinen Mundwinkeln, als er mich ansah. Ich hätte ihn erschlagen mögen, weil er wußte, *es* wußte."

Er lehnte den Kopf an die Scheiben, er schwieg. Draußen trieb der Ostwind noch immer in schrägen Strichen Millionen Schneeflocken dem Boden zu. Kai folgte einem Kristall, bis es irgendwo im Strudel verschwand, seufzte auf und wandte sich wieder zu Arne, der sprach: „Und was nennst du jenes Leben, auf das du so wartest?"

Kai sagte still: „Ich weiß es nicht."

„Im Grunde möchtest du nur raus, möchtest du nur was anderes. Dieses hier langweilt dich, das ist alles."

„Etwas anderes, ja", wiederholte Kai.

Nun war Arne im Fluß. „Ich will dir etwas sagen: du lebst zu allein. Ich weiß schon, die andern sind alle Proleten, mit denen komme ich dir auch gar nicht erst. Aber das: du hast dies Pech gehabt mit deiner Krankheit, grade als die Tanzstunde anfing. Wärest du mit dabei, würdest du nicht so reden."

Kai lächelte. „Mag sein."

„Nein, du brauchst nicht zu lachen, ich meine natürlich nicht das Tanzen, aber die jungen Mädels. *So* bist du zu allein. Du mußt dich verlieben."

„Geht das so auf Kommando?"

„Du weißt nicht, wie schön das ist, Kai."

„Du hast gut reden. Wie soll ich das tun? Ich kann nicht zum nächsten jungen Mädchen auf der Straße sagen: ‚Mein gnädiges Fräulein, ich liebe Sie!'"

„Natürlich nicht. Aber komm mit in die Tanzstunde. Ich führe dich als Gast ein. Heute haben wir großen Schlußball. Vielleicht, daß du jemand findest."

Und, als Kai schwieg: „Fräulein Reiser, meine Dame, hat eine Freundin, die dir gefallen würde."

„Wie heißt sie?"

„Ilse Lorenz."

„Ilse Lorenz? Ist das nicht die Flamme von Klotzsch? Ich habe so etwas gehört."

„Ach, das ist einseitig. Versuch dein Glück."

„Es ist verrückt."

„Gerade darum."

„Und schon heute abend?"

„Ja, mach schnell. Du ißt dann bei mir, und wir gehen zusammen hin."

„Muß ich mich umziehen?"

„Besser schon."

Während Arne in einem Buch blätterte und Kai sich umzog, dachte der: „Also das ist es: sich verlieben. Das ist die Arznei, die helfen soll. Du lieber Gott!"

Aber dann, als sie die gewundene, dunkle Treppe zur Diele hinabtasteten, stieg eine Angst in ihm hoch. „Was tue ich? Fliehe ich vor mir? Ja, ich sehne mich nach Wärme, aber kann die von außen kommen? Ach – vielleicht überhaupt nicht von außen, überhaupt nicht von andern. Vielleicht liegt es an mir."

Er atmete hastig. Er flüsterte: „Arne, nein, ich kann nicht, sei nicht bös."

Der faßte ihn am Arm. „Du hast Lampenfieber. Das vergeht schon."

Es liegt am Leben, es liegt an den andern, dachte Kai.

3

Auf dem Vorplatz glühte trüb flackernd die mißvergnügte Flamme des Sparbrenners. Die aufleuchtende Helligkeit des Glühstrumpfes machte die beiden zwinkern. Im großen Spiegel erschienen ihre Gesichter fremd und weiß wie die von heimlichen Verschwörern.

Aus dem Zimmer des Vaters klang Klavierspiel.

„Zieh dich immer an, Arne, du brauchst gar nicht erst hereinzukommen, das dauert dann wieder so lange."

Als Kai die Tür öffnete, schlug ihm eine warme, von Pfeifenknaster durchduftete Luft entgegen. Im Einatmen empfand er eine Feindschaft gegen diese Lauheit, gegen dieses eingezäunte Daheimsein der Eltern, von dem er ausgeschlossen war, oben in seinem Zimmer, das nicht sein war, in dem er zu Gast wohnte. Hier waren die beiden zusammen, hier sprachen sie von Dingen, an denen teilzuhaben für ihn nicht zulässig war. Hier war

Einheit, Nichts-Wünschen, Die-Welt-nicht-Brauchen, Zusammensein; dort oben Sehnen, Fortwollen, Schluchzen, Weinen, Begehren. Weiter vortretend grübelte er tief unten in sich: „Sie haben zu bestimmen, und doch ist uns nichts gemeinsam."

Seine Mutter lag auf dem Sofa, stark, mit etwas hilflosen Zügen, und schrieb auf den angezogenen Oberschenkeln mit sorgenvollem Gesicht einen Brief. Der Vater am Flügel unterbrach sein Spiel nicht, sondern warf nur mit einer kleinen Kopfdrehung einen abwartenden Blick auf Kai.

„Ich bin nicht zum Abendessen da. Arne hat mich eingeladen. Wir wollen Mathematik arbeiten."

„Komm nicht zu spät wieder, Junge, daß du morgen aus dem Bett findest. Gute Nacht."

„Gute Nacht." Die Tür klappte, er löschte das Licht und folgte Arne, der lautlos gewartet hatte, auf die Straße.

Es hatte aufgehört zu schneien. Ein eisiger Wind fegte die Häuserfluchten herab. In seinem Zuge klapperten die Gaslaternen. Der zertretene, kotig zerrinnende Schnee heftete sich schleimig an die Schuhe. Die Freunde hängten sich ineinander ein.

„Ist es dir nicht manchmal unangenehm, so schwindeln zu müssen?"

„Das schon. Aber was soll ich tun? Sie wollen es ja nicht anders."

„Dabei sind deine alten Herrschaften noch ganz vernünftig. Meine erst! Auf dringenden Antrag geben sie mir jetzt fünfzig Pfennig Taschengeld in der Woche. Was ich damit tu!"

„Manchmal ekelt das einen alles an. Diese Heimlichkeiten, dieses Lügen. Immer ein schlechtes Gewissen. Aber es muß ja sein. Was haben wir heut abend vor? Eine Harmlosigkeit. Sie hätten's verboten. Sie verstehen uns nicht."

„Sie wollen nur nicht. Ich rechnete meinem alten Herrn vor, was ich brauchte. Er sagte nur: ‚Ich hab in deinem Alter durch Stundengeben schon selbst verdienen müssen.' Nu ja."

Sie schwiegen und gingen raschen Schrittes die halbdunkle Straße hinunter, beinahe getröstet von dem Gefühl des Schritthaltens, des Einsseins im Gehen. Und doch hatte dieser Rhythmus etwas überredend Wehmütiges, in dem Kai tief und tiefer verschwamm. Die breiten Stämme der Platanen mit ihren trüben, grau verwaschenen Flecken stimmten ihn traurig. Ihre namenlos fremde Gebärde, dieses In-Steinen-Verwurzeltsein schien ihm doch ein wenig Verwandtschaft. Auch ihrem Erleben blieben die Dinge des täglichen Seins fremd. Ohne Vorbedingung, durch Zufall hier eingepflanzt gilbten ihre Blätter sommers wohl rasch in der immer wieder zurückgestrahlten Juliglut der Straßen. Wohl wurde ihre Rinde abgescheuert von den Schultern Vorübergehender, aber all dieses Äußerliche konnte den Kern ihres Wesens nicht streifen. Ihre trübe in die Luft gesteckten Zweige waren voll Vorbehalt wie an jenem ersten Tage, da sie aus den Baumschulen hierherkamen. Mochten unter ihren breiten Zweigen die rasselnden Züge der elektrischen Bahnen brausen, mochten sich beim Dunklerwerden Paare von Liebenden in ihren Schatten schmiegen – sie unterwarfen sich nicht diesen Täuschungen. Ihre nackten Zweige sprachen wie am ersten Tage von dem Bestehen eines wahreren Lebens. Sie sehnten sich. In ihrem Splintholz sang steigender Saft im Frühling von den Wiesenschaum überwogten Weiden, über die schwarzbuntes Vieh wandelnd des Mittags in ihren Schatten dringen würde.

Halb hingegeben, brüderlich streichelten Kais Finger die glatte Schale tröstlichen Seins, das eine Bejahung seiner Sehnsucht war. Aber sie zuckten beschämt zurück. Wieder einmal überfiel ihn die tödliche Angst, seine Gefühle zu verfälschen, unwahr zu machen, dadurch, daß er ihnen nach außen Geltung verschaffte. Die streichelnde Hand – sie war nur ein verlogenes, widerliches Zerrbild dessen, was er wahrhaft gefühlt. Daß er diesem Impuls zu rasch gefolgt war, das hatte sein wahres Gefühl verzerrt. Nein, nicht nach außen durften die Gedanken treiben. In ihm, tief drin mußten sie wachsen wie Blumen. Man durfte das keimende Samenkorn nicht beachten. Wolken mußten darüber hinwandern, Sonne scheinen, eines Tages aufblühend war es vielleicht stark genug, das Äußere zu ertragen.

„Du, Kai", sagte Arne.

„Ja, du?"

„Was meintest du eigentlich mit Jungfräulichkeit?"

„Wieso?"

„Ich erinnere mich, du hattest in der Einleitung zu deinem Aufsatz irgend etwas von ‚jungfräulichem Berg' oder so geschrieben. Was meintest du damit?"

„Ach so", sagte Kai und schwieg einen Augenblick. Ganz recht, das konnte stimmen. Er hatte die Einleitung irgendwo abgeschrieben. Komisch, daß Arne noch daran dachte. „Weißt du, ich habe mir eigentlich nichts Besonderes dabei gedacht."

„Na, irgend etwas mußt du doch damit meinen. Jungfräulicher Berg!"

„Ja, was denn? Jungfräulichkeit, was soll das sein? Reinheit, Unberührtheit oder so."

„Das ist doch eine tolle Schweinerei!" sagte Arne.

Kai fragte verständnislos: „Wieso?", dann schwiegen sie wieder.

Ihr Weg hatte sie in helle und belebte Straßenzüge geführt. Trotz des schlechten Wetters waren viele Leute draußen. Ihre Gesichter schienen seltsam aufgedunsen, Leichen gleich, die im Wasser gelegen hatten, und alle mit einem, nur einem einzigen Ausdruck, den sie mit einer verbissenen Störrigkeit festhielten. Aber auch zwischen ihnen meinte Kai brüderlich Verwandte, nahe Freunde zu entdecken, die wie er verzweifelt und rastlos „suchten". Was? – Das Leben, eben jenes Leben, wie es sich ihre Verzweiflung wärmer, Haut an Haut träumte. Ihre Augen, müde von vielem Umherschauen, gereizt von zahllosen, ungeweinten Tränen, erleuchtete immer von neuem ein anderer Ausblick ihrer alten Hoffnung. Ihre Lippen schienen Gebete zu murmeln zu einem Herrn, der sie nicht erhören würde. Die Bewegungen ihrer stets mageren Hände waren zwecklos und seltsam wie phantastische Blüten, die man im Traum sieht. Aber Kai merkte es wohl: jene Weiber mit den dunklen Schatten unter den Augen, die eine wehmütige Rücknahme der Versprechen waren, die Haut und Lippen gaben, sie hatten keinen Blick für diese Suchenden. Vielleicht sehnten auch sie sich. Es mußte süß sein, so verachtet zu werden wie sie und sich dann sehnen zu dürfen. Wäre er eine von ihnen, er würde die Blicke der Einsamen im Netz seiner Hingebung zu fangen wissen. Ja: dieses Eine: verachtet sein und verworfen, konnte einen vielleicht dazu bringen, ganz heiß zu lieben und geliebt zu werden.

Kai fuhr auf. Arne hatte gegrüßt, mit einer übertriebenen Grandezza und einem Lächeln, das dieser Übertreibung Recht verleihen sollte. Zu spät natürlich griff Kai an seine bunte Pennälermütze. Im grellen Schein der elektrischen Lampen sah er noch ein weißes, reinliniges Profil mit tief gesenkten Wimpern, einen blassen Mund und über all dem ein wenig Schwermut ausgebreitet, wie es schien.

„Wer war denn das?"

„Ilse Lorenz", flüsterte Arne aufgeregt.

Kai drehte sich um. Zwischen dem Gewühl sah er für einen Augenblick die eher kleine Figur des Mädchens, die breiten Hüften und den ruhigen, stillen Gang der sich Entfernenden. Ein Lächeln stieg in ihm hoch. Und während Arne auf ihn einsprach, dachte er: Das also ist sie! Wie abgeschlossen! Wie fern! Wie fremd!

4

Auf seinem Zimmer angelangt, sagte Arne: „Setz dich, ich zieh mich schnell um. Dort stehen Zigaretten." Und während er die Jacke abwarf, fragte er: „Wie gefiel dir Fräulein Lorenz?"

„Gott, gefallen, Arne! Ich habe ihren Rücken gesehen!"

„Du mußt natürlich vor allem versuchen, mit ihr in Berührung zu kommen. Heute ist der letzte Ball, das geht also nur einmal. Weißt du nichts anderes?"

„Ach, Arne, viel Lust habe ich überhaupt nicht."

„Hast du Angst?" fragte Arne und sah ihn gemacht spöttisch an.

„Angst, ach was! Aber was soll ich da? Was soll ich mit den Mädchen reden? Laß mich aus!"

„Nein, mein Junge, du kommst mit. Immer klagst du über Langeweile, aber du tust nur nichts dagegen."

„Du sagst ja selbst, es wird nichts. Oder glaubst du, sie fliegt mir beim erstenmal um den Hals?" Leiser danach: „So bin ich doch nicht."

„Laß nur, ich finde schon etwas. Du mußt natürlich mit Klotzsch und Lehmann, ihren Verehrern, fertig werden, aber das wird schon."

„Wenn ich nun aber doch nicht mag!"

„Ich bitte dich, Kai!"

„Was hast du davon?"

„Ich kann das nicht ansehn, du verdummst ja in deinem Alleinsein. Du weißt ja von nichts. Von nichts hast du eine Ahnung."

Arne sagte das in einem besonderen Ton, eine leichte Röte stieg in seine Wangen, und er sah rasch von Kai fort.

„Was meinst du?" fragte der hastig, „von was habe ich keine Ahnung?"

Arne schwieg. „Nein, nun sprich", wiederholte Kai.

„Ach, ich meinte nichts Besonderes. Du weißt eben nichts von der Welt, von den Menschen." Dann langsamer: „Nichts von den jungen Mädchen."

Kai zuckte mit den Achseln. „Ich weiß schon genug. Das alles ist doch ein Blödsinn, dieses Verlieben. Heiraten könnt ihr ja doch nicht."

„Und warum nicht, bitte, lieber Kai?"

„Willst du dein Fräulein Reiser heiraten? Oder meinst du, ich mein Fräulein Lorenz? Da glaubst du selbst nicht daran."

„Reden wir von etwas anderem", sagte Arne, „du verstehst mich nicht oder willst mich nicht verstehen. Es geht doch wahrhaftig nicht ums Heiraten."

„Sondern?"

„Ach was, jetzt laß die Sache in Frieden. Du kommst eben mit."

„Meinethalben", sagte Kai und dann, spöttisch: „Zum Heiraten."

Sie schwiegen. Kai sah gedankenvoll über ein Dach fort in den dunkleren Himmel. Was er mit Arne geredet, hatte ihn kaum gestreift, tiefer drinnen saß jenes halb erschaute, helle Mädchenprofil, ihm dadurch nähergebracht, daß er noch heute abend hingeneigt zu ihm sprechen würde. Heute abend, noch heut abend. Heute abend etwas anderes, nicht diese selben Tische, Stühle, Teppiche, Schränke, Bücher, nicht die Gesichter der Eltern, sondern die erhellte Weite eines Tanzsaales. Er lächelte, aber sein Lächeln zerging, als er daran dachte, daß er würde sprechen müssen. Was sagen? Was tun? Er sah sich im Kreis der andern stehen: nun soll er reden, aber er schweigt, er findet die Worte nicht, eine glühende Hitze steigt von den Füßen in ihm auf, flockiger Nebel durchzieht sein Gehirn, der die Worte sinnlos getrennt in der Luft hängen läßt, und dann ist nur ein Bild da, ein Bild: ihr stumpfes Profil, blaß, weiß, mit den schmalen, kaum geröteten Lippen. Kai räuspert sich, er setzt an, er will sagen: „Arne, ich gehe nicht", aber er schweigt. Denn so erschreckend dieses Gesicht dort in der Luft hängt, so süß ist doch auch sein Anblick. Nun, wenn er auch schweigt, er wird nahe sein, so nahe. Und dann ist das andere da, das Zuhaus, das trübe Zimmer, der endlose Abend, mit tausend gleichen vorher, tausend gleichen danach, grau, abgegriffen, trostlos. Nein, nur das nicht, besser alles andere als dies. „Ich bin ja gar nicht anders wie die anderen. Ich bin nur schüchtern. Nur diesmal, weil es das erste Mal ist."

Es klopfte. Werner Klotzsch trat herein. „Was, noch nicht fertig? Höchste Eisenbahn!"

„N'Abend, Klotzsch, immer langsam voran, wir kommen noch Zeit satt."

Klotzsch trat zum Schreibtisch, stöberte in den Büchern. „Noch nicht Homer präpariert?"

„Brauchen wir gar nicht", sagte Arne, „morgen schreiben wir vier Stunden Mathematik. Vorher Sallust. Also?"

„Hab ich gar nicht dran gedacht."

„Ein schlimmer Tag für euch beide", meinte Arne.

„Ich bin fein raus", lächelte Klotzsch überlegen, „Lehmann gibt mir die Lösungen."

„Lehmann? Ausgerechnet Lehmann", fragte Arne, „dein Nebenbuhler? Wie das?"

„Ich hab ihm einen Tanz mit Fräulein Lorenz dafür abgetreten."

Kai und Arne lachten, endlos und ein wenig übertrieben. „Du bist gut", rief Arne.

„Das grenzt an Mädchenhandel", sagte Kai und zog seinen Mund überlegen breit.

„Findet ihr es schlimm?" Klotzsch wurde ängstlich.

„Nein, nein, nur genial."

„Ob ich es rückgängig mache?"

„Um Gottes willen! Laß es so, was soll wohl aus deiner Mathematikarbeit werden? Ich habe schon Kai auf dem Hals."

Kai fuhr hoch, sah Arne an. „Ich verlasse mich auf dich."

„Darfst du, darfst du, um ein halb zwölf stecke ich dir die Resultate zu."

Entschuldigend sagte Kai: „Es ist zu dumm, daß ich in Mathematik so minderbegabt bin, aber ich kann mir die größte Mühe geben, ich kapiere nichts. Und noch eine Fünf geht wegen der Versetzung nicht."

„Ich helfe dir ja schon", wiederholte Arne. Eine Weile schwiegen sie, dann fragte Arne wieder: „Sag einmal, Klotzsch, wer steht eigentlich mit Fräulein Lorenz besser, du oder Lehmann?"

„Nun ich, selbstverständlich."

„Ich finde das gar nicht so selbstverständlich."

„Nun, ich bin doch oft mit ihr im Wandervogel zusammen. Wir nennen uns doch auch du und so."

Arne warf auf Kai einen Blick, aber der schwieg, und so sagte denn Arne mit viel Bedeutung: „Bist du nun eigentlich auch schon im Wandervogel, Kai?"

Kai fuhr auf. „Ich? Wieso? Ach so, ja natürlich. Hast du mich nun endlich angemeldet, Klotzsch?"

„Ich dich? Aber nein!"

„Wie oft soll ich dich denn noch bitten?"

„Du in den Wandervogel? Nie hast du auch nur ein Wort davon gesagt! Nur geschimpft hast du drauf."

Arne griff ein. „Ich selber bin dabei gewesen, wie dich Kai auf dem Hof darum bat."

Klotzsch sah zweifelnd von einem zum anderen. „Sollte ich das überhört haben?"
„Aber natürlich."
Kai fragte: „Willst du es nun erledigen oder nicht?"
„Ja, aber gewiß doch. Nur verstehe ich nicht ..."
„Gott, ich will einmal sehen, was ihr treibt. Aber bald, ja?"
„Selbstverständlich. Gleich morgen."
Dann zum Essen. Arne und Kai das Gesicht leicht gerötet vom Widerschein eines Triumphes, den sie verschwiegen und schlau über ihren Gefährten errungen hatten und der ihnen der Vorläufer weiterer Intrigen zu sein schien.

5

Gleich am Eingang des Saals verlor Kai seine Freunde. Zu spät gekommen, hatten sie ihn sofort verlassen, um ihre Damen zu suchen. An eine Säule gelehnt sah Kai ihnen nach, verlor sie aus den Augen, und nun war nichts mehr da als die flatternden weißen und bunten Mullkleider der Mädchen. Eben begann der Klavierspieler einen Walzer, und wie sie dort am Arme ihrer Tänzer dahinflogen, schienen sie Kai fremde, rätselhafte Blumen, denen er nie nahkommen würde. Vergebens suchte er ihre Gesichter zu erraten, diese Gesichter aus Weiß, Rosa und Rot mit den immer anderen Strichen der Augenbrauen, er kam ihnen nicht näher. Sie schienen einer fremden Gattung anzugehören, die Nase schloß wie ein aufgesetztes Gewicht nicht zu entdeckende Heimlichkeiten in die Rundung des Kopfes ein. Kai fragte sich, ob auch diese wirklich „Menschen" seien, und irgendwie unruhig und bedrückt entschied er, daß sie in nichts den Bekannten und Freunden gleichgestellt werden könnten, sondern unverwandt wie Tiere oder Bäume seinen

Blicken die undurchdringliche Starrheit ihres Andersseins entgegenhielten.

Er seufzte, abwehrend tasteten seine Hände zur Höhe des Gesichtes empor, fielen herab, aber diese Bewegung schon brachte ihm Erleichterung, und nun suchte er Näheres unter den Tanzenden und fand Klotzsch. War das Ilse? Nein, sie war es nicht, irgend jemand anderes, etwas Stummes, das nicht zu ihm sprach mit einem matten Profil und einem seltsam unbewußten Schwingen der Hüften. Werner lächelte, lachte, redete, er gehörte dieser Stunde ganz, das Morgen dämmerte noch nicht auf, und das Soeben war abgetan. Kai drängte es, als müßte er sich von seiner Säule fortheben und zu Klotzsch tretend ihm alles sagen, alles, alle Demütigungen, die gewesen waren, die kommen würden.

„Wie sie schwatzen und lachen! Sie wissen nicht mehr, daß ein Morgen da ist und vor dem Morgen eine Nacht, wach im Bett, zu heiß, zu heiß, trübe, gepeinigt, voll Scham. Was haben sie zu reden? Was ist da, worüber man lachend reden kann? Haben sie vergessen, daß es draußen friert, dunkel, grauenhaft, einsam ist?"

Ja, es gab Straßen, angefüllt mit Menschen, aber ihre Bewegungen waren fremder als die Äste der Bäume, und wenn sie lachten, klang es, daß man die Ohren verschließen, die Augen zupressen mußte, um nicht zu weinen. Das war es. Man mußte sie hassen, um *ihrer Gedankenlosigkeit willen sie hassen*, die so laut und fröhlich sein konnten. „Tiere! Tiere!"

„Dort, Arne! Sieh da, seine Dame! Sicher ist das Fräulein Reiser, bestimmt. Oh, sie plaudern. Wie ruhig, wie verbindlich, wie erhaben lächelnd! Arne, du, wie kannst du so lächeln! Du dort oben und ich. Ach, auch er ist mir weggenommen, ich stehe hier allein an meiner Säule. Ich will ihnen nachsehen, ihn immer ansehen, er soll mich nicht vergessen, soll zu mir herüberschauen. Ich will es. Ich will es. Vorbei. Gleich kommt er wieder. *Ich will es.* Nein, auch dieses Mal nichts, ihr seid alle fort, alle fort. Soll ich gehen, soll ich kehrtmachen und gehen? Ich hasse euch! Hasse euch alle! Wie die Mütter schwatzen! Was stecken sie die Köpfe zusammen und machen sich über die Ungeschickten lustig! Ich hasse euch alle, alle! Ich möchte ausspucken vor euch."

Kai drehte sich um und trat hinter die Säule. Ein großer Spiegel warf ihm mit der Geste eines überlegenen Taschenspielers sein Bild entgegen. Er blieb stehen. Ja, er war ordentlich angezogen, nur der Schlips saß schief. Und während er ihn zurechtzog, prüften seine Blicke das Gesicht. Es war nichts darin von dem, was er dachte. Es war blaß wie immer. Der Mund mit den Wulstlippen sah fremd aus. Die Augen hinter den Gläsern waren matt wie stets. Er konnte ruhig mit einem solchen Gesicht hingehen und die Ilse dem Klotzsch ausspannen. „Natürlich muß ich etwas Verbindliches sagen. Was sagt man in solchen Lagen nur? Etwas Geistreiches, es wird sich schon finden, bestimmt. Es wird sich nicht finden. Ach, alles ist gleich. Wozu sich Mühe geben? Mag sie mit ihrem Klotzsch glücklich werden und ihn küssen."

In plötzlicher Wut schrie er sich ins Gesicht: „Knutscht euch ab, ihr Schweine!"

Und mit einem raschen Blick in den Spiegel fragte er sich, ob diese Lippen würden küssen können. Er versuchte es. Er dachte an jene Küsse, die er seinen Eltern vor dem Schlafengehen gab, und formte nach ihnen seinen Mund. Es war lächerlich. Das götzenartig unbewegt gebliebene Gesicht verhöhnte sein Bemühen. Unter einer tiefen Entmutigung seinem Bilde nähertretend, formte er kaum getrennt von jenen Lippen, die den Widerschein der seinen bedeuten sollten, leise und gehauchte Worte, deren heißerer Atem seine Seele zu verbrühen schien: „Mund, du dort. Gesicht, du da. Ihr seid nicht mein, ihr gehört mir nicht, ich verleugne euch. So wie euere Unbeweglichkeit und rätselhafte Verfärbung meine Gedanken zu Lügen machen möchten, so leugne ich auch euch ab. Ihr seid unwahr. Ich darf nicht sagen, was ich fühle."

Der Mund schloß sich. Nachströmender Atem trennte noch einmal die Lippen, deren trockene und glatte Haut aneinanderhaften zu wollen schien. Kai wandte sich ab. Plötzlich bemerkte er, daß die rhythmisch gehämmerten Walzertöne die ganze Zeit hindurch in seinem Ohr geklungen hatten, aufhorchend fühlte er sie nun wie entspannende Kraftlosigkeit den Rücken hinabrieseln und prickelnd sich in die Hüften verzweigen. Sein im Saale suchender Blick leuchtete auf.

„Mein Gott, nein, dort sitzt die Ilse Lorenz. Wie blaß sie ist! Ob sie nie rötere Backen hat? Wie fremd! Ob man sie lieben könnte? Wie ist das, ihr nah zu sein?

Der Tanz ist zu Ende gegangen. Die Herren führen die Damen zu ihren Stühlen. Es wird plötzlich ganz laut. Die Fächer flattern. Wie lauter Tauben. Ich glaube, ich muß jetzt zu Arne gehen. Nein, ich kann nicht. Ich will hier allein an meiner Säule bleiben. Hier verlassen, genieße ich das Fest. Jahre später werde ich in diesen Sekunden glücklich gewesen sein. – Wo steht denn Arne überhaupt? Ah dort, er spricht mit Fräulein Reiser. Nun winkt er mir. Nein, ich habe das Winken nicht gesehen. Wie glatt das Parkett ist! Sicher falle ich. Wenn ich doch zu Haus wäre, in meinem dunklen Zimmer. Es ist Wahnsinn, hier zu sein. Was lachen die beiden alten Weiber? Sie lachen über mich. Natürlich! Oh, ich wollte ... Was soll ich nur sagen, was soll ich in aller Welt den beiden Mädels nur sagen, ich habe nicht ein Wort zu reden."

„Mein Freund Kai Goedeschal – Fräulein Irene Reiser, Fräulein Ilse Lorenz. Nun, hat dir unsere Tanzerei gefallen?"

„O ja, sehr."

Fräulein Reiser wandte ihre stillen Augen Kai zu und fragte: „Wird es Ihnen nicht schwer, Herr Goedeschal, so ganz zuzuschauen, während wir andern tanzen?"

„Nun ja, eigentlich nicht so sehr."

„Du schwindelst ja, Kai."

Und Klotzsch, der neben Ilse stand, rief: „Natürlich schwindelt er, brennend gern möchte er mittanzen."

Kai stieß hervor, erzürnt und geschwächt, sich so in die Enge getrieben zu sehen: „Nun, du bist wohl nicht der Richtige, das zu beurteilen."

Schweigen. Vor Kais Augen stieg die Vision des trokkenen, mit Kies bestreuten Schulhofs auf. Wenn sie dort in den Pausen zu Gruppen vereinigt herumstanden, bildete diese Art Gespräche, mit ihren gereizten, sterilen Antworten, ihrem nur Abweisen-Wollen das Gemeingültige. Aber hier! Schon steckten die Mädchen die Köpfe zusammen und machten sich über ihn lustig. Vor Scham und Schmerz preßte er die Fingernägel tief in die Handflächen.

Fräulein Reiser sagte: „Meine Freundin Ilse sagt mir eben, daß Sie Ihnen jeden Morgen begegnet, Herr Goedeschal, wenn Sie ins Gymnasium gehen."

„Ja, Herr Goedeschal ist so pünktlich. Wenn ich ihn noch in der Bülowstraße treffe, weiß ich, daß noch viel Zeit ist. Aber beim Treffen in der Oberstraße muß ich sehr eilen." Ihr Blick ruhte auf ihm, der Klang ihrer Stimme schien sich in seiner Ohrmuschel verfangen zu haben und dort nachzutönen, tief und voll, wie er aus ihrer Brust kam. Zusammenschreckend bemerkte Kai die Blicke, die auf ihm ruhten, und erinnerte sich, daß er würde antworten müssen.

„Ist das nicht ein Irrtum, gnädiges Fräulein? Sie sind mir nie aufgefallen."

Sie lachten. Arne fragte fröhlich: „Sehr höflich bist du nicht, Kai."

Klotzsch rief: „Bedanke dich für das Kompliment, Ilse!"

„Sie müssen entschuldigen, gnädiges Fräulein, ich bin so sehr kurzsichtig. Und dann – dann – ich sehe nicht gern die Leute auf der Straße an und mag nicht, daß sie mich wieder ansehen."

Die andern lachten schon wieder. Kai warf einen raschen Blick auf das Klavier, aber der Spieler unterhielt sich noch mit dem Tanzlehrer. Fing es denn nie wieder an?

„Sie dürfen mich nicht falsch verstehen. Gegen den einzelnen habe ich gar nichts. Aber dies gegenseitige Sichbeobachten, Prüfen, Messen ist schrecklich. Dies Gefrage mit den Augen: Wer bist du?"

„Ich mag das gerade gern", rief Klotzsch, und auch Arne lächelte vor sich hin, wenn er jener ersten Versuche gedachte, mit den Mädchen Blickgefechte zu führen. Es war süß, das Auge so lange im andern ruhen, versinken, tauchen zu lassen, bis dies abirrte und leise aufgehende Röte Hals und Gesicht des Mädchens überspülte.

Aber Ilse Lorenz rief: „Das versteh ich gut, es ist so zudringlich!"

„Ja", sagte Kai, „es ist zudringlich. Kennen Sie ‚Jettchen Gebert'? Schade. Das Buch müssen Sie lesen. Wenn Sie mögen, leih ich es Ihnen einmal."

„Gerne."

„Ja, da wird gleich im Anfang erzählt, wie Jettchen schön und stolz die Straße heruntergeht, und alle sehen ihr nach. Ach ja, so etwas Schönes und Stolzes, das darf man ansehen, das bleibt deswegen doch schön und stolz und fern, aber wir . . ." Er wagte nicht, weiterzureden.

„Ja, Kai, du meinst, wir gewöhnliche Sterbliche, da lohnt es sich nicht", fragte Arne.

„Nein", sagte Fräulein Reiser, „ich fühle wohl, was Herr Goedeschal meint, daß ..."

Da setzte der Klavierspieler wieder ein. Die Herren verbeugten sich und im Umdrehen waren die Damen fortgewirbelt, einen Augenblick sah Kai noch das blaßblaue Kleid von Irene, der dunkle Scheitel Ilses tauchte zwischen den Tänzern auf und verging, dann stand er wieder allein.

6

Er war allein, und nun, da er von den leergewordenen Stühlen zum Saalende zurücktrat, bedauerte er schon, daß dieses so leicht verlaufene Gespräch nicht länger gewährt hatte. Indem er die Augen schloß, erinnerte er sich an ein leises Lächeln von Ilse, ein Lächeln, das wie ein Stern über der leichten Melancholie ihres Gesichtes aufgegangen war. Es schien ihm, als müsse er dies ihm gewährte Lächeln um den Mund gleich einem Vermächtnis tragen.

„Nun ist alles gut", sagte er zu sich und ließ seine Augen ruhiger durch den Saal gehen, dessen Gewirr ihn nicht mehr erschreckte. „Ist nicht jetzt mit dem ersten Schritt auch der schwerste getan? Beim Wiedersehen werde ich an die schon gesprochenen Worte anknüpfen können, ein Weg liegt vor mir, und ich, ich werde ihn gehen."

Aber so sehr er sich mühte, nur Freude zu empfinden, meinte er doch, auf seiner Zunge einen bitteren Geschmack zu spüren, irgendwo saß ein Widerhaken und peinigte ihn. „Warum freue ich mich nicht?" fragte er. „Waren die Mädchen nicht gut zu mir?"

Er schwieg. Das Lächeln verging ganz, und plötzlich war alles wieder da, alles von vorhin: Scham, Demütigung, Neid und Selbstverachtung. Nun fiel es ihm ein:

das Köpfezusammenstecken, rasche Blicke der beiden Mädchen, ihre Worte, die ihm Brücken bauen sollten. „Ach, was ist gesagt und was ist nicht gesagt, das für mich nicht Scham und Ekel sein muß? Ich fühle es wohl, so fremd ich hier bin, daß sie mir geholfen haben – aus Mitleid. Arne hat mit ihnen geredet, ich bin vorgeführt als ein Wundertier, wie im Hörsaal ein Kranker durch seinen Arzt."

Die Scham über ihr Mitleid machte ihn zum äußersten unruhig. Es war ihm, als müsse er umherlaufen, irgend etwas tun, etwas Lautes, Aufsehenmachendes, um zu zeigen, daß er auch ohne dies Mitleid da war, daß er sich nicht schämte. Dann blieb er stehen, er sagte: „Glaubt ihr denn, ich durchschaue euch nicht? Gott sei Dank, ich bin immer noch klüger als ihr. Ich nehme eure Hilfe, weil es mir so gefällt, aus Mißachtung, Gleichgültigkeit. Verreckt doch, was geht das mich an." Er fühlte, daß jedes Wort Lüge war, fühlte klar, daß er in einem Ton sprach, der nicht einmal ihn überzeugte. Schwankte nicht noch in seinem Innern die weiche Weinerlichkeit, die wie ertrinkend nach der hilfreichen Hand gefaßt hatte? Bebten nicht noch seine Knie?

„Feige war ich, feige wie immer. Deswegen sehe ich keinen Menschen an, deswegen sage ich kein zorniges Wort. Ich habe nicht einmal den Mut zu meinen Gefühlen. Ewig aus Haltlosem gehemmt, möchte ich vorwärts und lege mir selbst die Schlingen, die mich zu Fall bringen."

Seine Gedanken erschreckten ihn. Er schüttelte den Kopf einmal, zweimal, viele Male, er zwang seine Augen aus der Ferne in das nahe flatternde Weiß der Mädchenkleider. Sein Ohr hörte statt auf die leisen Stimmen der Anklagen und Verzweiflung auf das Gelächter der Tänzer. Er fand Arne und Irene; ihrem Tanz nachblickend, erriet er *einen* Willen in den beiden, der ihn leiten hieß und sie folgen, ein Wille war da, der ihm so wie ihr gehörte. Aber vor dieses Bild schob sich das blasse Gesicht von Fräulein Lorenz. Es war unbewegt und nicht mehr gerötet als mit einem leichten, kaum wahrnehmbaren Hauch. Ihre geöffneten, schmalen Lippen ließen die breiten Rechtecke der Zähne sehen, die fast zu schwer für dieses Gesicht waren. Die langen Wimpern der Lider waren gesenkt. Wie sie dort, die eigenwilligen Linien der Augenbrauen in die Höhe gezogen, gleichsam einsam tanzte, dem Manne an ihrer Seite die Führung als etwas Belangloses, aber doch mit allem Vorbehalt überließ, schien sie Kai jenen Madonnen zu ähneln, die, karg in Holz geschnitten, mit wenigen Linien eine Einsamkeit betonen, die sie von der ganzen Welt trennt. Und doch lag etwas in ihr, was diesem widersprach und seine Geltung auslöschte, und Kai las dieses andere in dem weichen Kreisen der Hüften, die, den umgebogenen Rändern einer Schale gleich, Sehnsucht nach dem Gefülltsein mit Früchten atmeten. Und während er gedankenlos und träumend ihrem stillen Schweben zusah, ahnte er tiefer in ihr als ihr Ziel die Auslöschung dieses Widerspruchs, das Überströmen der Weichheit über das herbe Abgeschlossensein ihrer Schultern und des Gesichtes.

Aber all dies war trübe, es war so schwer, sich über diese Dinge klarzuwerden, und beinahe unmöglich, Schlüsse aus dem Gewonnenen zu ziehen. Dunkel ahnte er, daß alles anders war, wie er gelesen, oder doch nur bedingt so: Liebe war innerlicher und beinahe qualvoll. Süß sicher nicht. Es war besser, sie von sich wegzustellen.

Seine Gedanken irrten ab. Eben stand noch Arnes Bild vor ihm, der mit strahlenden Augen von der Schönheit der Liebe gesprochen, nun dachte er an ein Mittagessen neulich, bei dem seine Schwester von einem Besuch im Museum geredet. Von einer Statue hatte sie gesagt: „Ihr Mund ist so fabelhaft sinnlich!" Wieder fiel auf ihn, gerad wie in jener Minute, ein atemlos erwartetes Zittern; der Vater würde empört sich so unanständige Reden verbitten. Aber es war still geblieben, eben still, und nur an seinen Augen hatte Kai gemerkt, wie wenig dem Vater das Thema paßte.

Und dies war es nun wieder, was ihn von neuem erschütterte: ein sinnlicher Mund. Auch das mußte mit dem zusammenhängen, was Liebe genannt wurde. So war also dies kein plötzlicher Überfall, kein Geschenk eines lächelnden Amor, nein, es war an den Körper geknüpft, lag von Kind auf im Leibe? „Aber dann", so schloß er, im Innersten verwirrt, „kann es auch kein Zufall sein, wenn ich Ilse lieben würde. Es wäre bestimmt, es wäre unentrinnbar, Kismet? Aber wie? Wenn Arne nicht heute geredet hätte? Wenn er jemand anders wie Ilse vorgeschlagen hätte? Wenn er...?"

Er brach ab. Sein nach unten gerichteter Blick streifte scheu seine Hände. Sie waren schmal und die Finger sehr lang. Eine leichte Biegung, mit der das Nagelgelenk ansetzte, erschreckte ihn von neuem. Finger mußten grade sein, dies war unrichtig und verkehrt. – „Ein sinnlicher Mund. Ob im Museum etwas zu finden wäre?"

Er sah wieder in den Saal, aber er war unruhig geworden. Sein Auge irrte von den Tanzenden ab und heftete sich auf die kleine Bühne, die die Schmalseite des Raums dem Haupteingang gegenüber abschloß. Der herabgelassene Vorhang zeigte eine albern lächelnde, halbnackte Göttin, die auf ihren Knien ein aufgeschlagenes Buch hielt. Um ihr Haupt tanzte ein Reigen von Putten, die die Gesichter hinter tragischen und komischen Masken verbargen. Zuerst war sein Blick weit und verschwimmend, aber plötzlich konzentrierte er sich: im enger werdenden Gesichtsfeld sah er nichts als die beiden fetten rosa Brüste der Muse. Seine Augen streiften angstvoll die blutroten, wie die Enden einer Zitrone zugespitzten

Brustwarzen. Unvermittelt mußte er an seine Mutter denken. Verachtung und Ekel vor ihr stiegen in ihm hoch. Aber dann, als sein Blick in den Saal floh, sah er in all diesen Mädchen, diesen flatternden, weißen, fernen, gleichgültigen Abendfähnchen, nichts als Brüste. Ihre rosa Fülle drängte mit betäubendem Geruch auf ihn ein. Und alle wollten etwas von ihm, ihr Geruch war ekelhaft wie der von Schweiß aus den Achselhöhlen, der doch immer von neuem verlockte. Er zitterte und schloß die Augen. Ein kalter Schweiß stand auf seinem Leibe. Seltsam breitbeinig, mit stieren Augen und gespreizten Schritten, ging er dem Ausgang zu. Die frischere Luft der Vorhalle erinnerte ihn an Mantel und Mütze, er suchte die Garderobenmarke heraus und trat auf die Straße.

7

Der eisige, die Straße hindurchjagende Luftzug biß in sein erhitztes Gesicht. Kai griff empor, strich deckend darüber hin, aber nun war es doch, als ob Risse in seinen Wangen aufgegangen seien, ein tiefer, zackiger Spalt schien in der Stirn zu klaffen, und drinnen sang Blut, Blut preßte aus allen Adern, weißlich schäumend verhöhnte es die Kälte, und jeder Herzschlag trieb es zu immer wilderem Toben an. Es sang, es schrie, es jagte in ihm. Gegen jedes Fleckchen der Aderwände preßte es sich und erhitzte sein Fleisch.

Bilder waren plötzlich da und schon wieder ins Dunkel gerissen von dem Wind, der um die Ecken jagte: die anspringenden Brüste; ein geschlossener, roter, schmiegsamer Mundwinkel Ilses, den mit dem Finger zu durchdringen und auseinanderzutun Versuchung war; das Gesäß eines Jungen, an dem eine Sekunde lang seine Hand geruht – unter dem glatten Wollstoff schlug ein sich strammender Muskel wie der Schwanzschlag eines Fisches –, die rasende Lust überfiel ihn, sich hineinzukrallen in dieses Gesäß und es aufzubrechen wie einen mürben Apfel. Und wieder ergriff Kai jenes Unwohlsein, dieser Schwindel, der ihn ohne Zugriff die Treppe hinabgedreht hätte, dieses atemraubende Herzklopfen, das die Brust zerbrechen zu wollen schien, als er, die Stufen zu seinem Zimmer hinaufsteigend, die starken Beine von Erna gesehen hatte, über deren gestrammten Kniekehlen der weiße Rand einer Hose erschienen war.

Er taumelte. Wie von einem rasenden Zug aus gesehen enttauchten Häuser grell beleuchtet dem Dunkel und entzogen sich mit einer eigenwilligen und düsteren Gebärde seinem Blick. Kein Ruhepunkt! Stolpernd, vornüber fallend, fing er zu laufen an, streifte an Wänden vorbei, deren Poren einen klebrigen Schleim abzusondern schienen, ein O-förmiger Torbogen suchte ihn anzusaugen, die Luft war erfüllt von einem verdeckten, durchdringenden Geruch, der ihn zittern machte, aber da war die Brücke, der Park, er eilte unter Bäumen, das Eis einer dünn überzogenen Pfütze zerklirrte an seinem Schuh, eine Bank und nun ein Zusammensinken, ein Stillwerden.

„Wovor bin ich geflohen? Wer jagte mich? Was war das? Bin ich krank? Werde ich wahnsinnig? Was frißt an mir und empört mich gegen mich? Diese sich hebenden Fleischmassen, atmend, bedrängend, duftend! – Da ist es wieder!"

Er sah ins Dunkel. Irgendwo schlug der Wind einen losgebrochenen Ast trocken hölzern gegen seinen Stamm. „Nein, schon wieder fort, es läßt sich nicht fangen. Es bestürmt mich, macht mich rasen und ist von neuem verschwunden."

Ein ungewisser Schein zeichnete auf dem Boden die Schatten der Äste über ihm, sein Fuß tastete dem einen nach und fand sein Bild plötzlich versickert, geendet. „Unbegreiflich, und doch – dies alles hat eine Wurzel: Erna, Ilse, der Junge, die Brüste. Aber ich begreife es nicht. Damals, als ich nichts wußte – aber jetzt? Damals, als ich entdeckte, daß die Frauen nicht so sind wie wir, anders gebaut. Habe ich nicht alles darüber nachgelesen im Meyer? Und nun? Was denn noch? Gibt es noch anderes? Oder muß dies so sein? Eine Krankheit, die jeden packte?"

Er hob sein Gesicht zum Himmel, stand auf; dann, rasch sich im Kreise drehend, griff er zu, und: „Ja, so war es. Sie flüsterten von Periode damals, in der Pause, auf dem Lokus. Dies wäre dann die Periode?"

Er setzte sich wieder, überlegte, rief Gesichter: Arnes, Klotzschens, das seines Vaters. „Nein, unmöglich, sie so aussehend, dem ausgeliefert! Unmöglich! Also ich allein? Ich allein krank an einer unnennbaren Krankheit, von der ich nie sprechen kann? Was wäre zu sagen? Nichts. Alles zu verbergen!"

In der Ferne sprang der Motor eines Autos an, erst ungleich, dann regelmäßig schlagend warf er zwischen die Bäume die Strophen eines Liedes von unfaßbarer Sicherheit. Kai strich mit der Hand durch die Luft, rasch, wieder und wieder. „Nein! Nein! Nicht für mich! Was denn nun? So, immer so weiter? Nein, nicht so weiter! Immer tiefer hinein, ich fühle es wohl. Bin ich nicht schon ganz gefangen, ganz vergiftet?"

Er horchte. Alles war still geworden, nur der Wind hämmerte seine trockene Melodie, irgendwo dorthinten. „Keine Rettung. Nirgends."

Seine Arme hängen lassend, übergab er sich ganz der bitteren Stimmung tiefsten Entmutigtseins. Seine von Eiswasser gefeuchteten Füße schmerzten. Hier, so allein mit dem Wind und den namenlos fremden Bäumen, schien er sich der einzige Mensch auf der Welt.

Nein, nicht der einzige: rasche Schritte wurden laut, er schob sich zurück, eine Frau, ein Mädchen kam, unsicher spürte er ihren Blick nach ihm tasten, dann war sie vorüber. Kai sprang auf. Plötzlich fühlte er es: „Sie, sie weiß alles, sie, die dort geht, kann mir helfen. Ich muß nur den Mut haben, sie zu fragen, anzuflehen, dann bin ich gerettet. Und ich habe den Mut."

Er stürmte los, er stolperte über Schneehaufen, vorn ihre Gestalt, er raste, er fühlte nichts als seinen Lauf, näher, näher. Sie warf den Kopf herum, spähte nach dem springenden Schatten und schrak zusammen. Aber schon war er heran, stolpernd umklammerte er ihre Arme, hinfallend hielt er sich an ihrem Kleid. „Sie! Sie! Hilfe!"

Da riß sie sich von ihm los. Er sah ihr erschrockenes Gesicht, einen halb geöffneten Mund, in dessen Feuchte ein Schrei ertrunken zu sein schien, dunkle Augen, deren klein gewordene Blicke über ihn weg in die Nacht irrten, aber schon war sie fort, und nun in der Ferne brach es aus ihr, spitz, überschlagend und dann lang wimmernd: „Hilfe! Hilfe! Hilfe!"

Er stand, strich mit den Händen über seine durchnäßten Knie. „War ich das? Was schreit sie? Ich habe sie erschreckt... Auch sie schreit nach Hilfe, nach Hilfe vor mir. Was nun?"

Aber Rufe, näherkommende Schritte zwangen ihn zur Eile, er lief den Weg zurück, dort seine Bank, nun der hallende Schritt auf den sandgestreuten Platten der Straße, ein Platz, wieder Straßen, dort eine elektrische Bahn. „Seltsam! Noch immer fahren sie, soviel ist geschehen und noch fahren sie!"

Dann das Haus, der Schlüssel will nicht greifen, schon meint er den hastigen Schritt der Verfolger zu hören, da empfängt ihn das beruhigende wärmere Dunkel der Vorhalle, die Treppe, die er schleichend emporklimmt, um die Eltern nicht zu wecken, und nun sein Zimmer. Schon ist es erhellt, Menschen, Welt liegen hinter den gelben Vorhängen, und was um ihn ist, ist sein.

8

Er griff ein Buch aus den Reihen, schlug es auf, blätterte, las diesen und jenen Satz. Sein Wortsinn schien gleichgültig, tiefer tastend fühlte er: „Es sagt nur, daß ich zu Haus bin. Du dort hinten, du Ferne, du Erschrockene, und ihr, die ihr nach mir jagtet, bleibt draußen. Hier – der Schrank, der Sekretär, wieder umringt ihr mich und jenes fernere Leben, von dem ich Rettung erflehte, bleibt hinten."

Er schlug die Vorhänge zurück. Auf dem Güterbahnhof glänzten die gleichgültigen Sterne der roten und grünen Lampen. Anfahrende Rangierlokomotiven schrieen aufgeregt, schwiegen, und nun ertönte das rasche, trokkene Klappern der abgestoßenen Wagen. „Dort arbeiten sie. Die kleinen Pfiffe der Rangiermeister, ihr Laufen nach den Weichen, die zurückfallenden Kuppelungen der Wagen betreffen mich nicht. Sie alle, die dort draußen arbeiten, lachen und schlafen, haben nichts mit mir zu tun. Ich bin frei! Kein Weg führt von ihnen zu mir. Ich kann sie um Hilfe anflehen, Böses kann ich ihnen tun, sie verfolgen mich, aber am Ende bin ich doch immer hier im Geborgenen – allein. Verantwortungslos. Unerreichbar. Unsere Leben sind so getrennt, daß ich sie töten könnte, und nicht einmal das klebrige Gerinnsel des Blutes schüfe eine Brücke zwischen uns."

Er ließ die Gardinen fallen, schob ihre Falten zurecht. Dem sich Umwendenden sprangen wieder die altbekannten, ruhigen Dinge entgegen.

Er entkleidete sich. Im Bett liegend, im Dunkel, fand er den Schlaf nicht. Den vergessenen Aufruhr des *Körpers* meinte er im *Geist* sich erneuen zu fühlen. Eine lässige Schwere dehnte seine Glieder in die Länge und rieb ihre Haut gegen die erhitzte Glätte der Laken. „Genügt ihm sein Sieg noch nicht? Immer noch nicht? Was hat er aus meinem Körper gemacht, scheinen nicht alle Glieder verwandelt?"

Er warf sich herum; das Kissen gegen seine Brust pressend, sein Gesicht darin vergrabend, meinte er das gleichmäßige Wogen ferner Wellen zu fühlen, schlanke Schiffe schaukelten im dunkelblauen Wasser eines Hafens, und ihre bewimpelten Masten neigten sich gegeneinander. „Ich werde hinuntergehen, in den Salon, und im Stehspiegel mich ansehen."

Er hob den Kopf, lauschte in das Dunkel, die Augen weit aufgerissen horchte er auf zwei Stimmen, die sich begegneten:

„Welch Wahnsinn! Was für ein Vorschlag!"

„Ich bin verändert, eine Krankheit verzehrt mich. Vielleicht finde ich ihre Male und bin gerettet."

„Jetzt in der Nacht! Die Treppen hinabschleichen, unten in nächster Nähe das Zimmer der Eltern!"

„Keiner hört es, ich werde nackt sein."

„Habe ich nicht gestern erst gebadet, sah ich mich nicht?"

„Ich achtete nicht auf mich."

„Habe ich mich nicht abgetrocknet, wo waren da die roten Flecke, die ich, von anstürmendem Blut gebildet, fürchte?"

„Sie können erst gekommen sein."

„Seit gestern! – Ich bleibe!"

„Du gehst."

„Nein."

„Doch."

Die Stimmen wurden still, nichts war entschieden, aber dann war es doch, als sei alles Reden nur nebenher gewesen, Kai stand auf und tastete die Stufen hinab.

Er hob die Hand. Auf den weißen Schimmer seines Leibes im großen Spiegel deutend, erkannte er: „Das bin ich, das ist mein. Das ist mein Leib, mein, das geht und läuft, wie ich will, das ißt und trinkt, Muskeln und Sehnen straffen und lockern sich – hierdurch lebe ich – und – so fremd, oh!, so fremd!"

Den rechten Fuß vorsetzend, stützte er die Hand auf die Hüfte und übersah rasch das leichte Auf- und Abwellen der Linien. Er füllte seine Lungen mit Luft. Der gleich einer Trommel im Ausatmen gespannte Bauch war ein Plateau, zu dem von den Seiten und unten das Fleisch herandrängte. Dem prüfenden Blick auf das Gesicht war auch dies nun fremd geworden, es war Fleisch; Fleisch, das sich rötete und erblaßte, das man immer vergaß, an das man nie dachte und das doch sein war – sein, *sein*: „Kai Goedeschal kann damit tun, was er will."

„Und all dies ist vergessen gewesen, schien nie dazusein! Aber dies bin doch ich, hier, die Haut, kühl und gestrafft, dort von heißerem Blut gedehnt und weich, dieser Arm, der Fuß, das bin ich! Gehört mir allein! Nie wieder darf ich es vergessen."

In jeder Linie, in jeder Falte und Muskel meinte er die Physiognomie seiner Innerlichkeit, Begründung seines Geschmacks und seiner Neigungen zu entdecken. Halb sinnlos murmelte er vor sich hin: „Ich muß meine Nacktheit erleben. Nacktheit erleben. Erleben? Was ist das?" sann er weiter. „Erleben, ist das nicht . . .?" Er sah vor sich einen aufsteigenden Weg, er wollte „emporleben" sagen, aber da fand er das richtige Wort und sagte rasch: „Teil werden lassen an mir. Ich darf nie wieder meine Nacktheit, meinen Leib vergessen, immer muß ich an ihn denken. Er muß teil werden in mir."

Ein freieres Gefühl überkam ihn. Wo waren die Schüchternheiten des Abends! Durch das Erkannte stolzgemacht, seines Eigentums gewiß, hob er sich auf dieselbe

Höhe mit den Beneidetsten, ja, isolierte sich auch von ihnen.

Dann warf er sich herum. Über die Schulter schauend verwirrte ihn plötzlich heiß das schräge Anschaun der kleinen Rundungen seines Gesäßes. Wie es kam, er wußte es nicht – plötzlich lag er am Boden, er wälzte sich auf dem Teppich, mit einem seltsam schmerzlich wilden Gefühl erfüllten ihn die stacheligen Streicheleien der borstigen Unterlage. Er weinte haltlos, aber immer von neuem umschlang er mit den Armen seine Glieder, er verknäuelte sie, er biß sich in die Schenkel, seine ahnungslosen Hände umschlangen die Fesseln, streichelten die Haut der Brust. Bis zur Sinnlosigkeit erschütterte ihn die plötzliche Überwältigung seines Fleisches. Er versuchte seinen Nabel zu küssen.

Aber dann war er zu Tode erschöpft. Langsam wieder zu Atem kommend, auf der Erde liegend, fand er sich tief gefallen, der er sich eben noch so sehr erhoben hatte. Mit gesenktem Blick löschte er das Licht. Im Dunkeln tastete er zum Zimmer empor. Er wagte nicht, ein Hemd anzuziehen, aus Furcht, seinen Leib zu berühren. Man durfte ihn nicht wieder aufwecken. Alles war Lüge gewesen. Dieser Leib war kein Freund, kein Ich, er war der *Feind*.

9

In das schwere Einschlafen meinte Kai vor dem Fenster die Töne eines Liedes zu hören, der Wind warf sie getrennt gegen die Scheiben. Er hob den Kopf, er lauschte. Aber alles blieb still, und nur im Kopf klang der Widerhall dieser Frauenstimme. Eine törichte, rasende Hoffnung trieb ihn hoch, er lachte, aber dann: „Warum nicht? Sie will mir ein Zeichen geben. Vielleicht liebt sie mich: Ilse oder jene Erschrockene."

Er stieß gegen einen Stuhl, lauschte: Stille. „Auch ich liebe sie, jene, die mich lieben mag."

Er schlug die Vorhänge beiseite. Der kleine Schmuckplatz vor dem Fenster, unsicher erhellt von den entfernten Lampen des Bahnhofs, schien zwischen seinem Gebüsch Gestalten zu verbergen. Hörte er nicht reden? Leise öffnete er die Fensterflügel. Die Kälte ließ ihn erschauern, aber die Wange gegen die von Schnee gerauhte Scheibe gelehnt, lauschte er:

„Liebe Schwester, ich komm ja nicht wieder,
Liebe Schwester, ich kann nicht zurück,
Meine Ehre hab ich verloren,
Denn ich bin nur ein Mädchen fürs Geld."

Und nun, zwischen Lachen und Beifallsklatschen wiederholt, klang es höhnischer und stolzer für ihn allein:

„Denn ich bin nur ein Mädchen fürs Geld!"

„War es nicht so gewesen: verspottet, feige, krank, im Schmutze liegend, verworfen, gedemütigt – und eine ganze Welt verachten? Fühlen auch sie so? Ein Nichts sein und triumphieren. Ach, ich bin nicht allein! Ich, du dort, viele, viele, ein endloser Zug, Verwandte, Menschen, Schwestern, ersehnen und verachten die Umarmungen eines Lebens, das uns erdrücken will."

Und er schwur es sich wieder, kraftlos und schwach, durch tausend Demütigungen hindurch, dies zu suchen, immer von neuem, geknechtet, verraten, niedergeworfen – das *Leben*.

10

Dann, ehe noch die Weckuhr schepperte, war in seinem Halbschlaf der Wind vor den Fenstern und das schräge Stricheln des Regens auf die großen Scheiben. Und ein wenig Schule trat in seinen Traum und das Graue, das mit Nassem abgewischte Kalte – Sallust, „Bellum Catilinae" („so sterben! so sterben!"), und nun der Wind („mutterwindallein"), aber schon war dies blässer geworden, die lockeren Gedanken vergingen, eine Wärme stieg auf, sein Bett war erfüllt von Hitze, seine Arme und Beine lösten sich und hoben sich irgendwie auf, einen Augenblick war ein Druck von innen gegen die Stirn da, die Augäpfel drehten sich unter den Lidern ganz um, als wollten sie nach innen schauen. Und während ein Kreisen begann aus vielen Farben, ein Summen wie von der fern durch den Sommer sausenden Trommel einer Dreschmaschine, gingen Blüten in seinen Lenden auf, fleischige, rot verknorpelte Blüten, die zu atmen schienen. Nun lockte es, sie mit den Fingern zu betasten, doch verkrampfte eine Angst die Hände zu einem unlöslichen Knoten, denn diese runden, fleischigen Blumen –

Der Wecker klingelte, schrie, bellte. Ein plötzlicher Schwung warf Kai im Bett herum, so daß er, auf dem Rand sitzend, um sich tastete. „Still du! Der Tag ist wieder da. Wieder ein Tag!"

Vor den Fenstern kaum ein Dämmern. Die Bäume auf dem Schmuckplatz am Hause verwaschen, trostlos. Ein halb abgerissener Ast hing mit gespreizten Fingern zur farblosen Erde, eine weiße, lange Wunde, von geschlitzter Rinde umhängt, war stumpf wie der Geschmack an seinem Gaumen.

„Wieder in die Penne. Das da draußen, vorhin die Träume, und wieder in die Penne. Gestern abend, die Nacht, Ilse, die Erschrockene, meine Flucht, der Spiegel – nun, da eine Nacht darüber hinging, sind sie schon so weit fort. Nichts blieb. Keine Änderung? Keine Änderung!"

Die Grauheit dieses Morgens, diese Trostlosigkeit, die Kälte, die mit einer wie gerupften Haut die ihm noch vorhin zu eigen geschenkte Wärme verhöhnte, ließen sein Gesicht schwer werden. In seinen Augen lastete ein Druck. Während er sich anzog, dachte er: „Nur Ziele könnten über solche Morgen helfen. Ziele. Etwas tun. Leben beweisen. Sich selbst. Wo sind die Ziele der Penne? Weg, weg, draußen, irgendwo, ich sehe sie nicht."

Trostlosigkeit, Trauer um nichts, die Wunde am Baum, graue, stichlige, irgendwie verfettete Kleider, die bei Berührung in den Fingerspitzen schmerzten – eine Lust überkam ihn, ein Bein auszurecken, strecken, dehnen, wie er es auf dem Bild einer Tänzerin gesehen, daß er aufrisse, aufspalte zwischen den Beinen, ein neuer Mund, atmend, blutig, Leben. Er trat ans Fenster. Ein zerstreutes Licht fiel durch die Wolken auf den Platz, es wurde heller, ein herauffahrender Windstoß jagte in der Ecke am Tor einen Haufen verwelkter Blätter auf, trieb sie auseinander und wirbelte sie die Straße hinab. Ein weißer Spitz lief rasch auf drei Beinen über die Rasenfläche, zwängte sich unter dem Gitter durch und verschwand in einer offenen Haustür. Die Schritte der Vorübergehenden schienen fester, ihre Bewegungen entschlossener und stärker.

„Was nutzt es, heute das Pennal zu schwänzen! Besser, ich gehe. Es kommen noch so viele Tage. Und es wird auch heller."

11

Staatsrat Goedeschal, noch im Bett liegend, drehte sich zum Waschtisch um, an dem seine Frau stand, und sagte, indem er auf die Zimmerdecke wies: „Er ist schon wieder auf. Halb Sieben. Jeden Morgen früher. Das geht nicht, der Junge braucht seinen Schlaf."

Sie, das Gesicht über die Waschschüssel gesenkt, antwortete nicht.

„Wenn er um Viertel acht aufsteht, kommt er zeitig genug zur Schule. Hast du ihn gefragt, was er so früh schon treibt, Margrit?"

Sie schwieg. Dann, das von Wasser überströmte Gesicht ihm zukehrend: „Er sagt, er kann morgens am besten arbeiten."

Das Gehen der Schritte oben wurde lauter. Kai hatte wohl seine Schuhe angezogen.

„Er arbeitet! Das ist etwas anderes. Ich glaube mich zu entsinnen, als junger Mensch lernt ich auch morgens am besten."

Sie wandte ein: „Wenn er aber abends auch so lange arbeitet. Gestern mit Arne . . ."

Er hörte nicht darauf. „Das ist recht. Das freut mich, daß er selbständig zu dem Entschluß gekommen ist. Selbständigkeit ist Hauptsache. Und überrascht mich eigentlich bei ihm. Er ist sonst so unfertig, kindlich. Immerhin – wir wollen ihn deswegen nicht mehr behelligen. Ernst werden! Die Wichtigkeit der Pflichterfüllung erkennen! Das ist ein großer Schritt vorwärts!"

Frau Goedeschal setzte das Wasserglas beiseite. „Kindlich, sagst du? Kai – kindlich?"

„Was denn anders, Margrit? Wie unfertig ist er mit seinen sechzehn Jahren! Wenn ich mich auch nicht mehr genau zu erinnern vermag, wie ich in dem Alter war, so vergleiche ich ihn doch mit seinen Freunden. Nimm zum Beispiel Arne, der schon etwas ausgesprochen Männliches hat. Und Kai – noch vor beinahe einem halben Jahr diese Puppengeschichte! Wenn das nicht kindlich ist!"

Sie blieb dabei. „Grade diese Puppengeschichte –"

Aber er fiel ihr ins Wort: „Was heißt das: grade diese Puppengeschichte? Überlege doch, Margrit: seine Schwestern merken, daß in der Plättstube die Kästen mit ihren alten Spielsachen durchstöbert sind. Die Puppen, Kleider et cetera fehlen. Sie passen auf, suchen und entdecken –: daß Kai seine Kommodenschieblade als Puppenbett eingerichtet hat! Der große Junge spielt mit Puppen!! Ich begreife nicht, wie du da sagen kannst: grade diese Puppengeschichte!"

Sie murmelte: „Sie lief böse genug ab!"

Staatsrat Goedeschal wurde ärgerlich. „Warum lief sie böse ab? Weil ich auch da noch den Jungen überschätzte! Ich dachte, es ist eine verdrehte Jungensdummheit; ich zeige ihm kühl und klar, wie unsinnig für einen Obersekundaner, der Homer liest, derartiges ist, eine Kinderei, über die man nur lachen kann. Sollte ich es etwa ernst und tragisch nehmen? Dann hätte ich ihm vor allen Vorhaltungen über die einbrecherische Entwendung der Spielsachen seiner Schwestern machen müssen. Also, ich denke, nun wird sich der Junge, vernünftig geworden, über die Hänseleien seiner Schwestern hinwegsetzen. Statt dessen wirft er in sinnloser Wut nach Lotte mit dem Messer! Bei Tisch! In meiner Gegenwart! Wie ein kleines Kind, das überhaupt noch kein Verantwortungsgefühl hat. Daß ich da nun streng eingreifen mußte, ihm das Verbrecherische seines Tuns klarmachte – man greift nicht zur Selbsthilfe, in Notlage wendet man sich an die zuständige Autorität, also mich! – und ihn schließlich mit Zimmerarrest bestrafe, war gegeben. Ich denke aber, er hat sein Unrecht eingesehen: er ist seitdem viel ruhiger geworden."

Frau Goedeschal kämmte am Toilettentisch das Haar. Den Arm mit der Bürste sinkenlassend, war sie mehrmals im Begriff gewesen, ihren Mann zu unterbrechen, besann sich dann und schwieg.

Eine Weile war es still, dann fuhr er fort: „Also kindlich, oder, daß ich besser sage, kindisch ..."

Aber nun sprach sie rasch: „Ja, Heinz, was soll ich sagen? Ich weiß doch nicht! Sieh diese Puppengeschichte.

Ob wir da so richtig vorgegangen sind? Vielleicht hätten wir grade das Kindliche stützen sollen. Du sagst: ‚Warum hat er sich nicht an mich um Hilfe gewendet?' Aber grad, weil du's so obenhin verlachtest ..., ich weiß nicht, ich bin selber so gar nicht klar ..." Sie atmete rascher. Schließlich: „Es ist furchtbar schwer mit Kindern! Es ist so lange her, daß wir jung waren. Und ich war auch anders."

Sie schwieg wieder. Auch Staatsrat Goedeschal sagte nichts, er sah sie an, aber sie vermied seinen Blick. Er fühlte, daß sie Wichtigeres noch verschwieg, und um ihr zu Hilfe zu kommen, sagte er endlich: „Du hast etwas auf dem Herzen, sprich!"

Frau Goedeschal machte eine ungeduldige Bewegung. „Da liegst du und sagst: ‚Sprich', als wenn es wer weiß wie leicht wäre." Schon verwusch Weinen die Worte. „Und sitzt dabei auf deinem Richterstuhl und willst im Grunde nur das hören, was deiner Meinung recht gibt, und ändern ... Grad, als wär ich angeklagt ..."

Er richtete sich im Bett auf. „Aber Margrit, ich verstehe dich nicht! Ich will doch nur sein Bestes. Du sagst: es ist schwer mit Kindern. Gewiß ist es das. Aber du machst es mir zum Vorwurf, wenn ich ruhig überlege. Wir müssen doch Vertrauen haben!"

Schon hatte sie sich besonnen. „Sei nicht bös. Aber natürlich habe ich Vertrauen, es ist nur schrecklich schwer, ich ängstige mich so um den Jungen. Man hat ja den besten Willen ... Du meinst: ruhiger ist er geworden. Ja, ruhiger, er redet kaum noch ein Wort, was wissen wir denn noch von ihm? Die Wochenzensuren! In Griechisch ist er auch wieder schlechter. Aber, die Hauptsache ist, er redet nichts. Kein Wort. Es war schon immer nicht leicht mit ihm, das rechte Vertrauen war nie da. aber seit diesen Puppen ... Vor dir nimmt er sich noch zusammen, aber bei mir ..."

„Mault er? Tückscht er?"

„Das wäre viel besser, das ginge vorbei, aber es ist einfach, als wären wir Fremde für ihn. Ich mag ihn noch so sehr fragen: ‚Kai, was hast du? Ich sehe doch, daß du etwas hast, sprich dich aus.' Aber dann sagt er nur: ‚Was soll ich haben? Gar nichts!' und geht raus. Und scheint sogar manchmal, als höhnte er: ‚Mir geht's ausgezeichnet. So ausgezeichnet, davon hast *du* keine Ahnung!' Und sieht dabei aus, als wollte er weinen. Und wenn man seine Hand nimmt und ihn streicheln will, reißt er sich los, als haßte er mich. Es ist, als liebte er uns überhaupt nicht mehr . . ."

Staatsrat Goedeschal hatte immer erregter zugehört. „Gut, daß du sprichst! Das kann so nicht weitergehen, *darf* nicht. Wir müssen etwas tun . . ."

Aber sie unterbrach ihn. „Und morgens arbeitet er auch nicht! Das weiß ich genau."

„Ja, aber was dann?"

„Er ist im Keller."

„Im Keller?" fragte er verständnislos. „Was tut er denn da?"

„Ich weiß nicht, ich habe ihn gefragt. Er sagt, er müsse den Kessel nachsehen."

„Und du hältst das für ausgeschlossen?"

„Ich bitte dich, jeden Morgen eine Stunde! Gerad er, der so gern lang schlief."

„Aber was dann?"

„Ich sage dir doch – ich weiß nichts. Und der Schlüssel zum leeren Kellerzimmer ist auch verschwunden!"

„Und du meinst . . .?"

„Ich weiß doch nicht! – Ich bitte dich um eins, Heinz, sei nicht erregt, erschrecke ihn nicht."

Schritte, die man schon auf der Treppe gehört, tasteten leise an der Zimmertür vorüber. Staatsrat Goedeschal rief laut: „Kai!" Die Schritte wurden still, aber niemand kam. Er rief wieder: „Kai!" Nichts rührte sich. Er machte eine Bewegung zu seiner Frau. „Bitte, sieh nach!"

Auf dem Gang stand Kai, die Schultern hochgezogen, das Gesicht halb zurückgewendet. „Bitte, Junge, komm rein. Sag uns guten Morgen!"

Er trat ein. „Guten Morgen, Papa! Guten Morgen, Mama!" Und er gab jedem von beiden einen Kuß, dem Vater auf die Stirn, der Mutter auf die Wange.

„Guten Morgen, mein Junge. Nun, wo pilgerst du schon so früh hin? Wir hörten dich wie einen ruhelosen Geist über uns wandern."

„Störte ich euch? Verzeiht."

„Nein, nein, du siehst, deine Mutter ist beinahe schon in Gala." Staatsrat Goedeschal sah seinen Sohn heiter lächelnd an. Der aber schien die Frage vorhin überhört zu haben, und so mußte sie denn der Vater, schon gezwungener, wiederholen: „Und wo wolltest du jetzt hin, Kai? So leise?"

„In den Keller. Zur Heizung."

„Aber..." Er besann sich. „Dazu ist doch der Heizer da!"

„Er kann morgens so früh noch nicht."

„Und darum stehst du auf?"

Schweigen. Der Vater wartete und sagte dann: „Ich werde mit dem Mann reden. Er geht um sieben Uhr zur Arbeit, da kann er ruhig vorher noch einmal vorbeikommen. Wofür bekommt er sein schönes Geld!"

„Ich bitte dich, Papa..." Aber Kai schwieg schon wieder.

„Nun, was denn?"

„Ach nichts."

„Aber..."

„Ja, wenn du es ihm sagst, machst du ihn nur wütend. Er kommt dann zweimal und bleibt doch wieder fort.

Und schließlich platzt wie neulich ein Wasserstandsglas, und wir haben den Keller voll Wasser."

„Sehr richtig, sehr vernünftig", und Staatsrat Goedeschal sah befriedigt lächelnd zu seiner Frau hinüber. „Aber deinen Morgenschlaf sollst du deswegen doch nicht verlieren. Weißt du was? –: du lernst Erna an. Das Mädchen kann das ruhig machen."

„Die findet nie mit den Hähnen Bescheid."

Der Vater wurde ungeduldig. „Es scheint dir doch sehr viel daran zu liegen, sonderbar."

„Mir? Gar nichts! Meinetwegen kann es Erna machen, ich reiß mich nicht drum, aber wenn was passiert, ich lehne jede Verantwortung ab."

„Verantwortung! Ich möchte wissen, wer dir welche übertragen hat!"

„Wenn ich's ihr doch zeigen soll!"

„Junge ...!"

Aber Frau Goedeschal rief rasch und ängstlich: „Ich bitte dich, Heinz!"

„Ja so. Was ich noch sagen wollte – du weißt wohl auch nicht, wo der Schlüssel zum leeren Kellerzimmer hingekommen sein mag?"

„Nein. Ist der weg?"

„Ich sagte dir's schon, Kai", warf die Mutter ein.

„Ach so, ja. Nein, das weiß ich nicht."

„Nun, wir werden heute vormittag zum Schlosser schicken, der kann einen neuen machen."

Der Vater sah seinen Sohn scharf an, aber der zuckte nicht.

„Und nun noch eins, ich wollte dir schon immer eine kleine Freude machen. Dein Griechisch ist zwar nicht sehr vorzüglich. Was meinst du, wenn du einmal ins Theater gingst?"

„Gern, sehr gern. Vielen Dank."

„Schon gut. Sei nur recht fleißig."

„Kommt ihr mit?"

„Aber natürlich. Also übermorgen abend: ‚Die Räuber'."

„Ich danke schön", und Kai küßte seinen Vater. Dann rascher: „Es fällt mir eben ein ... Nur so eine Vermutung ..."

„Nun, was denn? Sprich immer."

„Vielleicht hat der Heizer den Schlüssel, er sagte immer, es sei im Kohlenkeller zu naß fürs Holz. Ich werde mal mit ihm reden."

„Tue das, Kai. Also abgemacht. Du lernst heute und morgen Erna an, und wegen des Schlüssels redest du mit dem Manne."

„Und der Schlosser? Damit können wir dann wohl warten ..."

„Ja, natürlich. Solche Eile hat das ja nicht."

Kai ging.

Staatsrat Goedeschal sah seine Frau an. „Siehst du, es ist gar nicht so schlimm. Man muß nur vernünftig mit ihm reden. Natürlich hat er irgend etwas unten im Keller. Wenn er zur Schule ist, schicken wir zum Schlosser, na, es wird schon nichts Schlimmes sein, irgend so eine Jungensdummheit. – Hattest du den Eindruck, daß er sich aufs Theater *sehr* freute?"

„Eigentlich nein. Er fragte so komisch, ob wir mitkämen."

„Aber ...!"

„Du, was mir eben noch einfiel: ich sprach neulich auch mit Frau Schütt über Kai, sie mag den Jungen gern. Und sie hat soviel Erfahrungen mit ihren sieben. Sie meinte, es wäre Zeit, ihn aufzuklären."

„Aufklären? Nein. Ich habe ganz ausführlich mit seinem Klassenlehrer davon gesprochen. Die Jungen bekommen in der Oberprima die nötigen Mitteilungen durch einen erfahrenen Medizinalrat. Er bat mich dringend, dem nicht vorzugreifen. Und ich bin auch sonst dagegen. Warum sind die jugendlich Bestraften immer aus den unteren Volksschichten? Weil die Kinder dort sexuell aufgeklärt sind! Zu frühes sexuelles Wissen ist Verlockung, verleitet zur Haltlosigkeit, zur Genußgier. Und der Weg von da zum Verbrechen ist kurz. Nein, keinesfalls. Was heißt überhaupt Aufklärung! Was soll man dem Jungen sagen! Ich bin da ganz unsicher. Gerade für Eltern ist ihren Kindern gegenüber dies Gebiet mit einem gewissen Odium verknüpft, es muß tabu bleiben. Ich wenigstens könnte es nicht."

„Ich auch nicht", sagte Frau Goedeschal.

12

Dicht hinter ihm fiel die Kellertür zu. Über das Geländer der Treppe in das Dunkle hinabgebeugt lauschte Kai. Nichts, Ruhe, nur das leise Singen des Dampfes in den Heizrohren. „Noch sind sie mir nicht nach, hier unten bin ich noch allein. Wie selbstgefällig er lachte, wie klug er sich vorkam! Natürlich holt er den Schlosser. – Aber vielleicht war alles nur Bluff, vielleicht war er schon unten, vielleicht ist Hans schon fort?"

Den Kopf zurückwerfend, umkrampfte er mit der Hand das Geländer. „Nein! Nein!"

Er atmete rascher, er stand vor der Tür zum Kellerzimmer, öffnete – und nun war die Ruhe da, die vertiefte Stille, die nichts von einem Draußen wußte, das hasenfarbene Kaninchen, das seinen Kopf freudig schnobernd an das Drahtgitter der Kiste legte, all das einsam Erworbene war wieder da.

Er zog die Tür hinter sich zu, schob den Riegel vor. Auf den Knien den Hasen, dessen Wärme die Schenkel erhitzte, strich er im gleichen Wechsel mit der Hand über ihn fort, spürte von neuem den raschen, eigensinnigen Druck der beweglichen Nase in seiner Handfläche wie den kuschelnden Federball eines kleinen Vogels, wie das widerwillig und beiläufig erneuerte Geständnis einer nehmenden Liebe. Unter dem lockeren Fell fühlte er die zusammengefallene Reglosigkeit der Glieder.

„Siehst du, mein Hans, wieder bist du da. Wieder kommst du mir entgegen, schmiegst dich ein, bist da, immer wieder da. Ewig wiederholst du deinen Dank, ewig gestehst du deine Liebe. Werden wir nicht beide beieinander hasenstill, und die Welt ist nichts wie solch Einschmiegen?"

Er seufzte; über das Tier fort sah er erschrocken zur Tür, deren Klinke sich regte. Den Rücken zur Wand, spürte er Lockerwerden der Knie. Das Herz klopfte unerträglich laut.

„Kai!" Frau Goedeschal rüttelte an der Tür. „Kai!"

Er antwortete nicht, während das Tier, unruhig gemacht durch das Zittern seiner Beine, den Kopf hob, rasch mit der Nase schnoberte und in lautlosem Satz von seinem Schoß sprang. Bedachtsam und ernst wandte es nach ihm den Kopf, lief in die Ecke zu einigen Kohlblättern und begann zu fressen.

„Kai! Kai! Mach doch auf. Ich weiß *doch*, daß du drin bist. Habe dich beim Aufschließen gehört."

Er schlich bis zur Tür. Nur durch die hölzerne Füllung von der Mutter getrennt, murmelte er: „So? Bist du da? War es mit den Puppen nicht genug? Müßt ihr auch dies mit euern Blicken beschmutzen? Spötteln und witzeln? Soll ich alles mit euch gemeinsam haben, die ich hasse? Auch dies hier breitgetreten? Auch dies in den Kreis eurer gütigen Liebe gezogen, die nur ein Aussprechen ist, kein Handeln? – Gehst du! Gehst du weg! Laß mich! Lieber sterben als auch dies geteilt!"

Sie schwieg. Lauschte sie seinen Worten, versengte

jene Hitze, die aus dem Nicht-aussprechen-Dürfen hervorbrach, ihre an die Tür gelehnte Wange? Er hörte ihr Seufzen, wie sie sich langsam umwandte und ging.

„So! Weg! Weg! Ganz allein! Ich will euch nicht!"

Sein nicht leises Zurücktreten machte das Geräusch ihrer Schritte verstummen, sie kehrte um und drückte von einer neuen Hoffnung belebt die Klinke.

„Kai! Du bist *doch* drin! Mach auf! Bitte. Bitte." Sie rüttelte am Griff.

Er faßte nach ihm. Seine beiden Hände darunterstemmend, zwang er ihn in die Höhe.

„Läßt du den Griff los! *Sofort* läßt du den Griff los!" rief sie und versuchte mit ihrer ganzen Kraft, ihn hinabzudrücken. Er widerstand, dann, plötzlich loslassend, trat er laut pfeifend zurück, faßte das Kaninchen an den Ohren und warf es zurück in den Käfig.

„Du willst also nicht aufmachen?" Sie wartete. „Dann bleibt nichts, als es Papa zu sagen." Wieder Stille, dann ging sie, er hörte die Treppenstufen unter ihr knacken.

„Gott sei Dank!" Er schloß langsam auf, blickte den leeren Gang entlang, dann: „Das kann böse werden. – Ach was! Sie sagt ihm nichts. Er wäre sicher nicht einverstanden. Der wollte es klüger machen. – Aber nun dalli!"

Er hob den Käfig hoch, trug ihn in den Kokskeller und verbarg ihn in einer dunklen Ecke. „Hier mußt du schon aushalten, mein Hans, mein Hase, es kommen bessere Tage." Dann schaffte er schnell die Heu- und Kohlreste fort, schüttete ein paar Arme Holz in die Ecke des Zimmers und schloß befriedigt ab.

Am Frühstückstisch saß nur Kurt. Kai fragte leichthin: „Wo ist denn die alte Dame?"

„Was hast du nur wieder angestellt, Kai! Sie weinte!"

„So ein Quartaner! Willst auch gleich weinen, ja? – Donnerwetter! Donnerwetter! Schon drei Viertel auf acht! Es wird Zeit, daß ich losgehe."

Auf der Treppe besann er sich. „Was denn noch? Ja so! ‚Jettchen Gebert'! Ilse ist ja auch noch da! Ilse . . ."

13

Kai sah Ilse nicht auf seinem Schulweg. Er mußte eilen, um wieder einmal zur rechten Zeit das Gymnasium zu erreichen; über die Treppen hastend, empfand er trüb die fleckige Grauheit der Atmosphäre um sich, die aus Öl und Staub zusammengetrocknete speckige Kruste des Linoleums wollte seinen Schritt hemmen, die ungefügen, plumpen Säulen, deren monotone Bäuche vom Berühren zahlloser Hände schwärzlich beschattet waren, erinnerten ihn an die stumpfe Klebrigkeit seiner Finger, deren fehlende Frische die Länge des vor ihm liegenden Tages ins Unermeßbare ausdehnte. Es schien, als zerrisse in ihm die überspannte Stimmung zu einem flockigen Schleier, der den kleinen Staubballen glich, die man beim Reinmachen in den dunklen Ecken der Schränke findet. Die langen Reihen von Kleiderhaken, an rohe Fichtenbretter geheftet, sagten ihm von neuem, daß er nur einer von vielen sei, die Türen, deren Füllungen, von Trockenheit geborsten und verschoben, gelbe Risse zeigten, waren Barrikaden, so viele schon unter Leiden überklettert, die schlimmsten noch vor ihm liegend.

In dem von Johlen und Schreien strudelnden Klassenzimmer schoß Wellhöhner auf ihn zu und forderte das lateinische Skriptum. Vergessen, natürlich vergessen. „Habe ich Zeit gehabt, daran zu denken? Auch Arne sagte gestern nichts, auch Klotzsch nicht."

„Hast du das Skriptum, Klotzsch?"

„Natürlich! Du nicht? Au weh!"

Kai schob die Bücher unter seine Bank. Von Lärm umrissen, senkte er den Kopf in seine Handflächen und ließ die Augen über die abgeschliffene Glätte des Pultdeckels gleiten, der von Tinte befleckt die sinnlosen Stricheleien endloser Stunden vorwies. „So viel Entmutigung!"

„Agoraphobie!" schrie Wellhöhner und stürzte klatschend einen Stoß Hefte auf das Pult des Ordinarius. „Ich sage euch Agoraphobie!" Er schwieg, dann rascher, indem er einen sichernden Blick zur offenen Tür warf: „Ich klapperte mit den Schlittschuhen, Scheide riß sich los, schrie: ‚Spion!' und raste die Straße hinauf. Ich hintennach."

„Was soll ich tun mit dem Skriptum?" sann Kai, „ich werde sagen, ich war krank. Aber vielleicht war ein Pauker auf dem Ball?"

Wellhöhner strich mit der Hand über sein Kinn. „Seine Frau sagte mir, es sei Wahnsinn, daß ich mit klappernden Schlittschuhen Scheide nach Haus brächte. Ich wüßte, er litte an Agoraphobie. Ich als Primus! Und so weiter. – Nonsens!"

„Was ist Agoraphobie? Muß doch was dran sein", fragte Thümmel.

„Rindvieh", schrie Lohmann, „Agora – der Markt, der Platz; Phobos – die Furcht. Platzangst, Verfolgungswahn! Das wußten wir lange."

„Darum holt ihn die Frau!"

„Oder Wellhöhner muß ihn abliefern."

„Keinen Schritt geht er allein!"

„Ist er schon je vom Pult heruntergegangen?!"

„Vielleicht ist er heute krank davon –?"

Die Klasse schwieg, sah sich an, grinste. Kai grübelte: „Scheide krank? Das wäre Rettung für mich. Nein, ich will nicht hoffen."

Am Arm vom Kollegen Bäcker kam Scheide den Gang herauf. Geschwindschritt. An der Tür stehenbleibend, sprach er hastig, überlaut; plötzlich, mitten im Satz, riß er sich los, sprang aufs Pult, deckte den Rücken mit der Schultafel. Bäcker schloß die Tür, und der Unterricht begann, überstürzt rief Oberlehrer Scheide zwei, drei Schüler auf, überhörte die Antworten; dann, ruhiger geworden, ließ er in voriger Stunde Besprochenes sich wiederholen. Seine weißen, zu schmalen Finger fuhren rastlos durch den roten Vollbart. Die blauen Augen durchflogen scharf die verstummte Klasse.

Sorgfältig den Rücken deckend, warf er den wundervoll geformten Schädel zurück, daß die schon gelichteten Haarsträhnen im Zuge flogen.

Kai, zusammengesunken, fragte: „Warum darf ich nicht hoffen? Was wird werden?"

Da, mitten im Fragen, setzte Scheide aus. „Primus", krähte er laut und bohrte den Zeigefinger begeistert in die Luft. „Gehen Sie sofort ins Konferenzzimmer. Lassen Sie sich die Hefte der Klasse ausliefern. Ich werde die ‚Philologische Facharbeit' zurückgeben. Sie sollen Ihr Wunder erleben. Los!"

An Wellhöhner vorbei suchte sich Schütt unbemerkt in die Klasse zu drängen. Mit einer Wendung des Kopfes hatte ihn Scheide entdeckt. „He, Schütt! Wo kommen Sie her? Es ist halb neun! Ich werde Sie mit Karzer bestrafen! Was? Ihre elektrische Bahn kam nicht! Gehen Sie früher fort!" Er riß das Klassenbuch auf, während er laut sprach, malte er hinein: „Schütt wird wegen einer halben Stunde Verspätung mit zwei Stunden Karzer bestraft. Was? Sie sind nicht zufrieden! Setzen Sie sich! Was stehen Sie hier, Mensch? Setzen Sie sich!"

Er klappte das Buch zu. „Natürlich werde ich Sie nicht bestrafen. Wenn Sie dumm bleiben wollen, nur zu!"

Mit raschem Griff nahm er Wellhöhner einen Stoß Hefte ab und scheuchte ihn auf seinen Platz zurück. „Charakterisierung von Sallusts ‚Bellum Catilinae', das war das Thema. Keiner hat's gebracht. Die meisten haben abgeschrieben. Franke, Sie indolenter Mensch, Auszüge aus dem großen Meyer kann ich mir selbst machen. Was, Sie wollen protestieren! Ja, sind wir denn in einer Kleinkinderschule?"

Er sah sich fragend um. „Gewogen und zu leicht befunden. Einwühlen, denken, selber denken, nicht so obenhin. Das ‚Bellum Catilinae' ist ein Genuß, kein Sibirien. Alles schlechte Noten. Ob Sie sich schämen, weiß ich nicht. Schütt, unterhalten Sie sich in der Pause mit Ihrem Nachbarn. Beste Arbeit hat Goedeschal. Goedeschal, stehen Sie auf!"

‚Aber ich will nicht. Was soll ich hier vor den andern? Ans Licht gezerrt stehe ich mit der Gebärde eines sich Vordrängenden.'

„Sie sollten sich am meisten schämen! Ihren Gedanken fehlt Klarheit. Sie haben nicht gedacht, Sie haben geträumt. Die Klasse hört den Schluß: ‚Und doch, wenn wir das ganze Werk noch einmal durchblättern, finden wir nur eine Stelle, in der Sallust wirklich schön und anschaulich schreibt. Und diese Stelle lautet: Catilina wurde weit entfernt von seinen Leuten zwischen den Leichnamen der Feinde gefunden, ein wenig noch atmend, und den trotzigen Sinn, den er im Leben besessen, noch im Tode verratend.' – Sie haben das gefühlt, Goedeschal, nicht gedacht. Lächerlich, daß dies die anschaulichste Stelle sein soll. Aber sonst gut. Setzen Sie sich. Was wollen Sie noch? Sie haben Ihr Skriptum vergessen? Bringen Sie es morgen mit. Setzen Sie sich, Mensch. Träumen Sie nicht wieder, setzen Sie sich."

„Und doch habe ich recht. Denn ich sehe ihn, nur hier in diesem ganzen Buch sehe ich ihn. Er liegt einsam, erschlagen unter Feinden. Jubelnd stürzte er vor. Es war viel Rot um *ihn*. Aber nie war der Tod ferner von *ihm* als in jenem Augenblick, da das Schwert auf *ihn* zuflog. Dann lag er da, er hatte nicht Zeit gehabt, müde zu werden, feige zu sein. Eben noch stürzte das ganze Leben trunken durch seine Adern. Nun strömt es fort in die Erde, und es ist gut, so dazuliegen mit einem weiten Himmel über sich und der Erde wieder zu schenken, was sie ihm gab. – War ich es nicht, der im Dämmer nach ihm suchte? Zwischen den Stöhnenden irrend, wußte ich, er mußte stumm daliegen. Dann fand ich ihn. Seine Handflächen waren nun weit und plan. Aber sein Mund lächelte trotzig, stolz, verächtlich wie damals, da er den Fackelbrand seiner zerhackten, rasenden Reden in unsere Seelen leuchten ließ. Habe ich nicht an seiner Seite gekniet, in seinem klebrig gewordenen Blut und habe ihm gedankt, daß er mich, schon tot, den Mut lehrte? Ach, wo waren da die andern! Wo war Scheide, Arne, Klotzsch! Einsam kniee ich, fern und allein in der Dämmerung, und seine toten Lippen lächeln mir zu."

Er senkte den Kopf. Es war schwer, den Rückweg zu finden aus dem durchglühten Aschengrau dieser Sterbestunde zu dem staubtrockenen Grau der Schule. Was lohnte es sich zuzuhören! Sie waren alle weit fort. Er war doch allein. Wenn doch erst der Mittag da wäre!

14

Aber dann klingelt die Glocke viel zu früh. Nun muß er sich mit den andern hinausdrängen, Arne anbetteln, nun muß er wieder einmal erfahren, daß der Schritt bis zum Mittagessen so kurz nicht ist, daß noch drei Stunden vor ihm liegen, drei Stunden Mathematikarbeit, und er kann keine Mathematik!

„Arne, steckst du mir die Lösungen zu?"
„Jaja, natürlich."
„Wann?"
„Nun, wenn ich fertig bin, so . . ."

„Nein, nein, das geht nicht. Lieber Arne ..."

Franke drängt sich dazwischen. „Schütt! Goedeschal! Glaubt ihr, ich lasse mir das gefallen? Die ganze Klasse ist Zeuge. Indolenter Mensch hat er gesagt."

„Ach geh!" murmelt Kai, „wir haben zu tun."

Doch Franke beharrt und Arne, Arne hört ihm zu. „Eine Fünf darf er mir geben. Auch Karzer wegen Abschreiben. Aber er hat mich nicht zu beschimpfen! Ich sage es meinem alten Herrn. Was meinst du, Schütt?"

Arne antwortet, sie sprechen beide, Schütt und Franke, ein langes über die Schwere der Beleidigung, über die Art der zu erhebenden Einwände. An die Mauer gelehnt, verfolgt Kai mutlos das Wandern der Zeiger, gleich ist die Pause vorüber, und von Arne hat er nicht mehr als ein „Jaja". Er sucht Arnes Blick einzufangen. Und dann denkt er daran, daß er diesmal nicht nur eine genügende, nein, eine gute Mathematikarbeit schreiben muß, sonst bleibt er zu Ostern sitzen, und daß er nichts weiß.

„Arne ..."

Aber noch immer hört Arne nicht, und nun fühlt man immer tiefer die Entmutigung, ein schweißtreibendes Entwürdigtsein durch das Hier-Warten, Hier-Betteln, Hier-noch-immer-Stehen. Wie wäre Empörung schön, aber Empörung kann man sich nicht leisten, denn man muß ja die Lösungen der Arbeit bekommen.

Bis wirklich die Glocke anschlägt, bis er dann in der Klassentür abgerissen, schmerzend die Zusage erhält: „Um zwölf. Verlaß dich drauf. Punkt zwölf. Ich verspreche es dir."

Dann geht man wieder auf seinen Platz, und nun kann man wieder wünschen, daß bald Mittag ist, denn – nicht wahr? – nun hat man ja alles in der Hand, man hat sich gesorgt, bekümmert, aber dann das Schwere aus dem Weg geräumt und sich's teuer genug verdient, leicht zu sein.

15

Kai schiebt sein Heft von sich. Es freut ihn, diese Gleichungen zu lesen, diese a^2 und b^2, diese Wurzelzeichen als fremde und ganz neue Dinge zu betrachten, die sich haben eindrängen wollen und die ihn nun *doch* gar nichts angehen.

Während er seinen Blick sichernd über den wolligen, tiefgesenkten Kopf Professor Bäckers gleiten läßt, blättert er weiter in seiner Kladde, fühlt das glatte Zurückgleiten der Seiten und liest das Gedicht, sein Gedicht, das er im Sieg über diese Stunden für Ilse geschrieben. Mathematikarbeit, aber nein, statt dessen ein Gedicht für Ilse! Dieses in „Jettchen Gebert" hineingelegte Blatt eines Tages findend, wird sie im halb verbotenen Überfliegen glauben, es sei durch Zufall im Buche.

Kai reißt ein Blatt aus seinem Heft, er schreibt die Zeilen ab, und ehe er sie knifft und in den Roman schiebt, liest er noch einmal die letzten Worte:

„Niemand verstand das stumme Flehen meiner Augen,
Und in dem Zittern der verkrampften Hände
Erkannten sie nur die empfangene Spende . . .
Das ist mein Leid bei diesem Erdenwandeln."

„Ja, dies ist alles und doch nicht zu viel. Abgesondert von allen mit traurigen Augen beiseitestehend, kann ich doch nicht – hier wird sie es fühlen – zu den andern treten, der ich so viel mehr bin als sie. Die Melancholie dieser Zeilen wird sie verführen, weich zu sein bei mir, und am Ende werde ich, den Kopf in ihrem Schoß, ausruhen können, meine Sorgen in ihre Hände hineinwachsen sehen und, nun ganz erleichtert, mich vor ihr neigen und ihre Hand küssen dürfen."

Er sah vor sich. Wacher werdend, ließ er den Blick durch die Klasse gehen, und die Belebtheit der andern, ihr Zurechtrücken, ihr Blättern in Büchern ließ ihn leicht erschreckend zusammenfahren. Aber, da er nun begriff, als er sah, daß sie fertig waren, als die hastig hervorgezogene Uhr ein Viertel auf eins zeigte, hallte der Schreck, wie auf Messingplatten gehämmert, stärker, ein betäubender Lärm brach in ihm aus, er schrak zurück, sein Kopf strudelte, Wasser schien endlos zu stürzen.

Noch hoffend, schon verzweifelt, flüsterte er zum Nachbar: „Bist du schon fertig?"

„Längst! Du nicht? Ist doch blödsinnig einfach!"

Kai warf den Kopf herum, sah nach Arne: der blätterte in einem Buche. „Natürlich hat er sie nicht geschickt! Wieder vergessen! Hat gedacht, ich bekäme die Lösungen allein heraus. Aber ich habe doch sein Versprechen..."

Er fühlte das Näherkommen der Gefahr, noch saß Bäcker mit gesenktem Kopf, aber wie lange noch, dann hörte er das Rascheln, das Rücken, das Atmen, sah auf und begriff.

„Nein, ich muß mich zusammennehmen. Noch ist nichts verloren."

Er zitterte. „Wie ist es? Die Kubikwurzel aus..."

Er schob die Kladde zurück. „Ich habe keine Zeit. Ich muß gleich ins reine schreiben."

Blättern in der Logarithmentafel. „Ich finde nichts." Dann, die Hände sinkenlassend: „Nein, es geht nicht. Ich bin verloren. Ich kann nichts tun. Mag kommen, was will."

Er saß rascher atmend. „Kann ich denn mein Heft leer abgeben?! Ostern sitzenbleiben? Die Eltern... heute früh. Es straft sich."

Grübelnd: „Es? Was? – Es?"

Schneller: „Nein, das hilft mir nichts. – Müller, laß mich abschreiben. – Ich kann nichts sehen! – Nein, so geht es nicht. Schieb das Heft rüber, weiter! – Wie ist das? – Was heißt das? Sinus α? – Es geht nicht!"

„Ich habe noch eine halbe Stunde. Ich schreibe an Arne."

„Natürlich!"

Er schrieb. Der Zettel wanderte.

„Goedeschal, drehen Sie sich nicht um!"

Es war geschehen, Bäcker war wach geworden!

„Durch mich!"

Die Klasse schwieg, dann fiel ein Lineal rasselnd zu Boden, Zurechtrücken, Bücherklappen. Kai wagte nicht aufzusehen. Aber dann kam die Stimme wieder, und nun schob Kai den Federhalter weg. „Nutzlos!"

„Nun, wieweit sind wir? Hat jemand die ganze Arbeit fertig? Aufstehen!"

Kai überflog sie: Müller, Wellhöhner, Thümmel, Klotzsch, ach, so viele, und, dort hinten, Arne!

„Hat jemand schon vier Aufgaben fertig?"

Wieder.

„Und drei?"

Andere Köpfe, die hochschießen.

„Und zwei?"

(‚Ach! Schneller, schneller!')

„Und eine?"

Kai sah nicht mehr auf.

„Und gaaaaar keine?"

Es zerrte und schob ihn aus der Bank. Er stand.

Es war ihm, als sei er sehr hoch über der Klasse, in anderer Luft. Und sehr allein. Sein Gehirn war abgestorben. Kraftlos und matt hingen die Hände herab. Kein Laut schien zu ihm zu dringen. Was sagten sie? Lachten sie? Hatte Bäcker gesprochen? Aber dann war die Stimme wieder da: „Goedeschal, bringen Sie Ihre Kladde!"

Das war die einzige Stimme, der einzige Laut, und sonst gab es nichts auf der Welt. Kai griff das Heft. Es suchte sich, zwischen zwei Fingern aufgehängt, ihm zu entziehen. „Was will es? Habe ich etwas vergessen? Nein! Nichts?"

Dann: „Doch, habe ich etwas vergessen! Aber ich weiß nicht mehr."

Noch immer an seinem Platz fühlte er die kühle Glätte des Papiers zwischen seinen Fingern.

„Doch weiß ich. Aber ich kann jetzt nicht daran denken."

Er ging auf das Pult zu, er mußte sehr vorsichtig auftreten, sonst zerbrach etwas in ihm. Die Gesichter seiner Kameraden waren gespenstergleich und aufgeblasen an den Seiten seines Weges, unter ihm wie Kohlschosse aufgewachsen. Automatenhaft rollten ihre Augen auf ihn zu. Hier war die Stufe zum Katheder. Ganz hoch auf den Zehenspitzen, versuchte er die Beine anzuziehen, die zu tief unter ihm waren. Bald wäre er doch gestolpert.

„Geben Sie schon her!"

Und nun durfte er es wieder wissen: „Warum habe ich denn *die* Seite nicht herausgerissen?! Vielleicht hätte ich's doch gekonnt.

Sind noch andre da? Hinten in meinem Hirn wird ein Film abgerollt, aber vorn denkt's: noch kann ich zugreifen, ihm das Heft fortreißen. Alles besser, als daß er die Verse findet. – Ah! . . ."

Die Hände hatten aufgehört zu blättern. Kai wußte, was auf *der* Seite stand. Warum machte niemand in der Klasse Lärm? Kai stampfte mit dem Fuße auf, aber nur ein kleines, dürres Geräusch wie das Knarren einer Sohle kam zu ihm herauf.

Professor Bäcker schloß das Heft. Für einen Augenblick hielt er es in der Schwebe, legte es dann auf den Pultdeckel. Und wieder griffen die Hände zu, die Kai als seltsam zerfressen und in geweitete Haut gesteckt aus dem Augenwinkel sah, schoben es rechtwinklig zum

Holzrand. Sie glitten zurück, und nun war alles entschieden.

Professor Bäcker räusperte sich. „Hierüber kann ich nicht befinden. Ich werde mich mit Herrn Direktor ins Benehmen setzen. – Gehen Sie, Goedeschal. Hefte einsammeln, Wellhöhner."

Aufstürzender Lärm. Pultdeckelschlagen. Die Tintenfässer klapperten. „Herr Professor ... ich ... ich ... Sie ... Sie ..."

„Ich sage Ihnen ja: ich kann nichts entscheiden. Setzen Sie sich."

Wieder saß er. Der Nachbar flüsterte: „Was ist denn?"

Er zuckte die Achseln. Überall drinnen brachen die Tränen hervor, und in seinem Innern rauschten sie wie endlose graue Vorhänge.

Der Primus zögerte an seinem Platz. „Was war denn los? Karzer?"

Kai reichte ihm das leere Reinschriftheft.

„Auch das kommt noch! Strafe! Karzer! Die Eltern. Endlich triumphiert Mama. Ich muß flehen, betteln, traurig sein, bereuen. – Aber er hat uns betrogen! Bis eins hatten wir Zeit, und um halb eins hat er die Hefte einsammeln lassen. Ich wäre fertig geworden, bestimmt. – Aber nein, ich sage den Eltern nichts, ich kann nicht. Ich flehe *ihn* an. Gleich nach der Stunde, auf dem Gang."

Und sein Heimweg trat vor ihn, plötzlich überfiel ihn die Vision all der Häuser, rechts, links, vorn, hinten, über ihm und an seinen Füßen entlang schleichend. Hinter diesem Meere von Scheiben lebten Schicksale, Lachen, Weinen, Sorgen, und nichts hatte mit ihm zu tun. Auf allen Seiten war er eingeschlossen von fremden Tränen und Gelächtern; sein klägliches Geschick, gänzlich unbeachtet von tausend andern, sehnte sich nun nach Wärme.

„Ilse", und dann wieder nur dies: „Ilse – Ilse – Ilse!"

16

An die rotgestrichene Wand gelehnt, atmete Kai angstvoll. Das summende Geräusch der tieferliegenden Gänge wurde stiller.

„Dort hinten, zwischen jenen befleckten und plumpen Säulen entscheidet sich nun mein Schicksal. Dort zerren sie aus einem mir entwundenen Geschehnis Folgerungen, die mich verpflichten zu leiden. – Nein! Nein! Sie dürfen es nicht! Sie müssen begreifen, daß diese aufgefangenen, ihnen nicht gemeinten Worte wie ein nie dagewesenes Ding versinken müssen. Sie werden sagen: es ist nichts geschehen, wir erinnern uns an nichts."

Nun, in den Säulenwinkel geschmiegt, sah er das Öffnen einer Tür, das Lachen auf den Gesichtern der beiden Lehrer verzog seinen Leib zu einem krampfigen Zittern. Die Fingerspitzen in die körnige Wandfläche gepreßt, folgte er mit einem Blick dem vorbeigehenden Professor.

„Alles ist entschieden! Das Urteil gefällt. Nichts läßt sich ändern. Er kennt meine Strafe!"

Trostlos hörte er dem Schritt des Wissenden zu; Zerfetzen der Verse, Entreißen des Heftes, Flehen vor der Rücksprache – alles versäumt!

„Vielleicht bestraften sie mich nicht? Welch Ausweg! Ich werde nicht fragen..."

Aufatmend verharrte er. Ein Wirbel packte ihn, seine Hände lösten sich von der Wand, Boden glitt fort. An der Wange des Treppengeländers von neuem festgehalten, stammelte er: „Herr Professor! Herr Professor!"

„Was ist?! Was wollen Sie? Mich so zu überfallen...!"

‚War ich es, der vorsprang? Wie sinnlos ist das nun!'

„Aber, nun was denn? Wo kommen Sie her, Goedeschal?" Die Hand des Lehrers ließ den hart umspannten Gehstock locker. „Stehen Sie manierlich da! Was für eine

Art, einen Lehrer zu erschrecken! Wo haben Sie gesteckt?"

Kai schwieg. Angst verebbte, da er auch ihn, dem Mädchen des vorigen Abends gleich, nur erschreckt sah. ‚Muß ich auch jetzt flüchten? Nein, schon zwingt er mich in seine Kreise.'

„Antworten Sie endlich, Goedeschal! Wo haben Sie gesteckt?"

‚Ja, freilich, das ist das Wichtige, wo ich gesteckt habe.' Dann, laut: „Dort, hinter der Säule."

„Sie haben uns belauscht!" Und als Kai stumm mit dem Kopf schüttelte: „Was wollen Sie denn?"

Rasch, leiernd, gleichgültig: „Ich wollte Herrn Professor fragen, welche Strafe Herr Direktor für mich festgesetzt hat."

„Ungewöhnlicher Weg, sich zu erkundigen! Aber denn: zwei Stunden Karzer. Morgen von vier bis sechs. Sie schreiben in der Zeit die versäumte Arbeit nach."

‚Karzer – also Brief den Eltern. Kein Verheimlichen möglich. Beichte. Beichte. Dann sitzenbleiben. Wieder ein Jahr mehr. Endlos.'

Räuspern des Lehrers, darauf breit: „Ja, mein lieber Goedeschal, Sie hätten früher klug sein dürfen, jetzt ist es zu spät."

Er wandte sich ab, Kai starrte auf die beulige Linoleumfläche. ‚Er will mich erschrecken. Unmöglich, daß diese Verse ... Gleich sagt er: Alles ist gut.'

Bäcker zuckte die Achseln. Das verfallene Gesicht dieses Jungen rief den Wunsch, gut und weich zu sein. Freundlich mit Handbewegung sagte er: „Mahlzeit!" und ging.

Jede Hoffnung war fort. „Hier bin ich allein, mit Last aus anderer Hand." Und nun die Bilder: des Vaters Kopf, fremd zurückgelehnt und nicht zu umfassen. Arne ging rasch eine entlaubte Allee herab, und dann erblickte Kai sich selbst, trostlos weinend, in aschengrauem Morgendämmern hingekniet an der Leiche Catilinas. „Ruhe. Ruhe. Schlafen. Schlafen ohne Traum. Sich verkriechen können, wohin niemand reicht. Robinson. Auch vergessen, wer Ich bin."

Die Tür seines Zimmers schlug auf. Gelbliche Gardinen entfernten die Welt. An der Schwelle fiel jede fremde Last. Dort, hingeworfen in den am Fenster stehenden Langstuhl, selbst das Licht weit ab von den gar zu brennenden Augen, würde er im aufspiegelnden Mahagonirot seines Sekretärs wärmeres Versprechen fühlen.

Feindselige Dumpfheit der Korridore, blöd grinsendes Milchglas in den Fenstern zwang den Erwachenden zur Flucht. Am Ausgang die breite Eichentür schien ihn für endloses Irren und qualvollen Hungertod halten zu wollen. Harter Zugriff erzwang Blick in die wahrere Welt.

17

Denn draußen erstaunte er. Nach Staub und entmutigender Trostlosigkeit war hier Sonne über einem weiten Platz. Das sich in Schneewasserpfützen spiegelnde Himmelsblau verlockte zu tieferem Atmen und weitem Marsch.

„Was war ich dumm! Können *sie* mir etwas tun? Dies allein bleibt."

Er schob die Mütze aus der Stirn. „Welche Tragik! Um zwei Stunden Karzer! Die Eltern müssen verstehen, wie das nicht zählt. Freilich . . ."

Er schwankte. Dann, Ilses Wohnung zugehend: „Jetzt noch nicht nach Haus. Zu spät bin ich sowieso. Vielleicht treffe ich sie."

Er sah die Straße hinab. „Noch nichts. – Ich werde ihr entgegengehen."

Zwei Hunde liefen umeinander. Die Füße im Schnee, sah er ihnen zu. „Es heißt nur darüber stehen. Lächeln können, humoristisch-überlegen sein. – Was beriechen sie sich so? Tun das alle? Warum? Was suchen sie? – Ekelhaft! Aber..."

Er meinte einen Blick zu fühlen und ging zusammenfahrend rasch weiter. „Schäme ich mich, weil ich den Hunden zusah? Die Menschen... nein, nein, jetzt nicht."

Seine Stimmung verfinsterte sich. „Auch Ilse kommt nicht. Noch warte ich zehn Minuten."

Er stand mit der Uhr in der Hand. „Warum sehen mich alle an? Wieder bekomme ich Angst. Der Mut, den mein Verstand befiehlt, ist nicht in meinem Herzen. Was stehe ich hier? Auch bei ihr werd ich mich fürchten. Und nichts sagen können. – Nach Haus?"

Heimgehend sah er über seine Schulter, blieb stehen. „Dort ist sie! – Nein –: nicht, aber ich werde noch zehn Minuten warten."

Auf das Zifferblatt starrend: „Schon vierzig Minuten Verspätung. Wie wird Mama schelten. Dann Karzer, dann der Hase. Wenn wenigstens Ilse käme! Ich würde sagen: Ihretwegen tat ich's. Dann hätt ich Mut. Sie allein kann helfen."

Kai erschrak. „Dort ist sie! Allein!"

Versteckt hinter Wagen beschwor er: „Ilse! – Sie sieht mich nicht. Nein, ich weiß nichts zu sagen."

Er folgte ihr, nah vor ihm schlug der blaugraue Stoff ihres Kostüms Falten. An ihrer braunen Pelzmütze war ein weißer Streif. „Vielleicht sieht sie sich um."

Ein Mann stieß ihn an, die Mappe entglitt Kai. Sich bückend, dunkelrot: „Wenn sie mich jetzt sähe."

Die Haustür fiel hinter ihr zu. Von der andern Straßenseite überflog er die Fenster. „Nun ist sie oben. Vielleicht sieht sie heraus. Nichts. Nichts. Ach, warum sprach ich sie nicht an! Verbogen ihr nachschleichend, sehnte ich mich, sie sprechen zu dürfen und – schwieg. Nun wieder stehe ich vor ihren Fenstern. Plötzlich mutig geworden, erträume ich Kombinationen, in denen sie mich liebt, der ich Gelegenheit hatte, ihr alles zu sagen. – Sie kommt nicht. Worauf warte ich noch? Warum ging ich ihr entgegen?"

Auf einem Eisstreifen gleitend, fallend wußte er: „Ich hatte Angst vor den Eltern! Das war alles. Wer versteckte mich vor mir?"

Er klopfte sich den Schnee ab. „Und nun gehe ich nach Haus. – Es hilft ja doch nichts."

18

Hinter sich ließ das Mädchen die Tür zum Arbeitszimmer des Vaters den Blicken Kais offen. Noch schliefen die Eltern. Vom Klappern der Teetassen aufgeschreckt, langte der Vater tastend nach seiner Zeitung.

„Ist Kai gekommen?"

„Der junge Herr? Ja, Frau Staatsrat. Vor einer halben Stunde."

„Rufen Sie ihn."

Und Erna warf Kai im Fortgehen einen Blick zu, der lächeln zu wollen schien. Ihr Kleid rauschte, eine Falte streifte seine Hand. Dann ging die Tür. „Und nun . . ."

„Hier, dein Toast, Heinz."

Kai trat vor. „Guten Abend, da bin ich."

Im Aufblick fragte die Mutter: „So spät! Hast du schon gegessen?"

„Alles erledigt. – Die Mathematikarbeit dauerte so lange."

Indem sie die Teetasse absetzte: „Es ist doch gut gegangen?"

„Nein. Leider nicht. Ich habe Pech gehabt."
„Wie denn? Pech! Hast du die Aufgaben nicht herausbekommen?"
„Nein. Nein. Ich habe sie nicht herausbekommen."
„Alle nicht?!"
„Alle nicht ..."
Die Uhr tickte und tickte. Das Muster des rotsamtigen Sessels war Kai ganz nahe, er strich darüber hin. Eine Zeitung knitterte, die Stimme des Vaters sagte: „Und das sprichst du so ruhig aus ...! Wenn du keine Aufgabe gelöst hast, so bekommst du eine Fünf, und das bedeutet bei deinen früheren Leistungen ein Ungenügend in Mathematik. Dann bleibst du zu Ostern sitzen. Hast du dir das klargemacht?"

Ein Teelöffel klirrte, das Uhrwerk zerriß wieder Zeit in unzählbare, endlose Stücke.

„Ich wünsche eine Antwort, Kai ...!"
„Ich schreibe die Arbeit noch einmal, morgen nachmittag ..."
„Du schreibst ..." Der Vater schwieg, überlegte, dann rasch: „Sie war also zu schwer? Sie wird nachgeholt? Unter leichteren Bedingungen? Du hättest das gleich sagen sollen, Kai, klar und präzis. Es ist also gut. Geh und trink deinen Kaffee."

‚Ja, nun könnte ich gehen, wenn der Karzerbrief nicht wäre.' Er sah auf, zu seiner Mutter.

Sie rief rasch, zitternd – ‚oh, Verräterin!' –, wies auf sein Gesicht: „O Kai! O Kai! Heinz, sieh den Jungen an."

Er sah auf, unwillig, stand dann. „Was ist noch? Rede, sprich! Hast du gelogen? Schreibst du die Arbeit nicht nach!? Bekommst du die Fünf?"

„Nein."
„Du schreibst sie nach? Deutlich!"
„Ja."
Pause. Dann langsam, überlegt: „Du allein?"

„Ja."

„Warum?" Dann ungeduldig: „Was frage ich?! Sieh den Bengel an, Margrit, steht er nicht da wie ein Stockfisch! Muß man nicht alles aus ihm herausziehen! Statt nun wenigstens offen und ehrlich zu beichten ... Ach was! – Die andern lösten die Aufgaben?"

„Ja. Zum Teil."

„Zum Teil, das heißt: sie lösten wenigstens einige. Was tatest du?"

Schweigen.

„Triebst du wieder einmal Nebendinge? – Ah so! Andere Arbeiten gemacht?"

„Nein."

„Romane gelesen?"

„Nein."

Er faßte den Jungen bei den Schultern. „Himmelherrgott, Kai! Keine Winkelzüge mehr. Was hast du gemacht?" Er schüttelte ihn. „Was du gemacht hast, frage ich."

„Gedichte ..."

Die Hände des Vaters fielen von Kais Schultern. Staatsrat Goedeschal trat zurück. Wieder kam das Tikken der Uhr herauf. Die Mutter machte eine Bewegung, als wolle sie reden, der Vater hob die Hand. „Also Karzer?"

„Karzer."

Den Kopf an die Scheibe gepreßt, starrte der Vater ins Dunkle. Kai murmelte in sich: „Nimm es doch nicht *so* schwer! Es ist ja nicht so schlimm! Ich habe dich doch lieb, du darfst nicht traurig sein, nur das nicht."

Er wollte reden, machte einen Schritt.

Staatsrat Goedeschal sagte: „Geh auf dein Zimmer. Kai! Siebzehn Jahr bist du bald, und was hatten wir von dir? Sorgen. Sorgen. Sorgen. Sieh hin, deine Mutter weint. Du tust uns Übles auf Übles."

Ganz nah an ihm stehend: „Und du schämst dich nicht einmal. Wenn du zu Ostern sitzenbleibst, dir ist's egal. Aber wenn ich bei *andern* Eltern höre, deren Söhne sind versetzt, und meiner, der blieb sitzen! Natürlich, er hatte ja keine Zeit zum Lernen, er mußte ja Gedichte machen, der Herr Sohn. Geh! Geh! Ich mag dich nicht mehr sehen."

Abschließend: „Du ißt von jetzt an auf deinem Zimmer, verläßt es nur zu den Schulwegen."

Kai hob sein Gesicht: der Vater stand einen Schritt vor ihm und sah ihn an; Kais Blick floh, kroch zu Boden. „Warum kann ich ihn nicht einmal ansehen! Ihm nicht einmal sagen, *wie* lächerlich er ist!"

Aber Schritt hinter Schritt entfloh er diesem Blick. Rückwärts. Tastete blind nach der Klinke. Die Tür fiel zu, er stand allein auf dem dunklen Vorplatz. „Sicher, er holt mich zu sich. Er sagt: *doch* liebe ich dich!"

Drinnen sprach die Stimme der Mutter Beruhigendes, Sanftes. Der Schritt des Vaters ging her, „Nun ruft er", und hin. „Nichts!"

Von der Küche kam jemand. Kai floh auf sein Zimmer.

19

Das Zimmer wie stets. Nichts verändert. Wie sonst der Langstuhl am Fenster, das Bett mit der gehäkelten Decke wie immer.

„Du da, du Tisch, was stehst du so! Fühlst du nicht, daß ich Schmerzen habe! Warum leidest du nicht mit? Warum kommst du nicht und drängst dich an meine Hüfte? Ach, niemanden haben, in den man hineinweinen kann, niemand, der einem hilft, immer allein . . ."

Er stürzte zum Fenster. Sperrte mit Gardinen die Welt ab. Im Stuhl liegend, während die Hände über ihn fortliefen und an Falten und Uhrkette rissen: „Ich hätte ihn schlagen sollen, ins Gesicht. Stets von neuem muß ich mich verleugnen. Warum tu ich nicht, was mein Herz befiehlt? Zuckte meine Hand nicht nach ihm? Warum kroch ich zur Tür?"

Es riß ihn hoch. „Dieser starre, dieser *gerechte* Blick! Habe ich Unrecht? Ja, ja, ja, ich hab's!"

Stehenbleibend, riß er den Spalt zwischen den Vorhängen zu. „Unrecht? Ich? Nein, nur das nicht! Man quält mich umsonst, ich bin im Recht!"

Seine Hände fielen herab: wieder stand er klopfenden Herzens auf dem Gang: „Warum bat ich nicht? Flehte nicht Bäcker an? Alles war zu ändern. Nun geht Papa unten, hin und her, immerzu. Und Arne! Was ließ er mich im Stich? Tat ich nicht immer alles, was er wollte? Und nun?"

Von unten her meinte er die Schwingungen unermüdender Schritte zu hören, schwang mit, bis im dunkelglänzenden Spiegel sein schattenhaftes Gesicht aufstieg. Er riß ihn von der Wand, entflammte das Licht, hielt ihn vor sich. „Ja, so sehe ich aus! Maske! Totenstarre! Die Wangen wie sonst und die Lippen und das Haar. Leidest nicht einmal du mit! Bin ich denn dann ganz allein! Von mir selber verlassen! Ich muß weinen, weinen, kommt, meine Tränen, kommt, kommt, kommt, ich muß es sehen, schmecken, spüren an eurer Nässe, daß ich leide."

Er sah starr auf sich. Der Ausdruck seiner trocken brennenden Augen schien ihn zu verhöhnen. Aufs Bett hingeworfen, wühlte er das Gesicht immer tiefer in die Kissen. „So dunkel! Dunkel! Nur Nacht! Gelbe und grüne Räder gehen auf, drehen sich."

Die Haut glühte, in die Backen preßte sich der Überzug, die Zähne verbissen sich darin. Die Luft fing an zu brausen wie eine Muschel; dann mußte er wieder hoch und Atem holen.

Er starrte irr das ruhig erhellte Zimmer an. Es machte seinen Taumel nicht mit. Die Gardinen hingen ruhig und steil, der auf dem Tisch gebliebene Spiegel warf einen weißen Reflex zur Decke, die Bücherrücken sahen von ihm fort.

„Ach, auch ihr seid angefüllt von Leben und Leiden! Auch in euch schreit Schmerz. Aber immer geht irgendwo auf euern weißen Seiten eine strahlende Sonne auf. Nein, ich will nicht, ich muß suchen, darf den Mut nicht verlieren."

Über das erhitzte Gesicht rann Wasser. Durch die geöffnete Tür lauschte er der Stille des Hauses zu. Er schlich die Treppe hinab. Stufen knarrten. Die Täfelung knackte. Vor der Zimmertür des Vaters meinte er zu fallen vor anstürmenden Herzwellen. Drinnen sprach's halblaut, ruhig.

„Eingesperrt! Nein, ich will nicht! Ich will nicht! Befehlt! Kommandiert! Ich tu, was ich mag."

Laut auftretend ging er an der Tür vorüber. Das Reden stockte. Von einer neuen Furcht gepackt, riß er Mantel und Mütze an sich, rannte ins Dunkel.

Nach ihm schien ein Ruf des Vaters zu greifen.

20

Der Wind, der die Straße hinter ihnen hinabjagte, holte sie ein, stürmte auf den Markt und war plötzlich verflogen und verstummt.

Aufatmend zeigte Kai zum ruhigen Nachthimmel empor: „Sieh die Sterne! So viele. So still." Arne folgte seinem Blick, heftiger fragte ihn Kai: „Wenn du sie anschaust, was denkst du?"

Er zögerte; mit dem Finger an seinem Mantel herumtastend, flüsterte Arne schließlich von weißen Füßen kleiner Kinder, die sich in einer Kirche verirrt haben.

„Steht bei Hofmannsthal", sagte Kai, „schade, schade."

„Und du? Was denkst du?"

„Ich . . ., ja, du, übrigens die Margot . . ."

Arne riß den Blick vom Himmel los und sah Kai an: „Ja, du, die Margot. Süß, nicht? Wie sie uns die Hand gab!"

„Und wie sie ‚liebe kleine Jungen' sagte."

„Ich wäre ganz sicher . . .", begann Arne, aber Kai unterbrach ihn: „Was glaubst du, ob solche Mädchen glücklich sind?"

„Glücklich? Ich weiß nicht. Glaube kaum. Immer um Geld."

„Ja, siehst du", sagte Kai leise und griff nach Arnes Arm, „das alles ist doch nur Taumel, Rausch für sie. Am Morgen aufwachend, entdecken sie, wieviel schöner die Welt war, als sie noch draußen waren, Fliederblüten und Jasmin, und statt greller Cafés Waldflächen und Feldbreiten sie erwarteten."

„Ja, und?"

„Ja, ich habe gedacht, Arne . . ., aber du darfst keinem Menschen ein Wort davon sagen, versprich es . . . Ich habe gedacht, ob man sie nicht glücklicher machen, ihnen helfen könnte."

Arne schwieg. Kai sah rasch auf. „Sie sind so allein. Alle verachten sie. Die reine Liebe sein sollten, haben nichts als Verachtung. Wenn man sie erlöste . . ."

„Aber wie! Kai! Wie denn?"

„Ich habe gedacht . . . Luther ist nicht das Richtige. Aber was meinst du, Christus? ‚Du hast viel geliebt, darum soll dir viel vergeben werden.'"

„Und du meinst, Margot . . .?"

„Du mußt mich nur recht verstehen, Arne. Siehst du, ich will ja nichts von ihr, ich will etwas für sie. Ihr helfen."

„Wie sie lachte. Als sie auf den Stuhl stieg, schwankte

das Sektglas in ihrer Hand, sie sang: ‚Wenn ein Mädel einen Herrn hat' ..."

Kai sah zur Erde. Einer Vision gleich, war es da: der Rock, im Hinaufsteigen auf den Stuhlsitz verschoben, entblößte Knöchelansatz und ein Stück Wade. Kleine Schreie ausstoßend, sang sie.

„Auch diese Welt gibt es. Sie wissen alles." Lauter: „Ihr helfen!"

„Aber wie, Kai? Du redest, aber sagst nicht wie."

„Vielleicht, daß ich ihr einen Brief schriebe ...?"

„Einen Brief? An Margot? Die blonde Margot?"

„Daß ich ihr endlich wieder sagte, wie es einmal war, früher, alles, was sie vergessen. Daß da nur eines ist, wert, gelebt zu sein: ein wenig lieb haben, ein wenig gut sein."

„Sie wird ihn zerreißen."

„So bekommt sie einen neuen."

„Sie wird darüber lachen, ihn ihren ‚Kolleginnen' zeigen."

„Der Stachel bleibt!"

„Verrückt, Kai, total verrückt, so ein Mädchen aus einem Nachtcafé."

„Grad darum, Arne."

Er zuckte die Achseln, schwieg. Wieder sahen sie zum Himmel. Neu aufjagender Wind prickelte ihre Gesichter mit feingefrorenem Schnee.

„Ich muß nach Haus, Kai."

„Also denn morgen in der Penne."

„Und du bist nicht mehr böse, Kai, wegen der Mathematik ..."

„Nein. Nein. Servus, Arne."

„Servus, Kai."

Den Wind im Rücken, verdunkelte Straßen durcheilend, dachte Kai: „Wenn sie gemerkt haben, daß ich fortging ... Ach, ich werde an Margot schreiben, sie wird mich lieben."

21

Im Bett hochfahrend, während kaum ein erstes Dämmern die Gardinen durchdrang, murmelte Kai: „Was ist geschehen! Irgend etwas vergaß ich! Was...? Ich kann es nicht finden."

Aber nun, über die Waschschüssel gebeugt – Wasser rann von seinem Gesicht –, entglitt der Schwamm den Händen. „Wo war ich? Alles vergessen? Und Hans? Hans! Nicht an ihn gedacht, er allein, im dunstigen Dunkel des Kohlenkellers ihnen ausgeliefert."

Er sah sie, sah die flüsternden Schatten der Eltern, die leise waren. „Ja, sie gingen auf den Zehenspitzen, ob sie schon wußten, daß ich nicht kommen *konnte*, ihnen zu allem Anfang darum unterlegen, weil mich die Schule hielt, als sie suchen durften."

Er zerdrückte das Handtuch. „Nein, ich lüge für mich! Nachmittags, nur an *meine* Befreiung dachte ich. Er – allein."

Weichheit durchrann ihn. Bebend leugnete er Berechtigung zum Verdachte, schon geschehenen Verlust. „Nein, er ist da! Die Schnauze an das Drahtgitter gepreßt, wartet er auf Kohlblätter aus meiner Hand."

Wie süß schmeckte im Munde diese umsonst gefühlte Angst! Doch jetzt, die Kellertreppe hinabsteigend, verzögerte sich sein Schritt, an den Türpfosten gelehnt, suchte Kai mit seinem Blick das beschmutzte Dunkel zu durchdringen. Seine Hände tasteten in den Winkel, bestreiften sich staubig an erstarrtem Koks, feuchteten sich neu mit der verschlickten Nässe des Backsteinbodens.

Nichts! Leer der Winkel. Kein wolliger Anprall des endlich sehnsuchterfüllten Tierleibes an die Käfigbretter.

Kai stand. Um ihn das Dunkel, aus mißförmig getürmten Kohlenhaufen erhöht, schien nun lautlos in eine unbegreifliche Tiefe zu stürzen; allein blieb er stehen, grenzenlos erhöht, getrennt von den Menschlichkeiten der andern, auf einem handtuchbreiten Stück Bodens, das schon abbröckeln zu wollen schien, um auch ihn hinabzustürzen in Tiefen einer verwaschenen Zusammengeschlossenheit, aus denen es keine Rückkehr in Alleinsein gab.

„Erst die Puppen. Nun auch du, du Hans, mir fortgenommen! Keine Trennung hilft. Sie reißen die Wände nieder. Im Verstohlenen mich aufspürend, werden sie, zur Rede gestellt, alles für einen Scherz erklären."

An die Treppe vorgesprungen, die harte Hüfte ins Geländer gepreßt, schrie er zu jenen oberen Räumen hinauf: „Wie ich euch hasse! Soll ich sagen, wie ich euch hasse! Ach, ihr wißt nichts von Reinheit, die ihr alles durch Teilhaben beschmutzt."

Deckenwölbungen fingen den Klang der Worte, gaben ihn weiter, und jetzt wiederholte einer, im Dunkel hinter ihm stehend, zum Unkenntlichen verzerrt, jene Sätze, die nun ganz von irgendwelchem düsteren und geheimnisvollen Sinne erfüllt schienen – wiederholte sie in sein Ohr.

Herumfahrend suchte Kai im Dämmer des gekalkten Bodens diesen, der das Wort „Reinheit" wie einen unwahren Vorwand aussprach, doch die Wölbungen waren von Tönen entleert, versteckt jener Sprecher; aber nun schien am Boden, einem kläglichen, immer wieder beinahe versickernden Rinnsal gleich, ein kleines Kratzen entlangzuschleichen, das sich an seine Füße wie eine Beruhigung hockte.

Näher dem klaffenden Türspalt mied er den Anblick jenes Griffs, um den er, gestern scheinbarer Sieger, heut schon besiegt, mit seiner Mutter gekämpft.

Später erschaute er am alten Platz den Käfig; niederstürzend zerriß er seine Nägel am Vorstecker, der Öffnung des Gitters verschloß, – doch da hockte wieder Jenes auf seinen Knien, nun spürte er an den Händen die ölige Wolle des Aufgefundenen, und während seine Augen gleichgültig den am Käfig befestigten Zettel durchstreiften: „Du darfst ihn behalten ... Deine Eltern", murmelte er, ganz von Hingebung durchtränkt: „Ich war schlecht zu dir, nun bist du doch wieder da, mein Hans!"

Doch als jetzt, nach endlosem Absturz jenes erlittenen Verlassenseins, sich endlich wieder die spürende Nase des Tieres in seine Handfläche drängte, sah er auf und begriff. „Geschenkt! Zum Geschenk bekommen von anderen, ihn, dessen Liebe ich mir selbst schenkte! Nun werden sie bei Tisch fragen, wie es dir geht, die Geschwister werden dich sehen wollen, über deinen Pelz streichen fremde Hände."

Jener Zettel breitete seinen weißlichen Schein über den ganzen Horizont aus. „Jetzt bist du nicht mehr mein: jetzt für den ersten besten gemeint. Aber *ich* will es sein, was hülfe mir an alle Verschwendetes!"

Die Hände hinter sich gelegt, suchte er mit seinem von Tränen überströmenden Blick das geduckte Tier. Vom aufzuckenden Bein ins Wanken gebracht, von den Knien im Hinabgleiten aufgehalten, füllte es nun Kais Schenkel mit nur ihm geltender Wärme; im festeren Zusammenpressen ging zages Sträuben der Tiermuskeln auf, das seine Nerven mit nie geahnter elektrischer Wärme tränkte, – flimmernd schienen sie in seinem Leibe zu segeln wie Wasserpflanzen, durchkämmt von der Strömung eines Baches, feierlich schleppten sie und bebend in ihm gleich jenen an Quallen hängenden Spürfäden.

Dann aber, ganz verloren an den trunken peinigenden Rausch dieser Minuten, sahen seine verwirrten und schmerzlichen Blicke auf die plötzlich erwachten Hände, wie sie – von selbst – sich um den Hals des Tieres schlossen, daß der schwere Körper in der Luft hing, gekrümmt; und nun, in kehlzupressender Arbeit der Finger, zwang sich der Leib unter wildem Zucken zum Kreise, fiel in der Lockerung des Umklammerns schwer hinab, und schon wiederholte sich dieses totenhafte und starre Spiel: Loslassen, Zupacken, Verkrümmen, letzter Atem und neues Hoffen.

Aber in all dem – überströmt von seinen Tränen, einem verzweifelten Schmerze ausgeliefert – blieb jener allein des Sehens wert: jener bewegliche und ganz fremde Tanz seiner Finger, in deren auf der Innenseite gewölbten Spitzen Sensationen aufzugehen schienen, während elektrische Funken sie nadelspitz durchstachen. Und in diesem Leiden war plötzlich das Leben da, so von je geahnt – plötzlich heroisch aufgetan und entfaltet, dem flammenden, lang verborgenen Futter eines Mantels gleich, über dessen scharlachene Farben dunklere Schatten gespensterhaft huschten; war das Leben da: nicht fremd, unerkämpft, ohne Pläne, Vorbereitungen, Sorgen, lehnte sich an seine Brust und hauchte in seinen Mund eine sengende Glut, die in den Eingeweiden wie Messer wühlte; war das Leben da, das liebe Leben, bis – bis die letzte Krümmung verebbte, bis über den weggefallenen Kadaver fortschreitend nur noch Kai dies eine blieb: in die Schule zu gehen und sich der Täuschung einer allgemeinen Bravheit und Beflissenheit anzuschließen.

22

Im aufgelichteten Himmel trieben nun weiße Wolken langsam der Sonne entgegen, ihr Abglanz streifte die Flächen der Schneewasserpfützen; blau umrahmt hob er sich blind der besonnten Weite zu. Auf einem Baum lärmten Vögel. Wie sie, im Aufflattern, die Luft mit kleinen, knatternden Geräuschen erfüllten, war es Kai, als müsse er sich über Ilses Hand beugen: „Daß ich Sie noch getroffen habe!"

„Wie Sie gelaufen sind!"

Im Aufbrechen ihres Blickes floß Wärme über sein Gesicht, nun schien, nahe bei ihm, eine Schwester jener ferneren Sonne am Himmel sich entschleiert zu haben.

Er tastete in die Tasche, griff mit zwei Fingern das Buch; aber dann, zögernd: „Ich habe es vergessen...! Wann soll ich es Ihnen nun geben?"

„Darum liefen Sie mir so nach, um am Ende zu finden, daß Sie das ‚Jettchen' vergaßen? Nun, an einem andern Mittag, auf dem Heimweg."

Er murmelte, während die Stimme von diesem übergroßen Mut bebte: „Mittags! Wie oft werde ich Sie verfehlen! Und so wenig Zeit! Wenn es ein andermal... nachmittags...?"

Sie zweifelte, dann rasch: „Wenn Sie wollen. Ich gehe heut um fünf zu einer Freundin. Wenn Sie mich dann hier treffen wollen?"

„Ja, o ja, vielen Dank!"

„Also um fünf. Und nun auf Wiedersehen."

„Auf Wiedersehen – um fünf."

Es schien ein Zwang, sich, sie noch einmal zu sehen, umzuwenden, ein Zwang, dem er trotzte und der verging, und dann, rascheren Schrittes, schob er das Gesicht in den Wind, schlenkerte die Schulmappe und fühlte nur noch ganz fern diesen grauen Morgen, dessen Nebel sich längst in der Sonne zerlöst hatten. Im Niederbücken griff er eine Hand voll Schnee, ballte ihn, und ein Ziel suchend, sah er drüben den gebückten Schatten von Klotzsch, merkte ein schreckhaftes Zusammenfahren, als der Ball traf, und schrie: „He! Werner! Werner, hier!"

Als jener nur abwehrend winkte, lief er schräg über den Damm, faßte die Schulter. „Was hast du, Mensch?"

„Keine Zeit. Essengehen."

„Ach, was, Essengehen! ‚Der Tag ist heut so schön! Wo ist Chasseur?'" Er lachte. Dann, Schritt haltend, als Klotzsch schwieg: „Du bist mies?"

„Und du fidel!"

„Hab ich nicht Ursache? Karzer geschenkt, nur Nachsitzen!"

„Kaum Grund genug", murrte Klotzsch und ging schneller.

„Heißt?"

„Nun, Ilse – Fräulein Lorenz getroffen!"

„Sahst du uns?"

„So was nicht sehen! Halbe Stunde habt ihr euch angehimmelt!"

„Und du hast so lang zugesehen?"

Klotzsch zuckte die Achsel. Kai griff nach seinem Arm, den Werner unwillig befreite. „Laß!"

„Im Ernst: was hast du, Werner?"

„Was soll ich haben? Nichts."

„Sag mal, Mann, ich glaube, du bist verdreht!"

„Ihr habt nichts miteinander...?"

„Werner! Klotzsch!"

„Dein großes Ehrenwort?"

Kai zögerte.

„Da siehst du's! Ausspannen willst du sie mir!"

„Mein großes Ehrenwort! Wir haben nichts!"

Klotzsch verlangsamte den Schritt, blickte auf. „Wirklich?"

„Wenn ich doch sage: großes Ehrenwort."

„Sei nicht böse, Kai, ich glaube wirklich, ich war etwas verdreht."

„Das warst du: verliebt."

„Nun ja." Klotzsch lächelte, stolz, doch nicht ohne Verlegenheit.

Sie schwiegen, gingen langsamer. Kai fragte: „Und der Wandervogel?"

„Sonntag. Also morgen. Wenn du magst."

„Ich mag schon. Aber ob der alte Herr ... Ach was, natürlich! Wo mir der Karzer erlassen ist."

„Also morgen früh um sechs. Am Bahnhof. Auf Wiederschauen."

„Servus!"

Stehenbleibend sah Kai ihm nach. Wie Werner dort, rascher und aufrecht nun, sich entfernte, war auch er jenem toten Hans beigesellt, einmal geliebt, und schon ganz ausgelöscht und nichts als ein Belangloses.

23

„Wieder so spät, Kai! Kannst du nie zur Zeit kommen?"

Er murmelte, wollte sich setzen, fand seinen Platz ohne Gedeck. Die Mutter sagte: „Du weißt, Papa hat dir verboten, mit uns zu essen. Geh nach oben, ich schicke dir das Mädchen."

Die Geschwister lächelten. Eines flüsterte: „Der Dichter", und Lachen verstärkte sich.

Durch die bunt verglasten Scheiben fiel der Abglanz einer Sonne, die man nicht sah, die aber da war und an der man eben noch teilhatte. Schon schien Bitten besser als Ausgeschlossensein: „Bitte, Mama, laß mich doch mitessen. Sicher erlaubt es Papa: der Karzer ist mir erlassen."

„Dir erlassen? Das wird Papa freuen. Und die Mathematikarbeit?"

„Soll ich nachschreiben, es ist aber kein Karzer."

„Ja, ich glaube . . . Ich denke, dann wird es Papa recht sein."

Lotte meinte: „Laß ihn nur mitessen. Wenn er schon keinen Karzer hat. Und überhaupt - - - Dichten ist kaum ein Verbrechen."

„Ich bitte mir aus, Lotte . . .!" rief die Mutter.

Tief verwirrt drehte Kai den Löffel in der Hand. „Fünf soll ich Ilse treffen. Und von vier bis sechs nachsitzen! Wie konnte ich das vergessen!"

Während das Gespräch der andern ferner und getrennt dahinfloß: „Sie wird warten, eine viertel, auch eine halbe Stunde. Sie ist zornig, sie geht. Ihr Mund dünn, ganz schmal. - Ich darf sie nicht warten lassen! Wenn in den dunkelnden Straßen der Umriß ihres Rückens verschwindet, dann erst habe ich alles verloren. Ich muß ihr schreiben. - Aber der Brief kommt zu spät!"

Über den Flur ein Schritt, Schlüssel klappern. „Papa", sagt die Mutter, sie rückt auf dem Stuhl, seufzt leise. Ihr rascher Blick, der Kai streift, erfüllt ihn mit einer leichten Angst. Die Luft ist mit Spannung geladen. Noch ein leises Schaben der Löffel am Tellerboden. Kai senkt den Blick.

Beim Eintritt des Vaters scheinen die noch glitzernden Fenster in der kälteren Luft zu erblinden. Er küßt die Mutter. Weiteressend murmeln die Kinder: „Guten Tag."

Papa sieht auf. Seine Stirn wird faltig. Nach Kai blickend, setzt er sich. „Halte dich grade, Kai!"

Es wird noch stiller. Das Klappern eines Löffels klingt auf und verstummt wie der Klang einer berührten Stimmgabel. Eine entschlossene Bewegung des Vaters: er legt die Serviette neben sich. Über den Tisch gebeugt: „Du hast Kai erlaubt, mit uns zu essen?"

„Ja, Heinz, ich dachte . . . Er bat so, seine Strafe ist ihm erlassen."

Kai fühlt auf seinen Augenlidern einen Blick. „Karzer erlassen, Kai?"

„Ja."

„Warum?"

„Ich weiß nicht . . . Papa!"

Draußen fällt eine Tür ins Schloß, in der Täfelung knackt es. „Weswegen, meinst du, verbot ich dir, mit uns zu essen? – Weil du Karzer bekommen hast?"

Hinter dem Stuhl, Kopf gesenkt, Hände auf der Lehne, steht Kai. ‚Ilse . . . Ilse . . .!'

„Karzer – eine Schulstrafe, die mir nicht genug schien. Darum bestrafte ich dich mit Ausschluß. Lächerlich, zu glauben, daß ich dich einer Strafe wegen bestrafe."

Um die Lehne die Hände gezwängt, sieht Kai in der blauroten Haut weiße Kreise aufgehen. ‚Still, nur still! Dies hier gilt nicht. Draußen mit Sonne Wahrheit des Erlebens.'

„Dein Schweigen sagt, daß du das alles sehr gut wußtest. Um so jämmerlicher, deine Mutter zu bebetteln, zu bereden, in der Hoffnung, ich käme so spät, daß ich nichts merkte. – Du gehst auf dein Zimmer!"

Stille, durch die leise nicht mehr zu verhehlendes Schluchzen der Mutter dringt.

„Wird es bald! – – – Auf dein Zimmer!"

Ein Wagen rasselt. Stille braust wie ans Ohr gebrachte Muschelhöhlung. Die weißen Kreise sind noch immer da. Hinter einem erfrorenen Gesicht werden Gedanken sein, von denen man nun nicht weiß. ‚Und morgen der Wandervogel!'

„Kai, ich sage dir zum letztenmal: auf dein Zimmer! Eins . . . zwei . . .!"

Die Stimme der Mutter schwirrt auf: „Schlag den Jungen nicht, Heinz!" Sie zerbricht im Schluchzen. Und mit der Drei ist ein Schlag da, ein nicht schwerer Schlag, der Kai doch vom Stuhl reißt und befreit. ‚Wie ich dich hasse! Oh, wie ich dich hasse! Bin ich Dreck, ein Verbrecher! Draußen das Leben! Und hier?! Das Kaninchen tot, von dir gemordet!'

Im sinnlosen Stammeln zerfließt Wut; nun weiß es Kai: nicht er Mörder des Hans, nein, der Vater, um der Liebe willen jenes erschlagen. Kai nur Werkzeug.

Ins Zurücktreten des Vaters klingt mütterliche Anklage. „Zu hart, Mann! Zu hart! Alles soll nach deinem Kopf gehen. Alles knechtest du!" Hilflos weinend, im Anblick seines Gesichtes: „Auch mich! Mich auch!"

Sitzend umschaut der Vater den Tisch: Kais halb ins Dämmer verfließende, von Tränen beströmte Gesicht; die Kinder, ihre Augen schluchzend in Hand oder Mundtuch verborgen; gebeugt, geröteten Auges, Margrit. Und nun, die eigenen Tränen mit zornigem Lächeln verdeckt: „Bin ich ein Tyrann? Meine Tafelrunde weint!" Aber dann, im Verstehen: „Margrit, ich dich knechten! Du das mir!"

„Du bist so hart, Mann, so unnachgiebig!"

Und nun eine andere Stille; ein Wanken dann, ein Fall, das Gesicht in der Mutter Schoß verborgen, schreit der Vater: „Wach auf, Margrit, das ist doch nicht wahr!"

Und Kai – wo ist Zorn, Empörung, wo Haß? Beim Zusammenbruch des Vaters – was ist das für eine Stimme! – ist nur die Liebe da, die alte Liebe, die hinstürzen möchte und flehen: „Nicht dies ist wahr, nicht dies!"

Aber von Lotte fortgeführt, ist hinter jener Tür dort unten Gemeinsamkeit, ihm genommen und abgetrennt, und allein in seinem Zimmer – umsonst die Opfer! – Einsamkeit wie nur je.

24

„Wie klagte sie! Ihr Gesicht von Tränen überströmt und gerötet! Auch sie in Knechtschaft! Mein Leid wäre nicht einzig? Schreit es, klagt und stöhnt man um mich, tags wie nachts, und bin ich nur taub? Zu sehr in mich versenkt, um den stockenden Atem anderer zu hören? Bin nicht allein; schon für Trost bereitet durch Einblick in ihr Gesicht, bis aufs Herz beruhigt im Neigen über ihre angstvolle Hand? – Nein! Alles anders; keine Hilfe in dem. Stürzte Papa nicht vor ihren Tränen auf die Knie, fing er nicht, ihr zur Hilfe, schluchzendes Leid in seinem Arm? Wie sah er aus! So blaß! So viel Falten! Ach, unmöglich, selbst ihnen noch zu glauben. Nirgends Einheit. Nicht einmal ihn kann ich von jetzt hassen, auch er leidet. Vielleicht liebt er mich. Liegt auch er nächtens wach, zählt die Uhrschläge vom Turm und bedenkt Wege, die zu gehen sind? Sucht, fieberhaft hochfahrend, neue, andere: bessere? Wo ist Rettung?"

Er stöhnte auf. Zum Becken gehend, sah er im Spiegel die überquellenden Augen, das tränengenäßte Gesicht. „Nein, nicht mehr weinen! Wie stand ich vor ihm! Ich habe ihm meinen ganzen Haß ins Gesicht geschrieen, meinen ganzen Haß, den ich schon nicht mehr habe."

Es klopfte. Das Gesicht gegen die Scheibe gelehnt, hörte er den Singsang des Mädchens. „Herr Kai möchten zu den Eltern kommen."

„Es ist gut." Er rührte sich nicht. „Schon wieder wollen sie mich. Noch nicht genug? – Merkwürdig, die Tür hat nicht geklappt? Ist das Mädchen noch da? – Nein, ich will mich nicht umsehen. – Ich muß. – Nein, nein."

Das Genick versteift, die Augen gebunden: „Dort die Spatzen auf dem Draht: ein, zwei, drei ... fünf ... sieben. Ich will warten, bis zwölf dort sind oder alle fort, dann erst darf ich mich umwenden."

Er schloß die Augen, und neu sie öffnend, flehte er: „Wie blau ist der Himmel! War er je so blau? Er ist unendlich. Sonne, Mond und Sterne in ihm. Dort die

Venus. – Ach, hinter mir atmet etwas. – Ich darf mich nicht umdrehen."

Seine Augen suchten die Vögel. „Fünf ... neun – noch drehe ich mich nicht um, ich verspreche es mir, ehe nicht zwölf ... aber ich muß. Welche Angst." Er wandte den Blick: ihm zu Gesicht stand das Mädchen, den Kopf gebeugt – „wie fettig glänzen ihre Haare!" –, mit vorgestoßener Stirn, die Augen unbelebt ihm zu. Lange, ohne Blinzeln. Ihr Atem stürmte.

Was war das Fremde? Luft roch schweißig. Sie stichelte an der Haut. In den Taschen die Hände bebten. Plötzlich stürzte Blut und Blut durch seine Wangen, Feuer brannten lodernd im Hirn. Verdunkelnder Qualm füllte das Zimmer, machte die Lungen zucken.

Sein Blick verließ sie, fiel. Er murmelte: „Was wollen Sie noch, Erna?"

Breit, wie lahmgedreht in den Gelenken ihre Hände. Bebend quirlten die Finger umeinander.

„Was stehen Sie hier, gaffen? Spionieren Sie?"

„Nicht traurig sein, Herr Kai, wir mögen Sie alle – so gerne."

Ganz leise: „So gerne."

Wie denn? Hatte es nicht geklungen, ein fernes Läuten, das näherstürmend an ihm sich brach: Wir mögen Sie – alle – so gerne?

„Nicht wahr, du? Der Himmel ist blau? Sonne träuft von den Dächern. Die Lokomotiven kreischen Freiheit in die Luft ... Wie dunkel. Vorhänge fallen. Ist hier kein Fenster ...? Ich bin so schwindlig ... Ja, so, so an deine Brust. Wie rast dein Herz. Schreit es auch ...? Ich glaube, ich versinke ... Die Spatzen schreien. Ich weiß, ich habe mein Wort gebrochen. Aber nun liege ich so ... Bist du das, Erna? Ist das Fleisch, diese Nähe ...? Nein, nicht dein Mund. Nicht dein Mund! Ich kann nicht! Ich sterbe ... Die Welt ist untergegangen. Still! Still! Du!"

Er wird ruhig, sein Stammeln löscht aus. Über den Schuppendächern des Bahnhofs verglimmt fahler Schein. Seinen Kopf zwischen den geröteten Händen, sieht sie über ihn fort, starr in die Weite des Horizonts. Ihre Brust atmet ebenmäßig.

„So. Ja, so wie Wellen. Immer geschaukelt. Einschlafen. Vergessen. – Deine Brust ist Tod, Grab und die ewige Seligkeit."

Stille, ganz lange Stille. Auf der Straße entflammt man die Laternen. Das Mädchen räuspert sich. „Junger Herr, es ist Zeit. Sie müssen runter."

„Ja, ja, gleich, nur eine Minute. Ich bin so müde."

Die Spatzen sind aufgeflogen, den schwarzen Himmel beziehen Wolken. „Es ist Zeit, junger Herr."

„Ich kann nicht erwachen. Nur schlafen."

Sie hebt seinen Kopf. Stellt ihn gegen das durchleuchtete Fenster. Er schrickt auf. „Ich muß gehen." Er greift an seine Augen, reibt die Stirne, zwischen den Fingern sein Haar knistert trocken. „Erna . . . wie? Waren Sie das wirklich? – Erna . . .! Nein, nein, ich habe geträumt."

Er sieht die beschmutzte Bluse – versank dort sein Leid? Er duckt sich zusammen. Klein; zu sich: „Nein, ich darf es nicht sagen . . . Doch, ich muß." Lauter dann, noch mehr gebückt: „Erna, neulich auf der Treppe – ich habe Ihre Beine gesehen, Ihre Beine bis zum Knie."

„Junger Herr!"

Er bewegt die Hand, vorwärts schleichend, von unten in ihr Gesicht geflüstert: „Schöne Beine, weiße Hosen, rote Bänder . . ." An der Tür, plötzlich gestrafft, schreiend: „Alles habe ich gesehen! Alles!! Alles!!!"

„Junger Herr, junger Herr, wenn ich gewußt hätt, daß Sie so sind . . ."

Und er, wieder leise geworden und ganz entleert: „Ja ja, Erna, Enttäuschungen. – Adieu." Er geht – beim

Öffnen fällt vom Türrahmen eine Last auf seine Schultern. „Habe ich meine Schiffe verbrannt?" - Trocken schluchzt er auf.

25

Kai stürmte die Straßen entlang. Kaum dem Lichtschein einer Laterne entronnen, rief ihn der freundlich erhellte Abglanz der nächsten; seinen huschenden Schatten atemlos überhastend, sah er ihn wieder, weit vorn, stürmisch bewegt, automatenhaft stumm.

„Ob ich sie erreiche? Es ist halb sechs vorbei. Wie wenn sie nicht wartete? Fort, unerreichbar? Wäre ich eher geflohen! Niemand hätte es gemerkt, wie es niemand jetzt merkte."

Er schlug mit dem Arm, den Schritt zu beschleunigen. „So viele Menschen und so langsame! Nichts, ihren Schritt zu beschwingen? Kein Wunsch? Keine Hoffnung?"

Verhaltend streifte er die nasse Riefung eines Hauses. „Heut mittag, sie reichte nicht die Hand. War es, weil ich sie wiedersehen würde? Ich muß sie sehen."

In ihrer Straße: „Hier ihr Haus. So dunkel. - Nein, sie ist nicht da, gegangen, gegangen vielleicht vor einer Minute."

Neubelebte Hoffnung ließ ihn die Straße hinabstürzen, einem Schatten nach, der, erreicht, ihm ein fremdes und abweisendes Gesicht zukehrte. „Nichts. Von der andern Seite werde ich am Haus emporsehen. - Hinter welchem dieser erleuchteten Fenster ist sie daheim! Ach, daheim sein, irgendwo mit ihr!"

Zurückgelehnt fühlte er das Wehen von Schnee über sein Gesicht: „Dort wird ein Fenster dunkel. Wer ging aus dem Zimmer und löschte das Licht? Sie? Sie! - Ach, wie kam es? Ist Liebe so? Gestern Spiel und heute - warum sehne ich mich fort von mir in ihre Hände? Ich glaube, ich habe nur für dich gelebt. Endlich erfüllt, reiche ich mich dir ganz."

Er stürmte vor. „Ein Schritt auf der Treppe! Sie kommt. – Sie ist es!"

Mit einer raschen Drehung sah sie die Straße hinauf und abwärts. Er querte den Damm. „Endlich sind Sie da. Wie lange habe ich gewartet! Immer auf und ab und all die Lichter in den Fenstern. Sie erloschen, und andere kamen und vergingen wieder, aber immer und immer vergebens."

„Sie haben gewartet?"

„Um fünf wollten Sie unten sein . . ."

„Ja so, entschuldigen Sie, daß ich . . ."

„Aber nein, es macht gar nichts. Auch solch Warten ist schön. Es ist Sehnsucht und Verzweiflung und immer wieder Hoffen."

„Das Buch?"

„Hier ist es. Sie müssen, Sie werden es lieben. Das arme Jettchen! Wie sie hintreibt! Und dann kommt nach so viel Wehren und Bitterkeit doch alles, wie es kommen muß. Ihre Angst, ihr schmerzlicher Kampf: umsonst. Am Ende angelangt, sieht sie alles verloren."

„Aber nein, nichts kommt, wie es kommen muß. Wie schwach ist das! Unser Leben in unsrer Hand bringt, was wir wollen."

„Nein, nein, wir sind schwach, wir treiben – ‚like water willy-nilly flowing' (Sie kennen Khayyam?). – Wir lassen den Dingen ihren Lauf. Fielen nie Ihre Hände in den Schoß, die Flächen zum Himmel: Komme, was kommen mag?"

„Und wenn auch. Einmal sind wir schwach. Aber dann heben wir von neuem die Hände, einem andern Tag entringen wir den Gewinn, den uns sein gestorbener Bruder verhielt. Das gute Ende heißt allein: Sieg."

„Vielleicht sind Sie stärker. Aber ich – – –. Manchmal

früher, als ich klein war, meinte ich, es müsse irgendwo jemand sein, genau der, der auch ich bin, und jener tut alles, was auch ich tue, leidet, was ich leide, freut sich und ist stark. Aber ich, sein Schatten, ein Spiegelbild, erlebe nur für ihn, und was mich bewegen sollte, in ihm klingt es. Leben, Haß, Arbeit und Lachen, Verzweiflung, Scham und das bißchen – Liebe: alles nur für ihn. – Ich weiß heute: er ist nicht da. Keiner erlebt, was ich zu erleben hätte. Seitdem bin ich ganz allein. All mein Sein taube Frucht."

„Kommen Sie, wir wollen hier am Park entlang. Es ist dunkel, nur wenige Menschen."

Ihr Atem zögerte, seine Hand streifte Schnee von den Büschen. „Und ist alles immer so trübe für Sie?"

„Nicht immer. Manchmal hoffe ich, jenen andern zu finden – und dann nur gut sein, dann nur liebhaben, ein wenig. Kein Vorbeireden mehr möglich, jedes für den andern gemeinte Wort macht alles gut."

„Aber zu Anfang dieses: wahr sein."

„Auch das: wahr sein ist aller Anfang und Grundlage."

Sie blieb stehen, heftiger atmend, umklammerte sie mit ihrer Hand den Schaft eines Baumes. „Wahr sein ... Sie hatten nicht auf mich gewartet, Kai! Ich war unten, Sie waren nicht da, am Fenster lehnend wartete ich Ihres Kommens. Sie kamen spät."

Er tastete blind nach ihrer Hand. „Nicht das. Nicht wieder Mißtrauen, keine Lüge. Sie verstehen mich nicht. Ihre Hand. Es ist so dunkel. Ja, ich kam spät, ich hatte Karzer, aus Scham verschwieg ich's. Verzeihen Sie. Vergessen Sie. Es war nichts. Sie müssen vergessen."

„Sie dürfen nicht so. Kommen Sie. Ich habe vergessen. Es war nichts. Ich hätte schweigen müssen. Kommen Sie."

Er grübelte: ‚Warum log ich? Log ich überhaupt? War es nicht, in diesem Auf- und Abgehen, als hätte ich Stunden gewartet? Und schon von neuem sehe ich mich verstrickt: ich hatte nicht Karzer. Auch das wird sie erfahren.'

Und laut: „Und der Karzer – wissen Sie, warum? Nein ... niemand weiß es, nur ich und gleich Sie."

„Nun?"

„Es liegt im Buch. Ich dachte an Sie. Man fand es – das Konzept."

Sie gingen rascher. „Ich komme zu spät. Kehren Sie nun um."

„Darf ich nicht noch ...?"

„Nein, es ist anders besser."

Sie gaben sich die Hand. Von ihrer Wärme erfüllt, im Dunkel ihr Gesicht ahnend: „Wir sind Freunde?"

„Ja – ja."

„Und Klotzsch?"

„Wie? Klotzsch?"

„Ist er auch Ihr Freund?"

„Ich mag ihn sehr gern ... anders."

„Ich danke Ihnen, Fräulein Ilse. Und nun lesen Sie ‚Jettchen': alles kommt, wie es kommen muß. Gute Nacht."

„Alles kommt, wie ich es will. – Gute Nacht."

26

In dunkle Alleen lief er. Überquellende Schneewasserpfützen schimmerten blank und flach im Schein spärlicher Laternen. Er sprach mit sich, aber stets von neuem abbrechend, lauschte er dem Klang einer Stimme, die irgendwohin im Dunklen zwischen Stämme einen Satz gestellt hatte wie: „Ich bin nicht allein."

Schon stutzte er: ein seltsamer Doppelsinn schien diesen Worten zu gehören, und indem er die Gestalten Margot und Ilse, schon ihm verknüpft, beschwor, sah er zurückschreckend ein anderes, hingekauert an das schwärzlich triefende Wurzelwerk eines Baumes, mißgestaltet, das Gesicht – wenn es denn ein Gesicht für dieses Ungeheuer gab – im Fortblick verborgen: Es.

Er stand, murmelte: „Eben noch rühmte ich mich verlorener Schüchternheit. Zum Zugriff bereitet schien mein Leben vor mir zu liegen. Der seit Tagen unter Schmerzen erschlossene Reigen jener Gestalten, die, meine Hände greifend, mich einem Getrenntsein entzogen, das mir bald lieb, bald leid war – schon zerrinnt er mir wieder, der ich ihm nicht zu glauben vermag."

Indem er die dunkle Unform zu enträtseln versuchte: „Schon mißtraue ich allen liebenden Gesten. Durch das undeutliche Gewurzel eines Baumes erschreckt, zweifele ich, ob *mir* diese so plötzlich an den Tag getretene Liebe gilt oder nicht mehr *jenem*, das ich, kaum als Verräter meiner selbst entdeckt, nun schon in allem zu finden meine."

Er zuckte die Achseln, ging weiter. Vor ihm entbreitete die Horizont füllende Gebärde eines Unbekannten jene Sensationen der letzten Tage; seufzend ihren Sinn umkreisend, schien er finden zu müssen, daß den stets neu verlockten Fuß eng und nahe entäußernder Verrat umspann. „Vielleicht bin ich wirklich krank? – Papa, als er heute nachmittag, erbleicht und in den Schläfen vergilbt, mir befahl, das Geschehene auszustreichen und ganz zu vergessen, er auch schien dies zu fürchten. Warum sonst hätte ich jetzt, von ihm beordert, zum Arzt zu gehen?"

Im spitzbogigen Ende eines Baumganges leuchteten starr Hausfenster; schon streifte Kai öfter der Arm der Vorübergehenden, Straßenlärm brandete nah, und nun, ganz von ihm eingehüllt, die spärlichen Hände vom grellen Schein der elektrischen Lampen verlängert, verharrte er noch einmal. „Also krank? Man wird das Leiden finden, ich erhalte Medizin, und dann ist alles wie vor diesem und Ilse ist nichts mehr, Margot ausgelöscht und Erna selbst ganz fortgenommen?"

Er wandte sich scharf, sah starr in ein Gesicht. „Nein", sagte er, „nein, nicht um diesen Preis, lieber krank."

27

Auf sein Klingeln sagt das Mädchen: „Die Sprechstunde ist vorüber. Herr Doktor bedauert."

„So ... Es ist gut."

Er dreht um, steigt wieder die Treppe hinab, langsam. Dann: „Aber ich bin angemeldet. Ich muß zu ihm."

Zögernd wehrt er ab. „Das Mädchen. Gleich hätte ich es sagen müssen."

Auf dem Treppenabsatz von neuem verharrend: „Papa wird meinen, ich habe nicht gewollt. Ich muß zurück."

Vor der Tür: „Ihr Gesicht war mürrisch. Sie wird schelten. – Aber ich muß doch! – Nein! Nicht klingeln: zu laut."

Er klopft: niemand kommt. Klopft noch einmal: nichts.

Ein Schritt geht die Treppe herunter. Beschämt steht Kai neben der Tür, als warte er nach Klingeln auf Öffnung. Ein Blick, der mißbilligend zu sein scheint, trifft ihn; dann aber, als die Haustür ins Schloß gefallen, klopft er von neuem.

Ein Ruck öffnet die Tür: vor ihm steht der Arzt.

‚Er hat mich belauert!'

„Kai? Ich schalt schon das Mädchen, daß es Sie wegschickte. Bitte, hierher."

Das Bild einer Venus an der Wand stört Kai, er dreht ihr, sich setzend, den Rücken. ‚Sich ausziehen und sie schaut zu!'

In Gedanken verloren wirbelt der Arzt den Brieföffner in der Hand. Plötzlich: „Sie haben Differenzen mit Ihrem Vater?"

„Differenzen - aber wie denn? Differenzen - nein, nein!"

Und Scham wuchs auf, daß dieser hier wußte, Zorn, daß Papa geredet hatte. ‚Steht *er* so hoch darüber? Hat *er* nicht auch...? Nein, nein, jetzt nicht daran denken. Aber immerhin, dies ein Übergewicht, eine Stärkung.'

„Nun, Differenzen, vielleicht zu stark; sagen wir: Meinungsverschiedenheiten. Sie kommen sich unterdrückt vor, zu wenig selbständig. Auflehnung, Zorn, Schwäche, Machtlosigkeit, bittere Wut - ist's nicht an dem?"

Ja, so war es. Aber leicht zu raten, da gemeingültig. Die Väter waren zu alt. Aber es zugeben, ihm, der gleich ans Telephon laufen und es Papa sagen würde? Nein, und so meinte er denn: „Aber nein. Nichts von alledem."

„Sie sind also mit Ihrem Vater völlig in Harmonie? Nichts auszusetzen?"

Im Spott stählte sich Trotz. „Ja, natürlich. Wie denn sonst?"

Der Arzt legte das Papiermesser auf den Tisch, rückte daran, beugte sich vor. „Sehen Sie, Kai, zu mir können Sie doch reden. Von mir erfährt niemand was. Ich bin ja als Arzt verpflichtet, diskret zu sein. Sie wissen: Schweigegebot."

Und er lehnte lächelnd sein Gesicht zu Kai.

„Reden Sie also. Ich sehe *doch*, daß was nicht in Ordnung ist. Dunkle Ränder um die Augen, das Gesicht spitz, Pupillen ohne Reaktion. Na, Sie kennen das alles. Nicht? Kein Buch über Aufklärung gelesen? Nun... Die Hände - spreizen Sie die Finger. Nein, nicht so. Das Handgelenk frei. Sehen Sie, wie die Finger zittern. Ein richtiger Tatterich. - Onanieren Sie?"

„Was? Wie? Was ist das?"

„Machen Sie mir doch nichts vor. Wir sind doch hier nicht Diplomaten. Ob Sie onanieren, sich selbst befriedigen? Sie wissen doch recht gut, was ich meine."

Kai senkte vor dem gleichgültigen Blick die Augen. Noch die Finger gespreizt, dachte er: ‚Alles Mache. Er tut, als sei es beiläufig. Dabei entschieden wichtigst. – Was es nur ist? Nie hörte ich davon! Aber es muß schlimm sein. Er will mich fangen. Wenn ich ja sagte? Besser', und nun laut: „Nein, natürlich nicht."

„Ich denke, Sie wissen nicht ..."

„Nun, so überraschend ..."

„Was soll das Genieren! Hören Sie, Kai. Sie sind doch aufgeklärt?"

Und, auf eine Bewegung des andern hin: „Ich meine, Sie wissen über das Geschlechtliche Bescheid?"

„Ja, aber wie denn? Natürlich. Ich und nicht Bescheid wissen! Schon lange. Ich weiß alles, alles. Nein, sagen Sie nichts, ich weiß ja schon! Ich weiß schon, hören Sie denn nicht! Und überhaupt, was soll ich denn hier? Was soll denn dies Fragen? Ich bin doch nicht krank. Hier so sitzen und ausgefragt werden."

Er schweigt, weiß nicht weiter. Aber schlimm ist, wenn er länger schweigt, wird der Arzt zu reden anfangen und vielleicht darüber sprechen, über – es. Oh, man ahnt schon, was er will, aber so geht es nicht: ‚Ich mag es ja schon und ich will es, aber ich werde dann schwach, ich verliere, sie machen mich gesund. Und dann nicht er, nein, nicht er. Er hat nackte Frauen an der Wand und zu Papa petzt er. Beide sprechen sie dann von – dem. Immerzu muß ich reden, daß er nicht zu Worte kommt. Gleich geht es los. Schon setzt er an.'

„Ja, und Differenzen mit Papa, was soll da sein? Er ist ärgerlich, wenn ich Karzer habe, aber, Herr Doktor, das sind doch keine Differenzen, das ist doch verständlich, ganz selbstverständlich. Und nein, krank bin ich gar nicht, ganz und gar nicht, wie eine Schwalbe in der Luft, so munter. Aber ... jetzt muß ich zum Abendessen, schon zu spät. Ich darf doch gehen? Nicht wahr, ich darf gehen? Alles in Ordnung. Das Ganze ein Irrtum. Adieu, Herr Doktor. Nein, ich muß wirklich gehen. Sehr freundlich, nein, nein, ich kann nicht bleiben."

Er ist aufgestanden, geht rückwärts zur Tür. Die Augen gesenkt, aber auf den Lidern brennt des andern Blick, der ihn halten möchte. ‚Ihn nicht ansehen, ist das beste, aber auch das beste ist schlimm, denn nun weiß ich nicht, was er tut.'

„Nein, Kai, das geht nicht, hier so einfach wegzulaufen. Erst muß ich Sie wenigstens untersuchen. Ihr Abendessen wird schon warten. Gehen Sie mal zum Diwan, ziehen sich aus. – Nein, nicht nur den Oberkörper freimachen, ganz ausziehen."

‚Ich will nicht, aber ich muß. Und sicher habe ich schmutzige Füße. Nein, nun lege ich mich so hin, Hände und Arme werfe ich ganz fort, all den Fleischkram, den ich verachte. – Was tut er? Warum kommt er nicht und beklopft mich?'

„Was haben Sie an den Armen, Kai? Gebissen?"

‚Natürlich habe ich mich gebissen. Aber ihm das erzählen?' Und er legte den Kopf zurück. „Ich weiß nicht."

„Nun lassen Sie mal diese alberne Trotzerei. Sie sind doch hier, daß ich Ihnen helfe. Wenn Sie nicht wollen, so stehen Sie auf und gehen. Aber hier rumliegen und maulen ..."

‚Oh, ich ginge schon. Aber er sagt das nur. Er hielte mich wieder.'

Und dann, ganz plötzlich: „Hören Sie, Herr Doktor, es hat gar keinen Zweck, daß sie mich untersuchen. Wissen Sie, ich zieh mich an. Sie haben's ja selber gesagt. Nun tu ich's. Und, nein, nicht umsonst, ich kaufe mich frei von Ihnen, richtig frei. Ich erzähle Ihnen was. Papa, mein Vater, nun, das müssen Sie wissen, der ist erst richtig krank. Den müssen Sie mal untersuchen ... so, gleich, ich gehe doch. Gleich sage ich es Ihnen, erst muß ich bei der Tür sein, dann sage ich Ihnen das Richtige, daß Sie mich gehen lassen, sonst halten Sie mich ja doch. – Nein, jetzt nicht reden. Wissen Sie, warum ich es sage? Sehen Sie, Sie haben mich gequält, nun quäle ich dafür Papa. Jetzt fühlt er's, glauben Sie mir, er fühlt's. Sie meinen, ich schäme mich. Nein, ganz und gar nicht. Ich, müssen Sie wissen, kaufe mich ja frei. Von Ihnen und den Eltern: dann sind nur noch drei da oder vier: Ilse, Margot, Erna, Arne. Und versteht sich: Kai. Kai. Kai. Nein, kommen Sie nicht her. Jetzt bin ich frei. Jetzt habe ich die Klinke in der Hand. Also – nein, ich sage es Ihnen näher", und er beugte sich zum Arzt, der ihn unverwandt ansah, „nun denn, die Sache ist die: heute mittag, der Papa, der Vater, ach, der Herr Papa mit dem Spitzbart, heute mittag, jetzt also – sogar die Serviette hatte er um den Hals (das ist übrigens gar nicht wahr!) – fällt er auf die Knie vor der Mama, und sie weint! Sie ahnen nicht, wie sie weint! Fällt er vor ihr also auf die Knie, faßt sie um und um. Und schreit: ‚O Margrit', schreit er, ‚Margrit, warum hast du mir das getan!' Und nun adieu, Herr Doktor, zu Ihnen, da komme ich ja auch lange nicht wieder. Nehmen Sie den Herrn Papa, den alten Herrn, da lohnt's. Da können Sie fragen, was Sie wollen. Mich zu schicken! Nein! Und nun wirklich adieu. Ich danke Ihnen, danke Ihnen vielmals."

Die Tür geht. Er steht draußen. Der Arzt kommt nicht nach, läßt ihn gehen. „So ein dummer Kerl, nicht zu merken . . .

Hier schon die Treppe. Aber immer noch kann er nachrufen, nachlaufen. Und doch, ich darf nicht rennen, keine Angst bekommen. In der Furcht bricht drinnen alles zusammen, und dann liege ich. Sieh, schon die Haustür.

In seinem Zimmer ist kein Licht mehr. Was? Kein Licht! Er schleicht nach, will mich belauern, einfangen.

Was tun? Denn dieses ist das oberste Gesetz, in ihm hängen Moses und die Propheten, nicht umsehen, immer grade aus. - Wie weh der Nacken davon tut. Er verhärtet sich, wird Stahl, der scharfkantig auf Fleisch drückt. Eigentlich - die Haut darunter müßte ein feuchtes Weiß sein, das sich geworfen hat. Ob auch Ohrwürmer darunter sitzen wie unter den flachen Steinen im Garten? - Nein, er kommt nicht, aber oben, in seinem Zimmer, im Dunkel allein, hängt die Venus. Die Nacht liegt richtig an ihrer nackten Brust, die so drängt, gar nicht zugedeckt, nie zugedeckt. Tausend Jahre."

Er setzte sich auf eine Bank, und mählich fühlte er, mit dem Wind, der durch die Bäume strich, eine schwermachende Beruhigung in sich hineinwehen. Stolz kam auf. Er reckte die Arme. „Was für eine Abfuhr. Kein Wort sagte er. Verstummt lauschte er dem Fluß meines Vortrages. Sieger; Sieger über ihn, Sieger über Papa. - Sieger?"

Er zögerte und nun wußte er's. Wie von einem Blitz dem Dunkel entrissen, war es da, blendend vor seinen Augen, und: „Sieger? Trauriger Besiegter! Wieder verraten, überwältigt, in Gänge gejagt, die *ich* nie gewählt. Was soll werden? Was? Alles verraten. Dieses bei Tisch ... und Papa wird's erfahren. Immer weiter geht es. Und kein Ausruhen!"

Er stand auf. Das Gefühl äußerster Wehrlosigkeit nahm Lust zur Abwehr. Er schlich in die Stadt. Die letzten Lastwagen polterten mit trabenden Pferden, die klirrend die Köpfe warfen, in kaum erhellte Torbögen hinein. Schon waren die Läden geschlossen. Über den Fenstern der Cafés wanderten leuchtende Zeichen.

Aus der Beruhigung des Altgewohnten wuchs ihm, wie nur je, Vergessen, und das Gefühl, machtlos zu sein im Kommen der Dinge, ließ ihn stiller und rascher seinem Heime zuschreiten.

28

Staatsrat Goedeschal reichte dem Arzt die Hand. „Verzeihen Sie, lieber Herr Doktor, daß ich Sie spät noch aufsuche. Eine wohlbegreifliche Unrast wegen Kais Befinden, auch der Wunsch, meine Frau zu beruhigen, zwangen mich hierher."

„Bitte, Herr Staatsrat. Kai war bei mir. Von einer körperlichen Untersuchung glaubte ich absehen zu dürfen..."

„Wie das?"

„Weil sowohl die Mitteilungen, die mir Ihre Frau Gemahlin übermittelte, als auch mein persönlicher Eindruck dafür sprachen, daß wir es hier allein mit einer nervlichen oder besser – verzeihen Sie, wenn ich einen so vagen Ausdruck gebrauche! – seelischen Überreizung zu tun haben."

„Diese seelische Überreizung – ich werde Sie nach Abschluß Ihrer Ausführungen um eine Erläuterung dieses umschreibenden Ausdrucks bitten – steht Ihres Erachtens nach fest?"

„Sie steht fest. Um nun aber eine Prognose stellen zu können, ist es notwendig, die Entstehung dieser Überreizung zu erklären."

„Hierin gehe ich mit Ihnen konform."

„Und ich muß zuerst um eine Bestätigung bitten. Sie haben Ihren Sohn sexuell nicht aufgeklärt?"

„Nein."

„Sie glauben auch nicht, daß Ihrem Sohn eine solche Aufklärung von anderer Seite geworden ist?"

„Hierüber kann ich eine bindende Erklärung nicht abgeben."

„Mein lieber Herr Staatsrat, ich brauche keine bindenden Erklärungen. Ich möchte Ihre, natürlich gänzlich unverbindliche Ansicht hören."

„Nach unser, der Eltern, heiliger Überzeugung ist Kai noch vollkommen unschuldig."

„Unschuldig ...? Nun gut. Es ist demnach auch unnütz, Sie zu fragen, ob Ihrer Ansicht nach Ihr Sohn Kai den unter jungen Leuten seines Alters üblichen – ich will nicht sagen Mißbrauch, also – Gebrauch seiner Geschlechtskraft teilt?" Auf einen fragenden Blick: „Ich meine die Onanie."

„Ach so! – Nach meinen soeben abgegebenen Erklärungen erscheint mir eine derartige Frage allerdings vollkommen unnütz."

Der Arzt lehnte sich zurück. Der Seitentasche seines Jacketts eine silberne Dose entnehmend, griff er aus ihr eine Zigarette, die er entzündete, ohne eine abwehrende Bewegung seines Gegenübers zu merken oder zu beachten.

„Ich kann meine Ausführungen danach in fünf Sätzen zusammenfassen: Die seelische Überreizung Ihres Sohnes hat ihre Ursache in seiner vollkommenen sexuellen Unaufgeklärtheit. Indem er plötzlichen aus der Pubertät resultierenden Verschiebungen seiner Physis als etwas Rätselhaftem gegenübersteht, zwingen eben diese ständig vermehrten Verschiebungen seine Psyche, sich unausgesetzt damit zu beschäftigen. Diese Überreizung ist bereits derart stark geworden, daß sie in ihren Äußerungen das Pathologische streift, wenn nicht gar schon sehr hierin übergreift."

Staatsrat Goedeschal strich mit der Hand über sein Gesicht. Den starrer werdenden Blick auf den Arzt geheftet, murmelte er halblaut vor sich hin: „Pathologisch! Geisteskrank! Schrecklich!"

Unbekümmert dozierte der Arzt weiter: „Die versäumte Aufklärung ihm jetzt noch zuteil werden zu lassen, erachte ich für untunlich, da eine solche Aufklärung in Anbetracht des Umstandes, daß das Sexuelle schon übermäßig starke erotische Reizwirkungen, auch auf seine Psyche, in ihm auslöst, nur ein unnatürliches Moment mehr hinzufügt. Der einzige Weg, der Natur zu Hilfe zu kommen, ist der, ihn aus den hiesigen Verhältnissen fortzunehmen und auf das Land, am besten in eine bäuerliche Wirtschaft, zu bringen. Dort, losgetrennt von all dem Bisherigen, wird er in der natürlichen Behandlung des Natürlichen Gesundung finden, zu der es, wie ich zuversichtlich hoffe, stärkerer Mittel zur Zeit noch nicht bedarf."

Staatsrat Goedeschal hatte sich erhoben. Er stieß den Stuhl beiseite. „Sie sehen mich sprachlos, Herr Doktor, einfach sprachlos!"

Der Arzt machte eine beruhigende Bewegung und strich die Asche seiner Zigarette ab.

„Ich verstehe Sie nicht! Haben Sie sich denn die Tragweite Ihrer Vorschläge klargemacht! Ich soll den Jungen für Wochen – denn um Wochen würde es sich doch handeln?"

„Monate! Monate!"

„Monate ...! Also, ich soll Kai für Monate aus der Schule nehmen, ihn, der schon infolge der mit meiner Versetzung nach hier erforderlich gewordenen Umschulung ein halbes Jahr verlor! Das hieße ein weiteres Jahr verlieren; er würde bestenfalls mit nahezu zwanzig sein Abitur machen, also zu einer Zeit, da ich schon tief im Studium war! Ganz abgesehen davon, daß das Rektorat kaum seine Einwilligung zu einer solchen Versäumnis erteilen würde."

„Auf Grund meines Attestes würde eine solche Einwilligung wohl ohne weiteres erteilt werden *müssen*!"

„Ihres Attestes ... Und Sie beabsichtigen in einem solchen Attest die sexuelle Frage anzuschneiden?"

„Versteht sich."

„Und Sie begreifen nicht ... entschuldigen Sie, ich bin

sehr erregt, ich meine, Ihnen ist nicht klar, wie unglaublich kompromittierend es für mich in meiner Stellung sein würde, wenn mein Sohn wegen, ich will sagen, einer sexuellen Überreiztheit, die ans Pathologische grenzt, - drücke ich mich richtig aus?"

„Ungefähr."

„Also ... wenn mein Sohn aus - sexuellen Gründen vom Unterricht dispensiert würde? Welche Rückschlüsse würde man auf mein Privatleben ziehen! Ich höre schon unter meinen Mitarbeitern Redensarten wie: ‚Der Apfel fällt nicht weit vom Stamm.' - Unmöglich! Einfach unerträglich!"

„Diese Einwendungen betreffen nicht die Sache."

Staatsrat Goedeschal warf sich in einen Sessel. Erregt an seiner Brille rückend: „Ich komme zur Sache. Und da muß ich sagen, daß ich mit äußerstem Befremden, ja, mein lieber Herr Doktor, so leid es mir tut, mit äußerstem Befremden Vorwürfe gegen meine Gattin und mich aus Ihrem Munde gehört habe, die wir uns nie und von niemand erwartet hätten! Ich bitte Sie! Sie reden von Versäumnissen, die ich durch Nichtorientierung Kais über das Sexuelle begangen haben soll!"

„Versäumnisse, schwerwiegende Versäumnisse, wie Sie aus den Folgen sehen."

„Sie übertreiben einfach die Folgen! - Sie vergessen ganz, daß Sie sich mit Ihren Ausführungen in einem schreienden Gegensatz zu unserm Kultusministerium befinden, das die sexuelle Aufklärung für Oberprima festgesetzt hat! Auch ist, soviel ich weiß, die Frage pro et contra Storch in der Literatur noch längst nicht entschieden!"

„Die Massenaufklärung in einer bestimmten Klasse ist, verzeihen Sie den harten Ausdruck, ein barer Nonsens! Ganz abgesehen davon, daß Aufklärung dann schon zu erfolgen hat, wenn die erotischen Reizwirkungen noch möglichst geringe sind, ist es ein Unding, von einer bestimmten Klasse zu erklären: sie ist reif für Aufklärung. Natur läßt sich nicht kommandieren: der eine reift früh, der andere später."

„Sie reden immerzu von Natur! Das Natürliche ist es doch entschieden, die Dinge sich entwickeln zu lassen, wie ich es getan habe, und nicht mit allen möglichen ausgeklügelten und plumpen Eingriffen dazwischenzufahren."

„Das Natürliche ist es, wenn Kinder im nächsten Konnex mit Tieren, Pflanzen und Menschen Geschlechtlichkeit vom ersten Tag als ein Selbstverständliches betrachten. Aufklärung wird für diesen Idealzustand stets nur Surrogat sein, ist deswegen aber nicht weniger notwendig."

„Ihre Ansicht betreffs Entstehung dieser Überreiztheit ist falsch, das Sexuelle spielt dabei überhaupt keine Rolle. Mein Sohn ist unschuldig, das ist die heilige Überzeugung meiner Gattin und ..."

„Und Ihr Sohn ist schuldig, wenn er über Sexuelles orientiert ist?"

„Meinem Sohn fehlen die Voraussetzungen für Ihre Theorien! Er stammt mütterlicherseits aus den Kreisen der Geistlichkeit, väterlicherseits von Juristen ab. Bei Niederschrift eines Stammbaums gingen mir genügend Dokumente durch die Hand: es befindet sich unter allen Vorfahren kein übertriebener Erotiker. Ihre Behauptung ist blasse Theorie, sie widerspricht jeder Vererbungslehre."

„Vererbung als ein Rechenexempel anzusehen, muß ich ablehnen."

„Von einer Versäumnis kann überhaupt keine Rede sein, das alles ist von uns genau erwogen. Erst vor ein paar Tagen hatte ich mit meiner Frau dieserhalb ein eingehendes Gespräch."

„Dieses Gespräch hätten Sie vor drei, vier, fünf, sechs Jahren führen sollen!"

„Ihre Ausführungen sind mir unverständlich!"

„Und mir Ihre Einwendungen!"

Atemlos betrachtete Staatsrat Goedeschal den Arzt, der sich hastig eine neue Zigarette anbrannte. „Wenn Sie wenigstens nicht rauchen wollten! Ich kann Zigarettendampf gar nicht vertragen!"

„Ach, verzeihen Sie!" Und er zerdrückte die brennende im Becher. „Vielleicht darf ich Ihnen eine Zigarre anbieten?"

„Aber deswegen sagte ich es doch nicht! – Nun, sehr liebenswürdig!"

„Hier ist Feuer."

In den Sessel zurückgelehnt, die ersten Züge einer milden Zigarre auf dem hinteren Gaumen kostend: „Ich hatte mich etwas erregt. So dienen wir der Sache nicht."

„Zweifelsohne nicht."

„Sie mögen in so manchem Recht haben."

„Meine Vorschläge waren vielleicht zu weitgehend."

„Sie sahen sehr düster, zu düster."

„Vielleicht."

„Eine Entschulung Kais . . ."

„. . . ist vielleicht nicht notwendig, wenn andere Maßnahmen getroffen werden", und der Arzt senkte die Lider.

„Darf ich Vorschläge erbitten?"

„Lassen Sie Kai unbehelligt. Er hat Bedürfnis nach Alleinsein, Selbständigkeit. Mag er's befriedigen."

„Einverstanden."

„Etwas Brom vor dem Schlafengehen. Kalte Abwaschungen morgens und abends."

„Sehr wohl."

„So wird sich die Nervosität beheben lassen."

„Wie unnütz meine Erregung! – Ich danke Ihnen vielmals."

„Keine Ursache. Ich bitte um Empfehlungen an die Frau Gemahlin."

„Werden dankend ausgerichtet."

Staatsrat Goedeschal wandte sich zum Gehen. „Noch eins. Kai möchte gern in den Wandervogel. Was meinen Sie dazu?"

„Wandervogel? Dieser Jungensverein? Ausflüge? – Natürlich. Wie gesagt, nicht behelligen."

Eine Pause. Sie betrachteten ihre nach der Erregung wie verwelkten Gesichter.

„Und ihm Szenen ersparen, Szenen jeder Art."

Auf einen fragenden Blick: „Bestrafungen . . . nun, Sie wissen schon, was ich meine, sehr verehrter Herr Staatsrat. Guten Abend."

„Guten Abend, mein lieber Herr Doktor."

29

„Träume ich? Wandelst du im Schlaf, Kai? Hier stehst du im Keller, die im Windzug flackernde Kerzenflamme entreißt einer Dunkelheit, die Nirwana ist, unförmige Gestalten, am Tag Tisch und Schrank, nun seltsam erstarrt in einer Stunde, da du ungebetener Gast bist."

„Tritt näher. Nein, nicht fällt die Decke auf dich. Scheint sie auch im huschenden Lichte zu stürzen – schon meinst du das Rieseln von kalkigem Schutt zu spüren –, so will *sie* doch nichts von dir. Anderes will dich."

„Was zögerst du? Tritt näher!"

„Du verweilst? Dort in der Schrankecke – kein bleiches Gesicht hebt sich als zuckende Blume dir zu; es ist ein

Tuch, das die Mädchen auf der Leine vergaßen. – Dort am Boden der Verkrümmte, er greift nicht nach deinem Fuß; ein zusammengerollter Teppich, ohne Leben. Anderes will dich."

„Tritt näher. Dort im Winkel . . ."

„. . . du atmest nicht . . .?"

„Ah! Du weißt!"

Kai glitt, stürzte. Wände taumelten, schwarz und weiß funkelten sie in seine Augen, kaltes Sausen zerblies seinen Nacken, ein endloser Arm griff nach ihm, – das zu Boden geglittene Licht erlosch.

Eine Stimme, fiebrig und ganz klein, blies ins Dunkel Worte, schon aufgelöst und nie dagewesen: „Papa! Mama! Papa, hilf mir! Hier liege ich! Sie greifen mich! Hilfe! Hilfe!"

Das Gesicht, den Leib dem Bretterboden angeschmiegt, fühlte er Kälte in den nur hemdbekleideten Leib aufsteigen, Kälte, die von jenem kleinen Schwarzen in der Ecke streicht.

„Wie eisig mein Arm! Schmiegt er sich an mich? Hans! Hans! Es war Papa! Es war Papa!"

Er lauscht. Es ist still, schwarz und still. So schwarz: Es kann sich auf ihn legen und ihn erfrieren machen, nichts wird er kommen sehen. Schon schleicht es vielleicht. Und in dieser Stille wird jeder Hilferuf verhallen, wie ein Stein, kaum aufspritzend, in den schon wieder geschlossenen Wasserspiegel fällt.

„Was zauderst du? Entzünde die gefallene Kerze. Es ist nichts. Hebe den Kopf. Die Hand vor das Licht gehalten, richte seinen Schein nach jedem Winkel. Alles wie sonst."

„Fürchtest du etwa das Kleine dort, das Gestreckte, das Starre, das Eisige? Auch das ist nichts – ein krepiertes Kaninchen, das du verscharren wirst."

„Tritt näher. Es tut dir nichts. Es ist ganz tot. Nicht mehr da. Nur noch Form."

„Was zitterst du? Deine Hände beben. Du brauchst es nicht anzurühren. Schiebe den Spaten darunter."

„Hier, den Gang. Der Schlüssel zum Garten steckt im Schloß. Öffne!"

„Ah! - - - Siehst du, im Garten ist Mondschein. Den erwartetest du dir nicht. Laß das Licht auf der Treppe."

„Leise. Der Kies schmerzt kaum an den Sohlen. Denk dich hinein in das über den Spaten stehende, das Starre; so wirst du nichts wissen. - Linkerhand."

„Hier, auf den Laubhaufen lege es. Grabe. Kaum ist der Boden gefroren. Du mußt es ja tun, auch diese Form will Ruh haben, selbst das Ausgeleerteste ist noch so erfüllt von Leben, daß du's vergraben mußt, sonst zersprengt es dich."

„Die Grube ist tief genug. Du magst ihm aus Laub, vergilt, ein Bett richten. Laß es hineingleiten, langsam. Langsam! Es erwacht nicht, aber du!"

„So. Gib Erde darauf."

„Sieh nicht hin!"

„Zuerst die Pfoten, der Leib, - du brauchst nicht hinzuschauen, es ist recht so. Gleich ist es bedeckt. Noch ein Spaten voll."

„Sieh nicht hin!!! - Zu spät, daß du das Gesicht beiseite zwängst . . .!"

Kai erschauerte: stumpf zum Mond das blaue Kaninauge, bestreut mit einem Krümel Sand, zerstört das Glasklare.

„Hans!!!"

Zusammenschreckend umkrampft er den Spatenstiel; in Klage das verzerrte Gesicht zum Durchleuchteten erhoben, stößt er den Spaten in den Leib des Geliebten, den er zerklaffen fühlt; mit den Händen, den Füßen scharrt er die Erde darüber; stampft sie fest.

Vorgebeugt von der Verandatreppe sah er gegen die dunkle Bretterwand das weiße Kreuz des Spatenstiels. Und es schien ihm, seltsam erhoben wie erleichtert, als gäbe es von nun keine Sünde mehr, die nicht entsühnt sei durch Legen der Hand auf dieses Kreuz. Denn im haarumgebenen Fleisch mündend, schien es nur ein ander Symbol jenes zu sein, der, am Kreuz sterbend, eine Welt zu entsühnen begehrte.

„Kehre um. Zögere nicht, dies, leicht am Morgen zu finden, darf nicht bleiben. Entferne den Spaten."
„So."
„Du willst gehen? Noch ist deine Arbeit nicht getan. Von neuem scharre den Boden auf. Greif hinein, greif fest zu."
„Was fürchtest du dich! Nicht noch einmal erwachst du. Nimm es, schwing es über den Zaun."
„Es fiel. Hörtest du das Klatschen? Es ist fort, die Hunde werden es fressen. Schon ist es nicht mehr da."
„Du darfst schlafen gehen."

30

„Lehne dich gegen mich, Wind, blase nur zu! Und du, Regen, schlag deine langen und feuchten Schnüre mir ins Gesicht, überspül meine Hände, durchnässe die Kleider, füll die Schuh, du hältst mich nicht, – ich finde sie doch!

Hab ich schon verschlafen, habe ich auch den Zug versäumt, wandre ich hier immer allein in Regen und Wind ihren, nur geahnten, Spuren nach – am Ende, irgendeine Wegbiegung, ein sich teilendes Gebüsch, der weichende Stamm eines Ahorn, im Regen wie Lack glänzend, – irgend etwas über ein kleines wird sie mir zeigen; ich werde nicht umsonst allein gewesen sein!"

Auf der Hügelkuppe verharrend, sah er fort zur verwaschenen Spur der Landstraße, die in dampfigen Schleiern mündete; herbstgepflügte Äcker, von Schneewasser durchlaugte und vergilbte Wiesen hoben und senkten sich dem Horizont zu; Wasserlachen glänzten auf; in den Winkeln der Böschungen lagen stumpf tauig zerfressene Schneehaufen; und dies alles und selbst das Surren der Telegraphendrähte war weichgemacht von der Ahnung des Kommenden.

Weitergehend: „Es ist ja wieder einmal nicht wahr, was die Pauker moralisieren! Jeder Eindruck bliebe, grübe sich ein, zöge Folgen auf Folgen? Was war gestern, noch heut nacht? Nein, nicht daran denken; jeder ist einmal ein wenig verdreht: heute bin ich ein andrer, mit dem neuen Morgen ist die alte Hoffnung wieder da, und gibt es auch Zuspätkommen, Verfehlen, Regen, Wind – bin ich denn nicht froh, liebe ich nicht das Leben?"

Die Arme gebreitet, ganz hingegeben, während der weichere Wind in die Lungen drang: „Du bist da! Ich finde dich. Alles gut."

Und vorwärts wandernd ließ er neben sich die gestalteten Wünsche, erfüllten Hoffnungen gehen. Seine Hände, erfroren, blaurot, schienen sich zu füllen von einem Übermaß an Geschenken.

„Nein, nicht arm! Niemals arm!"

Dann, während er den erhobenen Blick gleiten ließ in das Aufgebreitete der samenwartenden Felder, in die endlosen Dehnungen und Dünungen der lehmigen Äcker, sah er ohne Erstaunen, als die selbstverständliche Einlösung eines Versprechens, auf den Wiesen neben den Weiden die kleinen schwärzlichen Punkte Wandernder und wußte: „Da bist du ja! Siehst du, nun habe ich dich doch!"

31

Er warf den Rucksack zurecht, übersprang Böschung und Graben. Der aufgedunsene Acker klebte unförmige Tonklumpen um seinen Schuh. Dem am Rand des Schlags über den Graben Springenden entglitt plötzlich der Boden: unterm Fingernagel Gras, das Gesicht glühend, trat er im Aufstehen sich die Füße: „Paßt auf, ihr Lumpen! Paßt doch auf!"

Über den Wiesen glänzte Wasser. Eisige Pfützen klirrten im Betreten, näßten seine Beine zum Knie. Auf dem feuchten Gras ausgleitend, stürzte er drei-, viermal, während der Rucksack ins Genick schlug.

Und nun waren Hindernisse da, nun, als schon näher die Röcke der Mädchen wehten, als die Melodie eines Marschliedes, noch kaum geahnt, ihn eilen ließ, zweifelte er: „Wie laufe ich ihnen nach! Klotzsch wird spotten! Und Ilse – in diesem Aufzug vor ihr!"

Unmöglich schien es: unter sie laufend, alle Gesichter ihm zugedreht, musternde Blicke, durchnäßte Kleider, dieses erfrorene Gefühl in den Fingern, – und jetzt reden, den Mund auftun, erklären, sich unter sie mengen, der er eben noch ganz allein gewesen war mit den Bäumen, einem nur für ihn aufgezogenen Himmel und den endlos sausenden Windmelodien. „Nein!"

Zögernder, an die Büsche gepreßt, langsam im Schritt, folgte er ihnen ferne. Dunkel aufquellende Trauer über so gänzliches Machtlossein lehnte ihn an den Stamm eines Baums; und jetzt, in das saugende Steigen all dieser Unklarheiten, war er erlösungsreich, jener halb unwillige Ruf: „He, du! Kai! Wo kommst du denn her?"

Den Büschen entkroch Klotzsch, das stopplige Kinn unterweht von den Spitzen eines roten Taschentuchs, mit den Fingern am Hosenträger knöpfend. „Nanu?"

„Gott sei Dank, Werner! Ich dachte schon, ich fände euch nie. Zug versäumt."

Klotzsch zögerte; dann, nähertretend auf dem Bohlenbelag einer kleinen Brücke: „So eine Eselei, uns nachzufahren! – Besser, du kehrst um."

„Umkehren ...?!"

Ferner schon wehten die Kleider.

„Ja, du, Kai." Sehr vorsichtig: „Wir sind nämlich schon zwanzig. Mehr dürfen nicht mit."

„Jetzt noch umkehren!"

Der Herweg war da und dann das Zuhaus – drüben die Mädchen. „Es kann dein Ernst nicht sein?"

Schon schien Klotzsch stärker. „Du wirst doch nicht mitgenommen. Also mach gleich kehrt."

„Aber nein!"

„Ich bitte dich darum."

„Was kann dir daran liegen?"

„Wenn ich dich schon bitte, Kai."

„Völlig außer Frage! Lächerlich, noch darüber zu reden! Ich verstehe dich nicht." Dann, rascher: „Hast mich doch selbst eingeladen!"

„Du weißt recht gut ...!" Rot überkam es Werners Gesicht. Die Hand hinter sich, ihm ganz den Weg vertretend, stand er Kai gegenüber, während ein verlegenes Lächeln Trotz wurde.

Sie schwiegen lange. Jeder wartete. Erstes Wort schien schwerstes.

Schärfer, als er wollte: „Also kehrt, Goedeschal!"

Kais Fuß tastete nach den Brettern des Steges. Vorsichtig, probierend: „Du kannst mir nichts verbieten. Ich gehe, wo's mir paßt."

Werner spürte am wegwärts gedrängten Arm stärkeren Gegendruck.

Kais Handgelenk war gepackt.

„Laß los, Klotzsch!"

„Kehrt! Dummer Kerl! Ich will dich nicht! Meinst du, ich spür's nicht, wie du Ilse nachläufst?"

Weich, – schon schien Zurückgehen nicht mehr ganz unmöglich: „Mach keine Dummheiten, Klotzsch! Was geht mich deine Ilse an!"

Ganz weit vorn sah er sie. Wandte sich zu Klotzsch: „Nun?"

„Ich glaube dir nicht! Du willst nur zu Ilse!", und er zerrte stärker.

Den Körper zurückgelehnt, versuchte Kai mit der freien Hand den Griff zu lösen. „Werner, ich bitt dich!"

„Ach was!"

Der heftige Riß am Gelenk schmerzte, in der Tasche wühlend, nun das Messer über Werners Hand: „Laß los, sage ich dir!"

Nachgeben wär *nun* Feigheit. „Mach keine Dummheiten, Kai!"

Schmerzende Quetschung löste Schrei und Schlag: „Laß los, du Vieh!"

Doch schon da, noch das Zucken in der Hand, wußte er: ‚Nur der Messerrücken ist's. Nur der Rücken. Nichts kann geschehen.'

Und vorgebeugt, schneller atmend, sah er den rötlichen, flachgewölbten Handrücken, der sich langsam auftat: schmaler, entfärbter Mund, kleine Blutstropfen traten auf den Grund des Einschnitts und - - - dann überquoll es die Lippen, die Hand beströmend war Rot da, immer mehr Rot, schon lief es über, nun berührte es seine Hand, sie entglitt Werners Griff.

Wie plötzlich ganz blind geworden, hob Kai die Finger zum Gesicht, betrachtete sie, ohne Verständnis.

Dann, sie unmutig auf dem Rücken bergend, wies er mit der unbefleckten Hand auf Klotzschens Blut, stammelte: „Da ... da ... was da nun geschehen ist!"

Klotzsch, sehr bleich, weinerlich: „Da siehst du, was

du getan hast! Hilf wenigstens. Dein Taschentuch in die Pfütze dort. Leg's über die Hand."

Kai bückte sich; doch, als er die blutende von neuem sah, ganz überströmt, das Hemd unterm Ärmelrand schon braunrot befleckt, wich er zurück, schrie: „Nein! Nein!" Sah noch einen Augenblick starr auf Klotzsch, drehte sich, das Geländer streifend, und stürzte davon.

32

Hinter ihm Rufe – er lief, durch die triefende Wiese näher dem Ufer des Flüßchens zu, unter Büschen entlang, nun gedeckt, niemand konnte ihn sehen; was hinten gewesen, war verlassen worden, kam nie wieder.

Freilich, dunkel fühlte er: „Das bleibt nicht so. Konsequenzen" – nein, hier stockte das Denken, versagte dieses Hirn, das stets rasender Rennen und Laufen befahl, den Raum zwischen Geschehenem und ihm zu vergrößern. Dann das Herz: nichts war fühlbar als das Herz, unumgänglich, daran zu denken. Ein Trommelstock wirbelte rastlos gegen die gestraffte Brust; sah man nach unten, kamen die Knie, die Füße hervorgeschossen, taumelten tapsig in Pfützen, aber eh noch Befehl zu größerer Vorsicht gegeben, waren sie eingeholt von neuen Knien und Füßen, die weiterzerrten.

Plötzlich kitzelte es: „Wenn ich mich umdrehte! Alles wirklich fort? Ganz ausgelöscht?"

Doch dort waren wieder die Pünktchen: vier, sechs, zehn; Gruppen, ineinanderfließend, untereinander verschoben, nun deutlich abgegrenzt die einzelnen Gestalten, helles Kleiderrot, das geruhsam satte Weiß eines Sweaters, ein Ruf, irgendwo weiter Lachen, und nun, im Anhalten, ließ Ruhe das Herz toll loswirbeln, ein Hexensabbat von Schlägen.

Kais Hand krampfte zur Brust. Aber im stiller gewordenen Eintönigen sickerten breit wie dichte Regen Ermattungswellen in den Leib. Das Auge offen, die Hände vorgespreizt, stammelte er: „Kanaan! Kanaan!"

In einem Buch blätternd, hatte er dies Bild einmal bemerkt: dicht vorn bebuschter Graben, Pfützen, eine hängende Hand, entfärbt, nun überströmt: blutrot. Im Sinkenlassen des Arms entglitt das Bild. Täuschung. Sein weitgeöffneter Mund saugte Luft des Kommenden.

So, von der Süße des Augenblicks übermannt, ließ Kai den Unterkiefer hängen. Verhungert riß der Mund stets mehr Luft in den Leib, und langsam und warm floß Speichel über das Kinn.

Erwachen schob die Züge zurecht. Den Hut aus der Stirn ging er mit gleichmäßigen Schritten den andern nach, im Einholen winkte er erstaunt musternden Gruppen, sah Ilse, legte zögernd die Hand auf ihre Schulter.

„Fräulein Ilse?"

„Was? Sie, Kai! Woher des Wegs? So plötzlich bei uns."

„Ich bin – Ihnen nachgelaufen."

Sie, mit einem Blick auf die andern: „Leise! Herr Goedeschal, nicht doch." Dann entschiedener: „Und wo ist Ihr Freund Klotzsch?"

Im Anschauen: „Ich sehe ihn nicht. Eben war er noch da."

„Ach! Bitte, lassen Sie Werner. Ich wollte Sie." Ihre Farbe vertiefte sich, eine Weile schwieg sie. Der Blick schweifte am Boden, dann plötzlich, die Augen ganz allein für ihn aufgeschlagen: „Es ist schön, daß Sie uns nachkamen."

Leiser: „*Mir* nachkamen."

Kai stammelte: „Lernten Sie nicht eben Sehen, Ilse, Sie – nur für mich? Gingen nicht eben erst Ihre Augen auf?"

Er griff nach ihrer Hand, tastete nach der Wärme ihrer Finger.

„Nein", sagte sie rasch. „Nicht hier. Die andern." Aber den Blick weit über die ausgebreitete Landschaft geworfen, sagte auch sie, leise hingerissen von seiner Trunkenheit: „Die Felder – so braun. Sie drängen den Straßen zu. Und dann der Himmel."

„Ja", wiederholte er, „dann der Himmel."

Im Aussprechen des Satzes zerglitt es: das Drängen der Landschaft erstarrt, plump glotzten von Lehm gefärbte Pfützen, ein Baum, gebrochen der Hauptast, ließ den irrenden Blick ruhen. Er zeigte: „Der Sturm!"

Und dem Erzitternden erschien das Gespenst jener Hand, die als Schwester eine Platane hatte streicheln wollen.

„Was hast du!"

Sie griff nach ihm, schon war er fortgetreten.

„Eben noch – alles war anders! Und nun? Sie hetzen mich. Wieder sind sie mir nach." Näher zu ihr: „Retten Sie mich!"

Sie sah angstvoll auf ihn, faßte seinen Arm. „Kai, du, was hast du? Ich bin hier: Ilse."

Er suchte sich zu befreien, dann plötzlich, den Oberarm fester in ihren Griff gedrängt: „Rette mich! Sag, daß du mich liebst."

Ihr weißes Antlitz überglüht, ihre Hand fortgesunken: „Was ist Ihnen, Kai, kommen Sie doch! Sind Sie krank? Wie bleich Sie ausschauen! – Da ist die Führerin."

Im Lodenjackett trat sie näher. „Wen haben wir da? So spät noch?"

„Zug versäumt!"

Mißbilligung war zu hören: „Sie kennen Ilse?"

„Er ist ein Freund von Klotzsch. Vom Werner Klotzsch. Der hat ihn zu uns gebracht. – Haben Sie Klotzsch schon gesprochen, Kai?"

„Aber nein! Gar nicht gesehen."

Die Führerin musterte ihn, dann im Weggehen: „Sie müssen sich gerissen haben. Ihre Hand ist ganz blutig."

Kai versteckte sie. Ilse: „Zeigen Sie doch! Warum denn nicht? Nein! Soviel Blut. Daß ich dies nicht sah!"

Sie rieb mit dem Taschentuch. Er wollte sich ihr entziehen. „So lassen Sie doch! Es ist nichts. Ich fiel ein wenig."

Erstaunt aufsehend sagte sie: „Nichts zu sehen. Kein Riß. Gar nichts."

„Ich sagte ja gleich, es ist nicht der Rede wert."

„Wo Werner nur bleibt?"

Sie sah um sich, suchte, blieb stehen. Fragte die andern, alles verhielt.

„Abzählen!"
„Nur er fehlt."
„Er wird sich verlaufen haben."
„Ausgeschlossen! Klotzsch und verlaufen!"
„Wollen wir warten?"
„Er muß doch gleich kommen."
„Oder zurückgehen?"
„Besser: warten."

„Nein", meinte Kai, „auch das unnötig. Er muß jede Minute da sein. Ich traf ihn vorhin. Er wollte gleich nachkommen."

Sein Auge fing einen Blick. Ilse fragte: „Sie trafen ihn?"

„Ja, natürlich ... Hatte noch was zu besorgen."
„Was denn – zu besorgen?"

Einige brummten, manche lachten unterdrückt.

„Etwas lange", meinte einer. Die Lacher verstärkten sich.

Ilse rief: „Kai, kommen Sie einmal her! – Sie sagten

vorhin, Sie hätten Klotzsch nicht gesehen, nun sagen Sie wieder, Sie haben ihn gesehen; was ist da wahr?"

Er, leise stammelnd, verhetzt: „Nachher. Ich sage Ihnen alles ..."

„Nein, jetzt ..." Sie brach ab. Sie sah seine Hand, blaurot, kraftlos herunterhängen. Wie im Krampf schlugen die Finger umeinander, seine Knie bebten, sein Kopf war gesenkt.

„Es ist nichts", sagte er mühsam. „Gar nichts. Sie brauchen sich nicht zu ängstigen."

Sie prüfte ihn, er wich aus, schob sich zurück.

33

„Umsonst mein Drängen! Wie entglitt ich ihrem musternden Blick, in alle Gruppen eilend, dort zum Gesang der Lieder, da zum Schulgeschwätz, daß sie kommen würde: ‚Wo ist Klotzsch?'

Ich trieb sie vorwärts. Ich flehte. Nun halten sie hier doch, unter den Bäumen am Hügel, und erwarten über Holzsuchen, Feuerentzünden, Essenkochen ihn, der mich entlarven wird."

Er wandte das Gesicht. Am Baumstamm hingelehnt, die ermüdeten Beine in die Nässe des Bodens gepreßt, prüfte er die endlosen Wiesen. „Noch nicht. Aber gleich wird er da sein. Drüben aus jenen Büschen, aus diesem Hohlweg tretend zwischen den beiden, die ihn nun suchen. Gleich."

Die Zurufe der Holzsucher belebten die Büsche. Bitterkeit stieg hoch. „Warum ich allein stets zurückgestoßen, so sehr ich die andern ersehne? Eben noch, auf der Landstraße wandernd, war mir sogar der Wind Gefährte und der Regen lieber Freund. Nun höre ich ihr Rufen, das eine Kette zwischen ihnen schlingt, freundlich schaukelnd bei jeder Lippenregung, hör es, gänzlich verbannt, mein Urteil erwartend."

Zweige brachen nah. „Soll ich fliehen?"

Aber in sein Emporrichten trat sie, das Gesicht nun sehr bleich, der Mund klein geworden und die Fremdheit ihrer Augen ihm ganz zugewandt.

„Was ist, Kai, mit Klotzsch, Sie wissen etwas."

Und, als er schwieg: „Mehr: Sie haben etwas getan."

Er lachte auf, verlegen, hustete. Sein Arm wies nach draußen. „Nichts", meinte er leicht, „noch kommen sie nicht."

Sie trat näher, sah auf ihn hin. „Was ist mit Klotzsch? Sagen Sie mir doch, Kai!" Noch näher, eilig, den Blick den Wiesen zu: „Fühlen Sie nicht: um Ihretwillen frage ich, nicht um ihn. Reden Sie! Sagen Sie mir doch!"

Er schwieg, lehnte am Stamm, sah weiter hinaus. Ihr Reden rann neben ihn hin, ein ärmliches Wässerchen, dessen Tropfenfall kaum zu seinem Ohr drang. Sein Gesicht prüfend, fand sie es alt, tausend Falten schienen es zu überhängen. Grau. Seine Fremdheit erkältete sie.

‚Was sagte ich ihm! Kenne ich ihn denn, was weiß ich von ihm?' Zaudernd, ihren Blick in den Daliegenden versenkt: ‚Aber ich weiß doch: ich liebe ihn. Doch liebe ich ihn.'

Und süß schien es ihr, die Trostlosigkeit dieser Augen an ihrer Wärme zu entzünden.

Er sagte: „Zu spät. Dort kommen sie."

„Sind es drei, Kai, sind es drei?"

„Es sind drei." Und schon aufrecht, bewegt, als sei noch rasch zu reden, alles zu regeln: „Sie müssen wissen. Er ließ mich nicht zu Ihnen. Ich hatte den ganzen Morgen gesucht. Nun hielt er mich fest. - Da - hier."

Er wies das Messer.

Sie schrie: „Gestochen?" und trat fort.

Er ihr nach, zwischen Gebüsch, über ihre Schulter, immer näher den andern. „Nein, nein, nur geschnitten. Verstehen Sie doch: nur geschnitten! So, über den Handrücken fort, ein kleiner Schnitt!"

Stehenbleibend, hinter ihr hinsprechend, atemlos: „Ilse, ich beschwöre Sie. Ein kleiner Schnitt. Hören Sie doch: kaum fünf Zentimeter. Sagen wir: drei, zwei Zentimeter. Bleiben Sie!"

Er war allein. Zwischen den Büschen versteckt, spähte er ruhelos zum flackernden Feuer, sah ihr Kleid zwischen den andern, wartete, wartete, – oh, dieses Warten, während das Herz aufging und nun schon klein, wie gehämmert, die Brust zerschlagen zu wollen schien.

„Dort Klotzsch. Was sagen sie? Nichts zu verstehen! Aber ich kann nicht näher. Dies der letzte Busch, der mich deckt. Sie lachen? Sie lachen!"

Er lehnte das Gesicht in die Hand. „Sie wollen mich täuschen, ganz demütigen; gleich kommen sie, zerren mich zum Licht, klagen an, verjagen mich."

Er wartete. Das Herz hämmerte die Sekunden in sein Blut, daß sie durch seine Adern tobten wie schwindelnder Schneeflockenfall. Nichts. Niemand kam.

Er begriff nicht. Und nun, näher dem Feuer, schon in seinem Schein, sie bespähend: „Sie sprechen nicht von mir. Ilse hat geschwiegen, Klotzsch nichts gesagt. – Muß ich nicht erleichtert sein?"

Er hob das Gesicht. „Sie sind froh, ich weine. Oh, so wie ich, eines Tages muß ich sie sehen, so gedemütigt, wie ich es bin; über ihre Gesichter mich beugend, werde ich auf ihnen den Abglanz alter Leiden lesen und, ganz bestrahlt, mich an ihm erwärmen."

„Eines Tages werden sie tot sein. Ich werde keinen auslassen, sie sollen alle sterben."

Trunken machend bezwang ihn diese Vision. Er sah ihre zerstückten Leiber. Ihre nun ganz entleerten Hände flehten in mannigfachen Gebärden. Aber das Gesicht von Ilse, nun bleicher und zerfallener als der Himmel, würde ein blutroter Schnitt laufen.

„Muß ich allein leiden? Für all das muß einmal Vergeltung da sein."

Er zwang sich zwischen die andern. Trotz drängte ihn zum Feuer. Er fand Platz. Niemand achtete auf ihn. Nur einmal schien der Blick Ilses dagewesen zu sein, aber über dem Wenden seines Nackens war er entflohen und nun ganz dem Feuer zugewandt und unwissend, wer Kai sei.

Jetzt sang einer allein, da bog er den Kopf in den gekrümmten Arm, ließ alles, aber auch alles auf sich beruhen und schlief ein.

34

Irgendwoher wandernd, Dunkelheit hinter sich, in der es nicht nottat, das Auge zu öffnen, überkommt es ihn nun zu blinzeln, mit den Nerven zu tasten, mehr zu sein. Die Glieder verbogen und starr. Wind in den Baumkronen, ein zusammengefallenes, unter Asche verlöschendes Feuer, ungläubiger Aufwurf des Gesichts, Hochfahren: niemand da!

Am Waldrand, über sich kaum merkbaren, fahlen Schein des Himmels, sucht er: Nebel, späte, öde Dämmerung. Der Tag ist vorbei.

Knackte nicht ein Ast? Wer hockte dort im Dunkeln?

Jetzt, die Zunge vor Angst bebend, wirft er sein Rufen in die Weite, der Wölbung des Waldes zu: „Werner! Werner!"

Verfangen. Verloren. Nur der Wind ist da.

„Ilse! Ilse!"

Indem er ihren Namen in die Dämmerung wirft, biegt er sich vor, zaudert, hofft endlichen Widerhall, Endigung des Scherzes.

Die Baumkronen scheinen zu verhalten, warten mit ihm, auf den klaren Schrei, irgendwoher aus der Nähe. Dann wehen sie wieder.

„Sie sind fortgegangen. Alle sind sie weg. Hier um das Feuer saßen sie. Ist es nicht grad so, als wären sie, wie in meinem Traum, tot, erschlagen, verblutet? Hier in der Asche noch der Abdruck eines Fußes. Wie ein Leichnam, ein leergewordenes Ding. – Still!"

„Ilse! Ilse! Ilse!"

„Wie ein Kuckuck rufe ich ihren Namen, nicht meinen Namen, ihren Namen, der mein Name sein könnte. Noch einmal suchen. Sie haben sich versteckt."

Und nun, seinen letzten Stolz preisgebend, hob er die Hände zum schlafenden Unterholz, wies um sich, bat: „Kommt doch! Ich fürchte mich so!"

Und wieder: „Kommt doch! Ich fürchte mich so sehr!"

Die Hände glitten herab. Noch einmal, ganz leise: „Ich weiß ja, ihr habt euch versteckt. Kommt doch!"

Von neuem am Feuer, kam die Versuchung, hinzusinken, zu weinen.

„Nein. Ich muß fort."

Als er den Rucksack hochhob, glitt, flatterte ein kleines, weißgraues Ding herab, er erhaschte es noch. Im Licht der Kohlenglut versuchte er's zu lesen. Zu dunkel. Er riß den Rucksack auf, suchte die Streichhölzer, sie waren durchnäßt.

Die Sachen auf dem Rücken, den Zettel fest in der Hand, gewann er die Wiesen, den weißlichen letzten Himmelsschein. Aber die matten Zeichen, die er nun sah, verrannen, lösten sich in Grau auf.

Der Gegend unkundig, lief er den Weg zurück, den er gekommen. Am Graben, eine kleine Plankenbrücke: Werners Gestalt schien aufzuwachsen. Er erschrak. Vorüber.

Nun die Straße, belebt von den Erwartungen, den Träumen des Morgens. Welche Hoffnung, welch grenzenlose Enttäuschung.

Aber auf der Dorfstraße nicht, nicht im Lichte der Laternen, im Wartesaal nicht wagte er den Zettel zu entfalten. Nur dies: nach Haus.

„Dort, in der Enge meines Zimmers werde ich hören, daß sie zu mir spricht, wieder zu mir spricht."

Später dann, die Kleider abziehend, mit jedem Stück einen Teil des Tages fortlegend, schien am Ende nach dem durchnäßten Hemd alles ausgelöscht, nur ein Geschenk blieb, unverdient.

Er las: „Es ist besser, wir sehen uns heute nicht mehr. Alles kam, wie es kommen mußte: ich habe dich lieb
Ilse."

Im Dunkel weinte er hellauf.

35

„Schlafe ich denn nicht? Ich bin ganz wach. Dort steht der Waschtisch, seine Marmorscheibe glänzt dumpf in einem Lichtstrahl, der durch den Vorhangspalt fällt. Eben noch war ich ganz ertrunken in einem wattig-wolligen Gewoge von Schwärze, nun treibe ich wieder oben, auf dem Teich der Nacht."

„Ja, ich könnte nun träumen, daß ich in einer Kajüte liege, ganz allein, an der Seite plätschert das Wasser, immerzu, und oben gehen ewige Schritte, hin und her. Draußen ist helle Nacht, bei mir ist es dunkel. Ich bin rundherum eingepackt in meine Decke, alles ist weg von mir, ich bin ganz sicher in meiner Koje."

„Auch das hilft nichts. Ich könnte ja nun Seeräuber kommen lassen und siegreich mit ihnen kämpfen, oder ein Sturm geht auf und ich bin der einzige Gerettete und werde Robinson, von der ersten Nacht im Baumwipfel bis zu Freitag; aber all das hilft nicht."

„Ich bin so hellwach, ich werde endlos lange nicht einschlafen können. Wenn ich aufstände und Licht machte, irgend etwas läse oder schriebe? Was denn?"

Und plötzlich ist er doch wieder tief gefallen, über die Bettkante, in den schwarzen Teich – es ist als streichele Samt seine Schläfen –, er ist ganz fort und nun schon wieder aufgetaucht, rasch hoch emporgehüpft über den Wasserspiegel wie der Kork einer Angelschnur, grad noch rasch genug, um eine Uhr schlagen zu hören, langsam, weit weg: Mitternacht.

„Oder hat sie nicht geschlagen? Habe ich nichts gehört? Es mir nur eingebildet? Es klingt aber noch immer in meinem Ohr!"

Und er reicht seine Ohrmuschel weit von sich, daß er den Klang wieder hören kann. Doch ist es still, kein Laut zu vernehmen, nicht ein Laut, im ganzen Hause nichts, auch die Uhren ticken nicht, ganz still. Und immer stärker hält er sein Ohr hin, nur um einen Ton zu hören.

Aber dann weiß er plötzlich, daß er sich nur betrügen will, daß dies nur Tuerei ist, über das fort, was in seinem Innern pocht und pickert, immerzu.

„Nun denn! Was ist es nur?"

Er weiß es nicht, er muß furchtbar nachgrübeln, doch fällt es ihm nicht ein. Und alles hängt davon ab, daß er es findet.

„Ich muß es ja finden."

Und nun kommt schon wieder der Samt geschlichen, er legt sich rund und voll, ohne Ritz und Loch um seine Beine, er ist ein Fell geworden und gleicht der Pelzjacke von Mama, die man endlos streicheln kann. Und Kai muß sich sehr anstrengen, daß er die Beine ein wenig bewegt, und kalte Luft unter die Decke bringt, mit der er den Samt borstig macht.

„Ja, und nun will ich wieder suchen."

Die Nacht ist so still. Aber nun plötzlich, grad, wie das Pochen in den Kopf huschen will, springen alle Uhren im Haus auf ihn los: „Tick. Tick. Tick. Tick. Tick. Tick!"

Sie rasen und zerreißen das Werdende. Kai hört sie alle, den Wecker neben sich und seine Taschenuhr und die kleine Uhr im Eßzimmer und die Kaminuhr in Vaters Zimmer, und nun hört er auch im Nebenhaus Uhren, und er kann sie alle nennen: diese ist von der Schneiderin, die immer das Fenster nach der Straße aufhält, daß man große Puppen ohne Köpfe und statt eines Halses einen gedrechselten Schwanz stehen sieht, seltsam lükkig bekleidet, und jene gehört dem Herrn mit dem wehenden Vollbart, der Kai wegen dieses Schneeballs nach seinem Fenster ausschalt.

Und die und die und die, alle kann er sie nennen, aber eine ist dazwischen, er hört sie genau aus dem Sturmlauf der andern: „Wie heißt die doch?"

Er zergrübelt sich, er muß nun finden, wem die gehört, – aber nein, das ist ja Unsinn, er muß diesen Gedanken suchen, der grad, als die dummen Uhren anfingen, in sein Gehirn schlüpfen wollte. „Wie war es doch? Was wollte ich?"

Er denkt scharf nach, aber nun kommt es von neuem angestürmt: „Tick. Tick. Tick." Und wieder ist der fremde Mitläufer dabei.

Kai richtet sich ganz hoch auf, er streift die Decke zurück und winkt mit der Hand. „Seid doch still! Ich werde ja verdreht vor Geticke, ich habe nachzudenken."

Da sind die Uhren versunken, nur eine schleicht ganz langsam ihres Weges noch, schlapsig und beutlig klingt's.

„Sie muß weit weg sein. – Nein, ganz nah."

Er bückt seinen Kopf zur Wand, vielleicht tickt sie dahinter; aber schon ist es da, er sagt laut: „Das ist gar keine

Uhr, das ist mein Herz". Und da geht ein Bein aus seinem Bett und nun das andere.

Licht ist angebrannt, er weiß nicht warum, alle Bewegungen fallen aus ihm. Er hat nicht die geringste Zeit, über sie nachzudenken. Nur aufpassen muß er, daß ihm keine entgeht, denn sie regen sich so klein in ihm wie die Hände von Babies, die aufwachen möchten, über den Bettdeckenrand zucken.

Und nun zieht er das Nachthemd über den Kopf, und nackt sitzt er am Schreibtisch, Briefpapier liegt vor ihm, ohne Zögern und Hast geht der Federhalter zum Tintenfaß und von da zum Briefbogen, er schreibt: „Liebe kleine Margot."

Da ist er frei, es wird so warm, er lächelt hell, seine Glieder werden nun ganz voll und scheinen irgend etwas zu betreiben wie Gesang. Und er lächelt und schreibt.

36

Liebe kleine Margot,

ich weiß schon, es ist dumm, daß ich an Dich schreibe. Du wirst auch kaum den Brief zu Ende lesen, weil er Dich langweilt oder weil die Schrift zu schlecht ist. Du wirst's nicht mehr gewöhnt sein, solche Briefe zu lesen. Oder, wenn Du ihn liest, wirst Du lachen, – oh! – so herzlich lachen.

Ich sehe Dich lachen. Ich mache die Augen zu und sehe Dich, wie Du lachtest, neulich Nacht, im großen Wandspiegel mir gegenüber, als Du an Deiner Geburtstagsfeier einen kleinen Schwips hattest. Ich mache die Augen zu und sehe Dich, denn ich bin maßlos verliebt in Dich.

Aber trotz allem schreibe ich Dir; doch warum? – weiß ich selbst nicht, vielleicht, diese Liebe loszuwerden, die seitdem immer in mir ist.

Du wirst kaum mehr wissen, wie es ist, wenn Dich

einer lieb hat. Du kennst nur das Lieben mit seinen Erfüllungen. Und ich weiß, diese Erfüllung ekelt Dich oft, so sehr Du Dich zwingst, nicht an sie zu denken. Aber in grauen Stunden kommen die Gedanken doch einmal und stellen sich um Dich und sehen Dich mit todtraurigen Augen an und fragen: weißt Du noch?

Da wird alles wieder wach: jene Zeit, in der Du zum ersten Male liebtest, in der Du nichts wußtest von Schuld und Fehle, da Du auf seine Schritte horchtest, da der Flieder ganz anders um Dich duftete als in diesem Jahr, da der Himmel blauer war und die Wolken seliger weiß. Du denkst an jene Zeit dann, da Du die Augen zumachtest und fühltest ein rotes Leuchten in ihnen vor lauter Sonne und Glück, hörtest die Vögel singen und das Blut in den Adern heiß und sehnsüchtig klopfen. Warst lachend und weinend.

Kleine Margot, mache die Augen zu, denke an jene Zeit, dann weißt Du, wie mir jetzt zumute ist. Jede Blutwelle spült Deinen Namen herauf, und mein Herz klopft den ganzen Tag nur Dich. Kleine Margot, weißt Du noch, wie's damals war? Verstehe mich, dann fühlst Du, daß ich Sehnsucht nach Dir habe.

Liebe kleine Margot, ich denke sehr viel an Dich und möchte gern bald ein Blatt Papier von Dir in der Hand halten. Ich kann den Abend neulich nicht vergessen. Nun hat Dich lieb

Dein Kai.

P. S. Wenn Du schreiben magst, so schreib: „Hauptpostlagernd: Kai."

37

Nun, im Erwachen, noch brandete weiß Gellgeschrei des Weckers, war es da, wuchs auf, breitete sich, staubige Windwellen durchtrieben das Zimmer, ein zäher, schläfenzwingender Druck quoll: Montag. Sechs Tage Schule.

Und ein wenig vorgebeugt, ein wenig schon den dürftigen Rücken der ungelüfteten Kissenwärme enthoben, zählte sie Kai, diese Tage von Montag mit Thème über des Mittwochs Geschichtsprüfung jenem endlos fernen Sonnabend zu, der ihn freigeben würde ...

Sicher nicht frei! Sondern Träger frischer Demütigungen, einer bisher nicht gefühlten Kränkung, ging er neuen Wochen, neuen Leiden zu.

„Wenn ich zögern dürfte! Prüfen, durchleben! Doch nein, schon drängt neues: Werners Hand winkt Vergeltung, noch umtanzt er mit Lehmann, die mir gehört, Ilse, und dort, im Winkel, hockt mit gesenktem Lid, feindlich, ‚Es', einer anderen List nachgejagt, die mich verführen soll."

Schwammig sah er's, von der Hefe seines Denkens getrieben, das unförmige Sorgengematsch; da nichts besser war und ruhiger als das Wachsenlassen aus Geschehen, quoll zwischen seinen Fingern Tat, quoll auf, beschattete ruhenden Genuß.

„Penne mit Thème und Geschichte, Klotzsch, Lehmann, Ilse" – dehne die Pause, atme wieder und wieder; Ilse ist kein Ende, Atemholen vielleicht, und was kommt, heißt doch: „Margot!"

Vom weißen Nachttischmarmor der Zettel. Eine dünne Neugierde, süß ein bißchen auf dem Gaumen. Und nun, hie und da nachdenksam – ein Schaukeln im Leibe, ungelenken Rhythmus, schulterentsprungen, auf den Hüften wellenhaft strandlaufend –, sah er im Aufbrand des Erstaunens beide: Zettel und Brief; fragte: „Aber Ilse? Süßestes Erleben, da ihr Wort mich fischte. Doch – kaum im Netz ihrer Liebe geborgen, atme ich einer neuen Göttin zu? Margot?"

Er lauschte. Irgendwo weit fort rief's Antwort, wie die

Speisemädchen der Wirtschaften Gerichte zur Küche rufen, ins Gebrodel der Töpfe und Tellergeklirr, zu weit fort für Verständnis.

Stärker schwangen die Schultern. „Aber ich liebe sie doch! Nicht wahr? Ilse?"

Dem Schweigen enthob sich Gewißheit. *Sie* war bei ihm, immer war ihr weißes Gesicht da und dort und hier, über seiner Schulter, im Ofendunkel, beim Bettpfosten, hier und dort und da.

Wartend hob er die Hände zum Dach seines Scheitels, fühlte das Rieseln kommender Antwort mit spitzem Gekitzel zur Haut, hob die Ferse: „Es!!!"

In den Langstuhl geworfen, übereinander die mageren Beine gelehnt – vergeblich suchte die Wade den blauen Knöchel zu wärmen –, spähte er weiter, prüfte, fand Bestätigung. „Von neuem überrascht. Da Es Ruhe in Ilse erkannte, bekämpft Es nun sie. Sie allein meine Rettung."

Er tanzte. Geckenhaft und verludert schwangen die Beine. Triumph enttriefte dem Hirn über Brust zu den Weichen, die prickelnd erwärmten.

Sieg sang er: „Ich habe dich! Ertappt, gegriffen, entblößt. Sieghafter Kai! Zerschmettertes Es. Wolltest Ilse rauben? Armes!"

Die Kleider haschend, das Gesicht mit Wasser benäßt, sprang er geziert in Hemd und Hose. „Er wird nicht abgeschickt, der Brief. Frei bin ich."

Und er stopfte ihn in die Tasche.

38

Leicht ist ihm. Zweistufig verspringt er die Treppe, zielt dem Eßzimmer zu, da streift – der Vorplatz ist dunkel – eine Hand die seine, umschlingt den Arm, es flüstert: „Ich muß Sie sprechen, Herr Kai, privatim."

„Müssen Sie? Bitte! Bitte!"
„Nicht hier. Wenn jemand käme ..."
„Wo dann?"
„Im Herrenzimmer?"
„So."
„Kommen Sie, Herr Kai!"
Er tritt zurück, leise: „Nun kenne ich den Feind. Kaum entronnen, seh ich neue Schlingen, mir von ihm geknüpft. Durch den Ärmel schlug Hitze."
„Kommen Sie!"
Sie greift nach ihm. Er entzieht sich ins Dunkle. ‚Wie ihr entgegnen?'
Ihr Atem bläst Glut. Durch das Dämmer torkeln die plumpen Hände ihm zu.
‚Mut! Mut!'
Sie flüstert von neuem: „Wir werden allein sein, hier unten."
Sie bedrängt ihn. Ihr Arm, blind zu ihm ausgeschickt, streift sein Gesicht, Hüfte drängt Hüfte zu; plötzlich saugt es an seinen Wangen, wirft ihm die Lippen auseinander, beißt: ihr Atem schmeckt.
Schon schwingt er ihr zu, seine Lippen blühen auf, da sieht er ihn im Winkel, blitzende Helle zeigt sein Gesicht, krötig bewarzt. Er reißt, wird frei. Bebend: „Nicht hier. Gleich. Nur noch ein eiliger Brief."
„Sie wollen nicht."
„Aber ja!"
„Der Brief ist nicht wahr."
„Schweigen Sie, Erna!"
„Ich stecke ihn ein. Geben Sie her, Kai!"
Er zögert. Dann: „Hier."
„Und Sie warten auf mich?"
„Ich warte auf Sie."
Die Tür klappt. Er flieht, das Zimmer des Bruders umfängt ihn, in den Sessel am Schreibtisch geworfen, hat er

über dünnen mit Kurt gewechselten Sätzen Zeit zu bedenken, was geschah.

Doch wer erkennte nun den Sieger?

‚Wohl entrann ich ihr. Kurt an meiner Seite, beim Frühstückstisch, auf dem Schulweg werde ich sicher vor ihr sein. Aber Preis dieser Freiheit ist jener Brief. Ihn unterwegs, ihren Händen gesellt, seine Sätze vor ihr aufgeblättert zu wissen, ist Verrat an Ilse genug.'

„Ja, es wird Zeit zum Frühstücken."

‚Aber ich nicht, *ich* wollte ihn nicht senden. Nur ein Preis ist er, einer Summe Geldes gleich, von mir für mich bezahlt. Ich weiß nichts von ihm, vergessen, geleugnet schwebt er wie ein Blatt in der Luft, ein Ding, das jedem und keinem gehört: *Ich* liebe nur Ilse.'

„Ja, gehen wir."

39

In der Vorhalle – Schnee rann kotig am Boden – hielten sie. Die Gänge brausten. Hinter Rücken der Lehrer geworfene Türen kündeten Unterrichtsanfang.

Kurts Kopf perpendikelte. „Immer mach's gut, Kai. Petzt Klotzsch, fällst du rein."

Und er stob davon.

„Wird sich hüten."

Dies erreichte ihn kaum noch. Und jetzt auch ein kleines beunruhigt, ersprang Kai die Stufen. „Wird sich hüten. Aber wenn er sich nicht hütet? Seine verbundene Hand wird stärkste Waffe gegen mich."

Noch, als er die Mütze zum Haken warf, johlte es drinnen. Über seinem Eingang wurden sie stumm; flüsterten, als er sich setzte. Zum Nachbar wandte Kai das Gesicht. „Morgen."

Müller schwang fort, das Wort fiel ins Leere.

In einem Buch blätternd: ‚Also doch! Sie sind gegen

mich, alle. Der helfen könnte, Arne, ist noch nicht da. Was wollen sie? Was geht *sie* das an? Ich habe nichts getan, nichts gewollt. Sie sind es, die Unwirklichem Leben hauchen. – Aller Augen warten auf mich.'

Da gellte es: „Hoch der Messerstecher!"

Lineale klappten, Schuhe schurrten den Boden. ‚Natürlich Marzetus, mit jedem Stank durch dick und dünn. – Nicht aufsehen!'

Es prasselte überall: „Rinaldo Rinaldini!" – „Forscher Willem!" „Blut, sag ich, Blut!" – „Die abgeschnittene Hand."

Er flüsterte: „Gemeinheit. Ich habe Recht."

Seine Lippen bebten. Vor seinen Augen schwang Weiß. Er sah auf: vor ihm, in weiße Gaze gehüllt, trieb Werners Hand.

„Bist ja mächtig still, Goedeschal."

‚Wie gemein! Wollte ich gestern dies?'

„Seid still! Das Jungchen hat Angst."

Sie schwiegen wirklich. Einer hetzte: „Kssst!"

„Hast wohl dein Messer vergessen?"

Noch bebend: „Leider."

Werner faßte die Bank, nun stand auch Kai. Die Gesichter zuckten näher: Klotzsch, erglimmend, trank alles Rot aus Kais Haut.

‚Er will mich prügeln!'

„Feste druff!"

Ihr Blick glitt ineinander, bohrte, verhakte, verzahnte sich.

„Hast wohl Angst, Goedeschal?"

„Mach dir nur nicht in die Hosen ..."

Ihre Schultern streiften, schlugen zurück, faßten Druck. Noch schien es schwer, die Hände zu heben – „so wird Recht Unrecht" –, da schwang es Kai zu, er sprang zurück, stieß vor, packte, schrie. Krach donnerte auf, Staub schmeckte. Wollig vergriffen fühlte er tiefer

Fleisch, riß es, rollte geschlagen, kam hoch, atmete glotzig und tauchte neu hinab in staubige Röte, bis es die Schultern brach, Arme verknäuelte, hoch schwang.

Er taumelte. Seine Zähne rieben Dreck.

„Schämt ihr euch nicht?"

Bebenden Auges ersah er auf Arnes blickweisender Hand, im Türrahmen gedrängt: Pennälergesichter, die Brauen gezirkelt, mit genüssigem Mund. Hände zuckten gelächtergleich.

„Schmeiß sie raus, die Kerls, Krebs! Und ihr –", Arne wandte sich, seine Stimme dunkelte, „seid ihr des Teufels! Was ist los?"

Alles prappelte.

„Einer! – Du, Klotzsch!"

„Goedeschal... Messerstich... mich...", er keuchte, die Weste zerrissen, beweisend fuhr der Verband zu Arne.

„Hast ihn gestochen, Kai...?"

„Aber nein! – Doch ja, natürlich ja!"

„Und warum?"

Leise in sich: „Hier dies entspulen? Vor glotzköpfiger Klasse?" Und mit der Stimme schlenkernd, laut: „Gänzlich privat."

„Anderer Ansicht scheint Klotzsch. Er hat berichtet, nicht wahr?"

Sie nickten.

„Also...?"

„Ich denke nicht dran, hier, coram publico..."

Er hob sich; sie waren hinten. Ihre kleinen, greifgierigen Gebärden verwies er. „Ich bin Ich. Zwang? Nein! Verantwortung? Nichts da."

„Dir scheint Geprügel vor allen gemäßer? In einer Stunde weiß es der dümmste Sextaner, in zwei die Arschpaukerei. Wartest du drauf?"

Bejahend stieß Wellhöhner Luft. Sein Stoppelkinn

klotzte. „Wir müssen eingreifen, klarstellen. Eh erst die Pauker..."

Die Tür knallte. Bäcker stieg zum Katheder.

Kai sah sich allein. Ihre Blicke straften ihn Luft. Arne, erreicht, schwang zur Seite. Wenig Trost war's, Klotzsch in gleichem zu wissen.

„Sie verdammen mich ungehört. Mein ist das Recht, so und so."

Er wog es, aus Hand zur Hand. Es hielt stand, war *sein* Recht. Ihm war es, als müsse er nun, vortretend, erhöht über sie – auf dem Katheder etwa –, Zeugnis ablegen für sich und das dunkle Gewölle in ihm, das, gewägt und erwogen, sein Recht hieß. Es erbitterte so, den Mund versiegelt, Ecke zu stehen, mit der Hellheit in sich.

Die Glocke schrillte Anfang der großen Pause. Man drängte hinaus, er verblieb im Zimmer, und, trotzig, trieb er sich hoch, bis es ihm zuschrie: „Goedeschal! In die Retirade! Zu Schütt!"

„Ich werde reden!"

Zwei Mann, Posten, wiesen den Andrang Bedürftiger ab, zur Ecke am Turnsaal. Es schimpfte, brummte und lachte, trieb fort. Drinnen im Dämmer vier, gar fünf mit Oberprimaner Bischoff. Es stank. Klotzsch, seitlich, zog am Verband.

„Mache", dachte Kai.

Bischoff läutete urtiefen Baß: „Ihr seid Schweine. Prügelnd, erweckt ihr Gelächter den Kleinen, Gespötte den Knoten. – Ihr erkennt das Schiedsgericht an? Beugt euch dem Urteil, wie es auch heißt?"

Klotzsch stieß eilend ein Ja, länger verzog Goedeschal, dann: „Das Schiedsgericht wohl. Aber nicht die Sache..."

„Dies wird sich finden. – Beginne, Klotzsch."

Der stieß es aus sich, verwildert, zerknüllt, warf die Hände, wies die Brücke auf, das Messer, berichtete Schlag und Verweigerung von Hilfe. Hielt, griff zurück. Sein Gesicht zuckte, das Auge glänzend, warf er eine Klage zu Kai, beugte sich, tiefergreifend schien er etwas zu heben, deckte es auf und ...

„Genug, wir wissen Bescheid. Nun du, Goedeschal."

Er zögerte. Sein Herz blühte auf. Nah und leiser: „Wie ich schon sagte: das Tatsächliche stimmt. Aber die Tat erkenne ich nicht an als mein. Ich war es nicht."

Lustig, wie ihre Gesichter rauchten! Flackerfeuer glomm auf, ihre Hände flogen ihm zu, griffen nach seiner verstoßenen Tat, für ihn zu verwahren.

Ärgerlich tönte Bischoff: „Red keinen Unsinn."

„Gar nicht! Es ist so. Er barrierte den Weg. Ich wollte zu Ilse. Nicht mehr als Freiheit des Wegs war, was mir anlag. Alles darüber wollte ich nicht: diesen Schnitt, dies Gericht; tat's also auch nicht."

Protest knatterte los. Zurückschauend sah Kai alles unklar gesagt, begann: „Anders: ihr wollt Verantwortung. Verantwortung setzt Tat voraus. Tat setzt Wille voraus. Hier Wille zur geschnittenen Hand. Also?"

Er lächelte. „Wie ein Exempel."

Bischoff hob in den Lärm die Hand. „Silentium!"

Sich drehend: „Habt ihr so was gehört?"

Ungeduld trieb Kai. „Noch nicht klar! – Also: schlecht ist nur das, was ich fühle als schlecht. Sünde nur meine Sünde. Ein Ochs das Kind spießend, sündigt er ...?"

Er schwieg. Eine Lücke tat sich auf. Irgend etwas war nicht so klar, wie es gesollt, stimmte nicht. Er setzte an: „Meine Sünde, mein Gewissen ..."

Sein Blick suchte. „Hier! Mein Wille! Ich hab es nicht gewollt, da ist es!"

„Und hast es getan!" schrie Bischoff. „Hör auf mit diesen Narreteiereien! Red vernünftig!"

‚Wieder stimmt es nicht.'

Er stand versonnen. Seine Laune fiel von ihm ab. ‚So

dunkel. Es quillt unten. Ich fühle es. Könnt ich's erheben, aufweisen, mir selbst, den andern. So nur *fühl* ich, ich hab Recht.'

„Hör zu, Goedeschal." Arne zwang seine Schulter. „Wenn du jetzt nicht sofort den Blödsinn aufsteckst, vernünftig antwortest, ganz sauber aus der Sache trittst, sind wir geschiedene Leut."

„Arne! Verstehe mich doch. Das hieße Verantwortung tragen, mein Recht beschmutzen. Ich bitte dich, versuch doch . . ."

„Du weißt Bescheid."

Kai sank in sich. Nun baute sich's auf: Haß der Klasse, Schweigen, und, an den Wänden schwänzelnd, den Kopf lieblich zur Luft gestoßen: Klotzschus triumphans: Nein!

„Wenn ihr's anders nicht kapiert . . . Er hatte kein Recht, mir den Weg zu versetzen."

„Hatte ich! Er wollte nichts als poussieren!"

„Und du, Klotzsch? Bei Ilse abgefallen! Daher deine Wut, nicht?"

„Silentium, Goedeschal! – Halt's Maul, Klotzsch! Ihr habt zu warten . . . Bist du ruhig, Goedeschal!" Die Welle ebbte. Natürlich, nun noch das Ehrenwort, nicht zu vergessen.

„Das war Sonnabend mittag, daß ich nichts gehabt hätt. Daß ich nichts haben würd, hab ich nie gesagt."

„Achtung! Pauker!!!"

An der geteerten Wand, Hosen knöpfend, standen sie: Krebs, platzlos, durchzackte den Raum, die Klosettür klappte.

„Nu, heern Se mal, das scheint mir cha hier eine richtche Versammlung! Der Esenwein aus der Sexta hat mir geklagt, Sie ließen 'n nich rein. – Gommen Se mal her, Schütt."

„Einen Moment, Herr Professor."

„Nu sachen Se mal ..."

„Aber ich versichere Sie, Herr Professor ..."

„Das derften Se wohl nur sachen als Achente ..." Sie entschwanden, in Grammatisches vertieft.

Auf dem Gang verklapperte der Absatz des Lehrers. Zwischen das Lange der Hände ruhte Kai seinen Kopf. Klotzsch schien zu beten, süßlich die Lippen geregt.

Arne hob seinen Arm. „Das Schiedsgericht hat erkannt: das Vorgehen Goedeschals war korrekt, wenn auch hitzig. Der Umstand, daß eine Dame im Spiel, rechtfertigt die Waffe. Die Gegner geben sich die Hand."

Nun, auch das konnte man tun; aber, in das Heimstürmen der andern, fragte es wieder: „Warum begriffen sie mein *richtiges* Recht nicht? Ich selbst nicht? Warum?"

40

Schweigen wuchs im Zimmer wie Korn. Die Heizung summte. Unter dem Fenster auf den Steinplatten klappten Holzschuh.

Kai hob den Zettel. Eine geheimnisvolle Gestalt schien über ihm geweint zu haben: er war feucht, die Schriftzeichen verwischt.

Nun entglitt alles, im tieferen Schweigen war's, als schmeichelten weiche Ähren seinen Händen, wimprige Grannen legten die Nerven zur Ruh. Ein leiser Wind ging auf, die Welt schwankte, fasrig gerändert, glühte Mohn zur Sonne und in den goldfarben gleitenden Blütenstaub gab er mit: dieses vom Morgen, Sorgen, Kümmernisse; alles.

Es glitt fort; eine neue Pflanze entrang sich dem früh Gefühlten, nicht mehr aus sich wies er Verantwortung ab; tiefere Ursache ahnend, kam es ihm, daß er, daß andere hatten leiden müssen, damit sie diese Zeilen schrieb.

Sein Leben – nun war es geändert, sein Schwanken – nun hatte das Bastband Liebe es jenem Halt geknüpft: Ilse. Sein Leben ihrer Handwölbung einfügend, sah er es ruhiger glänzen, stillerer Schein rief Verpflichtung zur Güte.

Ja, Güte, Gutsein. Nicht mehr hob er die Hand gegen andere, wies sie aus sich; indem Ilse ihn faßte, ward sie das Bindeglied zu allen Menschlichkeiten der Weite. In ihrem Schoß sein Gesicht geborgen, wird er von sich tun: das Unreine, das Fremde, das Selbstische.

Ihrer beider Sein war verknüpft. So wenig noch, kleine Jahre der Schule, stille Jahre des Studiums, und schon sah er sich, mit ihr, bei ihr für des Lebens Wachsen, Ernten und Zur-Ruhe-Gehen.

Und indem er sich zwang, durch Ilses Herz zu denken, wies er nun sein geändertes Antlitz den Eltern, Geschwistern, Lehrern, Freunden – „Klotzsch!" Ein endloser Strom von Bitten entquoll seinen Lippen, eine dunkel rauschende Beichte, die er seinem neuen Leben, die er Ilse ablegte.

Nun war sie Anfang und Ende. All jene Dinge, die dem Irrenden ein unverständliches Leben aufgezwungen, brachen fort; befreit, erleuchtet von der Güte des Zweiseins sah er sich klarer, einliniger einer neuen Heimat zuwandern.

Zuwandern? Sie war da, ein paar Straßen weiter wartete sie sein, eine Breite, darin neu einzusäen all ihr entwachsenen Samen des Gutseins, Sonne, sich dreinzulegen, warmzuwerden nach Liebe hin.

Er ging zu ihr, hinter der Tür summte die Heizung, wartendes Schweigen wuchs im Zimmer wie Korn.

41

Kleine, süße, dünne, dumme Rederei!

Ein roter Sessel knarrt auf, jäh belastet. Langsam verseufzt er. Schaffner stürmt zerrissenen Gesichtes. „Meldung: Dekan neigt das Ohr. Relegiert! Studiosus Martens ist relegiert!"

Schweigen. Frau Regierungssekretär Lorenz strahlt äugelnd. Knospen stickt Ilse, blickgestreift von Kai. Stimmklangbetäubt neigt Fräulein Lotte die Stirn. Schaffners Faust knöchelt. „Wie?!"

Niemand hatte gemuckst, Beruhigung schien gestattet. Flach und steil wie nur je hingen die gelben Gardinen.

Schwarzbewestet straffte sich Schaffners Brust. Ausatmend: „Man belegt Vorlesungen. Man schwänzt. Trotzdem fängt man Attestat. Dagewesen! Alles! Aber Fälschung! Unterschriftsfälschung!"

Sein Blick prüft Gesicht um Gesicht. „Herr Goedeschal! Unterschriftsfälschung!"

Kai starrt auf. „Unterschriftsfälschung. Jawohl. Herr Schaffner."

Beruhigend meint Frau Lorenz: „Sie taten die Pflicht."

Schaffners Lider sinken, stichelnd linst der gesperrte Blick. „Anzeige *war* Pflicht."

Endlos dunkelrot zieht Ilses Arm einen Faden.

„Liebe Ilse. Lange Fädchen, faule Mädchen."

Neu scheint dies nicht. Schaffner überschielend wägt Kai Einschlaf. Vielleicht sang man's ihm zum Wiegentakt. Es macht so müde. „Fädchen. Mädchen. – Wohl von ‚fade'."

Schaffner murrt fernstes Achsgeklapper. „Pflicht! Gewissenspflicht!"

Frau Lorenz schmalt die Lippen. „Mein Gatte, von der Regierung brachte er heim so eine melodiöse Melodie! Geh, Lotte, sieh, ob du's auf dem Klaviere bringst."

Fräulein Lottes Rücken ist beschwebt von einer breiten Schottenschleife. Das Piano stürmt. Ein Lichthalter klirrt. Verseufzend schweigt es.

„Es klingt so süß!" zuckert Schaffner, wirft das Auge zum Deckengips.

„Nicht wahr? Wie er's erst singt!"

„Mehr, ich bitt Sie, Fräulein Lotte."

‚Man weiß nicht, was Ilse etwa so denkt. Vielleicht ist sie zufrieden. Warum nicht? Papa spielt wohl besser.'

Noch einmal knarrt das Pedal. Gerötet, gesenkten Blicks erreicht Lotte den Rohrstuhl.

„Herrlich, Fräulein Lotte."

„Sehr melodiös", bemerkt Kai und wird gemißbilligt.

„Dies letzte wohl nicht so sehr."

„Ich meinte das vorge."

Wollig wickelt das Gespräch weiter. Jörg hat eine Fünf in Latein, der Gatte wird unzufrieden sein. „So unzufrieden!" Lotte bekam Frost in die Hand. Schaffner empfiehlt Mandelkleie.

Kai neigt zu Ilse: „Ilse, du liebe Ilse."

„Wie, Herr Goedeschal?" Frau Lorenz streckt das Gesicht. „Nichts? So. Ich dachte. Und die Herren Eltern? Das Befinden?"

„Vorzüglich. Völlig vorzüglich."

Dies scheint Belohnens wert. „Lotte, biete Herrn Kai die Zigaretten..."

Er greift spitzfingrig zu.

„... obwohl man nicht weiß, ob der Herr Papa...?"

Rauchen sei ihm bewilligt.

(‚Zwar nicht wahr. Aber nun was denn?')

„Nehmen Sie immer."

Geklärt scheint's der Dame im Sofa noch nicht.

Wieder versinkt Kai, während nun das Gespräch ins Theater schaukelt. Er stemmt seine Schulter. „Was ist dies? Erlösung? Hinsturz? Dankgebet? Gelöbnis?"

Fern sieht er sich, den Hoffnungserregten. „Geschwafel! Geschwafel!"

Er muß sich versichern, zur Fenstergardine gewendet. „Das Leben bleibt. Draußen. Nun denn! Hier auch heute geleugnet, kann es ein andermal in Ilse gezwängt sein."

Greisenhaft brabbelt das Gas. Wieder versinkt er. Noch schultergedreht den Kopf, kneift er das Auge, bemerkt: „Entschieden zu gelb! Zu gelb!"

„Wie denn, Herr Goedeschal? Man versteht kaum bei abgewendetem Sprechen..."

„Verzeihung! Wie – ach nein, nichts, gar nichts." Der Kopf dreht zurück, errötend. Gallig gefärbte Gardinen versinken. Hinten.

Die Hände gerungen, gerundet flötet Kastor Schaffner: „Verzeihung! Zu lang schon..."

„Aber gar nicht."

„Das Kirchenrecht wartet. Ohne dies wird mein Schlaf mir nicht leicht."

Neckisch erhebt sich der frauliche Finger. „Sieh da! Ertappt! Trocken, das Jus?"

„O nein, nur dieses..."

Hoch schiebt es Kai. Er verneigt sich, Empfehlung den Eltern empfangend. Vor Ilse, plötzlich belebt: „Und wie bekam dir der Ausflug?"

Endlich klingt ihre Stimme: „Vorzüglich. Bin's ja gewöhnt."

Leiser: „Komm morgen. Besser ist's dann."

„Ilse! Wo sind Herrn Schaffners Galoschen?"

„Hier, Mutti!"

Von Schneeschmutz genäßt ist die Treppe.

„Genußvoller Abend. Nicht wahr, Herr Goedeschal? Rechts oder links? So? Rechts? Dann auf bald."

Schnee stäubte. Der unleidliche Rücken verging. Ein Hund bellte. Kai wandte sich heimwärts.

42

Aufgekraust von der Winterluft überliefen flache Wellen den Teich seiner Langweile. Schon war es, als müsse er, schlank emporlohend, über die erleuchteten Fenster oben den Schein einer so innig gewollten Reinheit werfen, leugnen das lässige Zurücklehnen in Schweigen, da er für die neue Güte zeugte, die nun sein Blut sang. Die kleinen albernen Gebärden des Nachmittags wehten nur, kindische Flatterfahnen, um die Peripherie seines Seins, in dessen Zentrum geballt, unangreifbar und tatsüchtig, ein sehnender Wille hockte.

„Ich kehre um. Wieder die Treppe. Der Vorplatz. Auf dem alten Stuhl. Die Gardinen zurückwerfend, werde ich die von Leben angeglosten Scheiben weisen, meine Tatscheu zu tilgen."

Er zauderte. Schon umfing Kälte ihn. Der Lichtschein der Laternen übertanzte einen Schatten, näherkommend, winterlich verhüllt.

„Ah!"

Im Schnee knirschten beider Absätze.

Aber sie wandten sich nicht. Ihre Augen tranken sich ein. So verharrten sie, gegenüber, wenige Schritte getrennt, reglos, bis der aufglühende Blick verfiel.

Kai drehte die Achsel, sein Fuß setzte an, schon wandte er sich, und gleich würden sie, zwei Rücken, augenlos, voneinander gehen, die Straße hinab, hierhin, dorthin, getrennte Wege, geschiedene Willen, gespaltene Freundschaft – („Bäume", dachte Kai, „unter Bäumen ruhen") –, da verhielt er.

Den Blick über die polstrige Schneekruste horchte er der Stimme, die nun, leise, ihm kam: „Du, Kai . . ."

„Ja, Werner . . .?"

Still blieb's. Ein Windzug schüttelte Schilder, irgendwo schrie es: Kinder oder derart.

Nebeneinander ... sein Arm tastete, schlang sich in Werners. Sie gingen. Schweigend.

Kein Mensch. Der beruhigte Schein jener Fenster überstand mondgleich das Bleiche aus Fleisch ihres Gesichts; er ging unter. Einer tieferen Dunkelheit zu, prägten sie dem verlöschenden Schnee ihre Spuren, Schuh um Schuh.

Gingen sie nicht wahrhaft in eine Nacht ein, wattegepolstert, in das Lautlose schmarotzender Gespenster, deren blutsüchtige Hände den Strick tanzen machten, an dem jener Kleinen Glieder automatenhaft regten? Blieb nicht hinten das Ersehnte, Sonne oder, wenn nicht Sonne, doch die kleine rauchgeringelte Helle eines Wohnzimmers mit den Gliederrührungen von Frauen, unbegreiflichen Wesen, die, berstend gefüllt, immer irgendwie und -wo Weisheit tropfen ließen und ein Streicheln der Hand?

„Nein. So kauert kein zuckflügliger Falter in dem rinnenden Sand eines Ackerwagengeleises, bebend, sonnenbestrahlt, wie sich der Blick einer Langgehaarten vom Stickkissen hebt und auf die Wange setzt oder deine Hand und ruht und verflattert vor Einfang."

Klotzsch räusperte, Kai hob den Arm: still.

Und sie gingen weiter, weißer bestäubt, und Kai war es, als verirre er sich mehr und mehr in dem Gespinst einer Nacht, das seine Hände bewob und über sein Auge Fäden hing. Drüben, über den Dächern, in der Schlucht eines Hofes schlug man wohl große Trommeln, um ein Feuer kauernd. Wieder schrie ein Kind.

Kai bebte auf, murmelte: „Flucht!"

Klotzsch, im Flüstern sich neigend: „Kai?"

Aber Kai war fort. Sein Fuß trieb durch Heide, in der Sonne summte es, Kieferngekuschel dehnte sich endlos.

„Hier, hingestreckt liegen, versinken in das Rieseln des Sands und nicht mehr ersehnen als einen Vogelschrei aus dem Blau und die Süße im Warmwerden und die Müdigkeit von Ausruhen. Tiefensee! Wunschlose Sommerwochen."

Ja, drüben blaute es auf, über dem dürrgrasbewachsenen Hang mit den Pechnelken dehnte der See. Eine Kiefer starrte spitz. Vielleicht schlug die Dorfuhr, aber die Stunde war gleich.

Wo war das: Tat? Was war dies: Wille? Und Liebe? Und Güte?

Und Ilse?

Der Schnee sickerte, nistete, schwang seine Linien zu Boden.

Die Trommel brauste auf, dröhnend, und verstummte.

Werners Gesätz: „Wohin gehen wir?"

„Dort, wo die wandernd wehende Lichtfunkenreihe sich eint, steht der Bahnhof, Maschinengestampf übertönt Trommelbebungen, die neu beginnen. Knatternde Wagen reißen mich einer Welt zu, der ich Unbekannter mein Gesicht noch weisen kann."

Er wandte sich fort. „Hierher. Nach Haus."

Und: „Zu Haus."

Das Zimmer dunkel. Zu den grauen Fensterquadraten tastend, hockten sie einander gegenüber. Still. Still.

Das Reden ging zu Schlaf, und Warten schwemmte langsam den Strand hin als ein Meer in windlosem Regen.

Leis schwankte Kais Haupt auf dem Wellengeschleich. Eine dumpf verschlafene Taubheit breitete die weichen Glieder über die Welt und ließ sie irgendwo in der Nacht Grenze sein – man wußte nicht wo.

Ein kleines Geräusch entfiel Werners Arm.

Dann war Kai nicht mehr. In seinem Haupte drehte langsam lautlos eine verglaste Laterne und entriß dem Hirndunkel endlose Zimmerfolgen, deren Leere von beschattetem Weiß aufging, unbelebt, totenstarr und schon wieder in tiefste Schwärze versenkt.

„Dort irgendwo liegt mein Leben; in einem Winkel, auf das ungesehene Gesicht gelehnt, schläft's. Nachts im Traum nach ihm suchend, durchfliehe ich angstvoll jene Räume, die durchscheinende Hand vor das Flackern der Kerze gestellt."

Plötzlich stand die Laterne. Aufzuckend erlosch sie.

Ein warmes und weiches Ringeln durchwirrte die Brust, einem Hauf farbloser Würmer enthob sich blindes Tasten langer, streichender Köpfe; geisterhaft glitt es im Nacken, faßte ins Dunkel des Hirns.

Jemand rührte ein Glied.

Da nun klang eine Glocke; dumpf, widerhallend, langsam, sonor durchschwang ihr Dröhnen die bebende Höhlung der Brust.

Er neigte das Ohr näher.

Irgendwann war er dann fort vom Langstuhl am Fenster, stand am Nachttisch, eine Kerze flammte auf, flackte am Boden, ihr bleicher Schein warf auf Gesicht und Hand Plättchen, unregelmäßig gerandet, aus Weiß und Schwarz.

Kais Arm zuckte zur Tasche.

Da ging die Sonne über struppigem Haarwald der Föhren auf. Sand rieselte, Heidekraut blühte. Jemand träumte, das Gesicht zur Sonne gelehnt, von Luft und Verwiegen. In rinnender Wagenspur saß, flügelwippend, der Admiral.

Die Hand hielt an.

Neu ertönte die Glocke.

Aber nun entblühten der schwarztiefen Nacht farbigere Blumen, ihre wachsigen Kelchblätter durchpulste Röte, und während sie die leisen Lippen aneinanderzwängten und ewig hungrig neu öffneten, hoben sie sich von ihren Stengeln, durchsegelten das Dunkel – gekrauste Spürfäden wehten im Wind – und besetzten seinen Leib, den sie mit einer schwellenden Wärme erfüllten.

Sie stürzten um, ihre rotfleischigen Münder seiner Haut angeheftet, saugten sie atmend Blutwärme aus ihr.

In der Tasche wühlte die Hand.

Und da, aufgesprungen, sah er's noch einmal: Hoffnung, du wehende Birkenallee, süßes, beseeltes Schwanken in Sonne, Feste, von Lachen überschwirrt, weites Gewoge aus Willen.

Aber drüben dehnte sich's dunkel, Verknotetes führte, ein Mundwinkel blößte, den mit dem Finger auseinander zu tun Lockung war, rot ging lippiger Riß einem Leibe auf, dumpfe Seligkeit, Verrat, Weinen nun und Weinen, Weinen in eine Nacht hinaus...

Es schwirrt. Viele Flügel regen sich. Durch einen Park geht Wind. Über Kais Bein weht der Rand eines Kleides.

„Allein! Allein! Ungeteilt!"

Und er stößt *den Zettel* zu Klotzsch: „Lies!"

Schwarzsamtiger Mantel überwirft die bunten Erschautheiten. Im Dunkeln entwächst unsehbar Gestaltlosem ein Gestaltetes. Weit von jenem laufen die in Sonne plätschernden Lebenswellen auf den Strand.

Klotzsch steht. Nach hinten den Griff der Hand, der torkelnden, fragt er: „Und?"

„Allein! Allein! Ungeteilt!"

An der Tür wendet sich jener: „Ich verzichte. Mit Dank."

Und nun ist das Traben draußen, das Traben fliehender Flucht, auf den sandgestreuten Platten; er trabt fort.

Traben. Traben. Traben.

Und Kai hört's, in das Löffelgeklirr des Essens, im Klappern der Schachfiguren trabt's, und das Einschlafen ist gewiegt vom Traben Werners in die Nacht, vom Traben, Traben, Traben.

Aber am Rande des Traums steht Ilse, ihr Haar weht und sie winkt – winkt Kai allein.

43

Schleier Schlaf vor den Augen ward dünner und dünn. Über den Saum des entstreichenden letzten hob Kai die Lider. „Ich bin wach."

An die Fenster stieß Hartes, rufgleich schrie es, ein bekannter Pfiff tönte melodisch.

Kai lehnte ins Kalte: im Sträucherschatten schlich es verkrümmt, trieb sich murrend empor, klotzte querüber den Fahrdamm und streute nun segnend die Arme über den Schnee.

Kies umprasselte Kai.

„Bist du blödsinnig, Arne!"

„Aufmachen! Colloquium nötig!"

„Leise! Der alte Herr . . ."

Arne schrie dröhnend: „Mach auf!"

Fenster klirrten im Öffnen, schon sprenkelte Lichtschein die Scheiben am Platz.

Da: der Leuchter, die Treppe hinab, im gewohnten Versteck des Vaters fand er den Schlüssel zum Haus, öffnete.

An der Laterne im Schnee ruhte sich Arne, das Gesicht überklebt von Verachtung. Stählern stieß er ein Murren: „Schweine! Unwissende Schweine!"

Kais weißärmliges Winken lockte, zog ihn zum Halse des Freundes. „Auch du Schwein. Unwissendes Schwein. Gutes Schwein."

Sie tasteten stolpernd die Treppe aufwärts. Alkohol dampfte.

In den Langstuhl hockte sich Schütt, das Auge vermiest durch Umkreisung von körnigem Grün, Gelb und Blau, die Finger den Hosen wulstige Falten entrollend.

Kai stieß ihn. „Was willst du? Gleich schlägt's drei."

„Was ich will? Skriptum! Griechisches Skriptum. Gib's her."

Arnes Tasche enthob sich Blaues, Zerknülltes. „Hast du's richtig?"

„Von Korn. Mach zwei Fehler rein. Dann wird's die Drei."

„Los! – Was heißt das? Kein Schwein kann das lesen! – Und du?"

„Bekomme Zwei bis. Korn kriegt die Eins. Du hast dann also fünf Fehler."

„Bockmist! Das hier ist nie im Leben richtig."

„Mach's besser. Drei Fehler sind drin. Mehr nicht."

Schütt stampfte das Heft in die Brust. „Anton sollte das wissen. So ein fleißiger Schüler, nachts noch um drei über dem Skriptum."

„Leise! Ich bitte dich! Arne!"

„Natürlich. Versteht sich. Dein alter Herr. Denkst, ich bin knille? Gar nicht!"

Rücklings in ein Kissen gebettet, entzog er würdig der Zunge lächerlich aufgeplusterte Worte, formverlorene, im Umriß verzerrte: „Schriebst du schon Margot? – Recht so! Leg los. – Was! Keine Abschrift?"

„Laß sehen, vielleicht kann ich's so."

Blasengleich trieb's Sätze empor ins Bewußtsein, der gleitende Blick rann zusammen. Aber noch klemmte es drinnen. „Ich bringe es nicht."

„Los, Kind Gottes, stell dich nicht an."

„Liebe kleine Margot . . ."

Beinahe sang er's. Süß schmeckte der Gaumen, birkrutig wehten die Nerven. Im Schoß tanzte Gezier seiner Hände.

Er warf einen Satz. Zögerte. Aber dann ließ er sich gleiten, der Mund sang den Leib ihm zur Ruh. Über Arnes torkelnden Haarbusch schlug er das Ballspiel der Sätze, der Wortstrom strömte. Bitten warf er ins Weite und die Beschwörung des Flieders; über Ilses Gesicht goß er den Glanz weißseliger Wolken; ferner stand Margot; aber jenen dort, jenseit, schmeichelte er stiller nun Klang und Gelöbnis zur Seele, den namenlosen Begehrten, allen, die flaumig im Fleisch sich erwärmten. Spülte sich fort und hielt wie den Mond ein Lächeln des Trostes in Händen, eine Gewißheit von Glück allen, die dies Sein verwarfen. Glaubte sich selbst seine Liebe, Güte begehrend und wirkend, nickte, hob sich zum Ufer, lachte der Zukunft entgegen.

Arne, schiefwinklig den Kopf, sah dem Verströmenden nach, hob griffig die Hände. „Nanu! Du bist gut!"

Die Süße verschwemmt, schon sägte knarrend Protest. „Liga gefallener Mädchen! Rückkehr zur Unschuld! Luther! Christus! Statt dessen Liebeserklärung! Jeder Vereinbarung zum Trotz suchst du nur Sicherung deiner Lust."

Kai hob sich. Indem er die Hände vor sich warf, konnte er's doch nicht hindern, das Fallen und Stürzen, nun entblößten sich Winkel, geheimer Sinn spann sich aus Sinnlosem, und weithin schien nichts zu bleiben als List, Verrat und am Ende: schmerzliche Niederlage.

Aber er drehte sich fort. Er wollte nicht sehen. Nicht dies. Noch nicht dies. Auch hier war noch manches mit kleinen Gebärden zu schmücken. Die Augen geschlossen fand man vielleicht einen Weg am Absturz vorüber.

„Du siehst nicht Gomorrha, Salzsäule. – Also dein Ehrenwort, daß du noch einmal schreibst. Heilsarmee mehr als Entblößung von Lüsten."

Kai fuhr herum, seine Hand griff zu Arne. „Nie! Nie! Nie!"

„Aber keine Angst! Was soll das! Schreibst du?" Und Arne stieß auf den Boden. „Du schreibst, Kai? Noch einen Brief?"

„Ich bitte dich, Arne, sei still."

„Bin's schon. Aber du schreibst?"

„Ich kann nicht."

„Ich brülle das Haus zusammen. Ganz egal." Ruhiger: „Das wär nicht amön? Du schreibst?"

Kai faßte ihn. „Arne, du verstehst es nicht. Aber glaube mir, es ist ein Komplott. Man will mich verraten. Schreibe ich den Brief, es hieße den Feind bestätigen. Glaube mir doch!"

„Red keinen Unsinn! Komplott! Du spinnst ja, Verehrter. Ich erzähl dir was Gutes ... von Margot ...? Aber du schreibst?"

Kai verneinte.

Arne stand. Der Stuhl fiel krachend. „Du schreibst ... Oder?" Er hob den Waschkrug.

„Um Gottes willen! Ich schreibe."

„Ehrenwort?"

„Ja."

„Ehrenwort?"

„Ehrenwort."

Arne tastete um sich, griff Mantel und Mütze. „Servus, Kindchen."

An der Haustür verhielt er, neigte sich langsam zu Kai, flüsterte: „Nun kommt's: ... ich war heute bei Margot ... Servus, unwissendes Schweinchen." Und er ließ Kai dem Schlaflosen.

44

Das Schlaflose lag graulich wie Meer. Unendlich sich dehnend, bespülte es allseit Kai, lautfremd, und schon im Ertrinken, sah er über sich aufblitzen: weiße Hände, im Beten gebärdet, möwenflügelgleich. Sie flatterten auf über das Graue, und Angst war es, die Emporwurf befahl über Drohendes fort in Weitheit einer Wölbung, doch ohne Rettung.

Frühnebel bespülten die Wiesen. Ihre flockigen Schleier umzogen, wie betautes Gespinst von Spinnen, nässend die Stämme der Bäume, sie nisteten sich ein in den Ästen, und ihr taubes Silber entfärbte den Boden, bis er drohte.

Man versank darin. Keine Rettung kam, und wußte man schon oben drüber Blau, Sonne und gar Lerchengetön – hier unten lag man, und das Wissen half nichts in der Angst, im Grauen zu sein, einer lautfernen Welt geliefert, die gebärdenlos bedrängte, umspann, probend die Haut besog.

Und, wenn Kai den Blick auftat, – nun blähte das andre: einst sein Zimmer; unförmige Holzkloben entdrohten schwärzer dem Schwarz; ihre Konturen lösten sich, und mit einem Zucken, das ihre zu Schubladen geschweiften Bäuche überlief, waren sie näher, sie umdrängten die dämmrige Verfärbtheit der Laken, sie überhängten sein Haupt, und indem sie nur geahnte Lider klappten, schien ein Grinsen ihre Zerformung zu entblößen; ihren Atem, einen getrockneten Kiefernatem, ließen sie raspelnd über die erschauernde Weiche seines Gesichtes streichen, und ihre Hände, ihre noch verborgenen, aber schon gewußten Hände, deren Knöchel aus Astholz gedrechselt, stritten nur noch darum, welche zuerst die Sehnenbebung seines Halses umwerfen dürfte.

Kai schrie. Er wußte: er schrie.

In ihm sog es an, aus dem Bauch quoll es auf zur Lunge, überdehnte das Gefüge der Brust, durchpfiff stürmend die Tunnel des Halses und entbrach trompetig lippenblähend dem Munde – aber die Schränke, die Stühle, die Tische, der Sekretär zogen ihn ein, und der Schrei ging; aufgeschluckt und leergefressen ließen sie ihn, mit eingefallenem Bauch, dessen Nabel bebendes Gefältel umzog, während ein Schweiß aufging und die letzte Bindung der Glieder lockerte, löste.

Und nun, indem sie sich alle beugten, schlugen sie seine Augen zu, sie stürzten ein, kantig erfüllten sie

Brust, drängten die Lunge, verletzten das Körnige des Hirns und blähten gedunsen den Schlingschlang der Därme. Sich öffnend, entließen sie ihren Fächern und Höhlungen Käfer, kleines, vielfüßiges Gekrabbel, Denkgetier, fremdes, und überstürzend ballten sie sich klumpig, ihre hornigen Flügeldecken erhoben Gesumse, seinen gänzlichen Verlust zu erhärten.

Kai regte die Hände. „Ich bin noch da! Neben ihnen allen flehe ich: Rettung! Über ihre Stimmen meinen Schrei setzend, flehe ich alle an: rettet mich!"

Da wies Arne den Brief. –

„Nein! Ich habe Reinheit gewollt! Liebe von Margot lag mir nicht an. Als sie sang, war sie schön, und dies war es: ihre Schönheit hinausreißen aus dem Gelächter-Beschmutzten des Nachtcafés in Sonne und Blau, das war *mein* Wille!"

Das Briefblatt schwankte. Eine Hand schien darauf zu schlagen, die Buchstaben überstürzten, unbegreifliche Zeichen bildeten sie tanzend.

„Ich war es nicht! Nächtens, nicht faßlich verlockt, schrieb ich Ungewolltes! Nie Gewolltes! Verachtetes!"

Dann flehte er fiebernd: „Ich bereue! Ich bereue!"

Aber seinem Flehen hielt das Briefblatt stand, Wind überwehte die Seiten, daß sie sich öffneten und auseinandertaten, in einer seltsam erhitzenden Weise; sie zergingen, und näher dem Flügelgereibe das Ohr geneigt, entklang ihm nun der Befehl zu neuem Brief.

Kai führte die Finger an die Augen. „Noch sehe ich nichts. Der Morgen ist fern."

„Soviel Zeit zu erliegen! Aber ich tue es nicht. Denn dies hieße ihn rufen, ihn anerkennen, der, jetzt noch ohne Recht, mich beherrscht."

Er warf sich fort. Er übersprang dies. Einem Neuen zutaumelnd, erkannte er wiederum Arne, das Haupt geneigt und Worte flüsternd, Worte ...

Dunkler überdrohte es schon Erlittenes, im Tanz der Rätsel trieb der Freund, Margot im Arm, und Unbegreifliches geschah.

Mochte Kai prüfen, mochte er Erlesenes, Erfangenes, Erahntes berufen, das letzte Rätsel blieb zu.

Was taten sie? Welche entsetzenswilden Geheimnisse entlockten sie ihren Leibern, ihrem Sein? Wie verschränkten sie die Finger? Wie fügten sie Mund zu Mund? Welchem unbegreiflichen Dienst widmeten sie ihre Hände, doch zum Fassen geformt, ihre Beine, nur zum Gehen gestaltet?

Jener wußte es, Arne wußte es! Aber hier, überschäumend im Einsamen, lag allein: Kai. Und ob er sich dem Erahnten zuwarf, ob er prüfte und die Reihen der Gedanken durchflog, fieberhaften Fußes jedes andere Mal – er fand nichts.

In das Wattige fiel er, Nirwana gähnte und die Rätsel blieben, heute wie gestern und immerdar.

Die Rätsel blieben.

Und nun lag er, ein wenig hell im Gesicht und die Hände ausgeleert, und sah Helleres kommen, an den Wänden und der Decke, und das erste Morgengetön brauste auf, der Bäcker Weckengeschrei und das Blechgeroll der Kannen – er hatte den Brief nicht geschrieben, aber war es darum, daß er das Rätsel nicht riet?

45

Außer den Fenstern stand noch ein wenig verdämmernder Winterhimmel. Die Vorhänge fielen zu, schon summte das Gas.

„Und deine Mama?"

Eine kleine runde Regung wies ihm seinen Platz.

„Ist fort, im Kränzchen. Auch Lotte ist nicht da, irgendwo mit Schaffner . . ."

Ein wenig neigte sie sich vor. „Du mußt dich gut mit ihm stellen, er wird sich mit Lotte verloben. Mama mag ihn."

Kai wies dies ab. „Ich nicht." Und zuckte auf ihren klagenden Aufblick die Achsel: „Was will man da tun? Er liebt sich zu sehr."

Sie schob die Nadel über die genäßte Garnspitze. „Und du?"

„Und ich?"

„Liebst du dich nicht?"

Er beharrte. „Zu sehr?"

Da hob sie den Blick. „Ja. Zu sehr."

Er griff in sich, ehrlich. „Sehr? Vielleicht ja. Zu sehr? Auch, obschon . . . Aber anders."

„Das sagt jeder."

Der Alltag war da, quietschte, quarrte, räkelte gähnend.

Doch Kai leugnete ihn. „Ja, aber nicht jeder mit Recht. Ich liebe mich sehr, verachte die andern. Aber mehr als mich liebe ich Schönheit. Und in der Wahl hätte sie zu leben, nicht ich. – Aber er?"

Sie hob die Augen – und nun schien sie ihm klein –: „Sagen kann man das. Doch Beweiskraft . . . ?"

Er vorgebeugt, die Hände breitend, ihr zu: „Hier! Das ist dein. Sag: fort!"

Dringlicher, heißer, näher: „Sag: fort!"

Sie sachlich: „Wozu?"

Und er, indes seine Hände fortfielen: „Freilich ist es wertlos."

Kai suchte sich: halblaut redend, kaum für sie, doch für sie, ging er sich nach. „Auch Kleineres nähme mich fort aus diesem Leben. Eine schlechte Note, Demütigung, Angst vor Strafe oder so. Warum nicht? Darum, weil ich Befehl anderen Willens brauche."

Aber nun stärker erglühend: „Doch, wäre das nicht

schön. Schön, für dich, für fremden Zweck, nicht um *meiner* Not willen zu sterben."

Sie stickte. Irgendwo schlug eine Uhr.

Kai drehte Hand um Hand. „Du bist fort. Du willst mich nicht. Was ist?"

Näher zu ihr, die Luft saugend, atmete er neu Not. „Du! Mußt da sein. Bei mir. Letzte Insel. Verliere ich dich, so ..."

Er griff ihre Hände, sie sah auf. „Verlieren ...?"

„Ja. Wo bist du? Wo ist deine Nähe? Spüre ich dich? Schmecke ich dich? Treibst du im Blut? Was ziehst du geduldige Fäden?"

Er umgriff die Gelenke. „Du! Nah her! Wärme mich! Sei da! Wachsein! Nicht schlafen! Der Tag kommt!"

Ihr Auge feuchtete sich, ins Weiße verschwimmend entglitt näherer Blickstrom der Pupille. „Du. Du."

Er trat fort. „Weg! Du weg!"

Wies in die Ecke, ihrer Schulter überwärts; jagte den Schatten mit Worten: „Komm nicht! Beflecke mich nicht hier! Bleib bei Arne, der bei dir war?"

Und leiser: „Küssen? Sie küssen?"

Aber dann, wieder ihr nah: „Nein. Das Ungemeine. Das, was aufwächst, von selbst. Was dem Boden entquillt. Nicht gesehenen Gebärden. Nicht das Erlesene, Erzählte, Geschenkte. Nur das Selbstgewachsene."

Und von unten ihre Züge durchsuchend: „Nicht du? Auch das wird kommen? Noch bin ich nicht reif dafür. Nicht stark genug. In das Zurücklehnen, das Ineinandergleiten von Weichem würden sich Schatten neigen der Büchergestalten, und was wir täten, wäre nicht unser, sondern Jettchens oder irgendeines von jenen."

Sie murmelte: „Verstehe ich dich? Nein."

Aber er: „Erst verstehen. Alles andre später."

Doch schien noch immer beißender Qualm im Innern zu treiben. Aber seine Schwäche fühlend, widerstand er hitzender Verlockung. „Unmöglich, dies zu tun. Warten. Vielleicht kommt es."

Und er lächelte selig.

Da schien Wärme auch sie zu fangen. „Liebe ich dich nicht?"

Aber der: „Das ist wenig."

„Wie? Mehr?"

„Wachsein! Dasein! Leben! Wirf die Saugwurzeln in mich, trinke mich aus, in dein Blut hinein, wie du völlig in mich fällst, bis zum Zucken der Brauen."

Und er fühlte entkräftet, daß er *rede*.

Sie sann. „Du hattest Unrecht. Du schlugst ihn, belogst ihn. Doch liebte ich dich, schrieb ich die Zeilen. Weil du littest? Tiefer? – Littest du?"

Er zweifelte. „Weiß ich es?"

Schneller dann: „Heute? Noch heute? Weiß ich von mir? Ob ich litt? Andere kenn ich vielleicht, in diesem und dem, mich – nie. In nichts."

Müde: „Ich weiß nicht, ob ich je litt."

Doch sie blieb dabei: „Deine Augen . . ."

Und er: „Meine Augen? Fremde Augen! Wo bin ich?"

Und näher, lauernd: „In dir? Etwa?"

„Geh", murmelte sie, „geh."

Aber er warf die Worte rascher, übertönte sich selbst: „Was liebst du? Hier die Hand? Den Kopf? Kai, der log? Kai, der schnitt?"

Drängend: „Sag!"

Sie flehte: „Geh doch. Du zerstörst?"

Aber er, lachend: „Sie sind fort, alle, alle Kais, die du kennst. Liebe den, hier!"

Er verzerrte das Gesicht, das sich ihr bot.

Und zweifelnd, indem er die Fläche der Hand mit dem Blick überprüfte: „Welchen? Den: hier?"

Sie sah auf, beinahe war es Trotz. „Doch liebe ich dich!"

Aber er, nun gänzlich gefallen: „Liebe? Was ist das? Warum sitze ich hier? Ich könnte sitzen . . . etwa da oder dort, überall ebensogut."

Und ergänzte leise: „Besser: bei Margot."

Aber dann erschrak er: dies schien Verrat. Und er bekannte: „Nein! Nein! Nur hier!"

Und, da er zierlich zu sein wünschte: „Nur hier bei dir."

Sie schwieg, und indem sie das Gesprochene forttreiben ließ, in den kleinen, heißen Luftwirbel etwa der Gaslampe oder in den eben bedrohten Schattenwinkel am Schrank, griff sie zum Kissenbezug und erreichte im Sticken stilleres Beruhigtsein.

Kai überschaute sie. „Sie ist nah gewesen, als ich fern war, und fern, als ich nah. Wir wissen nichts."

Schon leugnete sie das Besprochene. „Wo Klotzsch bleibt."

Als er schwieg, sachlich erläuternd: „Es ist sein Tag."

„Du wartest umsonst, spare die Sehnsucht."

Gekränkt fragte ihr Blick.

„Ich wies ihm, daß mit mir seiner Rolle hier ein Endes sei."

Nun stand sie, schon konnte man sich fürchten, da man sie nun, die Empörte, sah: bleich, die Backenknochen überschattet, die Stirn verzackt und um das Kinn etwas gleich Mühlsteingemahle. Und daß die Empörung unverständlich, machte es besser noch, fortzutreten.

„O, pfui du! Er war so gut!"

Schon saß sie, ihr Rücken zuckte und feucht schien es den Händen überm Gesicht zu entquellen.

Sollte man steicheln? Das Haar? Die Hände fortziehen?

Man stand abseits und stammelte dieses und jenes: „O, Ilse! Nicht doch . . .! Was ist. . .? Ich verstehe nicht . . . Ich wollte dir nicht wehtun."

Aber sie, Haß in der Stimme: „Was du tust! Was soll er denken!"

„Er? Denken?" Und wollte sagen: „Ist das nicht gleich?"

Aber dies schien nicht ratsam, und da für andres der rechte Ton nicht zu finden, schwieg man.

„Du gehst zu ihm! Gleich!"

„Ich gehe zu ihm. Sofort."

Folgsam sagte er's, doch wußte er es anders.

„Es sei ein Irrtum."

„Irrtum. Jawohl."

„Prahlerei von dir."

‚Wenn schon . . .', dachte er. ‚Gar nicht!'

Sie bestand darauf: „Prahlerei von dir!"

Er, leichthin: „Prahlerei von mir. Aber gewiß."

Aber sie, nun das Gesicht erhoben, genäßt und eigentlich beschmutzt von trostlosem Gereibe der Hände: „Nimm es nicht so leicht. Du mußt es tun. Sonst . . ."

„Ich tue es."

„Du gehst? Gleich?"

„Ich gehe gleich."

Aber er blieb stehen.

Sie überflog ihn. „Warum tatest du es, Kai? Mußt du Schlechtes tun?"

Und er: „Ich wußte nicht, daß es schlecht sei."

Sie trat näher. „Es *war* schlecht. Siehst du es ein?"

„Ich sehe es ein."

Aber drinnen schien es richtiger zu singen: mach End, o Herr, mach Ende.

„Du tust es nicht wieder?" Und ihr Blick schmolz.

„Nein. Nie."

„Nie wieder?"

Und er hob bekräftigend die Hände.

„Du bist gut", sagte sie und suchte ihrer Weichheit irgendeine Hingabe, fand sie nicht, setzte sich dann.

„Ich will gehen", sagte er.

„Schon?"
Und er, sehr erstaunt schien es: „Zu ihm!"
„Du sollst nicht gehen, Lieber. Es wäre zu viel. Ich schreibe ihm."

Und dann summte wieder das schon vergessene Gas, kleine Dinge ihres Lebens marschierten, ihm erklärt zu sein, und am Ende war alles Erlebte unwahr und das Taube im Hirn, das Hornige aus der Nacht hatte auch dies überdauert.

46

Kai ließ sich gleiten – Kissen schmiegten weich den Nacken, armselig und strähnig, der er war. Die Glieder ruhten. Im Windzug treibender Gedanken zerging flockig Alkoholnebel, Bilder kamen, sie glühten auf, eine schmerzliche Süße zwängte ihn diesen Munden zu und ließ ihn trüb nachträumen abgekehrten Schultern.

„Wieder wäre ich daheim. Diesen Nachmittag warf ich Worte, hetzte mich, weiter und weiter, am Ende lag ich doch, aus Schlafwandel gestürzt, an der Hürde des alten Rätsels. Seine Lösung suchend durchtastete ich Straßen, warf mich an Diese und Jene, aber nur Wind war ich, verblies mit dem kälteren Bruder an einer Ecke oder dort hinten, wo die Gläser der Laternen unter dürftig entlaubten Bäumen klirrten."

„Mädchen streiften an meinen Schultern vorüber. Die einen hielten die Lider gesenkt, die lang waren, und wenn sie sich hoben, wehte ein leiser Wind mir zu. Andere richteten ihren starren Blick durch mich durch, meines Flehens nicht achtend, und sahen fernere Gestalten, männlichere, die ihre Hand nehmen würden. Alle aber schoben den Hals ein wenig, indem sie die Wange von den seidigen Streicheleien der Pelzkragen kitzeln ließen; süß tanzte ihr Kehlkopf, Feuchtes verschluckend."

„Eine sah ich: sie hatte den Fuß auf einen Bordstein gesetzt und knüpfte die Bänder; der lange weichbraune Schaft ihres Schuhes war festgeschnürt, er umzackte zärtlich das Fleisch ihrer Wade. Im Schnee hätte ich liegen mögen, dort, und mit Lippen und Zunge die Bänder knüpfen, die verschlungenen, beschmutzten. Sie warf ihren Rock ein wenig links, als sie ausschritt, ihre Schulter wies die Welt fort, aber meinen Blick hatte sie nicht gesehen."

„Jene andere fing ihn ein: über die braune Schulter kehrte sie ein blasses und steiles Profil; während der Blick prüfte, teilte rötlich und feucht ihre Zunge das Schmiegsame des Mundwinkels. Ich folgte, mein Herz schlug, wir durchzogen einsam gefüllte Straßen, am sinnlos erhellten Schaufenster spürte ich ihre Nähe; breit zerdrückt streifte ihr Rock mit einer Falte mein Knie, nackt besprang ihre Hand die Scheibe."

„Dann kam der Blick, er schlug voll auf und verbot Flucht – ich weiß mein Zittern –, doch schon hatte sie mich erkannt, den Unwissenden, den Feigen, und strich fort unter die andern, während ihr Blick stärker und stärker wie ein zu großes Ding meine Aderwände weitete."

Er seufzte. Sein gesenktes Auge hob sich, es durchirrte das Zimmer, halberschlossen fragte es da und dort und hier.

„Nichts? Gar nichts? Den ganzen Tag war ich fort, mit Ilse stritt und log ich, suchte den Gral, und nun, hier, wißt ihr nichts davon? Wie? Es wäre umsonst? Ich sei derselbe? Jedes Bild sickere fort aus der zu sehnenden Hand?"

Er schwieg neu. Ein Glas im Schrank klingelte nach und verstummte.

„Wie suchte ich! Das Goldstück zwischen Daumen und Zeigefinger ließ ich es dann und wann aufspiegeln, den Mädchen ins Auge, Lockung, da ich zu wenig Lockung war. Sie achteten auch dies nicht."

„Jener im Café, – wie hoffte ich, er werde mit mir gehen in die Gassen, die dunklen, die wie Sturzbäche zwischen die Häuser eingerissen sind. Auf ihrem Grunde schaukeln die roten Kugeln der Lampen, – an seiner Seite hätte ich es gewagt, ohne Furcht, den Neuling verlacht zu sehen; aber eine schwarzlockige Dicke lockte ihn von meinem Tisch, und ich blieb allein."

Er seufzte; es flog fort, das kleine Gerede, dürftig beschwingt, ein wenig wehmütig, und umhängte, ruhenden Fledermäusen gleich, den Stuckfries der Decke, kopfabwärts.

„Auch der Kellner achtete mich nicht. Trank ich schon viel, mehr als die andern, irgendwie erkannte er mich, und sein Ton klang, als sei es auch mein Amt, Bier zu schenken."

Er sann, aber die Bilder trieben weiter, und er sah sie nun, jene Blonde, mit dem roten Hut, der er im Aufstehen gewinkt, mit dem Kopf auf die Straße verwiesen.

„Sie verstand mich. Ich durfte hoffen. Auch sie rief den Kellner zur Zahlung. Ich wartete. Schnee trieb. Viele gingen. Manchen lief ich nach, lange, um ihr Gesicht im Schein der Lampen als fremd zu verweisen, und kaum zurückgekehrt, flatterte ein neuer Rock. Furcht, sie werde es sein."

„Ich entschloß mich, teilte den Vorhang: und sie saß da, und ihr Gesicht höhnte den Beschneiten, Erfrorenen, der gewartet hatte, trotzdem er außer Betracht. Ich ging."

„Hier bin ich wieder", murmelte er, und unablässig über die Innenseite des Gesichtes rinnende Tränen schienen ihn mit dem Winde äußersten Verlassenseins zu beblasen.

„Hier bin ich. Unwissend wie je. Arne nimmt Margot am Arm. Alle andern wissen. Ich?"

Er zögerte: ein Weg breitete sich auf, dunkel von Laub überhängt, Himmel sah man nicht, aber seitlich lohten Feuer. Am Ende erhöht lockte ein Weißes, es sang und klingelte mit Gläsern. Dann warf es die Beine.

Kai schloß die Augen: Ilse trieb weinend vorüber; Knechtung, Verlust drohte – „aber nein, wissen will ich!"

Und er schrieb den Brief an Margot.

47

Sie schritten auf Kai zu, kleine Schneewirbel stäubten vor ihren Schuhspitzen, die Arme hangelten lautlos. Mit den Filzrändern ihrer Hüte setzten sie groteske Kurven und Kreise in die trübe Luft; an ihren Bärten, im Gespinst der Schleier hingen Spinnen gleich Tröpfchen, halb erfroren.

Da diese vorüber waren, entschritt sie ins Freie der Tür, noch den Kopf gewandt und ein zu gerundetes Wort ins schwarz Klaffende werfend. Lang schlugen die Knie leichte Zucke in den blaugrauen Rock, den der Schnee torkelnd beflockte. Bauschig überquellend zerdrückte ein Barett die schweren Haarflechten.

Ilses Hand glitt auf den Grund der seinen wie ein gedunsener und süßlich erwärmter Leichnam. Sie lachte. „Wie du gefroren hast! Deine Nase ist blau. So blau!"

Doch verweigerte er dies, wenn schon ihre Achseln neben ihm zuckten, lustig, seinen Trübsinn in den Schnee hinter sich gleiten zu lassen –: er drückte ihn fest und beharrte darauf, verbissen aufwühlend, dieses: Frieren, Leidensmöglichkeit genug, Winter, feindlich im Glotzen. Die Eisbahn spiegelte: sein knöchelgeknicktes Humpeln, Spott und in allem knirschte die Kälte, die das

Herz sprüngig gefrieren ließ, daß es glasachtsam schlug und zu leise: wie Zehentasten an die Geldlade des Vaters.

Dann schwiegen sie. Die Laternenreihen der Straße funkelten ihren Schritten vorauf –: aber am Ende ruhte das Auge im schließlichen Zusammenfließen der Schimmer, und indem man das erfahrene Schneiden der Parallelen im Unendlichen erwog, war es so ins letzte Hoffen ermutigungslos, daß nun die von einer Ilse Lorenz und jenem Kai Goedeschal dicht zu nah gesetzten Fußspuren sich nie treffen, schneiden, berühren, decken würden, sondern geheißen waren zur Weiterwanderung, getrennt, in alle Unendlichkeit und Ewigkeit hinein.

Und er sagte dies.

Sie schlug den Kopf ein wenig auf die Seite, die lang bewimperten Lider wie meist gesenkt, ihr Kehlkopf entsprang rasch einmal dem Mantelschluß, aber schon in seine zögernden und mühsam gehobenen Endworte rollte sie ihre Hände und sagte ein „Nein" und „Immer Unrast?".

Kai schmeckte es bitter: ja, sie wanderte diese Wege nicht im hoffnungslosen Verheißungszeichen wehender Hüte und Blicke, unter der gesenkten Heimkehrstandarte durchfrosteter Nacht und Seligkeit.

So liederte er denn nur dies und das Herabsetzende einer Heimatlandfremden, die, in Timbuktu geboren, nach Muskat duftender Wärme und pflanzenfleischstrotzenden Bananenblättern roch.

Gesteigert schließlich, so ein bißchen proletig, aber schon von verhaltenem Weinen gedörrt: „Na ja, was *willst* du denn eigentlich? He?! Nun sag mal! Was soll denn, nun, das alles? Endabsicht ... He? Sag!"

Und er drehte die Arme im Wälzen gebauschter Gedanken vor seiner Brust.

Doch sie, von all dem Gerippten, Geriffelten, Gerieften zerformt, schlug einen Ausfall. „Und du? Nun, und du? Was denn du?"

Da sang er es, in Vorsicht bedachtsam betont, doch Drohung glostete hinten: „Ich weiß schon, was ich will..."

Weil sie schwieg, beschwänzte er's milder: „... was ich möchte..."

Nun trieb sie es doch, ein kleines bißchen zu haken, ob es schon in dem und dem – aber was, wußte man nicht – verrucht erschien: „Und? – – Sag doch, ja? – – Nun?"

„... aber du mußt mir versprechen, zu tun, was ich bitte?"

„Das kann ich doch nicht, wenn ich nicht weiß."

„Siehst du ... kein Vertrauen ..."

„Vertrauen ...! Aber so was verlangt man nicht."

„Man! Natürlich man! Lehmann und Klotzsch thronen dem Maßgebenden vor."

„Sag, was du willst ... dann kann es wohl sein ..."

„Nein."

Manchmal streiften die Buschzweige Schnee auf die Achseln. Oder man schlug den Absatz gegen einen Stein und ließ das Geballte, Verkrümpelte hinten.

Aber nicht dieses! Wohl schien es irgendwo besser, tiefer zu häkeln und angeln, am Widerhaken zu ziehen; aber nein, nun sang die Stimme weich und ein wenig billig erstickt; es ging so unschwer: „Versprich, daß du's tust, du kannst es so leicht."

Schon flehte auch sie: „Kai ... Kai ..."

„Bitte, bitte, bitte, liebe Ilse ..."

„Aber du! Ich kann doch nicht ...!"

Sicher, noch hatte man's nicht gesagt. Wie? Nein, gewiß nicht. Aber es klang, als wüßte sie. Und wußte sie, durfte man's wagen, tun, so sich vorbeugen und die Meinung des Eigengesichts auslöschen, auf ihren Lippen.

Aber sie wußte nicht! Sie wußte nicht!! Nie und nie!!!

Da waren die Straßen, der so getriebene Schritt sank nun in ein Entbreiten zusammen, und ihre Frage war verstockt und her und hin spöttisch: *"Nun,* Kai?"

,*Nun,* Kai! Natürlich wußte sie! O, ich, ich, ich . . .!!'
Aber laut: "Ja, Ilse?"

"Kommst du nicht noch rauf, Kai?"

Wie sie kratzte!

"Jetzt noch? So spät?"

Kleiner schon: "Freilich, spät ist es . . ."

"Ach was! Ich komme. Deine alte Dame . . ."

"Besser wir lassen's. Sehn uns doch morgen?"

"Nein, nun . . ."

Und plötzlich, dies, ermächtigt durch die Vorrederei, als Wiedergutmachung fordernd: "Nicht wahr? Ich darf?"

Hinten im Hirn ließ Hoffnung die verhüllenden Hände sinken, ein Lichtschein brach aus: noch konnte es kommen, konnte es kommen!

Es wuchs langsam aus ihr. "Nun ja, komm schon rauf. Warum auch nicht?"

Und nachdenksam: "Warum auch nicht? Was soll es denn schaden?"

48

Salon. Dunkel. Ein kleiner ungelüfteter Ruch, staubprikkelnd.

"Ich sag nur Mama Bescheid. Einen Augenblick."

Die Tür schlippte matt seufzend ins Schloß. Im kaum durchgrauten Schwarz beharrten die Möbel dumpf auf sich. Ein verhehlender Schritt ließ auf der Metallplatte eines Standbeins Täßchen klappern, der nächste schlug Kais Hüfte daran: helles Scheppern.

Er verwirrte beruhigend seine Hände.

Der Seitentür entstand gelb Erhelltes. Kai schlich, Gemurmel zu horchen; unnötig, denn schon schrillte es, wohl zu vernehmen: „... Herr Goedeschal nicht wohl? Nach Haus mit ihm! Man geht nicht zu fremden Leuten, um halb neun!"

„Muttilieb, bitte ..."

‚Oh, die Tür. Die Tür. Fort. Weg. Wie es brennt. Kräx. Klemm den Bauch, du Hund. Wie? Mantel dort, Mütze. Das Entree. Ah ...!'

Er warf sich in den dunklen Winkel. Ein Flauschmantel überschleimte deckend sein Gesicht.

Frau Lorenz: „Nein, Ilse ..."

„Oh, Mutti! Er ist nicht mehr da! Fort. ... Hat gehört ..."

Es gilferte spitzen Triumph: „Der Lauscher an der Wand ..."

„Oh, Mutti ..."

„Standesbewußtsein, liebe Ilse ... Staatsratsohn paßt eben nicht! Glaubst du, seine Eltern wissen, daß er kommt!"

Und: „Schön verbieten würden sie's ihm. Aber schön!"

‚In die Wand den Kopf. Glieder glatt. Alle Pfeile in den Bauch. Eklig süß durchlaugt schmeckt am Maul satinierte Wolle. – Oh, du Dreck, Kai!'

Ein kleines erweichendes Rinnen spellte den Bauch. Sickern setzte ein Tremolo in die Knie. Man spürte es schon. ‚He! Willst du ausreißen, Kadaver! Mich allein lassen, hier! In die Falle gelockt! – Verdammtes Es!'

In der Küche, am Ausgang gelegen, blökte bubbelnd das Gas, schrie, knatterte dann friedlich: Töpfe klirrten, Löffel steckten silberne Triller als Fahnen auf. Die Stimmen, sieghaft spitz und leibhörig verhalten, drähnten den Schnack.

Das zerknitterte Leib, knetete, schmiß umeinand. Ins Hinterhaupt wuchs die befleckt tapetige Wand. Das Hirn roch Angst. Noch verwuchsen die Füße nicht wurzelgleich dem Boden, Rücken der Wand.

„Täten sie's doch!"

„Aber nicht hören!... Nanuneinnie! Nich hören!"

Zwischen den Zähnen knirschte Kai überfades Geknisper.

„Noch dies, gefunden werden, hier; man zieht dich heraus, Kai, im Licht stehst du, das Gesicht befleckt, alles fällt ab... wie sie lachen werden!"

Weiter im Wuchs!

„Der kleine Bruder erzählt's in der Penne: Held hinter Mänteln! Man hatte die Schuhe gesehen! Die Schuhe... He, Goedeschaaaal! Nanu, Goedeschaaaal! Kuck einer an, Goedeschaaaal!"

Dem Erschöpften troff Speichel fort, verschleimte den Tuchfetzen am Maul.

„Was riecht es? Fettig, lau Dieselöl dickig dünstet's den Magen auf, schlucksend verkloßt es den Schlund, die Zunge verdreht, äh...! Kotziges Menschengeschwein, zum Kotzen Vieh Kai, zum Kotzen!"

Ein Schritt überzirpte den Flur.

„Wie sie hohnverzuckt im Knöchel die Knochen tänzeln!"

Auf den Tisch sank klappernd der Eßgeschirrsegen.

„Warte nur balde..."

„Daß man so was überleben kann...", denkt er, „natürlich, bau immer Phrasen! Bau! Bau! Bau! Fühl's schon lieber, friß es ein, du Schwein. – Du bist naß? Verklebt an den Beinen? Du hast...!"

„Es wundert dich gar! Selbstverständlich! Sehlbstverstähndlich! Wie dein Hemd klebt! Aber fein artig, mein Sohn! Nahtührlisch!"

„Tleine Tinder... i' de' Ecksche schtehe."

„Häh! Mauschele noch! Kannst du Kot fressen? Kannst du? Du kannst's! Äh nuhn ahlso!"

„Preß die Wand. Sie kommen wieder geschlenkert. Ahem! Bist du still!!"

„Mach das Licht noch aus, in der Küche, Ilse."

„Schlapperabumm: die Tür. Der Befreite. Noch warten. Sie kommt noch mal. Wegen des Lichts. Natürlich. Der Bruder sabbelt Gebet. Und sie heben die Hände zum lecker bereiteten Mahle. Kommst du? Kommst du!!! Nichts. Vergessen. Ich schleiche los."

Eine Diele knarrt. Leise. Noch zwei Schritt . . . die Tür geht – – –.

Sein Leib schlippt um, das Auge glostet ihr zu . . . Noch sieht sie ihn nicht, sie trändelt hüftenbreit . . . Da!

Sie steht starr, entkräftet hängen ihre Hände.

Er ahnt den Mund, der schreien will: da wirft er eine namenlose Gebärde des Flehens, in den Bauch sinkt der Oberleib zurück, die Knie brechen entzwei, über die Schenkel wächst Diele, jedes Gesicht ist verlöscht. Und aus dem Verkrümmten stammeln die Hände hervor, nun menschtumerlöst, dünenwindverraufte Föhrenäste:

„Ahbahmen! Ahbahmen!"

Ewigkeit fällt in Ewigkeit.

Kleine Töne sickern aus seinem Leib, fallen verbraucht um ihn. Wind kühlt seine Rinde. Ein düster wolkenverhetzter Himmel zetert an seinen Ästen.

Er fällt.

Als er aufsieht, ist er allein. Langsam findet er sich, da und dort. Und indem er dies abbaut, Glied um Glied, entsteht ein wenig der alte Kai, setzt sich auf, durchbricht das Verschreckte.

Und dann gibt es wie immer: Treppen, Schnee, Flickeflockeschnee, eine Bank zum Ruhen und Menschen, Menschen . . . !

49

Am Ende aller Dinge stand das Bett, weiß gebreitet, höhliger Einschlupf. Nun umfing es ihn wieder, im Dunkel schmiegten Laken und Federn den Leib: kühlende Tröstung.

„Noch bist du da, Kai. Dies Atemgewölbte, das Geschaftete, die kleinen Spiele der Hände – sind mein. Und der Kopf, der seine Form in die Kissen wiegt, glimmt von neuem. Ich *glaube* schon. Noch ziehen grünschwadig irgendwo in ihm Dämpfe, aber bedenken ... Ja, es geschah. Sie ist ausgetan und fortgewiesen, diese Kleine, deren selten entblößter Blick zu leisem Erschauern die Brust und Tieferes lockte. Ich schrieb ihr, das weiß ich, anläßlich ..."

Kai wühlte die Schulter zur Seite. Die Knie emporgerissen, spürte er tief zu den Zehen ein gläsern klingelndes Rieseln, anzuhören wie zager Splitterschlag zweier Eiszapfen in fuchtelnden Jungensfäusten.

„Ich schrieb ihr, matte Zeichen. Nie mehr werde ich dort in der Stube sitzen, auf das Gas lauschen und das Hingleiten beruhigter Reden. Dies Auge hebt sich anderen zu. Ihrer Freundschaftstreue dankten zum Beschluß Worte, die da und dort beißend ihrer süßen Umhüllung entschlüpften und sich gegen sie kehrten. Ich nun, der ich ihre Herzhaut ritzte, fühle in mir schwächendes Versickern eigenen Blutes, Aufgang lippiger Risse und Dunkel, so sehr Dunkel ..."

Er sah starr zur Decke, auf der ein ungewisser Schein bebte, seine Hände suchten. „Wieder bin ich allein. Jener Abend weit entrückt, da Arne mich fortzog, auf der Straße die Blasse, dann die Geneigte, und – oh! – der Sonntag am Feuer, grau flattert der Zettel; und nun an den Schluß gesetzt dieser Nachmittag heute im Park; – welch rascher Anstieg, wie nah das Ziel! Nur ein wenig

Mut noch! Ein wenig Zugriff! Vertrauen! – Nichts! Sie entglitt. Unstarkem entglitt der Moment zur Umkehr. Was denkt nun sie?"

Er horchte, beschwor ihr Gesicht: nichts. Blasses, Verblaßtes wollte sich ballen, trieb um: nichts. Er formte die Hände. „So ... die Pulse an ihre Schläfen gedrückt, daß das Klopfen der Adern ihres sein konnte wie meins, ihr Gesicht nah, schräg erhoben, der Mund aufbrechend über den feucht glänzenden Zähnen – ah ...!"

Es war fort.

„Ich werde es nie können ... Aber du, du, Ilse, warum tatest du es nicht? Ahntest du wirklich nicht das Ziel meiner Bitten? Sag!"

Alles schien so leichter, wenn sie wußte, – selbst Rückkehr in dieses Haus, das die nachtmahrgleiche Verkrampfung seines Ich gesehen.

Er verschob das Hemd, betastete die Brust, seine Hand hörte Herzschlag auf Herzschlag, unbeteiligt gehämmert. „Liebe du ... weißt du denn nicht ...?"

Nein, sie wußte nicht. Auch nicht von fern hatte ihr Antlitz der grün verzerrende Glanz jener Fackel überhuscht, die der Feind in listig verkrampfter Faust trug. „Ich allein bin sein Knecht, sein Spielding; ein Zuckebold, der an Strippchen tanzt, heute zu Rausch und Taumel verlockt, aber die morgen nach der Erfüllung langende Hand unbegreiflich zurückgezerrt. Finde ich nie die Waffe, die ihn bekämpft, und, mit ihr, der Eigenheit Lösung?"

Fort war auch dies. Ein rascher Schauer, plötzlichem Hagelschlag gleich, überprallte den Leib. Faltiges Zukken schepperte ihn, hier und da, an der Außenkante. Kleine, blödsinnig glucksende Kehllaute pufften aus seinen Lippen, und während er die Lider preßte und Finger abwehrend verkrampfte, sah er sich doch zum andern Mal jener Wand gesellt, deren abgestandener Duft neu plötzlich und breit seine Nase füllte; die Knie verbogen und einsinkend; doch gegenüber wußte er nun ihn, der durch die Mantelfalten sein Gesicht gesehen, den Glänzenden, Spiegel und Feind, Spiegelfeind.

Und ein Unverzeihlichstes schien es jetzt dem harngedüngten Boden dieser Erniedrigung zu entschießen, daß einer, jener sein Gesicht gesehen, das unverzeihliche Gesicht der Schmach.

Nie waren die in jenem Glase gefangenen Erinnerungen zu verlöschen, nie zu leugnen oder vergeßbar, was geschehen. Die dann und wann im Toddunkel blitzschnell erschaute Gestalt des Feindes, verkrampfter Klumpen, wandelte sich nun klar in das graustaubige Glas eines Spiegels, im Rahmen einer rot gekehlten Leiste, aufbewahrt von jenen Schleifröcken, die ihn verjagt hatten – bis in diesen Ekel hinein.

Da erhitzte er Drohungen in sich. Die Zähne gepreßt, stieß er Empörung, Fluch ihnen allen, den Zerstörern.

„Die Mutter... aber auch jene Breite redete kaum: ‚o Mutti!' – das alles?"

Aufschnellend saß er, über die Tür raspelte eine Hand, im Drückerschloß knackte es. „Sie kommt! Um Verzeihung! Alles gut... alles gut..."

Das Dunkel blieb, so sehr die brennenden Augen sich mühten. Aber ein Knittern schien an der Tür zu sein, und nun wehte es her: Laues von Atem.

Er fiel zurück. „Sie...? Wer wird es sein... Mama...? Mama...?!"

Still. Das Blut sang im Ohrloch. Schwoll flutgleich. Nichts. Aber noch wehte es, stärker nun, dort drüben.

„Mama... bist du es...?"

Ein kleiner Klicklaut fiel an der Tür.

Stille. – Plötzlich bestürzte die Schwärze als Stahlblock seine Brust. Ein bewegliches Zittern riß im Kehlkopf, seine Hände feuchteten sich...

„Wer kann es sein ...?"
„O, bitte, bitte!"
„Vielleicht ist es doch Ilse. Eingeschlichen! Das Mädchen bestochen. Nun hier. Scheu ..."

Die Augen brachen auf. Im Blut trieb weißlicher Schaum. Er rieb Lippe an Lippe. Aber die Worte zerfaserten, die Zunge stieß torklig am Gaumen, quoll, schwoll ...

Indem er die Lider klappte, wieder und wieder, beschwor er die Kraft zu fragen, in die Wangen fraß es Löcher ... ach!

Er fühlte sein Leben in dem: Aufgebreitetsein in der Nacht und den Atem der Bedrohung zu den Nüstern stoßend – Hilfloser!

„Muttilieb ..."

Da wogte es klotzig, ein Luftwirbel zertobte das Dunkel, schwer, massig Gedunsenes stürzte an seine Seite, Hitze überspülte Gesicht und ein Volles, Klaffendes verwirrte die kühle Geschlossenheit seines Mundes. An der Stirne kitzelte Haar.

„Erna!"

Aber ihr Mund saugte den Schrei auf, stieß Atem in ihn, ihre Arme belegten die Brust, verwühlten den Deckenrand, entblößten ...

Kühle überspülte Weißes, Luft, Windzug vom Fenster her.

Und ward zugedeckt von dem zehnfingrigen Getappse der Hitze, das die Rippen brannte, über das Weiche des Bauchs sprang und im Nabel kreisend, höhlend verhielt –

Kaum! Denn schon ging es weiter, glitt, glitt, gezogen, schwellte, griff um ...

Und da riß es Kai zusammen, klappte ihn auf, schloß ihn, seine Faust ballte Feindschaft, fettsträhnig zügelte sie Haar, riß, riß, riß ...

Sie schrie, leicht und hell, irgendwo weit weg ...
Noch stieß sein Fuß, über das Gesäß rann die Kühle von Entblößtsein.

Aber schon war das Zimmer entleert, und die Tür war längst zu, lange und längst, längst ... längst! Längst!!

50

Gedehnt ruht Kai. Jedes Glied wiegt eine Rinne in das Laken, höhlt die Kissen, und die Knöchel buckeln sich doppelt. Es kreist in ihm, singend, mit bohrenden Stößen drängt das Blut durch die zu engen Adern. Noch dampft die fremde Hitze aus den Tüchern, über die entblößte Brust streift kühl ein Luftzug vom Fenster.

Auf der Hirnbühne huscht Äffisches, verkrümmt, doch nun die Arme auseinandergeworfen und mit magerer Knochigkeit die Fersen umspannend, daß das pelzige Gesäß grinsend nach hinten prallt. Haare wehen nach. Und eine kleine Ampel entreißt hie und da eine Spaltnase, einen gebläkten Mund weißrifflig dem Grau. Nacktsohlig überspringen Tänzer das fad Erhellte, ihre Gewandsäume flattern hinter ihnen; sie sind mit Gold bestickt. Und langsam kreist um sich ein Hockendes, Buddha gleich, das auf den Bauch mit zählenden Fingern Falten legt. An den Ohren klingen Klimperglöckchen.

In den Gliedern, außen ruhend, regt es sich endlos. Von allen Teilen des Körpers sind Armeen aufgebrochen, Legionen strebsamfüßiger, durchscheinend roter Ameisen, ihre Kohorten durchziehen das Rückenmark, in den Adern wälzen sich kribbelnd die Scharen, sie stauen sich in den Gelenken und durchwandern endlos tipsend in ihrer sinistren Stillheit die langen Schäfte der Schenkel und Arme, sie überströmen die Ebenen der

Lunge. Im Zentrum des Leibes scheinen sie Feuer zu entzünden, störrig in Lustigkeit schieben sie Kreise und Flächen von Tanzenden, die, ohne von der Stelle zu gehen, die Beine rühren, Kais inneres Fleisch kitzelnd bewedeln.

Er wirft sich um.

Sie sind fort, aber die Wärme blieb, sie glostet, dampft und glüht, sie bläht den Bauch; umsonst mit der Handfläche mildernd zu streichen, auch sie ist benetzt von einem schwärenden Schweiß; zwischen den Fingern klebt es.

Plötzlich drängen die Schläfen, sie zerpressen das Hirn, das haltlos nach hinten quillt; zwischen grauem Gematsch steht weiß ein Ei, in dem ein schwarzer Kern dreht. Dann fließt es fort, und Worte wurden Situationen, sie stehen wild und unbegreiflich verzackt und verzähnt, aufgebaut wie Landschaften.

„Tu es doch bitte, Ilse ...!"

„Doch liebe ich dich ..."

„Hebe die Hände um Rettung ..."

Er wirft sie heraus, über die Decke wirft er sie zur Ruhe hin, die Ruhelosen, Entzündeten. Aber, Schwelfeuern gleich, zersengen sie den Stoff, pressen ihre Marken in die Schenkel, und ihre Finger zerzupfen, verstoßen die Decke. Sie streifen das Hemd.

„Was ist das? Wohin???!"

„Gängele du nur, Kopf, weit weg."

„Aaaaah!"

Die Lider sinken, das Unterkinn wird frei, spaltet den Mund. In das Kissen wiegt die Hinterkopfform. Die Schultern spannen den Bogen, stoßen den starrenden Pfeil aus dem Zentrum des Leibes, bis er springt, speit, wirft ... Er rüttelt den Leib, schüttelt kleine Juchzer aus ihm, die Ellbogen hüpfen auf, lässige Tauben. Die Zehen krampfen zum Kreis. Und der Leib wird lang, lang, dehnt sich endlos über die Welt hin - - - „dehnt sich endlos, de' si' lo' ... de' si' lo ... Daisy ... Liebste ..."

Und die Ruhe kommt gegangen, das Verfallen, das Schrumpeln, Rückkehr zu den Laken. Einsingen. Und ein schwarzer Schleier nach dem andern weht über das Hirn, die Säume streicheln seiden die Schläfen; nun sinkt es über das Gesicht, noch einmal stößt Kai den Mund auf, nach Luft, himmelwärts, nein! Schlafengehen, Schlafengehen.

51

Knarrend klaffte ein Türspalt, ward weit – jenseits der Diele funkte blau und rot, sonnenbestrahlt, die Fensterverglasung der Treppe. Herein schob sich Schütt, farbig gekrönt; mit der ins Schloß seufzenden Tür ergraute sein Antlitz; doch bot er nähertretend Kai Hand und Gruß und warf, plötzlich im Lehnstuhl viele Bauchfalten aufbreitend, die Erklärung eines Bedauerns, daß der Freund Kai so wenig nur noch zu sehen.

Dann wartete er, schiefen Gesichts, blaß und rotblond blinzelnd.

Kai fühlte ablehnenden Unwillen. Indem er die Hände, deren einen Strich seitlich geschwungenes Endglied bedrückte, zwischen knitternde Buchseiten schob, spürte er wachsend in sich das Schweigen, es knödelte im Hals und setzte auf die Augenhaut brennende Wüsten.

So brummte er schwach und schob einen auffordernden Blick gegen Schütt.

„Du schweigst, rara avis? Aber dein Schweigen sagt, daß deine Abkehr nicht zufällig. Etwas ist da, also? Und?"

Halb anerkennend hob Kai die Achsel, seine Hände flatterten leicht auf und hockten sich beschämt ins weiß knitternde Nest.

„Bin ich Zahnschlosser", markierte Arne Empörung, „rede nun du!"

„Ach..."

Aber im Ach zitterte so viel tränengereizte Schwäche. Arne ermunterte klatschend das eigene Knie, und Kai stärkte sich zu einem knurrenden: „Bockmist!"

Auf den fragenden Blick: „Es lohnt 's Reden nicht... wirklich nicht... nun, ja denn, wenn du durchaus willst... also..."

Und stand grell flammend über der Erkenntnis, daß er hatte pratteln wollen: Königtum verlieren, einsamkeitsverjagt in die sühnenden Hände häschriger Lehrer und Richter sich selbst liefernd. Röte überspülte das Gesicht, schon stand er, drehte die Hände umeinander, der nahe Absturz besaugte ihn schwächend, aber er warf den Leib zurück und klirrte ein schrilles: „Nichts...!", während Arne noch immer aus der Flamme des Streichholzes flackernde Schwelung seiner Zigarette puffte.

„Nichts...? Aber was ist das, Kai, da war etwas? Und du willst nicht reden, zum Freunde?"

Die Berufung des Wesensmeilenentfernten auf diesen Titel... Achselzucken...

„Wie?!!!!"

Arne schoß auf. Knarrend rieb der verstoßene Stuhl die Schrankwand. „Wie?!!!!"

Zuckendes Gewitter durchwarf faltig Schütts Gesicht. Das Fette der Wangen schwappte zurück und blößte einen kleinen, schwarzen und kochenden Blick aus Blau.

„Du zuckst zur Freundesberufung die Achsel?!!!"

Wie kleckerte weichlich Eifer: „Aber nein, mein Arne! Nicht dazu. Sondern die Geschichte, so unlohnend..."

„Erzähle doch...", noch grollte Donner in dem. Und nun ganz weich in Fleisch und Skelett breitete Kai das rettende Lügengewebe der Entfremdung mit Ilse, den

Herauswurf; indem Arne Rauch paffelte und den geschliffenen Nagel gegen das Fensterglas stieß.

Aber im Reden fühlte der Schurke am höchsten sich landesverwiesen des vom Gefährten entfremdeten Königtums nächtlicher Schmach, fand im Prüfen des Verquollenen drüben nichts so weich redender Betriebsamkeit wert und – sabbelte weicher.

Da die Tür hinter dem sich elegant verbeugenden Entdeckten, der das Anhören so intimer Gespräche weltmännisch-zynisch bedauerte, zufiel und Heimweg, Erna, Paradies der Schmach, wohl Rede begehrend, aber nicht zu bereden, im Dunkel blieb, erwog Arne: „In all dem keine Not solcher Freundesflucht. Eher Beratung . . ."

„Wozu . . .?"

Da röchelte Arne, schulschillerpathetisch: „Racha . . .!" Schwellte die Brust und warf die Hände, torkelnd im Zugriff spitznäglig gekrallter Hälse durch die Luft.

Dann, matter säuselnd: „Das ließest du dir bieten, etwa? Von solchen Spießern. Stumm bleibst du dem Haus fern, du Verjagter . . ."

„Nicht stumm. Ich schrieb . . ."

Arne bestätigte das Wertlose. „Du schriebst . . . Wenn schon. Ist das genug?" Und nun lohend: „Racha! Freund! Racha den Spießern!"

Ein leises Prickeln durchtrieb Kais Adern, doch schien solchem Pathos gegenüber Rückhaltung geboten. „Sagt sich; tut sich nicht so leicht."

„Man überlege; nicht heute, nicht morgen, irgendwann. Wisse . . .", und drehte dozierend den Finger um sich, daß der faxige Lichtreflex den Nagel bewanderte, „wisse: jede ungerächte Beleidigung ist Minderung des Lebensgefühls."

„Wo steht das?"

„Eigenes Axiom."

„Und sonst...?"
„Dies und das zu erzählen. Frucht deiner Briefschreiberei an eine gewisse... Doch ich sehe, die Uhr weist eindringlich, daß die alte Dame bereits seit zehn Minuten zum Schuhkauf wartet..."
„Margot...?!"
„Wer sonst. – Seit ich nämlich vor einigen Tagen mir für die Anschaffung von Schuhen anvertrautes Geld zu einem genußreichen Bummel verwandte, ist selbst der Ankauf eines Schlipses nur mit elterlicher Begleiterscheinung denkbar."
„Sag doch, Arne..."
„Ein andermal, Lieber. Auch ich weiß zu schweigen, dann und wann."
„Aber, Arne...!"
„Gehässig, weiß schon. Nicht zu verändern, Liebwerter. Kismet. Servus."
Einen Augenblick überspülte Kai im Gang Winterluft, die Schläfe frischend, aber dem Umwendenden schon lastete das Alte wiegend und krümmend die Schulter und das scherzhaft Erhellte war der Tür entschlüpft wie Schütt.

52

Und in sein Zimmer zurückgekehrt, fand er sie dort aufbewahrt, die kleinen Gesten jenes andern, hie und da abgelegt und dann beim Fortgehen vergessen; ins Kissen gedrückt, durch die Luft gerollt, an der Fensterscheibe klebend: all die Gebärden dieses –: „ja, pain-expellers, der nur schlimmere pains brachte, nicht?"
Und dem trostlos Erstarrenden härteten sie sich: der gespreizte Zeigefinger krümmte langsam und hakte in eine jener entrollten Bauchfalten, um das schiefwinklig gegen das Kragengetürm im Horchen geneigte Haupt

schlang sich lind der gewurstelte Arm, und schon tanzten sie an, schwangen trotzig-fest im Ignorieren Kais ihre Kreise durch die Luft und schneppten mit einem kurzen Laut, der zu klickern schien, vor seinen abwehrend gespreizten Fingern zu einem endlosen Traversieren in den Raum fort.

Trostloser Einsiedel, du ... du, dem der Traum von der Bewältigung des Lebens wie eine sonnenbestrahlte Qualle zwischen den Fingern zerrann, schleimig grau gelöst und die geflockten roten und grauen Streifen in ein breites Gesicker wandelnd, – nun siehst du gar von der Erscheinung des Freundes das Königtum deiner Schmach bedroht!

Einsamer, du, gib nicht nach. Sieh, schon schlingt sich Finger an Finger um den Tischrand, du zerrst ihn ans Fenster, seitlich rechts und links die leistengekehlten Stühle, der Vorhang schnippt zu, das Gas knattert; stellst du das Bett um, den Langstuhl auf die Mitte des Teppichs und hockst dich hinein, so siehst du dem veränderten Gemach, deckendurch, unbeteiligt staunend, die tanzenden Gesten sinister entfliehen –: du blickst um dich: nun bist du allein.

Wahrhaft allein: denn die Ketten der Menschen, gekannter und ungekannter, schwanken ferner schon, das Gesicht von deinem Frevel ergraut, da nur im Hirn sich dir die Verzückung jener wochealten Nacht belebt, da die Innenhaut deiner Schenkel wieder feucht zu werden scheint unter dem glatten Öl, das breitklecksig von Samen aufsprüht ...

Murmelst du –? Ja, nun siehst du dich wahrhaft allem Menschtum entfremdet, in dienem Hirn, glotzend von Eiterfetzen und Schleim, brach die verruchte, nie gewesene Sünde dieser Befleckung auf und stieß schwärend dich in Eisigstes.

„Keine Gemeinsamkeit, nein. Ihren Händen, ihren

Gesichtern ist dies fremd. O, welche Sündenlast, nicht bereubar, welche menschenfremde Verruchtheit hat vom ersten Tag, den ich lebte, in mir geeitert, daß ich mich so weit verirrte?"

„Nein, wenn ich aufstünde und dies sagte, sie sähen wie ich: da solches die Erde duldet, nicht aufbricht, vulkanisch donnernd: ist kein Gott. Wie könnte er sein! Ihn auszudenken, jetzt noch . . .? Nein!"

„Am tiefsten liege ich unten. Ein Leben, nur dieser Idee geweiht, kann nie reinigen die Befleckung meines Seins. Wenn ich mich hinkniete, die klaffenden Adern in die schneewassergerissenen Ackerfurchen gedrückt und mein Blut der Erde gäbe – Sühne, dies? Sühne? Nie!"

Er hob den Kopf, im Spiegel traf er seinen Blick, den er nicht achtete. „Nein, aber da dies nie war, nie ist, nie sein wird, sehe ich mich – ist Erniedrigung hier nicht wie Erhöhung? – fern von den andern, einem ausnahmsweisen Geschick geliefert, zu einer Last verurteilt, die meinen Schultern beinahe zu schwer scheint. Beinahe, denn ich will sie tragen, die türmende, und am Ende angelangt, werde ich den Toten mein Brandmal weisen und ihnen doch Bruder gewesen sein."

Sein Blick durchflammte das Glas. „Oh, ich kenne dich wohl, kleines Prickeln, das du mich locken möchtest zum: wieder einmal. Nein, du! Aus der Gewöhnung erwächst Schmach des Altwerdens in Schande, die ich nun, neu und neu, als ein Klopfendes herzinnen trage."

Er hob die Arme. Weit unter sich sah er die andern, ein gedrängtes Heer haariger Köpfe, ihrer Wege schleichend und die kleinen Ziele schielenden Blickes belauernd. Aber *er* schaute schon hinter sich die schwefelgelbe Flagge seiner Tat, in den Acker gerammt und in jedem Gedankenzug wehend; da er fortschritt und die Aufgaben fügte zur Entsühnung, konnte nur Froheres seinen

Weg geleiten, und Versuchung hieß nichts, da dieser schwersten erlegen zu sein Anfang war.

„Ja, du ...", flüsterte er, und ferne schwangen die Mädchengestalten durch rein gewehter Frühjahrsluft Reinheit, birkenrutig begrünt.

Der Spiegel flüsterte „du", wölbte den Mund und nach der Glättung meinte das Gesicht nichts von alldem. Da zwang er sich auf, tastend durchfuhr er die Lade, die kleine Schachtel wog fettig in seiner Hand, und nun malte er, gegen den Spiegel gebeugt, mit den Schminkstiften der letzten Aufführung sein Gesicht, jenes Gesicht der Schmach, sichtbar aufgebreitet in zerkörntem, dunkelndem Beutel unterm Auge, fleckig vergilbter Stirn, messrig gehackten Falten und ein wenig Grün auf den Backenknochen als letzten, fahlen Schein der durchwanderten Höllennacht: jenes Gesicht, das sein war, sein, sein wahres, das er getragen hatte, unsichtbar, durchs Schwarze im Paradies der Schmach.

53

Kai hob den Kopf: eine Klingel schrillte. Türgeschramm, wispriger Stimmlaut stach spitz herauf.

„Das für mich ...?" Und überfuhr mit dem Tuch jagender Hand das Gesicht, während die Schminkstifte zur Lade rollten; – nicht schnell genug, denn schon schob Klotzschens gekräuseltes Haupt süßlächelnd durch die Tür, da noch Blaubraun Kais Auge umzirkte.

„Lieber Kai ..., aber nein! Wie siehst du aus! Krank? Sehr krank?"

Kai sprang zum Schatten, doch Klotzschens Augen prüften ... Fältelte schon Erkenntnislächeln seinen Mund?

„Wie? Krank ...? Ja, nun ... wirklich ... Ich will

dir ... Komm her, ich zeige dir", und Kai riß den Griff der Lade.

„Nein, jetzt nicht das. Nachher, später ... Also wirklich krank, man sieht schon. Daß ich nichts merkte, schon früher! Also war Ilse im Recht, sehr! Ich verneinte."

„– – – Ilse?"

„Nun ja. Da du nicht kamst. Gar nicht mehr. Sie fragte. ,Sehr gut', drauf ich, ,der Kai. Wie stets im Pennal.' – ,Nein, er ist krank', hielt sie fest, ,sonst ...' Dann schrieb sie, ein-, zweimal. Keine Antwort. Du erhieltst die Briefe?"

„Natürlich ... nicht. Sonst hätte ich hören lassen."

„Und krank? Darum nicht bei ihr?"

„Ja. Ja."

„Ich werde berichten. Es wird sie freuen. – Du verstehst schon! Sie grübelte. Etwas schien geschehen, mir nicht bekannt. Du weißt?"

„Nichts. Nein."

„Auch die Mutter fragte ... Nichts? Auch gut."

Klotzsch bewegte die Achsel, Geheimnis schonend. „Aber wahrhaft schlecht siehst du aus." Schwieg wieder. Endlich: „Du kommst mit, nicht?"

„Wohin?"

„Nun, Ilse!"

„Aber nein!!!"

Klotzsch, nähertretend, schob den Blick von unten. „Was ist dir? Warum schreist du? Was ist denn? Sag! Gezankt? Krach? Mir kannst du's sagen. Außer Konkurrenz."

„Nichts ..."

„Doch gehst du zur Penne. Also komm schon. Sonst ..."

„Geh vorauf. Ich komm dann."

„Nein, ich warte. Sie sagte ausdrücklich ..."

„Wie?!"
„Nun ... also komm."
„Schön."
Die Kälte strich ihr Gesicht. Schnee knirschte. Hier und da brannten hinter gelbverhängten Fenstern erste Lampen. An einem kaum kenntlichen Himmel ahnten sie Wolkenwandern; Schilder klappten, ein Kind schrie, und über den letzten Bahnhofsdächern stand eine falbe Röte gleich eines Sommerabends Abglanz.
„Wohin gehst du?"
„Hier entlang. Wir kommen immer noch früh. Luft! Mir ist der Kopf dumm", und Kai drängte zur Straße, die an den Brandmauern spärlicher Vorstadthäuser vorbei zum Schlachthof hinausstieß. Wind traf fingernd die Brust. Dann und wann prickelte flockiges Eis. Schon dämmerte um sie verhalten und zögernd befleckter Schnee erster, drahtgezäunter Felder. Über den endlosen Schuppenrevieren des Schlachthofs schwankten am reifweiß leuchtenden Draht kuglige Lampen, und in das Brüllen hungernden Viehs schrie lauter die heisere Trompete der Mutterkuh. All dies schluckte die nachtende Stille.
„Und nun?"
„Weiter!"
„Aber ..."
„Weiter."
Unter der Holzbrücke lagen die dunklen Fußschlangen der Bahn. Grüne und rote Laternen standen stumm und irgendwo wetterten Lokomotiven hügelauf.
„Umkehr!"
„Du!"
„Wie?"
„Du! Du! Du! Glaubst du, ich gehe? He? Glaubst du das? In eure Lauheit? Dickes Gas? Um den Tisch gehockt! Madiges Brabbeln! Dahin? Geh doch! Geh doch du!"

„Kai...?!"

„Ja, was denn? Kai? Was soll er denn? Sollst du ihn hinbringen? Da, nimm mich doch, zerr mich doch, schieb schon, sieh doch, ob du's bringst! Zu euch... Geh schon, Kleiner. Grüß sie nett, das Fräulein Laulich. Ihre Briefe..."

„Was ist ihr? Was hast du!"

„... ihre Briefe... Oh! Ich bekam sie schon, gesetzte Gefühle, höhere Tochter. Aber was gehst du nicht? Geh doch! Die Klampfe wartet. Zirp, zirp, duliö!"

Und stieß ihn.

„Laß!"

Aber Kai schwang weiter, dem Wind entgegen, der nun, über die letzte Hügelreihe aufheulend, hindernisfrei in die Pappelreihen brach, riß den Mantel auf, schwang die Hände und achtete den Schatten nicht hinter sich, der beschwörenden Mundes nachschlich, da doch schon Glut in Kai versackte und Schwermut tränenbeizend aufstieg.

„Bist du noch da? Es ist Zeit für dich!"

„Ich komme mit dir. Das geht nicht so", und zwang sich entschlossen an Kais Seite, Besänftigung redend.

„Schon gut. Weiß, wie ihr es meint. Immer und immer."

Und drehte grabenüberwärts durch die knackeisig peitschende Hecke ins schollige Feld.

„Da ist kein Weg."

„Alles ist Weg. Ihr nur seht's nicht. Bleibt doch draußen."

Beide keuchten. Ihre Füße fielen tapsig in das speckig Gepflügte. Die Weite hatte den Stadtlärm vertilgt, nur noch das unendliche Sausen des Windes war um sie. Schon auf den Wangen frierend troff Schweiß, Klotzsch stolperte, griff nach Kais Mantel, fiel.

„Sei vernünftig, Kai!"

Und hob sein blasses Gesicht von der Erde. Zwischen dem Zwinkern stachen die Augen.

„Wer sagt, daß du mußt?!" Und näher, den Atem zum Hockenden stoßend: „Geh zur Hütte, Hund! Soll ich wieder stechen? Diesmal stechen, nicht schneiden!" Griff in die leer gewußte Tasche, lachte auf, zuckte die Achsel und ging weiter, murmelnd, zwischen den Weiden am Grabenrand durch, springend dann, – und nun, geduckt zwischen den Kopfrutenhaufen, sah er den andern taumelnd sich erheben und still, ohne Umschauen, rückengewandt, der glostenden Stadthelle zugehen.

Da erst fühlte Kai Windes Verlassenheit, trübe Bitternis der Zunge, und ging langsam, schultergebückt in die Ferne hinaus, der nie wohl Tag dämmerte.

54

Da Kai sein Gesicht zum Himmel erhob, wo zwischen dem hastigen Zug wattiger Wolkentiere spärliche Sterne blitzten, schien es ihm, als habe er etwas vergessen. Doch schon dachte er dessen nicht mehr, fühlte nur strudelnd singenden Druck von Wind an Hüfte und Schulter, und jener dort, der Flüchtige, blieb ungerufen. Mochte er gehen! Die Wärme, die dieser begehrte, lag Kai nicht an. Auch nicht das Mädchen, das neben diesem Lebensdrallen kleine Rührungen in der Seele aufgehen ließ bei Liedern, zu schmissig und dann wieder zu süß gesungenen.

Doch fuhr die Hand zur Brust, hautgewärmtes Briefblatt gab Laut. „Diese Sätze – spottete ich ihrer? Verzeih, oh, verzeih! Sieh doch, hier wandere ich durch Nacht und das Eisige, wenn schon dein Ruf zur Wärme erklang. Du meinst, ich zürne? Jener Abend wuchs längst zu. Doch . . ."

Er lauschte: eine Stimme schien zu flüstern; unwillig wies seine Hand sie ins Dunkle zurück. „Ich sollte verachten? Ihre laue Liebe? Ihren Mangel an Wärme? Aber bin denn nicht ich es, der, über sich gebeugt, hockend nur stets, zages Gefüge eigenen Seins betastet, statt aufjauchzend und selbstvergessen in ihrer Brust zu münden?! Nicht ich allein schuldig, Ängstler vor Lebfrischem?"

Er ging. Plötzlich war Singen da, und lange stand er geneigt am Pfahl, in dessen weißen Köpfen, droben nur geahnten, Melodie vieler Stimmen klang. „Ich liebe dich, wohl liebe ich dich! Gehst du je von mir? Hockt nicht dein Kinn, Nestvogel gleich, auf meiner Schulter, grüßt mich dein Auge nicht, wenn schon dein Antlitz in raschem Wenden fensterwärts fortglitt? Und drückte dein Finger nicht schneller als meiner die Klingel: schrillender Klang nur für mich allein, da niemand kam? Ewige Gefährtin!"

Er sah um sich: dort im Schatten der Baumgruppe konnte sie sein, seinen Spuren im Hohlweg gesellte sich vielleicht nur ihr Fuß, oder sie lauschte, an die Schneewange der Böschung gelehnt, seinen Klagen, die ihrem phantastischen Schatten Blut in die Adern zu zaubern sehnten. „Komm näher, du! Zeige dich mir! Entschleiere die Augen, schmiege die Flächen der Hände um meine Wangen und laß uns so die innigere Welt beschwören, die stets in unsern Worten zerrann."

Er lauschte.

„Du kommst nicht? Entschwindest wieder, da mein Lockruf klingt, und läßt es genug sein mit dem betäubenden Duft entzündeten Blutes? Wieder wie gestern nacht nur die Ahnung deines Atems auf der Wange, die Ahnung deines Kopfes neben dem meinen auf dunklem Kissen, und im Umwerfen, im Zugriff der Arme, streichelsüchtig nach dir –: Entschwinden, Leugnung, beinahe Hohn? Körperlose du, Blutpeitsche, – ewig da, immer entflohen!"

Seine Hände wühlten im Schnee, schoben ihn fort, und nun, über die erstarrte Erde gewölbt, ahnten sie Fleisch, hofften Erwärmung, sehnten schwellenden Gegendruck: die Scholle blieb taub, umsonst sein Rufen: „Erwärme dich doch! Brich auf, Brust! Einmal brich auf!" Sie blieb taub, daß er endlich die Hand löste, die verklammte, und den schmerzenden Rücken zu Gradheit zwang, in ermüdetem Klagen: „Du willst nicht? Nur zum Verlocken kommst du?"

Vor sich sehend, sprach er, da die Wolle der Taschen das Eis unterm Nagel filzig verschmierte: „Ach! ich weiß wohl: du bist diese nicht, die meine Nächte erfüllt. Auch dein Gesicht schuf jener zu verführender Maske, der mein Feind ward, unbegreiflich wie und warum. Ferne stehst du und abseits – und jene Nacht, deren Frevel mich wie einen Pfeil in diese eisige Öde schoß, tilgte den Kai, den der zu Asche flatternde Zettel meinte und den diese Briefe suchen, deren süße und beinahe ein wenig tauben Worte nicht Rückkunft, sondern strengeres Exil noch predigen."

Er schüttelte es ab, sah um sich, ahnte unter blasser Röte die Stadt. Und da er den Heimweg überdachte, schien kaum noch glaubhaft inmitten dieser namenlosen, windzerschnittenen Öde: Dehnen erleuchteter Straßen, Rückfall von Friesvorhängen in durchwärmten Cafés, Kleiderwinken und das duftende Kielwasser von Frauen, das die Wangen hitzte und Augen sich schließen ließ. Kaum glaubhaft, – wie je zu erreichen aus dem eisigen Dunkel verlassener Breiten hier, da die Schuhe durchnäßt, die Finger verklammt und der Weg so sehr weit?

„Ich bin so müde, ich kehre um . . ."

Er kehrte um. Hüstelnd, vornüber gehängt schob er

sich heim, schurrte im Schnee, trottelnden Kopfes –: Alter bereits, Greis gar, da der Lockerung der Glieder Trost zu entwachsen schien, Hoffnung auf Ende –: „Ende. Sehr alt schon, gewiß. Abschiedsbeflissen. Was noch zu wünschen?"

Aber da fand er's, da und dort eingeklemmt ein Wünschen, um dieses, um jenes; Straffheit kam und die Frage, ob nicht so viel Eifer im Kampf, so weiter Weg im Schnee zu belohnen?

„O gewiß! Ich schenke mir etwas . . . Erlaubnis, ihr Haus zu passieren. In die Dämmerung eines Torwegs gedrängt, werde ich meinen Augen den Stern ihrer Fenster leuchten lassen, und es mag sein, daß den Vorhang streifend ihr Schatten mir erscheint, wahrer als jene Gespenster, die, auf meine Schulter gelehnt, unverständliche Worte lockend in mein Ohr flüstern."

Sein Schritt schwang. „Ja, ja, ihr Fenster! Ihre Nähe! Und vielleicht kommt sie . . . Aber nein, ein andres, jener Laden mit den Bildern . . ." Er träumte. „Ja, also nicht ihr Fenster, der Laden: die Bilder der Frauen; Liebesszenen; Photographien; erträumte Gestalten, kaum verhüllte; Brust; Achselhöhlen, beflaumte; krampfig verschlungene Glieder; Wölbungen – oh, warum war ich nicht früher dort! Warum habe ich mich nicht vollgetrunken mit diesen Bildern, mein Hirn zum Überquellen gestopft mit diesem nackten Fleisch! Ich werde da sein, heute noch! Schneller! Schneller! Ich werde das heute Gesehene legen zu früher Erhaschtem: dem von der Bonne am Baum abgehaltenen Kind; den sich hetzenden Hunden; dem schlanken Bein, das sich vom Trittbrett der Bahn herab des deckenden Rockes entblößt! So viel Süßigkeit!"

Er strauchelte, fiel. Kies prellte die Knie, zwischen den Zähnen knirschte erdig eisiger Schnee. „Wo bin ich?

Wieder verlockt! In Wind und Kälte, die Beine in äußerster Ermattung bebend, findet jener doch Kräfte genug in mir, Nahrung seiner Lockungen zu sein. Aber ich will nicht! Ich will siegen! Nicht umsonst dieser Kampf, dies Gewanke durch Eis! Helft mir! Laßt mich nicht allein! Menschen!! Menschen!! Freund, mir die Hand, Wärme, Zuspruch! – Dort, es flattert, es kommt näher, Fleisch quillt – nein! Nein! Hilfe! Menschen!"

Der Atem zuckte, sein Arm zerschlug die Luft in scherbiges Glas, indes sein Blick quoll. „Dort, ich sehe sie. Nein, geh fort! Sie bückt sich, ah! Sie hebt den Rock, die Elende, fort!"

Er sah sich umstellt. Er floh. Geheimnisvolle Schatten winkten im Wind; rätselhafte Gebärden drohten und lockten; eine Ackerscholle, die sein Schuh trat, schien fleischig zu erweichen, lustvoll seinen Fuß zu umquellen –.

Er durchbrach ihre Kette. Die Weite einer unbekannten Ebene dehnte sich vor ihm, nahm ihn auf, den Elenden; und fernen Hügelzügen zu entfloh er den Geistern, deren samtige Stimmen der Wind noch lang über sein Ohr strich.

55

Noch im Nacken das Eis der windzerpeitschten Wüsten. Die schneegebeizten Augen vom Licht gequält. Der Finger am Klingelknopf will kaum sich strecken; über dem Knöchel bricht die Haut blutrissig. Klingeln. Stimmen. Empfang, oh, Empfang!

Die Eltern im Vorplatz. Gas bullert.

„Woher kommst du? So spät?"

Die Mutter sieht Kai im Spiegel über den Umwurf der Boa hinweg.

„Spazieren."

„Aber wo! Wie naß du bist! Wie deine Schuhe zu trocknen? Man tollt nicht!"

Zur Erde wies des Vaters Finger, wo Klumpiges zerrinnend naß kleckste. „Wer soll das säubern?! Man tritt sich ab!"

Der Nasse, Erstarrte haßt den gebügelten Frack, die Weiße des Hemdes, die Puderquaste in der Mutter Hand. Dennoch: „Verzeihung!"

„Und dein Kaffee? Wie lange soll er warmstehen?!"

„Pünktlichkeit! Zeiteinteilung!"

„Deine Geschwister tun das nicht . . ."

Endlich im Zimmer. Wärme. Dunkel. Der Bruder pfeift nebenan. Die Schwestern rascheln anderseit. In das Kissen höhlt der Ermattete Glied um Glied, ruht im Langstuhl, fühlt Gedankenrinnen wie leisen Bach, in dem sich noch spiegelt hie und da wolkiger Abglanz jener Erfühltheiten, die die Wüste gebar.

Alleinsein. Schmerz. Sehnen nach Ilse. Unwertigkeit. Sünde der Nacht, Frevel. Doch nun Kampf. Einmal die Schmach, nun nie wieder. Verlockung ins Unbekannte war sühnbar, nicht so Rückfall.

Dehnte sich im Kissen, Hirn glomm, Tränen sickerten sacht.

Alleinsein. Kampf ohne Freund. Die Eltern im Theater. Arne, einzig vielleicht in Betracht, unmöglich doch Geschehenes zu beichten. Sonst . . .

„Wer gibt mir die Hand? Hält den Strauchelnden? Wirklich so ganz allein? Kein Genosse?"

Suche du, suche du nur!

Aus ermatteter Stunde siegessüchtigen Kämpfers entwächst unübersehbarer Entschluß.

„Die Pauker. Taube Lösung schon, doch Lösung. Aus der Masse der andern trete ich –: auch Sünde zeichnet aus."

Ließ es gleiten, senkte die Lider, sann kaum noch, – bis

ein klappernder Hufschlag erschreckte. Der Auffahrende tapste zum Schreibtisch, Tat endgültigem Entschluß vorausnehmend, schrieb er Entwurf:

„Geehrter Direktor – Pflicht des Freundes der Anstalt zur Warnung – Schüler Goedeschal, Obersekunda, gefährdet – namenloser Frevel – einmal bisher – Kampf gegen Rückfall, doch zu schwach – Gefahr! Gefahr! – Ich beschwöre Hilfe – Rettung dem Sünder – Eile! – Jede Stunde mag Unwiederbringliches rauben – rasch! Rasch! Hilfe! – Ewig namenloser Freund Ihrer Anstalt."

In der Hand fühlte Kai die Falten der Stirn. Das Zinkblech vorm Fenster betrommelten Tropfen. Hirn wie gelähmt: Gedanken rührten sich nur wie Kinderhände im Schlaf. Sacht. Sacht.

Über das Knochengerüst des Entwurfes legte er Phrasen-Fleisch, seimig entfloß es Feder und Hirn.

Ruhte dann tief – hinten lag in Nacht der Brief –, und nur der Wortklang „Rettung" war's, nicht sein Sinn, der im Traum manchmal sich rührte.

Sehnen. Sonnenabhänge. Sorglosigkeit. Kein Dunkel mehr. Kein Kampf mehr. Rettung durch Pauker? „Geh, lauf, fliege, Vogel, Brief, weiß ich, ob du nistest?"

Traum.

56

Mit hastiger Geste entgleitende Häuser, prangende Nummern an ihren Torbögen, Aufwurf von Fensterflügeln, in denen Sonne blitzte – alles verstörte Kai, entriß ihn mit seiner Bewegung, seinem Glanz einem Denken, das so rasch doch entschließen mußte. In der Tasche der ruhende Brief war fremdes Ding, Hüftfleisch kältend, und versuchte er's schon, im Auszählen der Straßensteine endlich Entschluß zu erzwingen, drückte fremder Blick das gesenkte Kinn hoch, oder linkerhand flatterte klatschend ein Täuberich auf.

Wußte wohl tief, daß es Wahnsinn, sich jenen zu liefern, den Fremden, zwecklos zum geringsten, doch drehte sich süß in ihm Lockung belebteren Lebens –: sah sich schon, den Grauen, sonst verblaßtes Gesicht zwischen andern verblaßten, vorgezerrt, Schläfe ergrünt von Schmach; sah sich im Ring der Erwägung, gesenkte Stirnen prüfend auf ihn gestoßen; hörte Worte, bedächtige, schlingenweis ausgelegt, seine Einsamkeit zu fangen, und fühlte aufbrechend, tiefster Wonne voll, Erweichung des Kerns, sah um Nacken geworfene Arme, Fortströmen von Leid geschah und sonnengleicher Aufgang gewährter Vermenschlichung in den Augen der Strengen.

Bruder!

Doch da, im Lidzwinkern, schlich wieder schlurfig, wandreibend dahin die bittre Groteske der Pauker, stäubend, mit stets bekreideter Schulter, im Knie gehöhlter Hose, drehte voll Salbung oder empörten Sinns die Hände; ihre Gesichter grau; triefig, auch stier das Auge; und indem sie nun lautlosen Schrittes Kreise zogen, reigenweis, bedrohten sie ihn, den Kai, in der Mitte, sponnen sich ein, hängten Saugrüssel in sein Herz und sein Hirn, fraßen es leer, Wissende seiner Geheimnisserei. Und je mehr über sparriger Platanenkahlheit das Schuldach mit Läufen von Gedehntheit, Trillern von Türmchen und Giebeln aufstieg, schien's grade der wahnsinnige Stumpfsinn der Lehrer, der lockte; aufzurütteln auch ihn, auch im verstaubtesten Partikelisten Wärme zu wecken und das graue Gedehne fünfstündigen Gähnens zu färben –: grad das wurde Wunsch.

Und da Kai noch einmal die Gedankenwirre aufstäuben ließ und verblies, hierhin und dorthin, sah er schon briefgefüllte Hand zum Kastenloch tasten, begriff später erst, über Horaz gelehnt, doch den kienigen Türriß neben der Klinke im Blick, begriff: nicht mehr unteilhaft hockte er hier, sondern ihnen gegeben; Möglichkeit war, daß die nächste Regung des Türgriffs Auftakt einer Vernehmung.

Bruder? Richter – Verklagter!

Aber die Stimme des Lehrers schläferte süß, auch schwankte sein Haupt leicht wie Pechnelkenblüte im unspürbaren Wind glutflimmernden Sommertags; und vor Kai stieg sie auf, neu, jene ferienhaft erschaute, kaum mehr glaubhafte, fraglich schon, ob nicht geträumte Vision: Kiefernkuscheln, durchwärmter Sand, und nun auch, da kaum dem Auge der Türgriff entglitten, sah er über sich endloses Blau des Himmels, das seinen Sehnerv, saugenden Schacht, weitete, seinem Ohr klang fernes Sausen der Dreschmaschine, darauf getrillert von Lerchen überleichtes Jauchzen. Ja, liegend nun, in den Sand die Beine verloren, Sonnenfleck um Fleck auf der Haut, fühlte er steigen in sich kleine, süße Regung, Luftperlengequicke in Silberwasser gleich; ein Schulterschwung Ilses; ihre Hand langt zum Knoten im Haar; Stimmklang Ilses selbst, mit dem Laut von Schritten verschmolzen, glitt hautgleich an seiner Haut; und – seine Finger rissen, faserten, bohrten Stoff – nun fühlte Kai sich fester gefügt zur baumbestandenen Ferne, Verse singend, Menschenleid leugnend.

„Goedeschal! Weiter! Wo sind wir? Nun? Levius fit patientia... Noch immer nicht? Lernen Sie's auswendig für morgen. Setzen. Weiter, Krebs!"

Hockte schon wieder. Erwacht. Sturzguß im Nacken, fühlte Glut, stets sich erneuend, in Wange und Schläfe, das Auge hinter brennender Lidhaut gedeckt. Und der Nachbar? Tadelnder Blick Schneiders? Flüstern in sich: „Was tat ich?! Ich hier in der Stunde?!"

Glaubte noch nicht, hob den Kopf aus der Schulter, spähte zum Nachbar, des Lächeln Verzerrung gekniffenen Mundes schien. „Er hat nichts gesehen, nein. Nicht wahr?"

Da Grausen Kai schütterte, glitt doch Hand zur Tasche, und indem er mit dem Blick fließendes und stürzendes Buchstabengewimmel umfaßte, fühlte er zwischen den Fingern das in die Tasche der Hose gerissene Loch, Eingang zum ...

Fühlte Schreckschauer auf Schauer rieselnd, Hand näßte Schweiß, in den Knien saß Schwäche und prallend stürzte Blut in den Puls. Da doch alldem eine kleine, zittrige Freude seiner Verderbtheit entstieg; sein über die Klasse gleitender Blick rühmte nicht so den noch einmal errungenen Sieg wie die heimlichen Wege, die jene nicht wußten.

Noch stand reglos die Klinke über dem harzigen Spalt der Füllung. Und als sich Kai nun im Schrillen der Glocke steifend reckte, entwuchs der überstandenen Gefahr und dem kommenden Fortruf so Kräftigung seines Selbst, daß er den verworren schleichenden Klotzsch locken konnte und hänseln, bis der, neu in die Bank gehockt, durch ins Ohr gesteckten Finger weiteren Anruf verwies.

Doch schon gellte es neu, zur nächsten Stunde, der letzten; das kaum verkühlte Holz der Bank rieb wieder schmerzendes Gesäß; durch die schrammende Tür sprang, Heftstoß unterm Arm, Zubeil, Professor, Anton genannt, und Kai murmelte hastig, den Kopf geneigt, die Finger federnd am Deckel: „Hex! Hex! Hex!", trotzdem das Bewußtsein, die Arbeit stamme von Korn, die „Zwei bis" garantierte.

(„Doch die letzte Stunde. Wahrscheinlichkeit des Vorrufs ist größer, von acht bis zwölf konnte der Brief ihn erreichen...!")

(„Anton ist wütend. Wie er glotzt! Meint er mich? Unmöglich. Vielleicht gar die ‚Zwei'. Endlich werde ich wieder Papa Früchte des Fleißes weisen...")

(„Auf dem Gang schleicht's. Naht es sich schon ...? Schmeiß nicht die Hefte! - Horch! Mein Herz klopft!")

„Schitt! Geedeschall! Stehnse auf! Beede! - Nu, was habense mir zu sagen?"
Hinter der euligen Brille kugelt der Blick.
Sie suchen sich, fragend, zweifelnd ...
„Hierher sehnse! Nu? ... Nu? ... Nichts? ... Nu, wer hat abgeschrieben? ... Wer hat abgeschrieben?"
„Herr Professor ...!"
„Herr Professor ...!"
(‚Auf dem Gang steht jemand, lauscht, sicher für mich!')
„Geedeschall, habense von Schitt abgeschrieben? Oder Schitt, habense von Geedeschall abgeschrieben?"
„Ich ..."
„Herr Professor ...!"
„Denkense, ich bin so dumm! Denkense, ich merk das nich! Gloobense denn, so dumm bin ich?!"
Schütts Wohllaut dringt durch: „Keinesfalls, Herr Professor, habe ich auch nur daran gedacht ..."
(‚Draußen tastet's noch immer. Wenn es doch käme! Nur nicht dies Warten! Verfluchter Schwätzer Anton!')
„Das is es ja eben, Schitt! Nich gedacht habense! Se haben de Funf und Geedeschall hat de Funf! Nu ...?"
Aber sie schwiegen: Schütt machte eine Handbewegung, weit und abweisend, Kai sah vor sich und rief zu sich, heißer und dringender, jenen im Gang, der kommen sollte, endlich, Erlösung zu bringen.
„Setzense sich! Se werden zu Ostern de Folgen sehen!"
Die Stunde drehte sich kreischend. Kleine Gedanken, kaum gesproßt, verkümmerten schon. Ein Staub nistete in der Nase, knirschte zwischen Zahn und Zahn.

Scharren eines Fußes, lauteres Anheben der Stimmen in Scheltwort und Anruf waren die Hügel, zwischen denen sich ewiges Einerlei dehnte. Unmöglich noch zu denken, daß jemand kam. Kaum noch zu glauben, daß Brief Tatsächliches war. Alles wehte vorbei. Und da es ihm schien, als werde sein Gesicht schlaff und hängend, ließ auch Kai sich ganz versinken, faltig und riechend den andern gleich, bis endlich, nach Gegell der Glocke, Erwachen war wie widerstrebendes Dehnen der Glieder und erst Arnes Tadel über die fehlergefüllte Arbeit stärkere Kräuselung in Abwehr brachte.

„Aber sie stammte von Krebs; fehlerlos sollte sie sein!"
Und der Blick Kais flehte Verzeihung.
„Krebs! Krebs! Komm mal her!"
Aber Krebs schien nicht zu hören, entschlüpfte, und Kais suchender Blick fand Klotzsch, gerötet, gesenkten Kopfes; begriff das Komplott des Feindes, noch immer Feindes.

„Oder nein! Jetzt nicht mehr. Damals war er's. Wieder versöhnt, hülfe er wahrhaft."
Und bestärkte in sich den unsicher noch schwankenden Glauben, da ihm soviel Aufwand, andern zu schaden, nicht denklich erschien; schien doch der Weg nur des Gehens wert, der Gängers Vorteil verhieß.

„Also kommst du mit?" Arne drehte ungeduldig die Mütze.
„Natürlich. Noch ein Buch zu besorgen, Klatsche für Homer."
„Nun also!"
Sie gingen schweigend. Leicht stäubte Schnee. Die Kleinen lärmten um sie, und der Schneeball eines Proleten streifte Kais Arm. „Äx", machte Arne.
„Also denn!"
„Mach's gut!"
Im Laden schob die voll Bebuste ihr lächelndes Ge-

sicht zum flüsternden Kai. „Natürlich, Herr Goedeschal. Einen Augenblick, bis die andern fort. Daß sie nichts merken. Dort liegen Bücher, neue. Bitte."

Kai blätterte. Immerzu klinkte die Glocke. Wie lange hier noch zu stehen, bis das Weib die Klatsche zu bringen wagte! Wieder sank sein Blick zum neuen Buch, gleichgültig, faßte ein Wort, griff zu, starrte, zog sich zusammen, saugte, Hände krampften den Buchrand, in den Ohren brauste es wie gefangener Luft Wogen in einer Muschel.

Er sah auf – niemand beachtete ihn. Und indem er die Blätter schneller warf und schneller, fing er Worte auf, da und dort, drohende, geheimer Deutung voll, nie gehörte und doch so sehr geahnte, nächtens erwachsen in Traum und Schlaf, fing sie, fiebriger stets, alle: „Geschlechtstrieb, ehelich, fruchtbar, Zucht, masturbieren, Sexualität, Samenverlust, Prostitution, Onanie, Pollution . . ." Wie verrückte Blumen schwankten sie vor ihm, verzerrten bekannte Linien, plötzlich geheimnisvoll gebläht schwemmten sie auf, und indem sie wie feurige Kreise hinter geschlossenen Lidern vor seinen Augen sich drehten, fühlte er Quellen von Wasser im Munde, die Zunge drückte den Gaumen und ein leichter Schwindel zwang ihn zurück. Kaum fing er ein Stöhnen.

„Kaufen . . . Nein, Kaufen unmöglich . . . dieser Blick der Dicken . . . damit einschlafen würde sie, daß ich's kaufte, süßlich feixend . . . oder Meldung den Eltern . . ."

„Aber wie? Ich muß es haben . . . da ist alles darin . . . alles Wissen, was ich je geahnt . . . Kampf wird nicht mehr nötig sein!"

Er sah auf. Eine Starre steifte ihn zur Gradheit. Zwischen Tasche und Mantel das Buch unterm Arm, sagte er rasch: „Ich kann nicht warten, komme wieder. Ein andermal."

Und ging, trotz schwatzenden Protestes.

„Aber sie merkt es! – Was dann? Kann ich es leugnen? Sie weiß, neue Bücher, also ..."

„Doch werde ich wissen ..."

„Dieses Buch ..."

Sah darauf, lange. Es war ihm, als hielte er sein bebendes Leben, endlich erkannt und entdeckt, in der Hand.

57

„Auch das überstanden! Wozu predigt Papa? Glaubt er, mich freut die Fünf? Ostern sitzenzubleiben mir ein Genuß? Nichts ... wenn selbst alles gut ginge nun ..."

Steht. Rechnet. Verwirrung der Zahlen. „Aber nimm die Eins! Nächstes Skriptum die Eins, auch dann ...?"

Zuckt die Achsel. „Auch dann bleibe ich sitzen, zu schlecht schon!"

Lebhafter: „Stimmt doch nicht! Wieder der Seich? Noch ein Jahr? Mit jenen Proleten? Arne nicht mehr dabei, kein Nachbar Müller?"

Lächeln: „Wußte ja: es geht nicht! Nicht-Versetzung unmöglich. Alles wird anders ... irgendein Wunder ... bestimmt schon ... ich bleibe nicht sitzen!"

Grübelt leicht, Gedanken schon wandernd um jenes Buch: „Oder anders – wie man's nicht weiß ... Wunder gewiß ... irgendwie ... gar keine Schule vielleicht ...?"

Stand blitzhaft erhellt: Hoffnung, Möglichkeit schon; nur noch zu suchen, wie?, da die Gedanken forttrieben bereits, schlichen, leise es rührten, jenes, das decklig gespreizt auf der Klappe dort lag. Hob die Hand, Finger streichelten zart blaupappenen Deckel – – –.

„Wissen", murmelte er und zögerte doch Zugriff der Hand. „So eilig nicht. Forderung auch das vielleicht."

Trat zurück, schickte bei zufallender Tür rasch einen Blick, mußte lächeln, da er es so gespreizt dort sah, so unversehens getäuscht, – das Buch.

Zimmer nun, dieses und jenes, leere, öde. Leerer noch, saß die Mutter drin oder eine der Schwestern; widerhalloser Ruf trieb weiter, zum Spiegel etwa, der nicht weniger log, weisend ein steiles Gestell, fahlen Gesichts. Log – da denkbar genug, das Kleiderbündel zu lassen in einem Sessel, in die Ecke des Sofas gedrückt, – weiterzugehen trotzdem.

„Und das Buch . . ."

Stand am Schrank des Vaters: die Rücken der Bände schützten gut, ihre Geheimnisse sprachen zur Wand – vielleicht vom neuen Gefährten? Der lag droben, aber Glut schien auch hierher geschickt, sengte die Stirn – und da Kai sich wandte zum Vater am Schreibtisch (dringend verschlossenes Gesicht, gesenktes Lid, hastende Hand, Stöße von Weißem umher), zog's ihn über den Teppich lautlos heran: dieses Gesicht zu zergliedern, zu suchen drin jenes Recht zum Tadel, auf den Titel des Vaters. Unbeweisbar doch, wie?

„Erlistet, gewiß! Das weiß ich. Fremder dort, doch mein Herr. Begrenzt mich in allem. Warum? Wieso? Recht? Recht? Welches Recht verschenkt mich? Beweise! Fuchtelführer, beweise dein Recht! – – – Kennt er mich denn? Tag-tag-geschwätz zwingt er mir auf, durch Akten jagend, *Straf*kundiger . . ."

Doch des Schreibenden Blick glitt zu ihm: blau aus der Tiefe, rastvoll, viel Verzeihung in sich. Zeit war nun da für Hinsturz, mit bebendem Finger zu glätten Fältchengequängsel um Auge und Lid. Streckte die Hand, voll sank sie ein: Schwäche ward Kraft, Zweifel – Liebe.

„Weiß schon, Kai. Es ist gut. Das nächste Skriptum wird besser."

Schrieb weiter.

Kai ging. Eine Tür fiel zu. Er stand draußen. Wollte er lachen?

„Anspruchsvoller! Er meint es gut! Daß er anderes meint, ist das seine Schuld? Daß er vorbeidenkt, selbst in solcher Sekunde?"

Zimmer nicht; Ruf der Mutter, Ebenbild im Spiegel, Blaublick des Vaters – Heimat nichts, – Heimat dies Buch, schräggestellt in letzten Schein des Tags, unter der surrenden Lampe gebreitet dann, langsam geblättert, bis *es* kam ...

Flügelrauschen – Weltuntergang – Lohfeuer stichflammig aus Loch und Stein – dunkelnder Qualm, auseinandertreibender –: und im aschegrauen Morgendämmern neigt einer sich über des Gefallenen Gesicht, des Freundes; fremdklingendes Wort sagt man wohl, rätselt, doch Bekanntes zerrinnt in Fremdes, wie im Traum geschaut, vergessenem, nicht zu erinnern, in Schleiern verborgen: dennoch Aufgang geahnter Welt!

„Armer Nero. Unsagbares Verbrechen senkte die Stirn mir! Ich floh ins Dunkel. In der Eisöde noch, die Hände von Wind gerauht, brannte stets neu Vorwurf meiner Schmach."

Wagte doch nicht zu lächeln. „Umsonst also mein Kampf. Soviel Kraft gewendet an den Sieg übers Allgemeine, kaum Verbotene! Alles Leiden umsonst? Ihr alle tut's? Immer? Jede Nacht? Fünfundneunzig Prozent? Und ich einmal? Und so viel Leid drum?"

Bäumte schon auf, seine Arme zerfuhren die Luft, Bauch wölbte sich, Leib stand gestrafft. „Ihr habt's gehabt, all die Zeit, da ich kämpfte!! Gesättigt! Gefühlt! Mit allen Sinnen genossen!!! Unterdes ich in Eis? Oh, hätte es einer nur gesagt, was es wirklich ist! Hätte ich's nur gemacht! Ich allein draußen? Wahnsinn, verruchter!"

Torkelte zum Bett, riß Kleider, zerrte am Träger. Lohe um Lohe. Glut auf Glut. Stand nackt. Fleisch schwellte prall.

Kopf fällt in Kissen, überreif. Lallend: „Auch zu jener werde ich gehen, der Ilse, morgen ..."

58

Es war spät. Da Kai den Vorhang zurückschlug, weißte schon hochstehender Mond die Riefen der Dächer. Bleiches Gegeister; scherengeschnittene Schatten in zukkigem Regen; bläuliches Schneehang-Gedunkel überstreifte sein Auge hastend, auf der Suche. Doch all dies und selbst das stumpfe Hufgeklapper auf vereistem Fahrdamm gab Ruhe nicht, sondern trieb Ärger hoch, unförmigen, sein Gaumen schmeckte, und er entdeckte am Ende noch, sich wendend, den eigenen Schatten, der ihn höhnte, aber, ertappt, fremd tat.

„Ich wage es nicht ...", murmelte er, „doch auch dies war Enttäuschung. Sage es nur, Kai. Die so oft gesehenen Bilder, die ich immer von neuem verjagte, nun, da ich sie rief, schienen sie entblutet, und das große Zucken jenes Abends stand wie eine Sonne über dem kläglichen Licht heutiger Erlebtheit."

Wieder warf er den Blick nach außen, suchte, wen zu finden, bereden, beleben ... niemand. Die Stadt schloß sich vor ihm, und wie er auch Gedanken schickte, dahin, dorthin, er fand nur das Alte: Alleinsein, einziger Mensch in der Stadt, aufgerichtet in diesem Zimmer und widerhallos wie ein in die Wüste gesungenes Lied. Und indem er schon schneller ging, gebückter, gedrückter – an die Stuhllehne streifte die schlagende Hand –, erwuchs Vorwurf den andern aus diesem Alleinsein, und dachte man selbst einmal Gottes, schien auch sein Tun –

gesetzt er sei da – nicht einwandfrei gegen Kai, den im Kampf Gehetzten, den Enttäuschten.

„Doch kann ich die ganze Nacht nicht wandern ... Legen wir uns. Schlafen, enttäuschungstief."

Blinzelte, das verlassene Bett, dessen aufgeschlagene Decke noch nasse Wärme zu dampfen schien, lockte nicht. „Nein, nicht schlafen ... ich werde sitzen ... denken ... ruhen ein wenig im Sessel ...", und hockte sich ein.

In das Stillerwerden wogte leis da und dort fliederhaftes Gewehe, an einem Zaun wucherte Grün: Gundermann, Taubnessel, Klettengedräng. Ein Weißes wehte. Schrieen Vögel süß?

„Wie dein Nacken sich beugt, leiser Goldflaum. Komm, laß uns die Finger verflechten. Wir wollen die Wiesenwege hinaufgehen, die schmalen, Hand in Hand, daß die Blüten ihren gelben Staub auf uns streifen, daß tropfender Tau als Sommerglück auf dem Lack deines Schuhes zittert, ehe er in Sand verrinnt ...

Die kleinen Gehölze breiten ihr Laub dem Wind als Kissen unter den Himmel. Manchmal öffnen sie sich zur Seite: neige die Stirn: dort zwischen den sonnengoldgefleckten Stämmen kannst du Gestalten sehen, die uns anschaun; und hinter jenem hummelumsummten Hekkenrosengerank hockt vielleicht überfließenden Auges der Gefährte, den ich um dich entließ.

Ich war sehr einsam. Selbst meinem Leid glaubte ich nicht, da es stets in mich zurückfiel ... Warum war der Himmel blau, da es niemand gab, dies ihm zu weisen? – Nun strahlt er heller wieder in dir. Manchmal, nachts, ging einer an meiner Seite und äffte mich; warf ich schon Steine, ihn verscheuchte ich nicht, und der eben Geflohene schlich schon seitlich im Graben an meinem Weg, indes seine Arme höhnend ruderten ...

Glaub nicht, diesem Pfad gäbe es Ende. Wir wollen von der Liebe sprechen, die uns eint. Denkst du: je versinkt die Sonne? Sieh, sie rastet auf den Bäumen. Ich will mich ruhen in deinem Schoß, und indem ich emporschaue, wird sie höher steigen, leuchtender noch...

Viel suchte ich dich. Konnte nicht jeder Mensch Erfüllung sein; jedes Leben? Auch habe ich dich gehaßt. Aber auch dies verhallte, umsonst. Ich litt um deinetwillen, vergebens. Erst, da du mitlittest, da auch deinem Auge entstürzte, was mir bitter ist, einte uns Liebe. Wie leicht ist das! Wüßte man es von je! Alles ist unfruchtbar, nur gemeinsames Leid ruft Liebe...

Du sprichst nicht? Komm, dort zwischen den Büschen steht eine Bank. Den Kopf zurückgelehnt, werden wir uns über die Zweige in den Himmel schwingen. Wir werden im Blau ertrinken. Vergiß nie meine Hand. Sie ruht in deiner. Entfremde sie dir nicht."

„Sieh, dort liegt Papier. Ein Stift. Ich werde dir Verse schreiben. Syringen werden darin sein, ihr Duft aus diesen Zeilen noch an dein Bett. Jene weiße Göttin im Grün werde ich beschwören, und von meinem Atem belebt, wird sie um dich sein und Liebe in dich einsenken... noch mehr Liebe... Wärme...

Ich werde sie deiner Mutter senden, die Verse. Sie ist mottengleich, taumelt im Dunkel, aber von meinen Worten betört, wird auch sie dem Licht glauben und gut sein. Sieh, schon schreibe ich, drängende Liebe strömt aus mir, gleich lege ich sie in dich und sie, Samenkörner. Sie werden wachsen – horch! Auch die Vögel schweigen schon..."

Sehr geehrte Frau Rat, lassen Sie sich nicht täuschen! Und wenn Sie sich täuschen lassen: Ihre Freunde wachen für Sie. Täuschung die Entfernung des Schülers Goedeschal. Er sieht Ihre Tochter jeden Tag. In den Anlagen der Promenade zwischen fünf und sechs wer-

den Sie den Schüler Goedeschal mit Ihrer Tochter Unzucht treiben sehen. Ein Freund Ihres Hauses, der wacht.
„Ist es nicht recht so? Es klingt schön, nicht wahr? Nun wird Erdachtes die Liebe schüren. Liebe ich nicht am meisten im Schmerz? Auch du wirst leiden, um mich. Wie ich hierhin trieb! Dünnes Gerede, matt geflüstert, im Halbschlaf. Ich glaube, schon im Beginn, da noch alles Süßigkeit schien, was die Lippe sprach, wußte ich dies geschriebene Ende. Irgendwo tief saß es. Dann kam's...
Kleines Mädchen, Liebste, nun liebe ich dich... Ich werde schlafen können. Morgen ist alles weit fort, trieb stromab. Was betrifft es mich?"

59

Sehr verehrter Herr Staatsrat Goedeschal!
Ich habe Ihnen auf Beschluß des Lehrerkollegiums der Obersekunda von den folgenden Ereignissen Mitteilung zu machen, die ich Sie, sehr verehrter Herr Staatsrat, in ihrer Tragweite und Schwere keinesfalls zu überschätzen bitte; denn so ungewöhnlich in den Annalen unseres Gymnasiums wie des humanistischen Gymnasiums überhaupt ein derartiger Fall auch erscheinen mag, so ungewöhnlich es des ferneren erscheinen mag, daß ein Lehrerkollegium sich mit derartigem Schreiben an die Eltern eines Schülers wendet, so will doch grade dieser Schritt nicht so sehr die Tragweite und Schwere dieses Falles betonen, als denn vielmehr ihn zu erleichtern sowie ihm die Spitze abzubrechen gesonnen sein.
Bei dem Endesunterzeichneten lief gestern die in Abschrift beigefügte anonyme Anzeige ein, die, da Grundlage zum Verständnis folgender Ausführungen, er sofort einer Einsicht zu unterziehen bittet. So sehr es nun

sowohl in meinem Gehaben als bloßer Privatmann als auch als Anstaltsleiter liegen mag, derartige anonyme Machwerke einer Beachtung nicht zu würdigen, erschien es dennoch in vorliegendem Falle ratsam, von sonstigem Gehaben eine Ausnahme zu bewerkstelligen, als unzweifelhaft sowohl nach Ansicht des Schreibers dieses als auch des gesamten in Frage kommenden Lehrerkollegiums, und zwar, indem man sowohl das Inhaltliche als auch die Schrift gewissenhafter Prüfung unterzog, feststeht, daß (vergleiche hierzu auch Absatz 4 dieses Schreibens) – der Denunzierte zugleich der Denunzierende ist!

Die an diese Feststellung geknüpfte Debatte ergab das Ergebnis, daß drei der Herren sich gegen Verfolgung der Angelegenheit und für alsbaldige Vernichtung des Schreibens aussprachen, die übrigen fünf aber für Verhandlung mit dem Schüler Goedeschal auf Grundlage des beigefügten Schriftstücks eintraten. Dem Majoritätsbeschluß wurde also entsprochen und dieses um so mehr, als der die Religion als Lehrfach innehabende Kollege, Herr cand. theol. Richter, darauf aufmerksam machte, daß der Brief sozusagen einen Hilfeschrei des denunzierten Denunziators darstelle, dem zu entsprechen nicht nur völlig zum Beruf des pflichtbewußten Pädagogen gehöre, sondern auch ernsteste Pflicht eines jeden wahren Christen sei. Wurde demgegenüber, besonders vom Ordinarius der Obersekunda, Herrn Professor Scheide, darauf aufmerksam gemacht, daß bei heutiger Stellung von Lehrer und Schüler eine segensreiche Einwirkung bei Behandlung so diffiziler Fragen dem Lehrer schlechterdings nicht möglich sei, daß derartiges vielmehr vollkommen dem Elternhaus überlassen werden müsse, und erachtete es Herr Professor Scheide bei dieser Gelegenheit als geboten, erneut für einen von ihm bereits in pädagogischen Fachblättern erhobenen Vorschlag einzutreten, nämlich, den von einem Hohen Kultusministerium für

Oberprima angesetzten Aufklärungsunterricht bereits in Unter-, spätestens aber in Obersekunda stattfinden zu lassen, so wurde dem gegenüber m. E. mit Recht geltend gemacht, daß eben grade die Einzelheit dieses Falles beweist, daß es sich hier um eine besonders stürmische und frühe Sexual-Entwicklung handelt, deren Seltenheit eben nicht zu Folgerungen verleiten darf, die für die Mehrzahl der Schüler verderblich wären; daß ferner sehr wohl das ernste Wort des Pädagogen genügend sei, den jungen Mann von seinen Verirrungen auf den rechten Weg zurückzuleiten.

Es wurde also zur Verhandlung mit Ihrem Sohne Kai Goedeschal, Schüler der Obersekunda, geschritten. Leider war das Ergebnis der Verhandlung nicht das Erwartete. Der Ton des anonymen Briefes, besonders aber der Umstand, daß der Schüler über Namen und Art seines Vergehens nicht im mindesten unterrichtet zu sein schien, berechtigten zu der Erwartung, daß eine gewisse Schwäche und, ich möchte dies selbst angesichts eines derartigen Vergehens, wenn auch mit allem Vorbehalt, sagen, eine nicht geringe Naivität erleichternd wirken würden. Diese Erwartung wurde leider getäuscht. Nach einheitlich gebilligtem Plan sollte der Schüler durch die Fiktion, wir, seine Lehrer, seien überzeugt, daß ein gewisser Mitschüler von ihm aus Feindschaft und Rachsucht diese Verdächtigungen ausgestoßen habe, dazu gebracht werden, sich selbst aus Wahrheitsliebe als Schreiber dieses Briefes zu bekennen. Seine Haltung war zwar zu Beginn der Verhandlungen eine zweifelsfrei verwirrte, die eben erwähnte Fiktion wurde ohne weiteres von ihm angenommen; dann aber traten Bedenken in ihm unsere Gutgläubigkeit eben dieser Fiktion gegenüber betreffend auf und, als wir bereits nach dreiviertelstündigem Verhandeln schon aus seiner tiefen Ermattung und Abgespanntheit ein freimütiges Bekenntnis erhoffen durften, dem auf der Stelle von Herrn cand. theol. Richter die eingehende Ermahnung angefügt worden wäre, geschah zwar dieses Geständnis, jedoch mit einer solchen Eruptivität, mit einer so großen, rätselhaften, anscheinend gegen uns, seine Lehrer, gerichteten Empörung, dabei so reuelos, so über jede Einzelheit dieser schweren Sünde der jungen Männer unterrichtet, daß uns zu irgendwelchen Ermahnungen Gelegenheit nicht gegeben wurde, vielmehr zu allen andern Bedenken nun noch das trat, daß der Schüler mit einer ungemeinen Listigkeit in seinem Schreiben eine Unwissenheit inbetreffs dieser Fragen vorgetäuscht hat, die als weiterhin erschwerend angesehen werden muß.

Der Schüler Kai Goedeschal verteidigte sich in keiner Weise, mit einer beinahe zynischen, nahezu triumphierenden Offenheit bekannte er sich zu seinem Vergehen und verließ dann so plötzlich das Zimmer, verweigerte, dem Rückruf sein Ohr zu leihen, daß das von uns zu Sagende leider ungesagt bleiben mußte.

Eingehender nachfolgender Besprechung Ergebnis war dann, daß man beschloß, diese Angelegenheit nicht wieder aufzunehmen, sondern davon Ihnen, sehr verehrter Herr Staatsrat Goedeschal, mit Angabe aller getanenen Schritte Mitteilung zu machen; was hiermit geschehen ist.

Hatte der Endesunterzeichnete zu Anfang seines Schreibens Gelegenheit zu der Bitte genommen, den Fall nicht zu schwer zu beurteilen, also die Strafe nicht zu hart sein zu lassen, so möchte er, am Schlusse angelangt, doch darauf hinweisen, daß das sündige Vergehen des Schülers selbst, ferner die ungemeine Verschlagenheit, die sich in der naiven Abfassung des Briefes ausspricht, und am Ende die unehrerbietige Haltung seinen Lehrern gegenüber zweifelsohne nachdrückliche Ahndung verdienen, eine Ahndung freilich, die ich in den

Händen eines so ausgezeichneten Strafrechtlers, als der Sie, sehr verehrter Herr Staatsrat, bekannt sind, aufs beste aufbewahrt weiß, da Sie dem Sohn gegenüber nicht anders entscheiden werden als in jedem Ihnen vorliegenden anderen Straffall.

Ich muß meine Ausführungen mit der immerhin wohl recht bitteren und schwerwiegenden Mitteilung schließen, daß Ihr Sohn kaum zu Ostern wird versetzt werden können und zwar hauptsächlich wegen seiner mangelhaften griechischen Kenntnisse, eine Nichtversetzung, die um so betrübender sein würde, als die Reife dieses Sechzehnjährigen ihn kaum zum geeigneten Gefährten junger Schüler machen dürfte.

Ich bin mit dem Ausdrucke vorzüglichster Hochachtung Euer Hochwohlgeboren sehr ergebener
von Karstedt
    Direktor des Königin-Augusta-Gymnasiums.

60

Ein Schatten spielte sich auf neben Kai, und da er, den Kopf beharrlich gesenkt, immer noch in sich glühenden Haß treiben fühlte, klang die Stimme jenes entsaugt und wachsweich: „Was ist, Kai? Wollten sie . . .?"

„Du, Arne . . .!"

„Merkten sie? Die anonymen Briefe . . .?"

„Ja, ja, anonym . . ."

„Aber woher?! Hat Margot . . .? Oder die Polizei . . .? Was wird . . .?"

„Margot . . .", und auffahrend sah Kai den Freund weit fort, „Margot . . .? Nein . . ."

„Nein? Also Polizei . . .? Was wird? Was sagten sie? Rede doch! Um Gottes willen, Mensch, rede doch . . .! Wurde mein Name genannt?"

„Dein Name??? Ach so, wegen Margot . . .! Nicht dein Name, nein!"

„Aber sie werden erfahren, da sie den Schreiber erfuhren . . ."

Ein ätzender Windstoß sprang plötzlich sie an, in ihn schrie Kai: „Oh, sie sind schlecht! Schlechter als wir! Wir, sind wir schon sündig, – kämpfen, bereuen, flehen Hilfe dieser Gefestigten, ach, nur gefestigt, da sie selbst Sünde zum Postament ihrer Macht vermauern, sich zu erhöhen über uns . . ."

„Lauter", schrie Arne.

„Ja, eitelkeitsgedunsen zerrupfen sie selbst dies, unsre ihnen hilfeflehend hingekniete Schmach, und wenn sie reden, reden sie nur Bestätigung ihres Selbst, statt Hilfe für mich . . ."

Er trieb fort. Dann – plötzlich die Arme gelockert, in den Beinen ein müdes Gefühl, merkte er sich über eine Brückenwand gelehnt; unten spülte, wehrbefreit, zwischen noch schaumigem Gerinnsel der Fluß Eisiges fort, und dieses Gleiten schien, endlos und rasch, Boden unter den ruhenden Füßen fortzusaugen und ihn, den Hilflosen, wegzureißen in eine unbekannte und drohende Zukunft. Seine Hand legte sich fester um sandsteinene Riefung.

Arne keuchte: „Und die Briefe, deine Briefe, hatten sie die?"

„Ja . . . hatten . . . aber weshalb?"

„Doch Margot ist nicht tot, wie ich dachte . . ."

Kai wandte sich fort, wollte fragen, doch schon hörte er sich schreien: „Verdammt Margot! Was soll denn sie!"

Und jener, lauter auch: „Fort ist sie!"

Da glomm Staunen: „Fort . . .? Und warum?"

„Aber, Mensch! Deine Briefe . . .! Die ganze Zeit rede ich . . ."

„Meine Briefe ... du meinst meine Briefe an Margot ...?"

„Was denn sonst! Auch du sprachst von anonymem Geschreibsel ..."

„Und meinte jenes von – Klotzsch!"

„Klotzsch??!!"

„Das heißt, ich weiß nicht ... Eine Vermutung des Direx. Dein Ehrenwort, daß du schweigst ..."

„Werde schweigen, Ehrenwort! Doch was ...?"

„Ach, ekelhaft! Bin noch taub. Kaum zu reden davon. Anonymer Brief an Direx, ich sei faul, unverträglich – – – Onanist!"

„Was ...!"

„Denke dir!" Und da er unmutvolles Staunen des andern merkte, Beklommenheit, Versinken in schweigende Scham, war Kai schon obenauf. „So ein Schwein!"

„Aber Klotzsch ..."

„*Er* denkt Klotzsch ..."

„... wegen Ilse ...?"

„... du meinst ...?"

Bestimmt, hackmessrig: „Nur!"

Und langsam Kai, indes die Lider sanken, aufberstende Freudenflammen zu bergen: „Möglich ..."

Schneller dann: „Doch er erreichte nichts, jener. Ich will nichts wissen. – Ich bin schuldlos. Also ..."

„Aber du siehst, welche Waffe, welche Gemeinheit!"

„Enttäuschungstief, doch auch zu überkommen ..."

„Nein! Gleiche gegen ihn, gleiche gegen sie!"

„... ach ...!"

„Auch Margot floh, auf deiner Briefe Mahnung. Nichts ohne Widerhall."

„Du sagtest schon, verzeih, ich verstand nicht ganz ..."

„Ich war bei ihr. Natürlich kein Wort von diesem Brief! Ich war froh ... am nächsten Abend, da ich schellte:

‚Sie ist fort.' – ‚Fort! Wohin?' – ‚Ganz fort. Niemand weiß...' Wir glaubten erst, sie sei tot... Selbstmord... Schmach... Reue... Deine Briefsätze kreischten in mir, ihre Tränen sah ich sickern. Doch nun, man denkt, daß sie fort ist, in die Heimat... Ehrlichkeit wieder... Schneiderin..."

„Schneiderin...!" Und da des andern Blick prüfte, leise: „Das wollte ich nicht. Ich nicht. – Verzeihung. Fort. Allein sein..."

Und es trieb ihn zwischen die Büsche. An den Enden der Ruten hingen weiß erstarrt Tropfen; die die Sonne schon einmal getaut; der Kies war zerwühlt von Wasser; die Rasennarbe von schollig gelagertem Eis zerfetzt, aber doch trieben schon, dort im Winkel, von den Stämmen der Ulmen geschützt, dicke Knospen einem noch fernen, kaum schon glaubhaften Frühling zu.

„Nein, ich wollte es nicht... Nähe war es... in einen Schoß geborgenes Schluchzen und, aufgerichtet über den kleinen Bewegungen, am Ende dann das große Monument unserer Liebe, Trost, Rückhalt im Aufblick, Kraftspende... Nun sitzt sie dort. Ihre Stimme, die den stickigen Qualm der Cafés goldpunkten bestickte, Rauschen von Licht, klingt von den entfärbten Wänden eines verhaßten Zimmers wieder; ihre kleine volle Hand, so bebend in meine geschmiegt, geht nun Wege, die Kleines Geld heißen; der Amselruf meiner Briefe rief sie zu Ehrbarkeit ins Dunkel, da er doch allein reine Liebe barg..."

Er sann fort, die Stirne gesenkt, und nun, als leise das Bewußtsein eines andern Briefes zu glimmen begann: „Doch wirkten sie. Sie schufen Tat. Ein Ding, mit leichter Gebärde der Welt geschenkt, da ward's aufgefangen, wirkte Kraft, und was nächtens im Einsamen wurde, eine Geste des Ungläubigen, sprengte donnernd das Mädchen: lebenbestätigende Tat!

Und auch jene anderen ... Da ich vor ihnen stand, vergaß ich Gefahr. Schlingen; Brücken, deren Balkenbelag unspürbare List vor meinem Fuß verschob ... Doch im Sturze angeklammert, emporgerissen, auf die Ellbogen gestemmt, die Füße eisig beweht von geahnter Tiefe endlosen Falls, grinste ich ihnen mein Leben aus entfärbtem ins entfärbte Gesicht – Anklage ... Leben! Leben!

Auch du Kleine dort, sicherheitsgeborene, schlösserverhängte ... keine Teichfläche so glatt, daß ein Stein sie nicht in tausend Ringe zerklirrte ... kein Nacken so gesteift, daß nicht Leid draufzulasten ... kein Herztakt so gemäßigt im Schlag, daß er nicht Zucker täte aus Angst und Liebe ...

Wie wehrte ich mich! Welche Wege trieb ich, gegen die Richtung der Fahrt Hand und Fuß gestemmt; nannt Feind den wilden Motor: Es! Doch der schlug, zwang mich, und nun begreife ich schon, daß er allein mein Freund war, Zeichen sendend; die Schlingen, die er mir legte, rissen mich auf aus dem Abgrund zur luftüberwehten Ebene der Erkenntnis ... freundliches Es ..."

Und als schon wieder über Straßen wellengleich Lärm trieb, an den Klippen der Kreuzungen brandend: „Zweifele ich denn noch ...? Ich weiß es wohl ... *gutes* Es!"

61

Von vielen Füßen fasrig gekehlt führten Stufen zu einer weißen Tür, zwischen deren Barockzierden ein Messingschild steil stand. Die Klingel schrillte, und einen Augenblick schien es Kai, als stürze auf ihren Ton aus jeder Fensternische, jedem Winkel der Treppe die Schar geschäftig geröteter Antlitze auf ihn zu – nicht auszumachen, ob abwehrend oder ermahnend –; doch schon schlürfte Schritt, und der Öffnende war der Beste: Hans Schirmer.

„Du, Kai ...!" Und durch die schiefhängende Nickelbrille schoß stumpf und hilflos der schwärzliche Blick, kaum mit Licht besteckt durch Erstaunen.

„Ja, ich, alter Freund. Nach dir zu schaun, zwang mich mein Herz. Wie? Lange nicht gesehen? – Und so also ...?" Da nun Kais Blick das Sekretariat überflog: gedehnte Holztische, papierüberhäuft; eine Schreibmaschine, über deren nickelnen Rand starr ein Foliobogen drohte; Aktenmappen, grüne und rote; Schnellhefter, hastig in Fächer geschoben oder zu Stößen auf einen Stuhlsitz gehäuft; kalter Zigarrenrauch; – und nun, weil in diese Umschau nur das Knarren von Schirmers Schuh lauthaft griff: „Allein?"

„Mittagspause. Ich habe allein Dienst."

„Und ... es gefällt dir? – Nicht wahr, du rauchst? Hier! Wir dürfen doch rauchen?" Und auf die zusagende Gebärde: „Man weiß nicht, solche Bureaus, nicht? Es ist so verschieden?"

„Freilich ..."

Aber trotzdem nun Rauch friedlich sich drehend emporstieg, blieb jener dort gar zu erwacht, wartend, Ungläubiger sonderzwecklosen Besuchs. Doch Kai trieb langsam sein Spiel, legte Schlingen, paffte so friedlich. „Und wenn ich nun denke: du schon in Brot und Beruf, ich auf der Penne ... Weißt du noch, unser Garten ...?
... Wir schossen nach der Scheibe ... Beinahe wurdest du König, schossest gut, trotz deiner Augen."

„Wie lange ..."

„Endlos lange her. Dann das Radeln. Nach Taubenheim der Ausflug, als ich über die Lenkstange schoß. Um die kiesig zerkrallten Hände schlangst du mir Lappen, aus den Hemden gefetzt; stacheltest die Hosenknie zusammen ..."

Kai sah schräg durch das Fenster, wo droben zwischen dem Gezackten eines Daches wenig Winterhimmel grau stand. Ein kleines, ermüdetes Widerstreben, Zweifel am Wert von Schlingen, dann doch neuer Versuch: „Wir sind gute Freunde gewesen, nicht? Und geblieben! Das vergißt sich nicht...?"
„Nein..."
„Natürlich nein! Daß ich frage! Versteht sich! Wir ließen uns nie im Stich, stets war Freundespflicht erstes Gebot. Beispielsweise, als du ... wie war es doch? Im Augenblick ist's mir entfallen. Nun, ganz egal ... Du weißt schon..."
„Ja..."
„Und das bleibt so, nicht wahr? – Ich sehe dir ja an, Hans, du wartest. Denkst, wieviel Vorreden! Nun ja, unter Freunden ist Offenheit Bedingung..."
Kai verhielt, prüfte den Blick, zögernd dann: „Also eine kleine Bitte ... eine Kleinigkeit ... Aber nun rede doch! Willst du nicht? Du sitzt da, Ölgötze, als wolltest du nicht!"
„Ich weiß ja noch gar nicht..."
„Es ist nur wegen der Handschrift, mußt du wissen... eine Kleinigkeit, Scherz allein, so ein Spaß..."
„... Handschrift...?"
„Nun ja natürlich, wegen der Handschrift! Verstehe doch! Nein, Mensch, wie umständlich bist du geworden? Macht das der Beruf?"
„Handschrift...?"
Er sah Kai an, sank wieder zusammen.
„Nun was denn? Handschrift! Rede doch nicht so, bloßer Scherz sage ich dir, nichts, so gewichtig zu starren; jeder Freund tät's dem andern zugut – oder nicht?!"
„Doch, natürlich, Kai! Ich sage ja gar nicht, daß ich nicht will. Nur weiß ich nicht..."
„Ach, nichts weiter, nur einen Brief sollst du schrei-

ben für mich ... So, setze dich da an das Pult ... Ihr habt Umschläge und Bogen ohne Aufdruck? – Also gut! Du brauchst nicht so schön zu schreiben: eine Gebrauchshand, wie sie jeder haben könnte, je unauffälliger, je besser. – – – Erst die Adresse: ‚Frau Lorenz, hier, Marktstraße 67, 2 Treppen.' Keinen Absender ... Zum Donner! Wer hat dir gesagt, daß du einen Absender auf den Umschlag schreiben sollst! Das fängt ja reizend an. Also noch einmal ... Nun der Brief selbst ... Halt! Schreib noch auf den Umschlag: ‚Hochwohlgeboren!'"

Er sah vor sich hin, ein kleiner Triumph wollte in ihm aufgehen, da er dieses letzte Wort als eine Demütigung mehr hinzuwarf, doch schnell kam Trübheit, taubes Gefühl erfüllte die Brust, und jenes Wort hinten, ruckweis sich nähernd, unvermeidlich, schuf aus Scham Begierde zu trotzigen Gesten. Dennoch zu sich: ‚Schmerz? Nein. Aber so fremd ... als wenn ich mich verlaufen hätte, rettungslos von mir fort ...'

„Doch nun den Brief. Kein Ort. Kein Datum. Oder halt! Wie sagt man auf Drucksachen ...? Na?"

Und hob stärker atmend die Brust, zwang sich hoch, sah um sich, sann, lächelte dann: „Datum des Poststempels. Schreib: ‚Datum des Poststempels.' Guter Witz! – – – Und nun der Text:" Aber er redete nicht. Es war, als überschlüge sich eine Welle, dunkel. Dann klang Klavier irgendwoher, sechs, acht Töne, immer die gleichen. Stolprig. Hart. Ungeschickt.

‚Ein kleines Mädchen übt ... Muß ich es denn tun ...? Wie sie eifrig ist und fleißig! Wieder stolpert sie. Umsonst ... Dein Eifer umsonst ..., alles ist umsonst gewesen, kleines Mädchen, am Ende dann ...'

War es nicht wieder sehr dunkel? Endlos kühles Geschiebe um Kai?

‚Ja, im Dunkeln aufgehängt, so ist es. Wenn ich schon

schreie, niemand da, der hört. Auch Ilse – gleich sagte ich ihr: alles kommt, wie es kommen muß. Jettchen ist tot und Onkel Jason – aufgehängt im Dunkel . . .'

„Nun also: ‚Sehr geehrte Frau Rat, Komma, lassen Sie . . .'"

Die Feder ging übers Papier, er hörte ihr schmiegendes Gleiten, beim Komma gab sie spitz Laut. Sie schrieb, jetzt langsamer, beim „Schüler Goedeschal" setzte sie einmal aus, fing wieder an, träge nun, stockend. Und rascher und drohender wuchs das Wort auf, klemmte schon jetzt die Brust, machte den Atem holpern, verdrehte die Finger.

„Hast du, ‚Goedeschal'", fragte Kai, „ja? Nun denn weiter: ‚mit Ihrer Tochter . . .', hast du ‚Tochter'? – – – ‚Unzucht treiben sehen' . . ."

(‚Ich höre es wohl, er schreibt nicht. Er ist ganz starr. Nichts sagen, abwarten. Er wird von selbst wieder ansetzen. Nun zähle ich bis zehn, dann frage ich ihn . . .'

Und trieb fort, da sich das Wort Unzucht zu einem ungeheuren Bilde wandelte, riechend irgendwie, unbekannt Bekanntes, verzerrte Linien, seltsam gewundene, ineinander gerissen wie Geschwisterkuß.

‚Was denke ich! Woher kommen meine Gedanken!')

Schon hörte er sich, laut: „‚Unzucht treiben sehen', Hans?"

Und fühlte sich plötzlich in der Mitte gebogen, wie zerfetzt, splitterig, hängend.

Stille. Dann leise, mit viel Speichelgeschluck: „Ich kann nicht, Kai . . . laß mich . . .!"

Und nun Kai, laut, sehr hastig, klar, jedes Wort sorgsam im Munde geformt, daß kein Klang sich verzerre: „Was heißt: ich kann nicht! Ich sage dir doch: Witz! Bloßer Scherz! Was ist? Natürlich, so ist es! Ich sage dir, ich habe mit Arne eine Wette gemacht, daß wir . . . eben darum. Und außerdem ... du hast mir versprochen, als mein Freund ... Du weißt!"

Schirmer zagte, weimerte leis: „Wir? Freunde? Du kommst nur, wenn du mich brauchst..."

Kai schwieg, ein wenig Wärme fiel auf seine Haut, aber: „Na, sag mal, was erlaubst du dir denn eigentlich! Ich sage dir doch, es ist Scherz! Spaß!! Witz!!! Verstehst du denn das nicht?!"

Gellte aus: „Scherz! Spaß!! Witz!!! Das Mädchen bekommt nie den Brief, mein heiliges Ehrenwort! Was willst du denn eigentlich! Begreifst du denn nicht? Ich muß doch! Ich kann nicht zurück. Also schreib! Dein Ehrenwort hab ich!"

Hans ließ flatternde Gebärden los, seine Arme schwangen, in der Hose bebte das Knie. „Ich will gern alles tun, alles schreiben, was du willst, aber bitte, Kai, lieber, lieber Kai, sag nicht Unzucht, bitte, bitte, nur das nicht! Sag ... nun was denn? Irgend etwas anderes ... ja, was denn nun? Sag: Zuchtlosigkeiten, bitte, Kai, sag Zuchtlosigkeiten!"

„Aber ausgeschlossen! Was denkst du denn eigentlich! Diktierst du den Brief oder ich? Wenn du noch lange rumredest, sage ich überhaupt nicht Unzucht, sondern Schweinerei!"

„Aber Schweinerei ist ja viel besser", murmelte schwach Schirmer, „Schweinerei ist ja gradezu vorzüglich. Bitte sage Zuchtlosigkeiten oder Schweinerei..."

„Nun höre gefälligst auf! Ich diktiere weiter. Hast du ‚Unzucht treiben sehen'? Nun den Punkt. ‚Ein Freund' ... Du hast doch auch Unzucht geschrieben...!"

Sprang empor, sah auf das Blatt. Dort das Wort, groß, in lateinischen Buchstaben, seltsam gedreht, wie vorhin das Bild, und verrucht, irgendwie so furchtbar verrucht. Er senkte die Lider..., diktierte fertig. „Und nun, hast du Zeit dann, Hans? Bitte, in genau einer Stunde steckst du den Brief auf dem Hauptpostamt ein, du versprichst es mir? – Dein Ehrenwort?"

„Ja."

„Ich danke dir, mein lieber Freund."

62

Nun aber, als Kai die Hand in die Rundung des Geländers ruhte, war es still um ihn; die Melodien der Hoffnung und eines rauschstarken Lebens waren in diesem Treppenhaus verhallt. Eine nie atmende Stille schien diese Luft imprägniert zu haben, in der selbst der Staub ohne Rührung ruhte. Da nun sein eben noch im Takt mit dem Wind hingespielter Schritt zusammensank, fühlte er in sich das Wachsen zager Gedanken, und ohne die Lippen zu rühren, die Augen auf die schultergeriebene, klimmende Wand geheftet, befragte er das Schweigende um sich:

„Doch warum komme ich? Will ich denn bereuen? Wieder einmal stillstehend und die Verantwortung meiner Umkehr anderen aufladend, werde ich mich also nun in ihrem Schoß reuig verströmen, jene Liebe anflehen, deren zu matte Gebärden mich doch nur für eine Stunde retten könnten oder zwei?"

Er lauschte. Indem er die Frage, deren Ton seine Lippen nicht geformt hatten, ins Auge zwang, meinte er, heißeres Brennen des Blicks müsse selbst diese Materie erweichen. Doch geschah nichts.

„Wie entkräftend dies ist zu wissen, daß jedes Wort Fälschung und nur die Gesinnung bestimmt! Will ich denn bereuen oder etwa umkehren? Nein, nicht bereuen, keine Umkehr. Wenn meine Worte schon sagen, daß dies hier sinnlos ist, nichts ändernd, treibt es mich doch, nun die Hand zu erheben und vom Zuge des Klingelgriffs an alles zu leugnen, was ich eben noch tat, nichts mehr zu wissen. Heimathafen ersehne ich in ihr, zu dem mich Einsamkeitswind trieb."

„*Begreife* doch!"

Er tat's. Die Klingel schrillte. Drinnen der Gang rauschte, und nun im Öffnen der Tür sah er's: Sonnenaufgang über das breitgeschichtet Bleiche, Beseelung von Augen, deren Tiefe grenzenlos ward: auf ihrem Grund brannten fröhliche Feuer, allererstes goldfarbenes Birkenlaub wehte, in einem Römer glomm Wein.

Da er's noch nicht begriff, lagen auf seiner Schulter zwei Hände, zu eigen nehmend, und ihre Stimme läutete: „O du! O du! Bist du endlich da! Wo warst du?"

Ihr Mund brach auf, da sie ihr Gesicht zu seinem hob, strich ihr Atem lau und frisch wie Wind ersten Frühlings zwischen Föhren über sein Gesicht, daß er die Lider senkte, doch sie: „Nein, deine Augen! Weißt du, wie ich mich sehnte! Wo bist du gewesen? Warum kamst du nicht?"

Und dies dann: „O, ich liebe dich! Ich *liebe* dich!"

Wie die Süßigkeit rinnt! Sie erfüllt die Ohrmuscheln, und ihre feierlichen Erntedankfest-Töne, über Stoppel und Wald geläutet, fließen ins Herz. Dort geschieht Erblühen von Weichheit und Glück, um Glück neigt sich die schwesterliche Blüte jenes Briefes, der, in dieser Stunde aufgeflattert, süßester Verrat, ihre Liebe noch weiter öffnen wird.

„Ja, du kannst nichts sagen. Aber die ich nichts weiß von dir, dieses bleibt: Liebe – Liebe – Liebe – du!"

Ihre Augen verschwommen. Ineinander gossen sie alle Hingabe durch diesen Blick, dessen Süße so süß war, daß sie stöhnen machte, und stärker schlug das Herz.

„Mehr", murmelte er, „mehr."

„Jeden Tag wartete ich ...", ihre Stimme verflog. Im Zimmer hinten raschelte es, man kreischte: „Ilse!" Stille entstand. Ihre Blicke entfernten sich, wurden klein. Die

Seligkeit war vorüber. Noch blieb dies, die Hände von seinen Schultern zu lösen, Übergang zu finden, aber als er dann vor der Mutter sich neigte und das Lächeln spürte, wie sie sprach: „Es war ein Irrtum, nicht wahr, Herr Goedeschal?" – da war längst das Aroma einer erlebten Süßigkeit verflogen; alte Bahnen luderte, leierte das Leben, und dies war das einzige noch, stärker und verlockender in dem und dem: die Uhr zu ziehen und zu sagen: „Schon halb fünf!", da am Hauptpostamt die Klappe eines Briefkastens zuschlug.

63

Was glaubtest du, Kai Goedeschal?

Meintest du, nun endlich werde Leben bunt genug sein, so, wie es dein Herz ersehnt? Der Wüste tödlichen Graus, ohne Aussicht auf wehende Blätterfahnen bewegter Gefühle, sollte jener Brief pflanzentreibenden Regen spenden? Diese Kleinen und Stillen sollten, ins Herz gefaßt, plötzlich aufflammen in entdeckter Menschlichkeit und deine Liebe noch übertönen?

Wie je – was erlebt wird, erlebst du allein. Da du die Treppe ersteigst, klopft dein Herz rascheren Wirbel. Werden sie heute sprechen? Wird ein schnelles Wort, ein Gedrücktes im Wesen jener Geliebten aufzeigen, daß du tief genug trafst?

Doch schon, wenn du in das Zimmer trittst, hörst du den alten trockenen Ton der Stimmen. Keine Erregung verbirgt sich. Die Luft ist mit Staub gefüllt, und nicht nur deine Nase riecht, auch dein Mund schmeckt den üblen Kampfer, den man zwischen Polster der Sessel und Sofas schob.

Sie sind nicht getroffen. Sie gehen ihre alten Wege. Ihre Gespräche berichten die geplusterte Kleinheit von

Menschen, die nie ergriffen hinstürzten und weinten. Irgendwelcher Schemen zapplige Handregungen erzählen sie, Bewegungen, die alle jener einen gleich sind, die am Abend die Hose glättet, daß auch später noch die teure Falte scharf geknifft sei. Nichts von dem Verbrecher, der befleckenden Schmutz warf.

Fahre auf! Prüfe den Blick, der eine Verbindung zwischen Ilse und dir schlug, suchend, ob auch Möglichkeit nur der Anschuldigung da – du findest ihn nicht. Er war nie da. Laß deine Augen gehen über die Laden des Schreibtischs, der Kommode, an der die oft geputzten Messingbeschläge gleißen, du errätst nicht, ob in einer von ihnen, hastig aufgerissen und in unwilligem Schmerz zerknittert, jener Brief ruht. Nein, er ist nicht da; nicht wahr, du, du wartest umsonst? Nicht genug, daß sie dich abwiesen, da du selbst, Kai Goedeschal, um ihre Liebe warbst und belebten Blick – mehr noch fremd sind sie dir, die jenen Unbekannten dem ziehenden Vogelschwarm, kaum erkenntlich zwischen erstem Wolkengrau-Geschiebe im Herbst, gleich erachten wollen, jenen Unbekannten, der umsonst versucht, wenigstens durch Verrat Anteil ihres Lebens in die Hand zu krampfen.

Diese Nächte sind still. Was Schande war, nun ist es nicht größer gewesen als das andere auch und die unzüchtigen beschworenen Schatten verblassen von Mal zu Mal. Unwirklich alles; jedes Gefühl, nur außerhalb deines Seins ist es erlebt, und das Leben entzieht sich deinen Fingern jener Qualle gleich, von der du einst träumtest oder sprachst – selbst das weißt du nicht mehr.

Am Ende stehst du da, und dich dir zu beweisen, fragst du: „Was nun?"

Eine Empörung glimmt in dir empor, daß selbst jener Brief nicht Preis genug gewesen, Anteil ihres Lebens zu erlangen und trostlosestes Alleinsein aufzubrechen; was

Scherz war, nun muß es erbitterter Kampf sein, und am Ende sagst du: „Ich zwinge sie doch!"

Da rührt sich die Hand. In der Nacht stehen die Gedanken auf, aus des Masturbanten Träumen tritt jene andere Ilse, deren Schulter von Fäulnis übergrünt ist und auf deren noch keuschem Gesicht ein Lächeln von grotesker Verruchtheit grunzt. Ihre Fußspitze tastet tändelnd den Boden. Und der sonst so züchtige Rock – nun flattert er auf, vom Windsturm deiner Begierden gepackt, und am Bein ahnst du das blaugeäderte Fleisch, dort, wo die Strümpfe enden, jenes Fleisch, das ein wenig zu weich und zu süß ist und schwankt – denkst du ...

Fange diese ein. Hefte sie mit den Dolchstößen stechender Schriftzeichen auf. Nun, da über Hans Schirmer weg der Brief und noch einer und ein neuer und wieder ein anderer zur Mutter hinwandern, darfst du hoffen, daß auch sie noch sich so sehen wird.

Doch genug Hoffen? Nein, in jener Nacht, da du sie ganz auftatest und deine ungelahrten Hände schmerzvoll in ihr Tiefstes tauchtest, erwuchs unabweisliches Bedürfnis, sie sich selbst zu breiten.

„So bist du. Nicht diese Kälte. Gleichgult glaube ich nicht. So bist du, so süß blühend, so wahnsinnig mannlüstern, beinsehnend. Birg dich nicht länger. Tu dich auf. Jener, der kommt, Schüler Kai Goedeschal, Sohn eines Staatsrats, ist dein Gefährte. Laß den Mantel gleiten, schmieg deinen Busen in seine Hand."

Schweigt sie noch immer, Kai? Mehr Gift. Schärfe zutiefst. Scheue nicht den Blick dieses Schreibers, der alles weiß. Nimm selbst aus ihm noch Kraft zu tieferer Schuld und dreh sie um sich, indem dein kalter Finger sachlich ihr Innerstes weist.

Nun sitzest du, gebogenen Rückens, anderer Gefühle voll, bei jener, und in mancher Minute schon scheint es wie ein Strom zu sausen zwischen euch, oder das langsame Schwingen der Lampe am Haken ist es nicht, das diesen gleitenden Schein in euern Gesichtern zucken macht, wenn der Blick der Mutter sich erinnert und prüft.

Und prüft.

64

„Süße Nacht, wieder da! Weit hinter mir, oben, steht der weiße Mond der milchglas-umschlossenen Lampe. Aber hier nun, ins Bett geruht und die Glieder hingebreitet, willige Raststätten wandernder Bilder, sehe ich im Schattenwinkel klarer die Gebärden jener Gequälten, die in diesen gleichen Nächten auf dem Stachelrost meiner Briefe schlafen gehen.

Nicht, Es? Nicht genug, nicht wahr? Noch ist dein Kissen nicht genäßt von Tränen der Scham, Ilse. Oder stehst du schon auf – leise zittert dein Fuß auf dem Boden, daß ihn niemand hört –, und der Wärme des Betts entflohen, hockst du dich in den Winkel des Sofas und denkst jenem unbegreiflichen Feinde nach, der dich peitscht? Wandert dabei dein Gedanke auch zu mir? Und nun, den Kopf ein wenig zurückgelehnt, den Mund halb offen, daß die breiten Zähne feucht glänzen, denkst du nun über jenen Täter fort auch meiner, dessen Liebe jeden Tag so neu gekränkt wird?

Dort im Schatten des Ofens . . . Klarer sehe ich dich nun als tags, wenn ich an deiner Seite hocke und im schwirrflügelschnellen Augenaufschlag deines Blickes Duft dieser Schmerzen zu erhaschen suche. Klarer nun. Ganz leise tropft dein Herz Blut, und leidest du schon still, legst du doch die Hand an jenes Gerundete und lockst ihn selbst nun in die Fingerspitzen, den Schmerz, der antwortend dem schweigsamen drinnen zuckt. Fragst du: warum? Und nächste Nacht wieder und immer wieder? Kein Ende? Keine Flucht?

Nicht Ende noch Flucht. Sieh, mein Segel wölbte günstiger Wind brüstegleich in den Nachthimmel hinein. Weiß ich, wohin die Fahrt geht? Das Rauschen meines Blutes tönt fremd und endlos wie das unmüdhafte Wandern von Hochseewogen, und ist mir und dir ein Strand bestimmt, nicht weiß ich, ob über seinem gelben Sand Sonne stehen wird – ferner dann weitgespreiztes Kokospalmenprangen und Quellen, die tränensalz-genäßten Wangen zu kühlen –, oder ob zwischen Tanggewirr blinder Fuß des Wanderers letzte Ruhe findet.

Jenes Wort: alles kommt, wie's muß – nicht kenne ich seinen Sämann, doch keimte es, wuchs, stämmte sich ragend auf. Nie tat ich etwas. Mit der Fingerspitze nicht einmal durchstach ich meine Eihaut. Wind war da, der mich wogenüberwärts rollte: schuf ich ihn? Liebe du, laß uns weinen, leiden. Jenes Häßliche vergiß: nein, auch dies laß wachsen, Teil mein-deiner Liebe sein.

Wenn ich das Auge schließe, singt Rot. Nicht lösche ich das Licht. Sieh, schon blößt dort im Dunkeln eine Schulter, weiß und glatt überspannt, kleine Gedanken sendet sie hierhin und dort, und bald werden Worte tanzen, sich fassen, Sätze sein, ein Brief – schreib, Schirmer, schreib!"

„Schläfst du, Kai?"
(‚Atme sacht, Kai! Fremdes dräut. Atme sacht!')
„Und nicht das Licht hat er gelöscht! – Kai! – Du, Kai!"
„Ja ...? Wer denn? Ach du, Mama!"
„Wo warst du heut? Wir haben uns geängstet."
„Verzeih, ich ..."
„Ja?"
„So viel Arbeit! Diese Osterversetzung! So gemein!"
„Du mußt viel schlafen. Schläfst du gut?"
„Ja, sehr gut."

„Ich mache das Licht nun aus. Du liest nicht mehr im Bett, nein?"
„Nein."
Es wird dunkel.
(‚Aber was kommt nun wohl? Sie will etwas!')
Das Herz pocht Sturmlauf.
„Gute Nacht, Kai . . ."
„Gute Nacht, Mama."

„. . . du . . . Kai . . ."
„Ja, Mama?"
„Du hast mir nichts zu sagen?"
„Wie, Mama?"
„Hat mein Junge mir nichts zu sagen?"
„Aber Mama . . .!?"
„Ich weine ja nicht, Kai. Nein, ich bin nur so erkältet. Darum klingt meine Stimme so . . . Weißt du noch, früher beteten wir abends zusammen, und du erzähltest mir alles, was du auf dem Herzen hattest, Kai. Alles . . ."
„Papa ist zu meiner Konfirmation ja nicht einmal in die Kirche gekommen . . ."
„Und darum betest du nicht mehr?"
„. . . nun, es hat wohl auch sonst keinen Zweck."
„Und nichts hast du mir zu sagen?"
„Aber, Mama, was ist denn, wenn du etwas willst . . ."
„Kai . . ."
„Aber Muttichen, liebes Muttichen, weine doch nicht so . . . Sicher, ich habe nichts getan . . ."
„Mein Junge. Mein Junge du. Komm, gib mir deine Hand. Ich mache dein Kopfkissen ganz naß. Nein, du, willst du denn weg von mir?"
„Aber Mutti . . ."
„Willst du gar nichts mehr von mir wissen? Hast du mich nicht mehr lieb?"
„Ja . . . lieb . . ."

„Weine nicht, Junge, es wird alles wieder gut ... Ich weiß ja, es ist so schwer ... Nur Vertrauen mußt du haben zu mir und Papa."

„... so allein. So allein ...!"

„Lieber Junge ..."

„Ja, du, du bist gut ..."

„Siehst du, wenn du uns liebst, wird ja alles wieder gut ..."

(,Uns', denkt Kai, ,schon uns?')

„Und nun beten wir noch einmal. Wie früher. Komm, leg deine Hände auf meine ..."

„Gute Nacht, Kai, schlaf schön ..."

„Gute Nacht, Mama."

Und plötzlich war sie noch einmal neben ihm. Ihr Arm tastete um seinen Hals, die von Tränen gefeuchtete Wange an die seine geschmiegt, warf sie in das Dunkel seines Gesichts Küsse, die im Schluchzen sprachen, und dann wehte noch die Klage der rasch Forttastenden an sein Bett: „Und ich dachte, unser Junge wäre noch unschuldig ...!"

„Sie wissen alles. Ich habe es gewußt. Innen drin habe ich's gewußt, einmal werden sie alles wissen. Aber nie habe ich's geglaubt. Mein Gott, mein lieber Gott, was soll ich tun? Woher nur? – Hans hat geschwatzt? – Und nun, was wird? – Aber das geht nicht so, das geht unmöglich so ... vor Ilse ... ich ... ach! Nun habe ich am Ende nur mich gequält, nur mich allein?

Schüler ... Lehrer, alle werden wissen ... Ich muß fort! Hier, das geht nicht ...! Amerika ... Geld, aber Geld ... Woher? Papas Schreibtisch ...? Aber auch das wird nichts. Sie fangen mich vorher, in Hamburg schon ... und dann ... zurückgebracht ...

Ich saß so gut bei ihr. So still. Ihre Liebe ging so sanft . . . Aber nicht sie! Ich!! Ich!!! Ich!!!! – Ruhe. Nur Ruhe. Einmal ausruhen, ohne Angst . . . Kein anderer Tag, da doch wieder Wind kommt, mich zu verblasen. Kein Morgen mehr . . ."

„– – – Tod . . .?!"

„Das habe ich immer gewußt! Tod! Ja, das ist gut. Fort von hier. Ausruhen. Da, hingelegt, in den Boden hinein und stilles Gras darauf, das der Wind kämmt. Wenn sie mich finden, alle werden sie Mitleid haben, gut werden sie von mir reden und mich so lieben . . . Alles wird gut sein . . ., bereuen werden sie . . .

Aber schnell! Noch diese Nacht! Morgen ist schon zu spät! So schnell? Diese Nacht? Aber . . . Da gehen Schritte! Papa kommt! Er wird strafen! Ich will fort, zum Fenster . . ."

65

„Kai? – Ja, was machst du dort am Fenster? Komm ins Bett. Du wirst dich erkälten."

Und der Vater streifte die Decke über den bebenden Sohn. Seine ein wenig schlaffe, doch magere Hand berührte den kalten Fuß.

„Wie eisig du bist! Du mußt achtsamer mit deiner Gesundheit sein, besonders jetzt vor der Osterversetzung."

„. . . ja . . ."

Es war still. Der Vater hockte sich auf die Bettkante, ein schmaler Lichtstreif der Straßenlaterne vorm Fenster erhellte bleich sein Gesicht, doch funkelten Reflexe auf den Brillengläsern, die den Ausdruck des Blickes der Erkenntnis entzogen.

„Mama war bei dir, Kai?"

„Ja."

„Wir sind sehr traurig, Kai. Womit haben wir es verdient, daß du dein Vertrauen uns entzogst?"
Stille. Dann raschelte es an der Tür, beide im Dunkel spannten dorthin, beide wußten's, und einer vom andern, daß dort jene stand, die Mutter, und, von Tränen erschüttert, lauschte.

(‚Wie sanft scheint Papa. Ist gar nicht so schlimm also, was ich tat, diese Briefe . . .')

„Haben wir dir nicht jede Freiheit gelassen? Nicht einmal deinen Wegen nachgefragt? Das dein Dank? Fremde müssen uns erzählen, was unser Sohn . . ."

(‚Sehr traurig ist er. Aber spricht er nicht immer nur von sich? Und wo will er hin?')

„Und wenn um unsrer Liebe nicht, schon um meiner Stellung willen hättest du das nicht tun dürfen. Habe ich nicht oft und oft gesagt, Richter sein bedinge bis in das Privateste Fleckenlosigkeit? Du hast Pflichten, Kai, nicht nur gegen mich, mehr noch gegen den Staat, der mich berief . . ."

(‚Rede, du triffst es nicht. Strafe mich schnell, deine Strafe erreicht mich nicht. Morgen schon in der Heide bin ich frei von allem. Mach ein Ende nur, nur ein Ende, ich bitte dich, meine Gedanken warten nicht mehr.')

„Vertrauen, Kai, Vertrauen. Fremden gibst du es. Weißt du, wie sehr du uns gekränkt hast? Warum redest du nicht? Hast du uns nichts zu erzählen? – Also nicht, Kai, du willst nicht. Bleibt mir nur noch wenig zu sagen. Dein Direktor lehnt es ab, sich weiter damit zu beschäftigen."

(‚Wie!!!')

„Er wie ich halten es für Sache der Eltern. Und da sage ich dir, Kai, man tut *das* nicht! Du bist viel zu jung dafür. *Nichts* darfst du davon wissen. Es schadet dir, an Leib und Seele . . ."

(‚Wovon spricht er . . .?!')

„Kai, hierüber redet ein Vater nur *einmal* mit seinem

Sohn. Nie wieder. Und ‚wieder' darf nicht nötig sein. Du versprichst es mir, jetzt in meine Hand hier, daß du *das* nie wieder tust..."

(‚Was...?!')

„So, gib deine Hand. – So, du hast es versprochen. Und wenn du schwach werden willst, denke an diese Stunde, denke an die Tränen deiner Mutter, denke daran, daß sie sich schämen müßte vor dir, denke nicht zum wenigsten an meine Stellung... nie wieder!"

(‚Mein Kopf schmerzt so! Ich verstehe ihn nicht. Was will er denn?!')

„Und noch eins, Kai, daß du ruhig bist. Deinen Brief an den Direktor lege ich hier auf den Nachttisch. Ich hole ihn mir. Vernichte ihn, dann ist die Sache vorbei, niemand weiß mehr davon. Und wenn du morgen erwachst, war alles böser Traum. Nichts Wahres. Nur verstärktes Gefühl für Pflicht verblieb draus. Und nun schlaf gut. Mache dir keine Gedanken, daß du morgen zum Unterricht frisch bist... Gute Nacht, Kai."

„... gute Nacht..."

Schon flammte das Licht. Kai warf das Briefblatt auf: seine Anzeige an den Direktor!

„Nur dies! Sie wußten nichts. Nur hierum ging es! Und jetzt wäre ich tot! Aus einem Mißverständnis tot! – Wieder aus das Licht! Nun das Dunkel. Aber so weit von mir weg. Die Tränen, die ich mit Mama weinte, ihrem Leid galten sie nicht. Und Papa... dieses Versprechen... wieder kann ich zu Ilse... es geschah nichts!"

„Aber sie hätte um mich geweint. Ich wäre dagelegen, so, die Mundwinkel hochgezogen und hinter den geschlossenen Augenlidern einen Blick, Blick bis in ihre Träume hinein. Du. Ja, um deinetwillen sterbe ich. Warum ist deine Liebe so schwach? Kein Arm um meinen Hals. Kein Ausruhen. So wird es dort sein: in der

Heide die Föhren und jener sanfte Sand ... blauer Himmel ... einmal noch die Lerchen ... das Wolkenwandern weiß, selig, reißt mich von dieser Erde auf ...

Doch habe ich keinen Revolver ... Wie tue ich es? – Nur zwei Radelstunden bis dort ... ein Stück Wäscheleine werde ich mitnehmen im Rucksack ... dann, Ruhe ...

Aber ich brauche es ja nicht! Sie wissen nichts! Ich kann leben, weiter! Nur keine Briefe mehr, so finden sie nichts ... Ist es wirklich nicht notwendig?"

66

Draußen durchschwingt Klarheit die Luft. Erste Ahnung des Frühlings legt Sanftes wie Samt an die Wange. Hinter den Scheiben des Fensters steht Himmel blaßblau. Die Spatzen sind lauter schon. Aber hier drinnen dumpft es wie je. In den Ecken des Sofas hocken staubige Schatten, eine Motte torkelt, und das Grau dieser Luft spinnt wie ein nie endender Traum.

Gehen Worte? Auf den Tisch sind die Augen gesenkt, die Hände im Schoß fassen einander, rechte die linke, zu beweisen: dies wenigstens ist da, warm, drinnen klopft's. Sicherlich gibt es Briefträger. Vielleicht gelangen sie bis an die Tür dieser Wohnung, ihre von Haar überlaufenen Hände reichen Briefe, aber jene, welche – wo bleiben sie? Bis hierhin dringen sie nicht.

Die Stricknadeln klappern, der lange Faden wird kurz. Auch das Knäuel rollt nicht zu Boden – im Aufheben wäre Errötung verborgen, die nun steigt, klimmt, wärmt, hitzt, Schläfen sengt, da sie spricht, die Mutter: „Nein, Ilse, wir müssen mit Herrn Goedeschal reden."

„O Mama! Nein! Nein!"

„Vielleicht weiß er ..."

„Bitte, bitte nicht, Mama!"

(‚Wohin soll man denn sehen? Wie tut man denn das, wenn man dies nicht versteht? Denn man weiß doch nicht, worum sich's dreht! Fragender Blick, versteht sich. Ein Wort auch. – Oh! Prickelblut, verfluchtes!')

„Laß nur, Ilse, unangenehm genug, sein muß es doch."

In der Schreibtischlade knirscht bohrender Schlüssel, Ilse neigt sich. „Oh, Kai . . .?"

„Ilse . . .?"

„Ich schäme mich so . . .!"

„Nichts da, Ilse, nichts zu schämen. Lesen Sie, Herr Goedeschal!"

Der Brief sticht ihm zu, spitzfingrig gestreckt. Greife ihn, Kai. Gesenkt sei dein Blick. Dieses schwarze, dünn Gezerrte bindet sich meinend; fasse Wortsinn, langsam gehe dein Auge, krampfe die Hand, nun knittere . . . weiter . . . Mama schaut dich an, hie und da . . . spitze Augen, Glitzaugen . . ., aber Ilse senkt den Blick, sie näht nicht, atmet hebend . . . siehst du? . . . hebend; dies ist doch da: Brust . . . fasse den Sinn . . . versuch's, Goedeschal . . . blick auf!

„. . . Wie? Den Umschlag, ja? Und noch einmal, verzeihen Sie . . ."

Lies . . . die Stimme klang so schlecht nicht . . . Erregung berechtigt . . . wenn man wüßte, ob sie wissen . . . ahnen, ahnen . . .? Ilse? Nein, aber Feindschaft dort, nur die alte oder neue dieses wegen?

Frühlingsvorklang am Fenster, Himmel blaut.

„Gnädige Frau, ich verstehe nicht . . ."

„Auch wir, Herr Goedeschal, verstehen nicht. Woher diese Gemeinheit?"

„Ja, woher! Wer?"

„Nichts gesagt hätten wir, wenn's der einzige wäre, aber elf schon . . . an mich, Ilse, sogar Lotte . . ."

„Und wie lange . . .?"

„Acht Tage bereits."
„Und Sie wissen nicht . . .?"
„Nicht . . ."
„Aber wie . . .?"
Da sah Kai auf: ihr Gesicht war sehr bleich geworden, der schmale Mund zuckte, die bebenden Lider lösten Tränen von der Glänze des Auges; ungeachtet flossen sie, tropften, die Hand griff Halt; aber der gesenkte Scheitel litt! Leiden, das war's, und so, plötzlich vergessend des alten Gespitzes im Sofa, faßte er jene trauernde Junge:

„Ilse, nicht weinen . . . nie kann es an dich . . . Solch Schmutz! Was tut der mit dir! Fort, fort die Tränen! Hebe den Blick, es ist vorbei . . ."

„Jetzt, wo du da . . . morgen wieder . . . der Briefträger schrillt, und wieder neu . . ."

„Nein, nein, nicht neu, finden werden wir ihn, strafen! Wer tat es, welcher Feind? Was für Schmutz! So gemein! Zum Verletzen allein gebaut . . . Aber ich finde ihn. Ich suche. Büßen soll er es . . . diese Tränen . . . Sieh mich an! Glaube: ich finde ihn!

Sei still! Er versteckt sich umsonst. Seine Schrift, das Postamt, die Stunde des Einwurfs . . . ich prüfe, nicht schlafe ich mehr. - . . . dann finde ich ihn . . . oh, wie gemein! Wie gemein! Was will jener! Haßt er dich? Mich? Wo schleicht er? Bekannt nur oder ein Freund? Ein Ferner vielleicht? -: Wir finden ihn!"

„Herr Goedeschal . . ."
„Ja, wie? Verzeihen Sie . . . ja, wie . . .?"
„Kein Verdacht?"
„Nichts. Aber wir werden suchen. Wer hat den Nutzen? Welchen Nutzen? Wen trifft es? Mich, Ilse, Sie, Ihren Herrn Gemahl . . .?"
„. . . er weiß nichts! Nie darf er wissen! Er schlüge . . . Ilse . . ."

„Ilse!!! Aber wie? Sie doch unschuldig ...!"
„Kleiner Grund doch ..."
„Gnädige Frau ...!"
„Ich weiß! Ich weiß! Aber doch für ... ihn. Wäre Schaffner hier!"
„Schaffner?"
„Er suchte schon. Umsonst. Sagte am Ende: Goedeschal wird wissen, *muß* wissen ...?"
„Nichts ..."
„Kein Verdacht?"
„Keiner. Nichts zu sagen. Keine Vermutung. Erst Gewißheit. Dann sprechen ..."
„Sie ahnen?"
„Nichts!"
„Sie ahnen!"
„Gewißheit! Was ist Ahnung! Ich finde ihn. Ilse ... ich finde ihn."

Ihr Blick stieg, Verklärtheit überstrahlte Kai: seine Kraft wuchs: „Zeigen Sie mehr!"

„O nein! Bitte, Mama ..."

„Ich muß. Wie fände ich sonst ...?" Sie prüften. Jene Briefblätter, fremde nun, geknifft, von Stempeln überkreist, ein Fettfleck – – Worte wanderten, schwer den Sinn zu erfischen.

Die Stirn überglühte: Scham war es, aber immer: Haß, Wut, Ekel!

„Ich werde ihn finden, Ilse, ich werde ihn finden ... Ungestraft entkommt er nicht, er soll sich hüten. Ich schleiche ihm, Spürhund, nach, schnüffle die Fährte. Oh! Er!"

„Warum Er? Durchaus Er?!"
„Wie ...?"
„Er ... Er ... ER ...?!!"
„Sie meinen: sie!"
„Nichts. Aber warum er? Warum sagen Sie er? Ahnen

Sie? Machen Sie Ende, Herr Goedeschal, sagen Sie schnell!"

(‚Was klingt? Sprich doch laut! Was ahnst du?! Sprich!')

„Ich suche . . ."

„. . . und nie ein Brief an Sie . . .?"

„Nie!"

„Oder Ihr Freund Schütt?"

„Er sprach nicht davon . . ."

„Details sind erwähnt, unsern Freunden allein bekannt . . ."

„Ja, lassen Sie nun. Ich muß denken. Adieu."

„Finden Sie bald, Herr Goedeschal. Adieu."

„Ilse, sei mutig. Trage es. Rein bleibt unsre Liebe. Dieser Anwurf ist nichts, Ilse . . ."

„Weißt du . . .?"

„Nein, nein!"

„Mutter ist sonderbar."

„Erregt nur. Fürchterlich dies alles. Begreiflich Erregung."

„Mach mich frei, Kai! Wie kann ich schlafen. Meine Träume . . ."

„Ich werde suchen. Liebe, du, sei froh . . ."

„Wie soll ich?"

„Liebst du mich doch . . .?"

„Doch!"

„Also froh!"

67

„Arne! Wartest du lange schon?"

„Länglich."

Kaum sah jener auf, bedenksam klopfte er Asche vom glühenden Stummel. Kai setzte sich. Ruhe auch nicht hier. So vieles zu erwägen. Nun aber: „Was Neues?"

„Ich nicht. Aber du?"

„Ich? Nichts!"

Der Blick hob sich nicht, schon aber begann neu Sensation die Glieder Kais zu durchprickeln, neue Wärme erhitzte das kaum straßenluft-gekühlte Gesicht, denn dieser:

„Ein guter Freund, ein aufrichtiger Freund ist eine Gabe Gottes."

„Bin ich nicht . . .?"

„Nein, bist du nicht!"

„Und?"

„Berichtete ich nicht, wegen Margot? Nun du? Nichts zu sagen?"

„Was ihr wollt, alle! Erst Papa, Mama: nichts zu sagen, Kai? Frau Lorenz, Ilse: nichts zu sagen, Herr Goedeschal? Nun du . . . bin ich denn . . .?"

„Bist du! Bist du!"

„Also was?"

„Kai, rede, ich weiß alles . . ."

„Was alles? Gar nichts weißt du!"

(‚Hoffte noch! –: Anderes ist es! Ich irre mich!')

„Alles . . .!"

„Und wenn du schon weißt! Kannst du nicht schweigen? Siehst du denn nicht, daß ich nicht reden will, nicht reden kann? Mein Wille ist nicht da. Das alles ist Dunkel, nun soll es ans Licht . . . Am Tage besprechen, in lebende Augen hinein, die es aufnehmen, ganz anders meinen dann . . ."

Er sah durch das Fenster. Auf den Straßen liefen befreit Kinder, die Frühling ahnten. Erste Kreisel drehten. Schreie! Freudige Schreie! Viele Fenster standen offen. Fort! Fort! In seiner Hand schnurrte die Gardine, gelblichgrau hing Dämmer über Tisch, Hand und Gesicht.

„. . . auch heut so. Plötzlich waren die Briefe da. Sie schoben sie her. Sie fragten: wissen Sie nicht? Nein, ich weiß nicht. Kenne nichts. – Fremd das?"

„Fremd . . . dir!"

Kai sprach weicher, griff nach hinten, der beißende Karbolgeruch der Bedürfnisanstalt damals auf dem Schulhof war neu da, sie alle redeten; da er doch versuchte, aus sich Wahrheit zu schaffen, blieben sie ungläubig, ihre zu beweglichen Gehirne formten um, was Gesetz war, ihm selbst in Steintafeln geprägt.

„Weißt du noch? Damals? Als ich Klotzsch schnitt? Nicht ich tat es. Aber auch da glaubtet ihr nicht! Heute glauben sie noch. Faß es, Arne, auch ich muß es begreifen: da aus ihrer Hand jene Briefe, deren Worte meine Nacht schuf, taghell zu meiner glitten, waren sie fremd, mir ungemein, nichts mit mir zu tun. Da Ilse weinte, begriff ich, erfühlte heiß Verworfenheit solchen Tuns. Ich werde ihn finden. Nicht mehr soll sie leiden. Frei soll ihr Schlaf sein und Helleres bereitet dem Wandern ihres Traums . . ."

Da stand Arne. Seine Finger griffen kugelnd immer wieder die Luft. „ – Du – wirst – – ihn – – finden – – –?!"

„Ja, nicht mehr leiden soll sie. Sie weinte, Arne . . .!"

„Aber, Kai . . .", er faßte die Schulter des Freundes, nun durchwärmt auch sein Blick. „Besinne dich doch, Kai. Du selbst Schreiber der Briefe!"

„. . . ja . . . ja . . . natürlich . . ."

Er zwinkerte rasch, einmal, wieder und wieder. „Gewiß. Natürlich. Selbst geschrieben. Übrigens, dem Wortlaut nach nicht selbst geschrieben, ein anderer schreibt sie für mich . . ."

„Wer?"

„. . . aber ich bin doch nicht der Verfasser! Mittler nur, ohnmächtig. Den andern zu finden, nun, da sie weinte, bin ich stark genug. Kein Brief mehr. Ich will nicht."

„Aber das geht nicht! Nun, nicht wahr . . .? Heute haben sie dir gezeigt? Und nun willst du aufhören. Das fällt auf!"

„. . . fällt auf . . ."

„Nein, jetzt mußt du schon noch etwas weiter machen. Das geht nicht anders."

„Ja, wenn du meinst. Recht kannst du haben..." Wie war die Stimme gefallen! Mittler – Schöpfer jetzt? Mußschöpfer? Reinheit aus Achtsamen unrein gemußt?

„... aber gut ist deine Rache! Wie klug, nicht selber zu schreiben! Wer denn?"

„Ach! Irgendein Idiot. Aber keine Rache, Arne, keine Rache! Nichts davon!"

„Aber was dann?"

„Liebe... nur Liebe..."

„Liebe...?"

„Ach, laß schon. Du verstehst doch nicht. Und woher weißt du?"

„Irene...!"

„Ah so! Man redet also schon...! Es wird Zeit, so Zeit! Ich muß Schluß machen. Heute schon beinahe. Ob sie ahnen...?"

„Nichts! Mitleid haben sie... mit Ilse, auch mit dir..."

„Trotzdem..."

Nah trat Kai, seine Hand griff zur Schulter des Freundes. Aus dem Dunkel dämmerte weiß das Gesicht, schwarz standen die Augenhöhlen. „Nicht, Arne? Ich kann Schluß machen? Es geschieht nichts? Noch ein paar Briefe, dann aber vorbei. Niemand erfährt etwas. Du bist der einzige, du bist still, nicht wahr? Denn sieh, wenn jemand erführe, ich könnt ja nicht mehr... ich müßte ja... alles wäre vorbei..."

„Nichts. Niemand erfährt, Kai. Lieber. Keine Angst. Nur keine Angst!"

Ganz leise da und weit weg, irgendwo am Schreibtisch oder gar am Bett: „Doch, Arne, ich habe Angst, so sehr Angst. Manchmal. Alles ist, glaub ich, bestellt. Ich tanze umsonst. So Angst..."

68

Gleich Kirchenkerzen starrten sie, ungelehnt im Rükken, auf ihren Sesseln: die Lorenzfrau, Lotte und Ilse und dann jener sonore, qualmig etwa: Castor Schaffner. Ihren Augen schien Blinzeln entfremdet; drehten sich in den Schultern die Köpfe, war's schnappig, als klatschten Federscharniere Blechdeckel zu. Die Hände ruhten, von Protest feucht überschleimt, im Schoß. Auch stand ihr Schweiß wie ein Prickeln in der Luft. Die Schläfen höhlte konzentriertes Denken tiefer.

„Verdacht ist das", klang es in Kai, schabte kratzend die Knochen zu durchsichtigem, leicht splitterndem Porzellan; schlenkerte er jetzt die Hände, flögen sie fort. „Gestehen! Wie? Nein! Diesen ...!

Doch ist Ilse gut. Qual gibt ihren Gliedern Regsamkeit, unter den Kleidern zuckt es; von Wind aufgekraust fröstelt Teichwasser so an Nebelmorgen, wie Liebesschmerz ihre Haut huschen macht ... Sie glaubt ... denke ich ..."

„Schöner Tag heute?"

„Schöner Tag, Herr Schaffner. Die Luft streicht weich. Zum Ausgang lockend. Vielleicht kann Ilse, gnädige Frau ...?"

„Ilse kann nicht! Kann nie mehr! Konnte zu viel ... das Ergebnis ...!"

„Strengste Befolgung der Moral sichert allein unangreifbare Position!"

Schaffners Mund ging zu; den bläulichen Himmel prüfte Frau Lorenz, herb zwar, mißbilligend beinahe für den Moment, jedenfalls fremd, doch in der Leistung anerkennenswert.

‚Das ist', klang's in Kai, ‚als setzen sie Wände um mich zum Erdrücken, Absperren; näher solche tragbare Wand mit jedem Satz.' Und da er Frau Lorenz armgespreizt Paravents tragen sah, glomm Lächeln. ‚Das ist gar nicht schlimm, nur vorher ist Angst, drin kühlt's wie Bad. So selbstverständlich. Man ersauft nicht.'

„Sie sind gesprächig, Herr Goedeschal ..." Frau Lorenz lächelt, aber wie Gift ist das, als schnitte es schmerzend.

„Silberlustig, auch gelüstig." Schaffner wartet, lächelt als Ersatz für die Runde, dann: „Reden – Silber."

„Und dann: warum nicht? Das ehrt ja! Sicherer jedenfalls."

Wie Kugeln schießt es Frau Lorenz, klappt den Mund, als sperre sie entschieden Drängendes ab.

„Natürlich, so ein junger Mann ..."

Kai läßt den Blick wandern, aber die Augen der andern behaupten alle: Kai Goedeschal ist nicht. Er lüftet die Schulter. ‚Nun ja, Direx war schlauer. Totreden ist mehr als dies. Hier die – Holzgekasper ist das!'

Süßes Geflöte: „Nun, Herr Goedeschal ...?"

Und da er links spürt, wendet er den Kopf: ihr Blick ist aufgegangen, ein Mond, der Liebe heißt, fremd jenen dunklen Wipfeln, deren Äste ihn werden halten müssen, senkrecht hängenden, daß sein Scheitel nächtens die Sterne schabt. Blicke singen:

„Ich liebe!"

„Dank, du!"

„Ich glaube!"

„Dank, du!"

„Kämpfe!"

„Ich siege!"

„Dank, du!"

Da er den Stuhl vor sich stößt, auf die Lehne gestützt, ist das Zimmer fort. Aus den Wäldern weht ein Wind, der seine Frische Quellen entnahm, die ungesehen sprudeln. Der Roggen gilbt schon, und hügelan auf dem Rain ziehen Schnitter, die in den Hüften schaukeln. Unbedingtheit der Natur, selten getrunken, taub gefühlt, entsproßt dieser Stadtzimmerstunde fängerischer Lüsternheit. Hier gelten nicht mehr menschliche Formeln, in Tuch gewickelte, doch sagt der in die Nüstern der äsenden Ricke stoßende Wind: Freund oder Feind –, und Konsequenzen zu ziehen, sind wir stark genug.

„... Dank, du ..."

„Nun, Herr Goedeschal ...?"

Blick gedunkelt, Hand gekrampft, leises Wort sorgsam geprüft: „Ich verstehe nicht, gnädige Frau. Ich mag nicht verstehen."

Die Lider sind da, senken sich, Stille kommt.

„Herr Schaffner!"

„... Herr Goedeschal, berichtet ward: auf Ihrem Gymnasium herrscht Kenntnis fraglicher Briefe. Wer brachte sie?"

„Schwieg man so? Da auch Sie ... Und Klotzsch? Und Lehmann? Wissen sie nichts? Und Schütt fragte mich, eine Woche ist's her, was denn mit diesen Briefen für Bewandtnis?"

„Ihr Freund Schütt??!!"

„Schütt ist Freund Fräulein Reisers ...?"

Stille.

(‚Sieg! Kein Jubel jetzt, noch Geste des Feldherrn ... Weiter! Doch werde ich herrschen.')

„Aber bitte setzen Sie sich doch, Herr Goedeschal!"

„Danke verbindlichst."

„Wenn Sie nicht wollen ..."

„Aber wenn Sie es wünschen, gerne."

Und saß nun, mehr noch Sieger.

Plötzlich lag schräg zum Tischrand ein Briefpäckchen. Schaffner überstrich mit leiser Hand Deutung seines Gesichtes. „Siebzehn Stück. Ihr Inhalt verrät, so vorsichtig auch gewählt, daß Intimer des Hauses allein Schreiber."

Die Köpfe bestätigten scharf.

„Und Sie, Herr Goedeschal?"

„Ich kenne nicht alle."

„Ausweg! Bekanntes genügt. Ge-nügt. Intime des Hauses: Lehmann, Klotzsch, Goedeschal, Schütt, Mehrenbach, Breithaupt, Seeger."

„Und die Damen?"

„Damen, intim diesem Hause, schreiben solches nicht!"

„Ich danke im Namen der intimen Herren dieses Hauses, zu denen auch Sie gehören, Herr Schaffner."

„Diese Schärfe ..."

„... ist berechtigt, da Sie ..."

„Meine Herren!"

„Gut!" Übergang schien Schaffner schwer. Dann langsam: „Man hat Fälle der Selbstbezichtigung ..."

Das schoß als Blitz: Empörung, Spott, Gleichgult?

„Also Fräulein Ilse ...?"

Da schrie es!

„Herr Goedeschal!"

„Ich verbitte mir ...!"

„Aber, Kai ...!"

„Ah so, Sie meinten mich ...?"

„... unerhört ...!"

Standen, drängten, Formen zerbrachen; jemand, nicht auszumachen, wer, schrie: „Sie! Sie! Sie!"

Totenstille stand.

Die Glieder fielen, lähmend gehackt.

Kai zuckte die Achseln.

„Lächerlich ist das!" Zu Schaffner gewandt: „Auch der Theologe sollte fragen können: cui bono? Wo *mein* Nutzen? Wo? Da begreiflich wäre, daß nach diesen Briefen mir wortlos das Haus verboten! Wo denn, Geehrter? Kriechen Sie heraus!"

Rückzukehren zum Sitz schien zu schwer. Sie stand,

achtsam geneigt, ihre Ohren lüstern nach Fang von Überton; doch spürte Kai Müdigkeit schon jener, da der Fremde entglitt. Und so hob er den Blick, sonnenaufganggleich sagte der's: „Du! Sieh! So liebe ich dich!"

Da doch schon in ihrer Antwort auch seine Kraft erstarb und den funkelnden Triumph schleierwerfende Trauer hetzte. Sie litt am Zweifel. Sicherheit, nicht Liebe war Begehr.

Müde auch nun er. Vergeblichkeit erfühlt. *Endliches* ungeregelt wie je. Zurückgekläfft diese, entblößte Zähne, doch bald schon schnüffeln sie neu ... und dann? Ist Kraft immer ruffolgend? Lahmst du nie, Kampfgaul?

Nicht höre ich Ruf.

Meine Fessel schmerzt. Das Hufeisen drückt.

Schaffner drehte sich. „Bleibt Schütt."

„Nun ja, Schütt. Warum nicht? Cui bono, Herr Schaffner! Theologie – nicht? – gestattet Verdächtigung ohne Beweis? Guten Abend."

Auf dem Gang allein. Dieses Aufatmen! Die Hand streicht vom Gesicht Maske und Glut. Der Körper sackt. Und das Herz trommelt immer noch ein Echo seiner Sturmwirbel, fern, fern.

Dann sie! – Ihre Arme – zielfeig – wieder einmal versunken.

„Ich liebe dich, Kai. Du bist so stark!"

(‚Nütze es! Wer an sich glaubte! Aber selbst Arne täte dies nicht: Arme um den Hals, Kuß auf den Mund!')

„Stark? Nein. Ich mag sie nur nicht. Möchte ich sie..."

69

Schon dunkelte es. Während man kämpfte, war der sonntagsfrohe Trost blaudurchleuchteten Himmels entschwunden; starre Gebilde der Menschen schwankten an seiner Statt über Steinschluchten: surrende Bogenlampen; und das blöde selbstvergnügte Glühgas stand höhnend in Glaskästen. Hier war Baum gewesen; zwischen den Gräben schwankten fette Gräser im Streichelwind; im Frühling schrien die Wiesen gelb von Hahnenfuß und Ranunkeln, frühsommers golden die Felder von Senf und Hederich.

Nun war's entfremdet. Lüge war's, Heimstatt zu heißen dies. Heimat war Rasenwange, Fichtenborke und Zickzackflug von Motten. Und dorthin zu pilgern tat nicht mehr not, als das Rad zu rüsten: schon schwinden die Vorstadthäuser, die Teerpappenlauben der Arbeiter ducken sich im Ansprung der Ebene, leicht vergilbt starrt fedrig das Winterkorn, von Schnee befreit; dann: die Heide! Die Heide!

Kein Strick, nein. Tiefere Ruhe ist anders, verläßt nicht so gewaltsam zappelnd das Hier. Hingebreitet ins Kraut, Himmel eingefangen ins Auge, leichter Druck dann des Fingers und die Welt birst.

„Dann bin ich frei. Ich weiß nur dies: schweben werde ich, das nächtige Geball der Bäume wird zu mir heraufgrüßen, im Frührot funkeln die Seen, tiefer drinnen im Wald ziehen Nebelschwaden dahin, wandernde Vögel schreien. Oder aber, verspült, taumele ich dann, nährende Kraft, durch das Adergeschlinge von Blumen, Zellen bauend, wandelnd gewandelt, fühle ich in ewig gedankenloser Stille Sonne auf mir ...

Spurenlos treiben diese Menschen über den Granit ihrer Wege. Ich wandle mich kaum. Nie sah ich Tat, die Welt prägte. Es ist leicht."

Nein, schwer war schon dies. Diese Treppe war leichter gewesen, damals; nun klingelt Kai, das Gesicht des Schirmer steht da und auch in ihm kämpft Erröten mit Erbleichen, während Augurenblick beide beschmutzt.

„Hast du Zeit?"

„Komm...!"

Dunkelnacht, liebe... Schritt singt an Schritt, hassenswert doch, da so strupplig haariger Bekleidung des andern Kai denkt. Jenes gereizter Leib, mißfarben, von ungeeigneter Nahrung befleckt, ist Ekel. Selbst Wort wird Übelkeit, weil er's sagen muß, diesem wieder einmal. Die Fingerspitzen sind staubig. Wie Erbrechen dreht Klang um Klang sich als Finger in schlingschluckender Kehle.

„Hans... habe eine Bitte..."

Schweigen, zwischen den Büschen glotzt eine Lampe, Kai verhält, wühlt in der Tasche, zählt Geld, wieder im Dunkel wägt er's dem andern in die Hand. „Da... fünfzehn Mark, mehr habe ich..."

„Wofür!"

„Du mußt mir... ich denke, du kannst das eher... eine Schülermütze fällt auf... nicht, du bist so gut, besorgst mir einen – Revolver..."

Schwarz. Schwarz. Schwarz.

Schritt marschiert. Atem zuckt. Vor den Augen fällt es, hastig mehr und mehr.

„Nein, Kai! Nein, Kai!"

Wind weht. Keine Menschen. Man kennt sich nicht selbst. Auch Hans sich nicht.

„Du tust es. Ich bitte dich."

„Kai..."

„Du hast Angst? Glaube mir, kaum Wechsel..." Mut wächst, prahlerisches Reden: „Kaum Wandlung ist das. Sicher schmerzlos. Ich ende nicht, ändre mich nur..."

„Entdeckt?"

„Nein. Sie glauben mir. Lieben mich mehr als je. Aber Ruhe, Hans, Ruhe..."

Weit wird's drinnen. Ruhe! Nicht mehr die Dunkelwege. Keine Angst mehr. Noch ist die Wäsche von Furcht genäßt, und das Zittern hockt wie vorher im

Nacken und klirrt mit dem Rückgrat. Weg! Weg! Nicht mehr dies. Die beschmutzte Seite ausreißen, das befleckte Gesicht, Maske nur, abstreifen, neu sein! Lässiges Spreizen der Glieder, wissend, Furchtsprung wird nicht mehr sein. – Behaupten unmöglich. Schon der nächste, sicher der übernächste Angriff bricht ihn ab. So viel Reden, Kampf! Entrinne noch vorher.

„Nein, Kai . . . tu das nicht! Deine Eltern, denk doch, dein Vater!"

Flüstern, eindringlich, da Hand Hand gepackt hält: „Ich tue es nicht . . . Bist du auch drauf reingefallen . . .? Denkst du, so dumm . . .? Auch ich liebe Leben . . . Nur zum Drohen, verstehst du . . . Wenn sie mich strafen wollen . . ."

„Sie finden dich?"

„Nein, nein. Aber versteh doch: für alle Fälle. Nein, nicht für alle Fälle. Ach, versteh doch, Hans! Nein, bist du dumm, bist du dumm!"

Eifriger dann, wie im Spiegel sah er sich nun, den Posa: „Soll ich hinfallen, flehen? Auf die Knie vor dir? Willst du das? Ich tue es. Ich küsse deine Hand. Aber ich muß ihn haben. Wohin sollte ich denn? Du bist der einzige doch!"

„Ich kann nicht . . ."

„Du kannst. Keine Briefe mehr. Nichts mehr. Alles bleibt ruhig. Tu es also."

„Keine Briefe mehr? Gar nichts mehr? So plötzlich? Nicht noch einer, wenigstens noch einer?"

„Nein, nein. Es ist genug. Das Ziel ist erreicht. Tue es nun, Hans!"

Der geht still. Ein Schatten schwankt weiter. Fort. Fort. Dann ist die Nacht wieder da, die er vergaß im brennenden Weh der Empörung. Wind in den Zweigen, die kaum beben. Herbstblätter rascheln auf Eichen.

„Er tut es! Aber ich? Ich?"

Starraugen ins Dunkel – brennen, und er schließt sie, da doch im Deckelklappen der Lider Huschebewegung schattenrissiges Gemöbel antanzen macht. Wieder auf! –: alles wie sonst, nichts verändert. Doch die Füße wie Eis – an die Heizung, deren Röhren längst nicht mehr warm sind. Kältegekrümmte Sohle schleppt kaum ihn ins Bett, das zu riechen scheint, kalt-laulich; die Knochen gebrochen, Hirn drückt an die Stirn, die Finger sind blutlos, unkrümmbar. Selbst das Zentrum durchkältet, frostgepickelt.

Und Speichel zieht fädig im Mundwinkel. „Keine Briefe mehr..."

Doch da sagt es, irgendwoher: „Du schießt dich doch nicht tot!"

„Ruhen...!" Sein Murmeln: „Darum ist es, ich werde es tun!"

„Nein", beharrt man.

„Ah! Du willst mich reizen dazu...?"

„Ich denke, du magst sterben...?"

Liegt so, Uhr tickt. „Was wird morgen?"

„Kommen sie näher? Schaffner... Sie glauben nicht mehr. Nein, dann bleibt nichts wie Tod. Rechne doch: diese Summe von Gesten: Eltern, Lorenzens, Konpennäler, Ilse, Schütts, die Dienstmädchen... Keine Straße mehr blickleer... Denunziant!"

Krümmt sich, Rücken den Blicken zu bergen, hustet, Laut ist verschluckt, war nie da.

Stille marschiert. Hirn haspelt Bilder. Lippen wälzen Tonloses. Der Gaumen schmeckt abgestanden. „Morgen! Nur Morgen!"

Zittert. Bebt. Zittert. Zittert!

„Hilfe! Es kommt. Unwirklich ist das: Tod nur Gerede – alles kommt anders!"

Brüllt das Zimmer – Licht zuckt wie Blitz im Schrei –:
„Der Revolver!"

Er schweigt, überlistet. „Revolver, ja? Wozu bestellt? Zum Töten? Ich tue es nicht? – Warum also? – Doch! Ich tu's! – Ich glaube. – Ich glaube nicht. – Ich weiß nichts. Treibe ... weiß nicht wohin ... Zur Vorsorge ist das ... Falls es doch nötig ...?"

Schwärze, Überschwärze wälzt vor die Augen sich. Herz trommelt im Hals. Schläfen bersten.

„Krampfe immer den Leib, nutzloser Ring. Rettung das nicht! ... Beichte!"

Warten wölbt sich zum Trichter, der ihn ansaugt, aus der Haut Beulchen zerrt, gesogene ... „Flucht ..."

Steht: ärmlicher Leib, Hemd zu kurz, beinzittrig, schlappende Pantoffeln ...

Tastet draußen ... Zimmertür versperrt – drinnen tost es, Aufruhr spottet seiner, – er fühlt es bis hier ...

„Wohin ...?"

Tür an Tür ... Bekanntes – Unbekanntes ...

„Erna ...?"

Schleicht, schleicht, Beschuhung bleibt im Winkel, die Lenden schwellen, die nackte Sohle schleift trocken am Boden ...

Neigt das Ohr: „Atmen? Atmen?"

Es zieht langsam, seufzend, schnüffelnd, stoßend, ächzend ...

Sie wirft sich im Bett um!

Dann wieder zieht's ...

Hitzeschauer peitscht nun leibauf, leibab. Die Haut rutscht wie bei fliegenscheuchenden Pferden ...

Knarrt die Tür? Die Tür knarrt nicht, aber – die Klinke knackt!

Herz stürmt! Das hört man! Krümmung, um zu dämpfen, Hände auf die Brust, zu dämpfen den Schall, Atemhalt, daß sie nichts hört ...

Nun lehnt hinter ihm die Tür zu. Die Luft schmeckt noch offenen Poren, auch die seinen triefen schon. Jenes Fleisch steigt, da er sie atmen hört, laulich nun und sanft; ja, wie besänftigt durch seine Nähe geht zage Melodie von ihr . . .

Näher!

Nein!

Näher steht er. Hand streift fingergespreizt. Schrickt! Flieht . . . Nichts! Ein Federgestopftes . . .

Neu!

Nein!

Wieder geht Hand, zwischen den Fingern verschweißt, sucht . . . sucht . . . sucht . . . – tut einen Triller zur Decke! Flieht! Flieht! Flieht! Flieht – da Schwellweiches anstieß.

Nun steht Atem und Herz zugleich.

Hand bleibt oben und läßt aus zuckenden Nerven diese Treffgefühle eben tropfen, sinkt dann, sinkt – kein Wille zu halten sie da –, sinkt, wieder da!

Ruht – Beine, nicht? Wade, nicht wahr?

Fingerspitzen wölben sich blutgeprallt.

Lider sinken. Mund halb offen. Speichel tropft.

Er weiß alles von sich, von jenem, der dort steht, während er – immer wieder und stets! – rein ist!

Hand geht. Schreck eben noch – nicht mehr genug. Finger schleicht streichelnd über Fleisch, so warm, weich, prallig, verachtet das Knie, kreist drüber und findet wie Nervenantwort Entgegen-Geschwelle innenseitig am Schenkel, geht, geht – schrickt noch einmal, da das Bein sich regt, klotzig sich spreizt, mehr sich ihm bietet . . .

Haupt neigt sich: Duft, Geruch, ächzender . . . Was nun? Haar . . .

Schlafgurgeln, Torkelgespräch, Zungengelall: „Wer ist da?"

Da die Tür des Zimmers schon wieder sich schloß, aus dem Winkel die Pantoffeln, Heimstatt schon die eben verhaßte Stube, Schlüssel im Schloß, ins Bett, das noch Wärme birgt – Heimat!

Müdigkeit. Gedankengegängel. Ermattetes Lächeln. Morgen aber? – Denk nicht dran! Jedoch dies: „Nicht wahr, du schläfst gut, Kai?"

„– Eltern wissen nichts. Wohnen im Gelobten Land, ich wandere Wüste."

Schläft. Lächelt im Traum. Krampft einmal die Hand. Aber die Schwärze tilgt den Aufschrei seines Schlaf-Gesichts, der „Gnade" heißt, „Nichts-wie-Gnade". Tilgt ihn, niemand kennt ihn, wohl er selbst nicht?

71

„Servus, Kai! Leben noch frisch?"
„Danke. Danke."
„Und die Aktien?"
Der Blick Arnes zerrt, entblößt, schwelt; doch vor Reserve Kais welkt ein Lächeln um den Mund des andern.
„Oh! So lala! Es gab natürlich viel Spuk. Auch Verdacht auf mich. Das ist vorbei, Tage schon. Stehe jetzt fleckenlos. Schlauer als die, nun, weißt ja . . ."
Er bezwang sich, trat näher, hängte Arm in Arm, war sanft und kätzisch. „Sie dürfen mich ja nicht kriegen. Das verstehst du, ohne Wort. Sonst . . . das heißt Ende."
„Natürlich. Aber du schreibst doch noch?"
„Nicht so Ende! Was bist du töricht, Arne! Natürlich schreibe ich nicht mehr, schon seit vier, fünf Tagen nicht."
„Kai . . .?"
„Was ist Arne?"

Sah auf. Erregter Blick jenes. Der Arm löste sich. Empört. Schütt stand, böse das Gesicht, um den Mund zuckten Worte und Worte, drängende, aber, da er den Schritt aufnahm, ferner war Kai, blieb Schweigen doch, zehrendes, das mit Angst Herz ätzte.

Aber Kai vergaß es. "Nein, ich schreibe nicht mehr. Zu nah waren sie mir schon. Ehrlich: Arne, ich bekam Angst. Plötzlich sah ich Folgen."

Leise hob er die Hand, prüfend und versonnen sah er die gespreizten Finger. "Es war so leicht nicht aufzuhören. Nächte ... Das lockte. Trunkenmachend. Aber es war Zeit. Und nun, denke ich, wird alles gut."

"Ja ...?"

"Ich suche immer. Jeden Nachmittag bin ich dort, so Angst ich auch habe. Ihre Gesichter. Aber wegbleiben – nein, noch schlimmer wäre das; hinter meinem Rücken würden sie reden. Muß sie sehen. Ich bleibe, bis der Letzte geht ...!"

Holte Atem, tief. Weichere Luft beruhigte die Starre seines Gesichts. "Nur noch eine Woche, eine Woche, sieben Tage ... und alles ist überwunden. Dann ist das Ganze halb vergessen, ich bin gerettet. Und ich tue es nie wieder. Du ..."

Aber er schwieg dann, sprach nur zu sich: ‚Ich will nicht sagen, daß *er* den Rat gab. Nicht ihn reizen, er muß gut sein. Nur keine Sorgen mehr, nichts mehr davon.'

"Schon jetzt reden sie nicht mehr drüber. Schweigen ... trotzdem, ihr Schweigen ist anders, düster, von mir abgekehrt. Schweigen nicht mit mir zusammen, ohne mich tun sie's, gegen mich. Aber auch das wird vorüber sein, einmal."

"Und, Kai, du weißt nicht ...? Du meinst nicht, daß noch Briefe gekommen sind ...?"

"Aber nein! Was denkst du nur! Ich muß es doch

wissen! Dem Kerl, der die Briefe schreibt, hab ich seit sechs Tagen keine mehr geschickt, also ...?"

„So? Und da ist wahr, Kai? Du belügst mich nicht?"

„Arne!"

„Ja? Warum solltest du das? Keinen Vorteil hättest du davon ... oder doch? Lügst du? Nichts weiß man. Keinen Brief? Das schien so einfach, früher. Nun aber ..."

„Was hast du, Arne? Du weißt irgend etwas!"

„Komm!"

Schneller schwang ihr Schritt. Auf der abschüssigen Straße zum Park jagten Kinder, mit fliegenden Händen und Kleidern; eine Zopfschleife löste sich, fiel. Über dem leuchtenden Seidenband drehte Kai knackend den Hacken, daß der Stoff berstend riß.

„Arne ..."

„Dort erst, auf der Bank ..."

Sie saßen. Weicher Schein schon schien Umriß der Äste zu mildern. Eine Amsel lockte, immerzu. Die Welt sehnte Frühling. Und da Kai, nun die Worte Arnes angstvoll erwartend, schnelleres Klopfen des Herzens spürte, stieg noch einmal quellend die Angst, ob er noch Gefährte von Fliedergehänge, schreiendem Lerchenstand über schnittreifem Roggen, ob er noch gehen würde im Abenddämmern, Schule hinter sich, am Flußrand zur Schenke, zwischen schattenden Büschen, den Schritt gewiegt nach melancholischen Liedern oder schneidendem Rudereinsatz?

„Arne ..."

Schwieg jener.

„Arne ... bist mein Freund ... du vor allem mußt helfen. Dieses Leben ... ich kann nicht weg!"

Aber Schweigen stand, und spürend ahnte Kai wehrende Härte, auf sich beharrend. Enger Zirkel. ‚Wo, Bruder, deine Hand? Helfers Hand? Freundtreue Hand?'

„Arne ..."

Langsam, erst ein Schlucken, dann sprachen bebende Lippen krampfhaft klar, trotzig, entrüstet: „Heute kamen drei Briefe an Lorenz, einer dem Vater, einer der Mutter, einer Ilse . . ."

Schlag lähmte, streckte die Glieder, verzerrte sie. Welt barst. Und das Herz spülte, hohnvoll spülte Angst um Angst im Hirn. Und Fingergehaspel. Die Sohle krümmte sich im Schuh. Krampf schütterte die Wade.

Schneller sprach jener, verwaschen: „Und gestern Briefe und vorgestern Briefe, jeden Tag, beinahe mit jeder Post, mehr denn je, schmutziger denn je. Irene sagte es . . . sie weiß es . . . wahnsinnig sind jene vor Wut . . . Reinheit des Hauses geborsten . . . Wie Flamme leckt Blick jeden Winkel, schlägt die Bettdecke zurück, entblößt Leiber, selbst der Mutter nicht, nicht der Schwester gezeigt . . ."

Schwieg, da Kais Tränen stürzten: ratlose Tränen, wütende Tränen. Faust ballte zum Himmel: „Jener dort tut's. Ich nicht. Wie hat er mich gejagt! Er haßt mich. O Arne, mein Arne, ich habe es nicht getan, keine Briefe mehr habe ich geschrieben seitdem, nichts . . ."

„Kai . . .!"

„Glaube es doch! Einmal glaube doch! Warum sollte ich denn? Ich müßte ja sterben dann, weg sein; begreif es doch: nicht mehr da sein. Und kein Mädchen habe ich geküßt, nie. Ich kann doch nicht fort. Ich habe doch noch zu tun. So vieles. Die Wege – und dann der Sommer, immer dort wollte ich dann den Weg zwischen den Birken schon gehen, niemals Zeit; soll ich ihn nie gehen? Laß mich doch hier! Sag: es ist nicht wahr. Ich darf leben, nicht wahr, mein guter Arne, ich darf leben? Sieh, deine Knie fasse ich um . . ."

„Steh doch auf, Kai . . . ich glaube dir ja . . . die Leute sehen schon her . . . nein, sei still, so, setze dich her . . . Wie? Was meinst du? – Ja, den Birkenweg sollst du gehen, und so viele Mädchen . . . sei nur jetzt ruhig . . ."

Stiller ging Weinen, schlief ein, aber der belebte Blick erstarrte, Suchen kam neu, Zweifel, Wissen von Ohnmacht, fruchtlosem Kampf Unbekanntem gegenüber.

‚Ist es wahr, was Arne erzählt? Schrieb ich sie nicht? Im Schlaf? Vielleicht doch? Und soll zahlen dafür? Da-für! Oder Hans...? Wie sollte er...?'

„Wer sagte das mit den Briefen, Arne?"

„Irene."

„Und so viele...?"

„Ja... Sie haben mich gebeten... ich soll heut hinkommen. Ich muß dann auch gehen...!"

„Du sollst hinkommen?"

Sank grübelnd zusammen; – dann ging Licht auf! Wandte das Gesicht, sprach: „ Sieh, Arne, Wahnsinn wäre das gewesen, unbegreiflicher, mit den Briefen... Die ich nicht schrieb! Aber ich will dir es sagen, leise, rück näher: Sie haben gar keine Briefe mehr bekommen, sie wollen dich täuschen..."

„Aber warum?"

„Sie haben dich in Verdacht! Sie wollen sehen, ob du dich nicht verrätst! Deshalb bestellen sie dich auch..."

„Das kann sein. Ist nicht unmöglich. Aber warum mich im Verdacht?"

„Weil du der einzige bist, der noch bleibt. Das heißt natürlich: scheinbar!"

„Aber das geht nicht! Ich im Verdacht! Was soll Irene denken! Ich muß aufklären...!"

„Arne!"

„Ja doch! Natürlich, das ist schlecht. Aber du verstehst, daß auch ich nicht..." Senkte den Blick vor brennender Angstfrage des andern; zuckte die Achseln dann. „Natürlich wird sich ein Weg finden. Ich werde dich schonen, bestimmt. Trotzdem es nicht leicht sein wird."

„Du wirst nichts verraten, nicht wahr. Arne? Auch mich nicht?"

„Nein, nein! Du bist mein Freund, aufrichtig, also . . . nein: ich sage nichts. Ich drehe mich so durch, aber seltsam bleibt es doch, denn . . ."

„Wieso seltsam? Eine Kriegslist . . .! Wir gehen zusammen hin?"

„Ja, jetzt gehen wir beide zusammen . . ."

„Und wir werden ja sehen, wie es wird . . ."

Sprechen . . . sprechen . . . sprechen . . .

Reden polierte Hoffnung noch einmal neu.

72

„Höflich, Arne, verrate dich nicht! Höflich. Höflich. Höflich! Nicht stolz wie sonst!"

„Verraten . . . mich . . .?"

So das Flüstern auf der Treppe, in das Klingelgequäks hinein. War aber höflich nicht: schon, da er mißmutig sich niederließ, ekelnden Blick zu Schaffner schoß, vor Empörung Flammen der Augen, – und nur leicht erhellt war sein Gesicht, als Irene mit Ilse eintrat, Freundinnen, Arm in Arm, suchäugige, zagäugige dann. Zweifende, beide an beiden . . .

(‚Was wird kommen . . .?')

Und da die ersten Worte hinrollten – eifernd üble Ahnungslosigkeit –, fühlte Kai angstvoll das Zittern in diesem, hörte kaum gebändigten Stimmklang in herb geworfenem Zwischenruf: „Weiß ich!"

„Nun ja!"

„Und? He? Und?"

Wuchs da auf in Kai –: duckerig kam Lust, Kopf an Kopf es zu flüstern in horchendes Ohr: ‚Mein Leben reden sie. Kein Wort, das nicht mein Leben meint . . .'

Und gelang doch nicht einmal, den Blick Arnes zu fangen, zu mahnen, so daß Kai die Hände vorschlug, das

Haupt neigte und über sich hinströmen fühlte, immer neu eisig, Fortgang der Worte. Zweifelhaft blieb das Ende doch ... ‚Doch muß Rettung sein, nicht? Es ist unmöglich: jetzt ist noch Hoffnung und eigentlich Gewißheit des Lebens, sicher dem Atemzug ... Zeitliches noch nicht begrenzt. Und nun, plötzlich!, rascher Satz, flackerndes Gefühl, Augenblitz, und abgeschnitten ist alles, dann heißt Leben nur noch Sterbengehen, und die sitzen, stehen, hocken, sind Beichtempfänger geworden? Mir?! Ich auf den Knien? Hier? Schande? Gespei? Nur noch das? Ich *kann* es nicht glauben, mein Leib glaubt's nicht, auch nicht mein Herz. Atmet schon Abgesang? Hoffnung! Freude! Hoffnung! ...

Läßt nicht zuschanden werden, also!'

„Sehr verbunden!" Schütt grinste zurück. „Unwissend jedoch, warum mir die Ehre dieses Berichts."

„Hoffnung – mein lieber Schaffner, jetzt ich! –, daß Sie wüßten, etwa den Schreiber ...?"

Und so harmlos hühnergegackrig, lämmermild, so taubenfromm umhängte der fragende Mutterblick die Stirn Arne Schütts.

„Das ehrt ungemein! Zutrauen, gewiß. Doch habe ich, gewohnheitsmäßig wenigstens nicht, Beziehungen zu solcher Anonymität."

„Aber ... vielleicht ...?" Sie fuchtelte Schaffner zur Ruhe. „Ausnahmsweise? Ein Zufall vielleicht?"

„‚Süße Flöte hinterm Berge', singt so nicht Li Taipe?"

„Ich sage: nein, gnädige Frau, und ..."

„Vielleicht erlauscht ...?"

„... und lausche auch nicht an Wänden, worin ich mich, wie einst Goedeschal mir erzählte, einig mit gnädiger Frau weiß ..."

„Wie ...? Ach so! Gewiß ..."

Und das Gespräch stand, da nun Arne mit kriegerischer Maske steilstumm dasaß, auf Frau Lorenz' Gesicht eben noch blühendes Lächeln von saurer Lauge übergossen hinschwand, Schaffner voll Empörung über schlechte Diplomatie rastlos Verantwortung von den Schultern zum Winkel hinabwarf und die jungen Mädchen betreten, doch unbeteiligt blickten.

Stand das Gespräch, ging nur noch Pendelschlag der Uhr, rastloser Wanderer, unwahrscheinlichem Tode zu. Knackte leise ein Stuhl oder knirschend rieb ein Schuh. Bis Kai entdeckte, daß das Muttergesicht sich umschuf, sonnengleich durchbrach bekannte Härte eine nie gewußte Weichheit; sie, die Gefestigte, ward hilflos, und gefahrvoller nun ist der schwimmende Blick, der Arne trifft, da Stimme, auch unbekannt, spricht: „Verzeihen Sie, Herr Schütt, einer Mutter, die jeden Ausweg sucht..."

„O ja, gewiß..."

„Sie wissen nicht, was das ist, diese Briefe... an sein Kind, die eigene Tochter..."

„Aber ich verstehe..."

„Nein, nein, das können Sie nicht. Diese Qual. Nacht um Nacht. Der Briefträger dann. Und Sie kennen die Briefe nicht, haben nur davon gehört..."

„Freilich..."

(‚Laß dich nicht fangen, Arne! Paß auf! Sei wach!')

„Wäre ein Ende zu sehen, ich würde schweigen, trüge das Letzte, weil es das Letzte eben ist. Doch so, jeden Tag mehr, schlimmere..."

(‚Aber nein...!' Und Kai sah, daß auch jener dessen dachte, daß sie nun log. Briefe beschwor, die nie geschrieben, Spiel bemäntelte...)

So trocken klang es: „So... ja..."

„Aber Sie sollen sie sehen..."

„Nein, wirklich..."

„Doch, nur die letzten..."

„Die letzten...?"

„Die von heute!"
„Von heute!"
Und da es Kai überfiel: Nun kommt es, fühlte er den Blick des Freundes auf dem Gesicht, rufend, fragend, weckend: ‚Tam. Tam. Tam. Kai, was ist das? Tam! Tam! Logst du?'
Zwang, zwang, drückte die Schultern, preßte Wärme zum Gesäß, die *doch* stieg, wellengleich, überpurpurnd die Wange, Schläfen röstend. Sah vor sich, fühlte doch Freundesblick bohren. Zwischen den Zähnen klopfte Stahlfinger: Gefahr! Ende!
Sah: Ilses Hand flatterte vom Tischrand auf, winkte taubengleich mit Flügeln, sank nieder dann, schwer, dem getroffenen Fasan, der klatschend ins Rübenkraut schlägt, gleich. Und sie barg das Gesicht an der Freundin, die Beruhigung streichelte.
„Hier..."
Arne griff zu, faltete auseinander, rasch, fest (‚so anders wie ich damals!'), laut klang das Datum –: „Von gestern also... Kai, von gestern..."
Schwieg jener. (‚Verrückt ist das, fälschen sie Briefe?')
(‚Unschuldig! Unschuldig! Doch verloren...!')
„Aber schrecklich ist das! Hundsgemein! Gnädige Frau, darf ich Sie um einen andern Brief bitten, von vielleicht vor einer Woche...?"
Frageblick, aufgewacht. Harte Mutter ist wieder da, doch immerhin: „Bitte."
„Es ist dieselbe Schrift, Kai, willst du bitte vergleichen..."
(‚Sie schwanken in seiner Hand! Wie aufgeregt er ist. Er glaubt mir nicht! Und auch ich kann nicht verstehen...')
„Gnädige Frau, ich verstehe alles. Ihr Verdacht war berechtigt – ich meine, heißt das, Sie dürfen überall Verdacht haben, so groß ist diese Gemeinheit. Ich habe

hier nichts mehr zu suchen. Guten Abend, gnädige Frau, guten Abend..."

Tür auf. Tür zu. Sie schwiegen, hörten den Schritt auf dem Gang, Tür zu. Fort ist er. Und in Kais Hand schwankt noch das Briefblatt, gleich gehen die Augen ihm zu, gleich wird er entlarvt, gleich – da beginnt Schaffner zu lachen, er krümmt sich, patschig bedröhnen die klumpigen Hände die Schenkel. Speichel tropft er, da die Backen schwellen, Fett das Auge umquillt, stöhnt: „So ein Schauspieler! Gottverdimmich! So ein Schauspieler!"

„Ich bitte Sie sehr, Herr Schaffner! – Verzeih, liebe Irene, er ist dein Freund, aber dies..."

Sah um sich, triumphierend: „Natürlich ist er es..."

Schaffner, noch lachschluchzend: „Natürlich..."

Lotte schrillte: „Er!"

Auch Ilse schob's nicht weg, ihr Blick sagt's ja, beruhigter Freundesblick schon, da er Kai streifte: „Stets glaubte ich dir..."

Und Irene zweifelnd: „Sie meinen...?"

„Versteht sich!"

„Aber das ist doch klar!"

„Aber nein! Irene!"

„Doch wie ist das, Herr Goedeschal? Sie sprach er an... mit der Schrift... was war das...? ‚Gleiche Schrift'?"

Und nun waren sie da, die Augen, strengste Frage.

„Ich... verstand... nicht. Was wollte er?"

„Das fragen wir Sie! Sollten Sie gewußt haben?"

Und da Kais Gesicht tiefer sank, nur die Hand wehte noch müden, hoffnungslosen Protest: „Sie ahnten? Es ehrt Sie: dem Freunde gegenüber. Trotzdem hier... zweifelhaft... immerhin..."

„Doch was geschieht nun?"

„Ich muß gehen, nein, keine Zeit mehr..."

„Ehrt Sie, Herr Goedeschal, ehrt Sie!"

„Auch ich gehe, gnädige Frau, mein Zug fährt um sieben ..."

„Ich begleite dich, Irene ..."

„Schön, Kinder, schön. Also auf Wiedersehen. Dies erledige ich allein mit Schaffner."

73

Stiller Park, dunkelnder. Streicht Wind durch die Wipfel, steht warm doch drunten nebliger Erddampf, feuchtet die Wange und verheißt Schritt um Schritt neuen Trost. Ihre Worte waren hinten geblieben, wo Laternenschein flackerte; nun sang still ihr Gang selbstbesinnende Ruhe, bis es geboren ward, stark und beinahe Frage: „Und ich glaube doch an ihn! Er ist unschuldig! Einen Grund, sagt einen Grund, warum er es tat! – Umsonst... Unschuldig ist er!"

Irene schwieg, und Kai fragte in sich, ob auch sie's nicht merkte, wie umsonst Reden, da Wind vorher wie nun wehte, – Wind, der nichts weiß. Wandern ... Auf unsichtbarem Fluß standen die glostenden Lampenreflexe der Uferpromenade.

Über das Geländer gelehnt, spürten die drei das leise Beben des Kettenbrückchens, lauschten dem endlosen Hingang des Wassers.

Nun klagte Irene: „Sie schweigen, Goedeschal? Schon den ganzen Abend schweigen Sie; doch so verhalten ist das, kein einfaches Stillsein, Protest loht ..."

„Oh ..."

„Schonen Sie den Freund ..."

Und da spürte er es wieder, das leise Prickeln, eine qualmige Süße füllte den Mund dehnend, Speichel lief. Weigerung kam, warnende Lichter blitzte Hirn, doch das

Herz sprang auf, und das erste Wort schon schlug die flehende Hand: „Freund...?!"

Dieses Schweigen marschierte. Sein Rhythmus war das hastige Atmen der Mädchen, wie Angst den Wanderer auf umwaldeter Landstraße nachts hetzt, während – Kai! Oh, Kai! – sinnloser Pan zwischen den Büschen sich gebärdet.

„Freund?"

„Oh, was ist? Sind Sie's nicht?! Sagen Sie... oh, dann wäre ja..."

Und da sie schwieg, sah er's in einer Sekunde, da er das Wehen eines Nebelschleiers liebte. „Der Grund: Ja, der Grund, da ist er!"

Geht weiter! Wo ist Dunkel tief genug, die hastige Röte eurer Wangen zu bergen? Tastend stößt ihr aneinander, ein halblautes Wort, weiter schon, derselbe Weg, dieser gleiche Sand knirscht unter euch, aber weiter seid ihr getrennt, jene: glaubst du noch? diese: nie zweifelte ich an ihm; und er: Liebste, du!

Bis, stehenbleibend, Kai die Hand nach oben hob, wo nicht fern dem Gitterwerk der Kronen endlose Wolkenzüge eilten. Ihre Gesichter, von Mond bestrahlt, erglänzten. So verweilten sie, aneinandergedrängt, stumm hingegeben diesem heroischen Tumult, bis ein eingerissener und dunklerer Fetzen sich vor den Mond schob, dessen Silberschein verblaßte, daß der Glanz der Jagd verging.

Und im Weitergehen sagte Kai dies, leise von sich fort, zerfließend, vielleicht zu sehr, daß er gutmachen wollte durch Weiche: „Die Wolken... so viele Wanderer dort oben schon. Hingegangen. Wie viele hier unten schon, die Gesichter erhoben wie wir! Hingegangen... fort... tot..."

Und Irene da: „Und Kampf? Und Mühe? Und Stolz? Alles umsonst?"

„Umsonst."

Aber plötzlich war Ilses Stimme da, in die Nacht hinaus sprach sie es still und ohne Gewicht wie ein Gebet: „Weil wir alle einmal sterben müssen ..."

Wann, in welcher Stunde hatte sie, über eine Sonnenuhr gebeugt, jene unerbittlichen und wehmütigen Worte gefühlt: „Una ex hisce morieris"? Und im tiefsten getroffen, tastete Kai nach ihrer Hand, er nahm die fremde und abweisende, seine Lippen ließ er über ihr aufbrechen als einen Dank, einen ungestümen Lobgesang, daß sie ihm diesen höchsten Trost der Gleichheit beließ.

„Aber das ist er, jener Tod ... kein Verbrechen, nicht Freude, noch Leid, das uns endgültig erhöbe, entfremde. Am Ende wird alles umsonst gewesen sein, ausgelöscht; am Ende wird dies allein gelten: daß ich sterben mußte. Wie die andern auch – nicht anders, nicht mehr, nicht weniger ..."

74

Haste, Fuß, haste. Treppauf, treppab. Bogengänge, Treppengestiege. Schilder kaum lesbar im Flackerschein. Klingelzug. „Wohnt hier Herr Hans Schirmer? – Nein? Vielen Dank."

Eilig, Kai, eilig! Straßengeblöke wieder, Männergejohle; Purpurflecke in Schwarz, so kreischen die Frauen. Stinkender Torgang. Gas lechzt. Lies!

„Wohnt hier Herr Hans Schirmer? – Nein? Wissen Sie wohl ...?"

Tür klappte. Treppauf, treppab. Augenbrennen. Kniebeben. Müde? Ermattet? – Jene sitzt im Zug. Diese zu Haus –: eile, Kai, eile! Kläre rasch auf, eh es zu spät ... Du mußt noch zu Arne!

Stolperstufen. Muffgeruch, von Zwiebeln durchstunken. Wäsche. Windeln. Kein Licht mehr hier oben, unterm Dach: Sterne stoßen zum Fenster herein –: „Wohnt hier . . .?"

„Hans! Du sollst kommen! Hier ist ein Herr . . ."

Stuhl rückt. Tür geht. Im Blickblitz: Küche, Töpfe, vertalgt, Männer, Weiber, Messergefresse . . .

Schritt schlurft.

„He? Wer ist da?"

„. . . ich, Kai . . ."

„Kai!"

Schritt zurück. Tür wankt unter Griff. Gegneraugen ahnen im Dunkel Gesichter. Atem sägt Speckluft.

(‚Wozu noch fragen? *Er tat es!* Hier, in wüstestem Dreck, bannte er Ilse . . .')

Sah sie Kai so, auf ein Eisenbett gezerrt, dem Stinkenden gesellt, Haarkörper, Nachttopf sichtbar? In den andern Betten Gegrunze, Geseufze, Geschrei, Gegirre?

Er ist die Kette zwischen dem reinlichen Heim und diesem, der noch immer atmet, wortlos, torklig – hastig, wankt – weiß!

Es schlenkert durch Kai, Glieder zucken, straffen sich schon. Hirn sticht mit Messern, hackt Gedanken, da nur Rot noch glüht, stürzt, blüht, Blick blendet . . .

„Du! Du – Briefe? Hier herein sie! Selbst Briefe! Du – sie! Du – sie?!!! – Da! – Und da! – Und da!" – griff längst furchtschlaffen Arm, muskelstärkeren sonst, der nun wie riechend blaugrün verfault zwischen den Fingern zermürbte, Schlag fiel in Gesicht, Schlag in Gesicht, Schlag in Gesicht, das klatschte wie Brei, tropfte, näßte.

Gurgelte jener Schmerz, wortlos. Doch wehrlos – stand hündischer Grinser in Nacht.

Da Kai sich wandte, schleppend den Schritt, Adergehäuse entleert, die Treppen hinabstieg zum Sterngeglänze, Flackergas dann, mündend in Hohlschacht Gasse, achtsam nun besorgt, Steinplatten nur zu treten und Ritzen zu meiden.

Hirn ging und drehte: Nippesgedanken, Bilderchen, süße, Gartenlaube, Daheim ...

Bis sein Schrittrhythmus nicht mehr allein die Nacht in Stücke zerlegte, sondern ein Schatten, an Hauswand gekrümmt, gleich ihm schritt, sanfter nur, und Stimme nun klang: „Kai, hier ... dein Revolver ..."

Und da war es, daß Kai fußgehemmt verharrte, Hand hob auf die Schulter des Hans, schüttelte den, nach rückwärts und vorn, daß sein langhalsiger Kopf dröhnend die Hauswand betanzte – indes Kai lachte und lachte, gellend und kullernd, aus Gefühlbrei heraus, getrieben, achtlos, ahnungslos, sinnlos ...

Bis er weiterging dann, nun den Hals wieder verschnürt und Luft kaum krächzend, – nachtdurch heimwärts, zimmerallein gebannt zu sein, nachtgegeben zu hocken: weil es unmöglich, Arne noch zu erreichen, zu erklären, versichern, daß man schuldlos – wenn nebenbei auch Judas –, da Schirmer ...

Nachtdurch heimwärts ging, indes Stadt von Getriebe brauste und eben vielleicht verräterisches Wort lebenendend unhinderlich einem Munde entfloß ...

Nachtdurch heimwärts getrieben ward zum Bettpfuhl: Lieg wach!

75

Nacht läßt schluchttief ins Nichts stürzen: Kai träumt schwarz. Morgens erwacht: Nacht hat Furcht gefressen. Leichter regen sich Glieder. „Was fürchte ich ...?"

Lämmerwolke am Himmel lockt weißglänzig Hoffnung. „Alles wird gut ... Schulhof ... Hand auf die Schulter dem Arne ... Tiefblick des Freundes: ‚Du hältst aus, nicht?' – ‚Halte aus.' ... Heimgang. Ilse. Ratloses Suchen ein letztes Mal: nichts ... Dann kommt Versanden, Tag stuckert Tag, Alltag, Allermanns-, Allerdings-Tag: wer soll noch suchen?"

Freudige Schleife wippt schmetterlingshaft am Kragen.

Hand auf die Schulter? –: „Arne nicht da? Arne krank! Oder . . .?"

Wieder! Wieder! Wieder beginnt Summen neu, Kopf dröhnt. ‚Arne nicht da? Alles kommt anders, und nur der letzte Punkt . . . bleibt der ?'

„Arnebruder! – Arne?"

„. . . ist krank!"

„Richtig . . .?"

„Richtig! Liegt in der Baba!"

Jungenshand zwängt Kai in seine. „Sag's ihm, Willi, vergiß es nicht! Sag's Arne, daß er nichts tun sollte, *nichts*, ich käme . . ."

Nickt der andre. Kai sieht ihn laufen, haschen, nach dem Ball die Glieder gehetzt. „So klein! So wichtig! Wird er nicht vergessen?"

„Wer widersteht Sonne? Ich nicht. Glanz um Glanz auf mein Haupt, Wärme die Handhaut geleckt, – darf ich nicht froh sein, alles wird gut?"

Langsam doch zieht er Fuß um Fuß treppauf, lange steht er am Schild, blickt: nun kennt er's. Kurze Spanne, seit er zuerst . . .

Klingelschlag. Zögerschritt in Raschelrock, Türloch-Durchguck – welch strenges Auge ! –, langsam weicht das gekehlte Holz: Ilse vor Kai.

Blick . . .

„Gab es je Sonne? Fort von hier, fort! Wieder neu! Nichts ist zu Ende. Nichts endgültig, ehe nicht Kieferngestrüpp mir die Stirn kratzt. Hoffnung? Blöder, fort! Was willst du hier? Fort! Zittre nicht, fort! Achte nicht Ilses, fort! Vier Stufen, fünf Stufen, zehn Stufen auf einmal – fort, nur fort!"

„Komm, Kai . . ."

Steht, blickgefangen. Müde würgt Kehle, die sich dreht; steht; wendet Hand um Hand; fühlt Angst sickern; Ohrgesause; steht; ruhegelüstig, doch gepeitscht; bitterlippig; Hirn brennt Augennerv ab; steht und blickt ...
Mädchenblick, Liebesblick, Trauerblick ...
„Komm, Kai ..."

Zimmer, leer. Setzt sich. Sie raschelt hinter ihm. Kai starr vor sich.
„Was kommt ...?"
„Ende! Nur Ende!"
Plötzlich schwillt seine Zunge, gleich gepreßtem Schwamm tropft der Gaumen, Achselhöhlen triefen, perlig kitzelt Feuchte die Kehle der Knie und in den Augen drängt es, erweiternd – kommen Tränen? -, da tiefgesogener Atem die Brust hebt, die Gurgel stößt und wie Seufzer nun ist, lautloser, den die weichenden Lippen entstreichen lassen –
Doch kühlende Binde gleitet von hinten über glühende Stirn, brennende Augen; jungmädchenweicher Handgriff schließt Welt ab, und wie Regen, kühlender Regen, dringt ihr Schmiegen an sein Hirn, sein Herz; lösend, wortlos Krampfiges lösend ...
„Heimkehr verlorenen Sohns? – Stummes Verzeihen Allwissender? – Ahnung nur?"
Ruhe gleitet in ihn, kein Wort, Ruhe ...
„... wenn so Ende wäre ..."

76

Tür ging – Stimmen!
Handdruck brach ab, auffahrend sah Kai sie kommen, holzgesichtig, feierlich, steifstengligen Blumen gleich, Hals ohne Gelenk.

„Sieh da, Goedeschal!" Über die Schulter: „Wie ich Ihnen sagte, Schaffner..."

Ilse fort, weit weg, bleich ihr Gesicht.

Setzen.

Stille.

Und nicht zu drehen wagte Kai die Hand, nicht sie zu schaben am Stoff, die brennende, – sah steil vor sich, Blickmißgunst aufs Gesicht gesetzt wie zerkratzte Pickel, wartete, da lauter schwoll und lauter Ansturm des Herzens, dröhnender, wie Stürzen von Wogen, in den Ohren donnernd, ersäufend. „Nun kommt es!"

Stille. Schweigen. Kein Wort. Nicht ein Wort. Kein Glied raschelt.

„Gehen Sie, Herr Goedeschal, gehen Sie schnell." Und „Gehen" ist weich und „Schnell" ist Drohung, und Mutterblick brennt im Aufschrei Mal auf die Stirn, und Zuck rafft Kais Leib: Fort! Fort!

Und die Tür ist da und gangbar nun, und Denken geht nicht, und Sinken wallt breit und bleibt und bleibt und bleibt, da er murmelt: „Nein, den andern Weg... den *andern* Weg..."

„Was sagten Sie? Nichts? Aber wir! Aber viel! Sie konnten gehen, Sie haben nicht gewollt und nun..."

Peitscht Reue? Tür ist zu. Ja, nun möchte er fort sein, wie wieder schon Stille geht, atemgehackte nun, voll Speichelschlucken. Lippen formen Worte. Kleine Gesten fallen zwischen rasch gespreizten Fingern durch den Boden. Köpfe zucken gegen Kragengehäuse. Möchte fort, nun. Sitzt. Möchte grinsen wenigstens, buddhagleich. Doch bohrt Schmerz dumpf.

Versagender Atem: „Sie... Schaffner... kann nicht..."

Ilse spricht klein, wie Furcht im Traum zagt: „Darf ich nicht gehen, Mama?"

„Bleibst! – Los, Schaffner, los!"

(‚Ilse will fort von mir! Ja, laßt Ende sein!')

Und als er auf den Tisch blickt, ist der Briefpack wieder da, überlegt von der Hand Schaffners, die sich weich darum krümmt, und das Fingergegehe nun ist's, das ihm mit Blick Seele fängt, das Straffen, das Spannen, das Tanzen, Abstoßen, Trommeln, dieses wichtige und stumpfe Gehabe ist's, das über den Worten tanzt, die nun rauh und kratzend kommen:

„Herr Goedeschal! Nochmalige Durchsicht der Briefe, eindringende Überlegung stellten es endgültig fest: Sie: ihr Schreiber! Endgültig: Sie! Und bestätigt ist dies durch Herrn Schütt, der brieflich Fräulein Irene sagte, er kenne den Schreiber der Briefe: Sie seien's!"

(‚So, da hast du das Ende, Kai! Die Finger haben sich zur Ruhe gelegt, glatt; zwei Nägel sind schwarz.')

Und Kai schweigt.

„Herr Goedeschal, Ihr Schweigen soll eine Zustimmung sein, nicht? Eingeständnis?"

Da fliegt es in Kai: ‚Diese hier? Hier Gestehen? Hier Reue, Tränen, Strafe? Hier Ende? Von diesen ausgepflückt? Diesen das Recht, mich zu verhöhnen? Nein, o nein!'

Und er ist da, ganz ist er da, seine Gebärde fliegt, Rettung, nur Rettung heißt die Gebärde: gutmachen. Und er steht, seine Stimme geht eilig, seine Worte stoßen sich. Und er ward zwei, ward zwei, deren der eine heidinnen ein Ende macht, stilles, sternengenähertes; anderer aber Weg erkämpft dahin . . .

(‚Sallust! Catilina! Morgengrauen! O aschegraues Morgendämmern!')

„Mein Schweigen: Verwunderung, Verblüffung, ja. Waren Sie's nicht, Werter, der, nicht vierundzwanzig Stunden sind's, hier sagte: er ist's! – und meinten Schütt? Sind Sie so leicht belehrbar oder so tief in Überzeugung verankert, daß Entschuldigungswort des Schütt an sein

Mädchen Ihnen sattsam Entlastung erscheint? Und, glauben Sie denn ..."

Goß Worte, kämpfte noch einmal, füllte das Zimmer übervoll mit den Gesten seines Lebens, ermattete nicht, zuckte immer von neuem, wurde nicht Strecke, Halali drüber zu blasen von diesen ...

Wußte Ende drinnen, glaubte drinnen Ende nicht, leugnete Ende – warf Arm und Hand, ihre starrenden Augen mied sein Blick nicht mehr. „Liebe" sagte er Ilse; „du irrst" zu der Mutter, „Wertester, Allerwertester" zu Schaffner; wollte nicht enden, da nun, redend, er doch noch war, war, war, während dem Schweigenden gleich Schirmergeschichte, ohne Namen wohl, genügend doch, ins Gesicht geschleudert sein mochte, hatte Arne gesprochen; und dann Hinsturz doch, Reue, Rückgrat zerknackt, gieriges Zangengekneife von Bittermund.

„... und – kommen Sie doch, ich scheue es nicht, kommen Sie doch mit zu Schütt! Reden Sie mit ihm! Hören Sie doch, was er sagt! Kommen Sie, he, ich bin bereit!"

Und ließ den Arm fallen, sah starr vor sich, da in das Verstummen hinein, in die einbrechende Stille aller Atem wie Wasser floß und die Blicke zaudernd wurden, von allen die Blicke zögerten ...

Und endlich die Mutter: „Gehen Sie, Herr Schaffner, daß einmal Ende wird."

Ging. Drückte Ilses Hand, mutsicher, daß zages Lächeln glomm und ihr Blick ihm dankte. Trat vor Frau Lorenz: „Gnädige Frau ...?"

Und als sie nicht zuckte, nicht die Hand zum Gruß hob, zwang er auch sie, Stärke strahlte er aus:

„Auf Wiedersehen, gnädige Frau!"

„Auf Wiedersehen, Herr Goedeschal."

Drinnen schrie's: „Nie!"

Diese dunkle Treppe, breit, flachstufig, ist Kai oft gestiegen, bitter im Herzen, weil er schwächer war als Arne um größerer Liebe willen. ‚Wie viel Vernachlässigung! Wie oft Verabredung von jenem versäumt! Nun wird er's gutmachen, auf einen Strich alles, und ich werde ihm ganz gehören, da er mich neu leben läßt. Rasches Wort, ehe Schaffner spricht, geflüstert...'

„Noch eine Treppe, Herr Schaffner. Ganz unterm Dach. Köstlicher Blick!"

Lacht, ärgert sich dessen, und das Dienstmädchen sagt: „Herr Arne? Ist da. Bitte sehr."

Hat gehofft! Weiß: hat gehofft: Arne nicht da! Nun doch! Und so schnell ist Schaffner dem Mantel entschlüpft, Möglichkeit nicht, vorauszuhuschen ins Zimmer, rettendes Flüsterwort...

„Ah, guten Tag, Herr Schaffner! Guten Tag, Kai!"

Händedruck. Besinnlich liegt in den Kissen das Haupt, Stirne glatt, und nun sinken die Lider, da Schaffner spricht: „Verzeihen Sie diesen Besuch. Umstände..."

Handbewegung.

„Herr Schütt! Ja oder Nein meiner folgenden Frage! Ihr heiliges Ehrenwort bürgt mir...?"

Und kaum merklich senkt Arne die Stirn.

„Ich danke Ihnen. - Herr Schütt! Im Namen der schwergetroffenen Familie Lorenz frage ich Sie hierdurch: kennnen Sie den Schreiber der anonymen Briefe?"

Schweigen.

Und ihm enthebt Kai hinter dem Rücken Schaffners hervor sein Antlitz, wirft es auf Arne, äußerstes Flehen, was Natur gab, verkrampft: Leben, Sonne, Tod, Kampf, Reue, Bitten, Demut - stürzt sich ihm zu, lippenbebend:

„... Arne...!... Arne!'

„Herr Schaffner! Nein!"

Das ist Einsinken, Vollwerden, Ruhegang; auch Jasmin, sommers.

Fällt zusammen.

„Guten Abend, Herr Schütt. Guten Abend, Herr Goedeschal. Das weitere ..."

Und nun die Tür und die andere Tür und jetzt Regung, Hinsturz, Dank, Schluchzen, Hand gefeuchtet.

„Arne ... Arne ..."

Und er: „Schwein hast du gehabt, Kai, maßloses Schwein! *Schreiber* der Briefe? Kenne ich nicht! Hätte er anders gefragt, so hätte ich ..."

Blick Kais starrt ...

„... hätte gemußt! Heiliges Ehrenwort!"

78

„Könnte ich schlafen!"

Hob aus den Kissen den Kopf, lauschte: Schritt schien zu sein noch draußen, tastender. Stimmen? Nein, nichts, nur Raschelgeräusch von Mäusen oder ein Stuhl knackte, ein Tisch ...

Sank zurück, ging wieder alten Weg: Rettung – Arne – Verrat – Brief – Schirmer –.

„Am Ende ist's gleich, warum Arne verneinte: ich bin gerettet!"

Strich ein Streichholz: kaum weiter die Zeiger.

„Wär es erst Morgen. Ich bin ja gerettet, nur die Nacht noch ist schlecht ..."

Ruhte sich ein, – doch ein Ratloses schien die Glieder zu durchlaufen, so zuckten sie in den Laken. Brannten die Schläfen, riß Eis Risse am Fuß, erstarrte die Finger.

„Ein Ende ...!"

Tastete sich hoch, lief im Dunkel. Lauschte zum Bruder, nebenan in der Stube. Zu ihm: „Kurt ...?"

„... was ... was ist ...? Schlafen ..."
Stille. Rastatem. Ruhe.
Lesen? Licht brannte. Seite glitt um. – „Und Arne?" –
Ertappte sich, stellte den Band zurück, ordnete ...
„Ein Ende ...!"
Riß das Tagebuch aus der Lade, schrieb: „Endlich gerettet. Beruhigung bringt auch jenen morgiger Tag ohne Briefe ..."
Wußte: *es war so!* Schrieb nicht mehr. Blätterte. Fing Worte, hie und da: „Habe ich sie einmal geliebt? Nie ...?"
Am Fenster. Kaum sah er die Büsche des Platzes. Nässe troff. Die Schuppen standen, körperlos. Wollte weinen, zwang sich, ein Tuch –: konnte es nicht ...
„Ein Ende ...!"
Und stand heiß, flammend vor dem Gedanken ... Fluchteilig hob er den Fuß, doch verharrte ... Sann tief, anderes. Rückgekehrt sah er ihn lockend wie vorher; wurde schwer plötzlich, taumelig, griff zum Sesselrand.
„Ich tue es!"
„Nein!"
„Sonst nimmt Nacht nie Ende."
„Nein, darfst nicht ..."
„Tue es ..."
Dachte: „Komödie, das!" – stürzte zum Spiegel, wollte letzten Glanz dessen im Antlitz fangen: nichts! Sah einen Grämlichen nur, mit hohlen Wangen, die Augen umschattet –: wie sonst!
Zwang sich ins Bett. Wieder hinaus glitt er. Türhebel in der Hand. Lauschend. Frostbebend überschlich er den Vorplatz.
„Kammertür knarrt nicht, weiß ich. Klinke nur knackt."
Stand drinnen, so bekannter Duft wie in tausend Träumen gerochen, Atemlied auch wie damals. Und nun: „Näher, Kai!"

Hörte sich selbst nicht. Ahnte das Bett. Näher noch. Atem jener strich hastiger, schien es? – „Unmöglich, nicht wahr? Ich kam so leise . . ."

Näher! – Ist Nacht noch zu lang? – Geschwelle war dort, streckte die Hand – und fühlte sie ergriffen, sich hingerissen! Jubellaut: „Hab ich dich, Kai!"

In die Kissen gezerrt. Ertrank in der Laue. Fleisch. Tuch um sich, das stürmender Griff knirschend zerriß. Gegirre. Fleisch an Fleisch und Widerstreben so sehr und leises Flehen, daß die Eltern nichts hören . . . Aufbäumen dann, da Hand dorthin tastet . . .

Schmeichelworte. Koserei. Zärtelreden. „Lieber Kai, du! Endlich, Liebster!"

Rot kreiste sein Hirn. In den Augen tanzten farbige Flecken. Wand Arm kämpfend um Arm. Stemmte Leib ab. Keuchte, halb frei, liegend am Boden halb, schon bezwungen in Kissen, hingegeben . . .

Als ihm der Gedanke kam, dies zu genießen mit Willen, an die stürmenden Brüste zu sinken, es kennenzulernen, endlich auch Letztes mit Bewegung und Stellung zu wissen. Schmeichelte wider, glitt zwischen Kissen zurück, senkte Mund auf Mund, halb ekelnd doch, da Atem jener schmeckte; kämpfte das nieder, willig, und – Seufzer! – fand – – – fand . . .

war beinahe Verströmen . . . beinahe eingegossen in sie . . . fast schon Besiegter . . . und ferne das kleine schuljüngische Gehabe mit Briefen und kußfremden Mädchen . . . fast, beinahe . . . fast . . .

Als es ihn aufriß! Hochzuckte! Ganz steil werden ließ! Worte nicht achtend, zur Tür. Taumelnd – Mondstrich auf der Diele. – Locken, Lockruf, süßer. Haar über seine Hand geschmiegt. Doch weg!

Treppab, tiefer, kellerwärts. Zurück noch einmal! Licht! („Hatte jene nun oben verzichtet?") Flackerschein – kennst du die Stube?

„Dort im Winkel lag Hans. Nun aus dem andern dein Rad! Rüste es nur zur Fahrt! Zum Kieferngekuschel, das ist dein Ende, du weißt es, hast es von je gewußt. So wird es gut, nicht anders. - Die Pneumatiks, pumpe sie auf. Sieh gut alles nach ..."

„Du hast keinen Revolver? Wozu denn? Zu laut! Dort die Wäscheleine ... mach ein Paket! An die Lenkstange damit! Und nun ..."

„Warum weinst du? Dein junges Leben? Sentimentaler! Stets hast du dies gewußt. Wozu noch dich wehren?"

„Immer! Hocke dich in den Winkel. Weine nur ..., morgen ist Ende und die ersehnte Ruhe da."

„Du denkst an Hans, deinen Hasen? Auch er starb, siehst du. Das ist leicht, vergißt sich so schnell ... ganz leicht ..."

79

Nun ist es Morgen. Über das Pflaster treiben die Füße vieler Geschäftigen, und der allein ruhend rastet im Treiben, ist Kai. Ruhefuß wohl - zuckt auch Eifer unruhvoll Sehnenstrang in der Wade - Ruhefuß wohl, aber kein Ruheherz, kein Ruheblick - nein! -, der stürzt, fängt, prüft, irrt, brennt ...

Bis endlich zögernd die Tür sich auftut und dunkler Torgang sie entläßt: Ilse. Da steht sie, in das Bogenschwingen gesetzt als ein stiller Engel, unter dem Arm die kleine Mappe, und die Rechte führt sie hinten zum Haar, drückt den Hut in das Bauschige und zögert, ins Rieselnaß zu treten, ins Schlackerwetter, zögert ...

Zögerst auch du, Kai? Hebe den Fuß! An ihre Seite!

Das Gesicht unter den breitrandigen Hut zu ihr gehoben, sage dann rettend Erdachtes: deine ganze Liebe, die alles ausgleichen muß. Alles wird verzeihlich. Nicht nur Scham wird die Röte ihrer Wangen sein, denkt sie an Sätze wie diesen: „Man sah die Hand des Schülers Goedeschal, die im Rock Ihrer Tochter schaffte . . ." -, denkt sie solchen Satzes, ist sie errötet auch vor dem Sehnsuchtsglanz, der selbst hier leuchtet. Sehnsuchtsglanz deiner Liebe – und sie verzeiht!

Hofftest du nicht so ums Morgengrauen?

Aber sie geht schon, treibt schon zwischen den andern, und sieht man sie so von hinten, in Schatten der Menschen und Häuser, in Türwinkel geborgen und schnell dann wieder dem schwankenden Hute nachgehetzt, – sieht man sie so, ist kaum zu begreifen, daß sie all den andern nicht ähnelt und daß sie allein dir voll Schicksal birst. Doch du wirst es wenden, wirst es beschwören, nun an ihre Seite huschend, Kai!

Aber er zögert. Gedankengetriebe – schlammgelber Mühlstrom, wehrüberwärts brausend – hemmt Tat. Gleitet nur nach, hofft sich stark und tut nichts . . . nichts . . ., bis sie neu in einer Haustür verschwindet, ganz fortgenommen und ausgelöscht ist und Straßenlärm, Übersturz siebenter Sturmwelle gleich, mit dem Entschwinden ihres Flatterrocks aufbrandet und schreit, da noch eben äußerste Stille den fernen Verfolger hören ließ, wie ihr Schuh am Pflaster strich.

Wieder heißt es: warten. Hinter die Anschlagsäule geschmiegt, sieht er Kommen vieler Mädchen in dies Haus, erinnert sich: „Schneiderstunde!" -, wartet, und nun endlich steht die Tür still, und da er meint: „Bald kommt sie!", sind kaum Minuten vergangen, kaum zählbare Zeit, so wenig.

Aber die Welt hielt an, sie ruht rastend, und auch Kai ist nicht mehr als ein Wartestück noch, dem Pfahl vergleichbar der Laterne oder dem Stein im Pflaster, so zeitlos und gänzlich von Schicksal gesättigt. Steht, läßt Menschen verstreichen, steht, fühlt kaum schlummerhaftes Regen im Hirn und ist schwer voll Blei bis in jede Zelle hinein, die äußerste noch ...

Ging Zeit? Kam Mensch? Wandelte sich etwas?

Sieht dort den andern, Arne, offen am Haustor, schlendern dann, fuchteln mit dem Stock, die Uhr befragen und wieder schlendern, wie gähnend, und wieder schlendern und nun in ein Schaufenster blicken und schlendern. Denn so vieler Gedanken voll ist jener, so treibend, buntfleckig, aus tausend Fetzen Lust und Wonne gefügt; da in Kai allein doch – nun weiß er's wieder, aber als ein Stilles, Unabänderliches, in Nichts klagbar –, da in Kai allein doch jenes hinten aufgebaut ist: rötlicher Stamm, ragender, Astansatz, Himmel, Weg dorthin, Strick – weniges, *eines* alles dies, restlos gelöst mit Divisor Ruhe: oder Beschluß ...

Und tiefer tritt Kai zurück, späht kaum noch, wartend, da nichts mehr ihm entrinnt – und sieht plötzlich Überströmen der Straße von Mädchengestalten, Bunt von Hüten, in Schirmhöhlen gehegt, und nun auch die drei, Arne inmitten, wandelnd, hierhin, dorthin, gestenlos, Köpfe gesenkt, und ahnt Worte, Worte ...

... endgültige, endlich, denen er den Kopf neigt; und ist da Gefühl, ist's Leichte, wie ein Flügelzuck, wie ein Augenblinzeln.

Bis er schreckhaft zurückfährt, da sie an ihm vorbeistreicht, eine Blickblinde, tränentropfende Weißgesichtige, so geschäftiger Finger Besitzerin, und zitternd noch im Schuh, meint er, zitternd noch im Schuh ...

Eine Fremde jedenfalls, ausgelöst aus seinem Leben, ohne jeden Belang.

Schleicht wieder jenen nach, den beiden nun, Arne, Irene, überquert Plätze, versinkt in Gassengemenge, landet ins Freie, steht am Bahnhof und wartet, ohne Gewicht, wartet...

Bis Arne kommt. Allein. So lustvoll männlicher Schritt, in den Hüften gewiegt, den Nacken steif und das Kinn hoch, so funkeläugig von Springleben, Blutfrische – und nun doch so sehnenzerschnitten, so gelöst, so gesackt, so nichts, da die Frage ihn anspringt, über die Schulter von hinten, nein, nicht springt, gegangen kommt, wie ein Wanderer endlich Hoffstätte betritt: „Nicht, Arne, du hast ihnen alles gesagt?"

„Kai...! Kai... ich..." Und der Blick schon gesteht. Hindernis gibt es nun nicht mehr und kein Mißverständnis vor diesem dort hinten, so genau jetzt gekannt: Ast... Strick... Hals...

Und haßt sich der Kai, da er doch noch sagt zu jenem Verwirrten, Zerbrochenen, Nachduft der Ruhmbeutelei von einst, irgendwie sagt: „Siehst du, nun kann ich mich er - - - schießen... endlich Ruhe... Dank..."

Haßt sich, weil das Lüge ist, jedes Wort ein Zuviel, jeder Laut ein Fleck auf diesem Tod, der sonst rein wäre, ganz rein...

Steht auf der Plattform schon der Tram, treibt fort, sieht die Geste jenes noch, die beschwörende, die flehende, und ist allein wieder mit dem, was kommt, und liebt nichts mehr und wurde leicht...

Da er nun heimfährt, letztes Mal, das Rad zu holen, und dann weg zu sein für immer, einfach nicht mehr da zu sein...

80

Stand, sah um sich, hob das Rad auf die Schulter, sprach: „Bereit."

Zögerte doch. Lauschte dem Tackeschritt über seinem Kopf, dachte. Lauschte: es ging und ging jener, der Vater,

Wege des Denkens, Wege der Liebe vielleicht. Und in staubige Kelleröde, mattmüdes Herz stellte der tackende Schritt dies Gesicht: blaß, Sorgenfalten, Augen, tief, voller Liebe; Augen wie Strom und Feld, Augen wie Welt ...

„Liebe wohl, die nicht trifft, die vorbeischießt: Liebe doch ..."

Schien da unmöglich zu gehen ohne ein Wort diesem Liebenden, setzte es nieder wieder, das Rad, tastete wie träumend sich aufwärts, und stumm murmelnd formten die Lippen schon den Brief, der erklärte.

Saß, grübelte, setzte an, schrieb ...

Hand sank ihm doch wieder fort: „Nein, keine Erklärung. Nur von der Liebe zu sprechen, von Leiden, von Abschied ..."

Nun schrieb er hastend, und der Geruch der Weite war's, diese sommers gerochenen Nadelholzdüfte, Wandeln der Straße ins Horizont, das doch über all dies erhöht stand. Nichts zu erklären, kein Mittel zu bessern, keine Einkehr zur Ruhe als dies.

Und da er den Brief verschloß, sprach Pflicht auch von jener Gekränkten, Ilse, und wieder schrieb er und schrieb ...

Schrieb ... schrieb ..., bis die Tür aufging ... und der Umfahrende ihn sah: Arne!

Schrie: „Geh! Geh! Laß mich in Ruhe *nur* jetzt ...!"

Stand am Fenster, hastig atmend, und das Gesicht bedrängt von Angst; doch, Arne, weich, beschwörend, trat näher, sprach vieles, Worte nur, Kai haschte kaum Sinn: „Sterben unmöglich, unnütz ... alles verzeihlich ... meine Mutter weiß nun ... sie sitzt unten bei deinen Eltern ... bereitet vor ..."

Da schrie Kai!

Und sein Schrei war's, der die Glieder ihm weckte. Brach an jenem vorbei, riß die obere Tür, die nie benützte, sich auf, stand an der Treppe, hörte hinter sich Ruf: „Herr Staatsrat! Herr Staatsrat!"

Sprang abwärts: Freiheit! Straße nur! – bog ums Geländer –.

Da stand der Vater, breitend die Arme, hob das Gesicht zu ihm auf und wortlos die Augen auf ihn – stand, Arme gebreitet, wortlos die Augen auf ihn –.

„Vorbei!" schrie es. „Kraft ..."

Aber er konnte nicht, stürzte hin, Weinen brach aus ihm, ein endloser Fluß; lag verkrümmt; Menschen; ward gehoben; hörte den Mutterschrei: „Nehmt ihm doch nur den Revolver! Den Revolver!"

Da fraß ihn Bitterkeit vom Scheitel zur Zehe: Haß. Lachen. Gemeinheit. Fremdtum dieser. („Revolver! Revolver!")

Und fühlte in diesem Schrei: nichts sei zu Ende, alles wie je: Liebe, Haß, Einsamkeit, Qual; alles neu zu beginnen ...

Und weinte. Und weinte.

Anton und Gerda

Erstes Buch

Warum müssen Hunde nachmittags bellen?

Der mittellose, etwa dreißigjährige Dichter Anton Färber, der bei Freunden auf dem Lande lebte, hatte sich soeben zum Nachmittagsschlaf auf sein Bett gelegt, als das jaulende Lärmen der Hofhunde ihn mit einer Verwünschung hochfahren ließ. Kurzsichtig – das Glas lag neben ihm auf dem Stuhle – blinzelte er zum Fenster, pfiff einige Male gellend und ließ den Kopf wieder zwischen die Kissen fallen, mit einem Aufatmen in der plötzlich stark rauschenden Stille. Die Augenlider glitten kühl herab, der Mund öffnete sich ein wenig, die Glieder ruhten tiefer in den Polstern, und sacht verschwimmende Bilder flossen im Hirn –, als das Jaulen neu einsetzte und Färber vollwach auffuhr.

„Auf dem Lande kommen die Tiere vor den Menschen, also, da sich das Viehzeug, scheint's, nicht beruhigen will, geh ich ein wenig spazieren –?

Ans Meer –?

Ans Meer!"

Spazierwandeln. Anfang

An der Gartenpforte zögerte er, öffnete sie, trat ein, und zwischen Gemüsebeeten hindurch ging er den überrasten Gang abwärts, bis dahin, wo er sich im Gewucher von Haseln, Schneeballstrauch, Holunder und anderm Wildgewächs verlor. Hier setzte er sich auf eine Bank und sann vor sich. Seine Hand tastete spielend nach manchem Zweig, riß ihn ab, entblätterte ihn. Er kaute darauf. Dann waren rote Beeren da, und er freute sich an ihnen. Seine Stirn runzelte sich unwillig. „Ich muß gehen", murmelte er und gab sich einen Ruck. Aber er war so müde. Er lehnte sich zurück, ein bitterer Geschmack zog im Munde herum. Noch mehr Zweige, noch mehr Blätter, noch mehr Gekäu. Was sollte das? Die reine Spielerei.

„Nein, ich muß gehen."

Dann war ihm, als kläfften die Hunde wieder, aber so fern, so fern ...

Dann ...

Und nun ging er wirklich.

Spazierwandeln. (Fortgesetzt)

Seit die letzten Hocken eingefahren sind, ist die Landschaft weit geworden, ausgeräumt. Die verstreuten Höfe liegen endlos voneinander entfernt, jeder in seinem windbewegten Baumhorst von einer Eigenschicht durchsonnter Luft umgeben, und der dunkle Waldstreif am Horizont wird durch die Landweite der geschälten Felder und die Wolkenballungen über den Wipfeln niedrig und weltenfern gemacht.

„Vielleicht wird es schon dunkeln, wenn ich an den Strand komme. Am Rand der Dünen auf der König-Lear-Heide will ich liegen", beschloß Färber, der rasch querfeldein ging.

Kein Mensch begegnete ihm. Der Wind blies ihm das beruhigt tiefe Summen vieler Dreschmaschinen bald nah, bald fern ins Ohr, er hatte den kleinen Hundsärger vergessen und pfiff munter vor sich hin. Nun war der Wellenschlag zu hören, allein, dann vermischt mit dem Brausen der Baumkronen, dann dieses wieder für sich, und nun ging er schon auf der schmalen Waldschneise.

Als er auf die Heide trat, die mit Wacholder und Kiefernkuscheln über scharfem Gras und holzigem Erikakraut bestanden war, tat Färber etwas Seltsames, etwas, das er noch nie getan, das er noch nie zu tun gedacht hatte, und nun schien es ihm das Selbstverständlichste von der Welt.

Zuerst wandte er sich landein, dorthin, wo er den Freundeshof vermutete, verbeugte sich dreimal und sagte ein erstes, ein zweites, das dritte Mal: „Ade derweilen."

Nun zu der Sonne, halblinks über den Dünenkuppen, gewandt tat er gleiches, sprach: „Hinfüro nicht mehr."

Doch dem blassen Mond im Blau knickste er rasch und schnippisch zu: „Nun grade! Nun grad doch! Nun grade!"

Und tief salaamte er das hör-, doch nicht sichtbare Meer an, indem er rieselnden Klingsand über die rechte Schulter warf: „Sei günstig, Grünes. Schläfre ein, Wechselndes. Und noch einmal. Aber das vierte gegen die Hexe zählt nicht -"

Schwer. Schwer

„Ich bin wohl albern geworden!"

Färber warf sich stöhnend herum, blinzelte kurzsichtig, fuhr fort im . . .

Fortsetzung

Im Erheben aus der Beugung des letzten Grußes stand er eine Weile, nicht denkend, nein, nur wie wartend, und die erwartete Intuition kam: er ging rasch auf einen Wacholder zu, beugte sich, scharrte ein wenig

Sand von den Wurzeln, hob ein leinenes Beutelchen aus der Erde und hielt's, ohne es zu betrachten, in der hohlen Hand.

Kam auf die Düne, sah das Meer, dem die Sonne näher sank, warf sich auf den Rücken, und nun, umweht vom Wind, angetan vom Branden, Zischen, Steinmahlen der Wellen, gepeitscht das Blut von manchem Möwenschrei, legte er das Säckchen auf die Stirn.

Zuerst war's kühl, dann liefen warme Schlänglein in die Schläfen, um das Haupt, sie verknoteten sich zum Kranze, verkürzten sich zu schädelsprengendem Knebel – ihm war, als würfe er sich hoch, brülle diesen rasenden, unerträglichen Schmerz mit äußerstem Willen aufs Meer; doch nun schien ihm Zurücksinken richtig, Erschlaffen, Ausbreiten des Leibes ... Die Wellen trugen keinen Schaum mehr, eine endlose tiefblaue Dünung, in der er trieb, ein Ertrunkener, Salz auf den Lippen, die Augen wie einer Pflanze Poren aufgetan, atmend ... trieb, trieb in der Dünung ... einmal noch würgte Ekel, schmeckte bitter ... und im Hirn des Ertrunkenen wacht ein Traum auf, regt sich wie ein Kind im Schlaf, wacht auf ein Traum ...

Mulus in jedem Belang

Auf dem Hof des Pennals promenieren mit Toni die drei andern von der mündlichen Prüfung Befreiten. Sie spähen zu den Fenstern empor, horchen, wiederholen noch einmal die gleichen Bedenken: „Schiffmann wird schwer vor den Wind kommen."

„Ich glaube nicht einmal. Aber Matz hat eine Pieke auf Tümmel, und will solch Aas etwas finden, dann ..."

„Matze ist Spiel."

„Jedoch erst der köstliche Knorpelhahn ..."

Törichtes Geschwätz, aufgeplustertes Zeug. Ein reines Garnichts! Standpunkte von Achtzehnjährigen? Sie können nicht Weizen und Hafer unterscheiden, wissen kaum, was ein Wallach ist, aber sie reden in ihrer Schülersprache herrlich über die Außenseite der Lehrer und dünken sich welterfahren, weil sie die Versmaße Horazischer Oden auswendig lernten. Menschen? Hungrige Hirne, mit Schleckerei gefüttert, schlaff gemacht.

Hoffmann meinte: „Wir sind durch. Laßt also heute endlich dies Pennälergeschwafel. Sagt lieber, wer kneipt in der Union mit -? Es werden Studenten dort sein."

„Ich."

„Und feste! Ich!"

„Und ich!"

„Also wir vier sämtlich. Sagt aber den andern nichts, ich will selber sehen ... Alle Saubande braucht nicht gerade dabei zu sein -"

Eine Tür krachte, auf der Treppe jagten Schritte, einzelne, mehr, Gehaste ... die Köpfe fuhren herum ... und in ihren Kreis sauste ein langer Bebrillter mit dem Schrei: „Alle durch!"

Die Herde folgte, man schrie, lachte, rote Mützen wirbelten in der Luft, Hände wurden geschüttelt, einer trocknete sich die Stirn, ein anderer: „Au wei, das hat noch gut gegangen!"

Unterdes abseits verhandelten Toni und Arne: „Ehrenwort! Ich hab ihm versprochen, in der Union ..."

„Immerhin. Aber um elf treffen wir uns am Hopfenmarkt. Ich habe einen großen Zug vor. Endlich -"

„Aber das kostet Geld -?"

„Meine Sache, Kleinchen. Ich zeige dir Rostock bei Nacht, wie ..."

„Geschenkt! Geschenkt! Also um elf."

„Beim großen Zeus, ich werde pünktlich sein."

Trautes Heim – Glück alleim

Abendessen bei Oberlehrer Färber. Herr Oberlehrer nebst Gattin. Der einzige Sohn: Toni.

Gattin: Und du willst wirklich heute nacht noch fort, Tonerl? Kannst du das nicht bei Tage –?

Anton: Ausgeschlossen, Mutti. Und übrigens ist sieben Uhr abends noch nicht Nacht.

Oberlehrer: Laß ihn doch, Altchen. Heute als Mulus! Summa cum laude!! Primus omnium! Junge, daß ich die Freude erleben durfte –! Komm, gib mir einen Männerkuß!

Anton: Gerne, Papa.

Gattin: Bitte, ich auch, Tonerl. – Ich glaube, du mußt wirklich bald anfangen, dich zu rasieren.

Anton: Das hat noch Zeit, Mutti.

Oberlehrer: Was werdet ihr singen, heut abend? Denk an meinen Leibkantus, laß ihn steigen:

> Komm mit aufs Forum . . .!

> Ahnst du voll Wonne,
> Was uns am Pippusbogen winkt,
> Während die Sonne
> Lodernd versinkt?

> . . . Venus, die Fee, um . . .

Gattin: Aber, Mann, was soll der Junge . . .

Oberlehrer: Laß, Altchen, laß. Der Junge ist nun doch fast erwachsen, bezieht die Universität. Da können wir ihn nicht mehr vor jedem rauhen Wort behüten. Aber die rechten Grundsätze hat er mitbekommen auf den Weg.

Gattin: Bleibe rein, Junge.

Oberlehrer: Und fromm.

Gattin: Liebe guter Junge, bleib, der du bist.
Oberlehrer: Und: wenn dich die bösen Buben –
Anton: Weiß schon. – Also denn, liebe Altchen ...
Gattin: Komm nicht so spät wieder, Tonerl!

Vollkommen unverständlich

Vorplatz bei Oberlehrers, kaum von einer Sparlampe erhellt. Anton kommt aus seinem Zimmer, läßt die Tür offen: Abenddämmerung mischt sich mit dem Funzellicht. Er sucht am Garderobenständer.

Anton: Martha! Martha! Mein Mantel!
Mädchen: Kommt schon. Nur ein Bügelstrich.
Anton: Dalli, dalli, Holdeste!
Mädchen: Hier! Gott, wie patent Sie ausschauen, junger Herr! Man könnte sich wirklich –.
Anton: Nun?
Mädchen: Oh, nichts!
Anton: Doch etwas. Und –?
Mädchen: Neinnein.
Anton: Ich weiß ja doch, was Sie –
Mädchen: Wenn Sie wissen, ist's ja gut.

Anton: Martha –?
Mädchen: Ja?
Anton: Wollen Sie mir einen Gefallen tun?
Mädchen: Und welchen?
Anton: Nein, Sie müssen vorher Ja sagen.
Mädchen: Das tue ich nicht. Sagen Sie erst ...
Anton: Sie erst: Ja.
Mädchen: Und so was will achtzehn Jahr sein!
Anton: Und ob! Warum etwa nicht?
Mädchen: Passen Sie lieber auf, daß Sie heut nacht nicht in den Automatenschlitz fallen!

Anton: Sie sind mir überhaupt viel zu dumm!
Mädchen: Dumm und doof verträgt sich gut.

Mädchen: Wo gehen Sie denn heute abend überhaupt hin?
Anton: Rostock besehen bei Nacht, wie es weint und wie es lacht!
Mädchen: Na denn man los! Vergessen Sie nur den Schnuller nicht.
Anton: Martha!
Mädchen: Du entschwandest.
Sie schließt die Tür. Es ist fast ganz dunkel. Anton im Gehen: Völlig rätselhaftes Geschöpf!

Der zu Schleifende

Kneipzimmer in der Unionbrauerei. Hecht. Bier. Viel Bier. Alle mehr oder weniger angesäuselt, mit Stürmern auf dem Kopf, Fuchsenbändern um die Brust. Ein paar Studenten keilend unter den Muli.
Chorus: Ahnst du voll Wonne,
         Was uns am Pippusbogen winkt,
         Während die Sonne
         Lodernd versinkt?

Präside: Schöner Cantus ex! Ein Schmollis den fidelen Sängern und der Hauskapelle!
Tümmel: Komme dir einen Halben, Färber.
Anton: Ehrt mich ungemein, ziehe nach.

Porzig: Ein Halber deiner Jungfernschaft, Färber.
Anton: Ich bitte ...
Studiker: Fuchs hält das Maul und zieht einen Ganzen nach!

Burlage: Auf deine Jungfernschaft, Toni!
Anton: Aaaber ...
Studiker: Fuchs hält das Maul und zieht einen Ganzen nach!

Konski: Auf deine Keuschheit, Josaphat! Ja, dich mein ich, Färber!
Anton: Ehrt mich ungemein, ziehe nach.
Brüllendes Gewieher.
Studiker: Fuchs zieht einen Ganzen nach.
Anton: Ihr könnt mir alle ...
Muß hinausstürzen. Brüllendes Gelächter.
Studiker: Den verfluchten Streber schleifen wir schon. Der soll heute noch Moses und die ...

Kotzen

Stadthof. Nacht. Wenig Lichtschein aus Fenstern, Regen sickert. Anton, in eine Ecke zwischen modernde Holzplanken gedrückt, preßt, bricht, fühlt kalten Schweiß, zittert. Er denkt: „Seichte Hechte, verdammte! Was das für Sinn hat, dies Zeug in sich reinzumölen! Auf Kommando, in Massen?! Neinnein, wenn das studentische Freiheit ist, danke! Mutti hatte Recht, mich zu warnen. Nie wieder!"

Er macht ein paar Schritte gegen die Tür, bleibt wieder stehen. „Und doch – alle rühmen dies. Freiheit, schrankenloser Lebensgenuß sagt man wohl. Ach! Das Genießen scheint schwerer zu sein als die Arbeit in jener meiner Kammer dort hinten, die Stirn über das Buch geneigt. Welch Glück – kaum dämmerte es –, die Vorhänge zu schließen, die ganze Welt auszusperren und allein zu sein mit den Büchern, reinlichem Papier und einer guten Feder, mit der man endlose Reihen untereinander setzen konnte. Welche Freude, mit brennenden Augen, kochenden Schläfen ins Bett zu gehen. Welche Einschlafträume von Arbeit, von Erfolg, von Ruhm gar. Ah, herrlich leicht wäre das Leben, brauchte man nur zu arbeiten. Man muß mit andern reden, laut sein, sich gegen sie behaupten und vielleicht gar – sich verlieben."

Der Magen krampfte sich von neuem hoch. Ein ekelhaft bitterer Geschmack stand ihm im Munde; er beugte sich wieder vor, glitt halb hin, indes es tröstlich in ihm dachte: „Das ist nur physisch. Mein Kopf ist klar. Ich denke folgerecht. Weiß ich nicht wohl, daß ich Arne um elf treffen wollte? Nun gut – gehen wir an den Lebensgenuß. Und dann – nie wieder! – Guten Abend auch, ihr...!"

Trara! Trara!

Er sah sie.

Eine Spielerische hinter der Theke, ein stumpfes junges Profil, zufahrend auf einen Pinscher, der blafft, tiefes Lachen, wie verhaltenes, Schultern in Seide, eine zugreifende gespreizte Hand, und da sie schlichtend die Flechten streicht, blitzen Steine dort zwischen dem bläulich glänzenden Schwarz, blitzen, funkeln, und ein blasses Gesicht ---.

Schweige doch! O so schweige doch! Verlieben eine Angst? Sich-Verlieren Pein? Dies war von Anfang und besteht für sich, all dein Leben reicht nicht an diese Geste einer gespreizten Hand, die jung ist...

Arne bestellt geläufig, und: „Für den Kleinen eine Prärieauster, die Bande hat ihn mir schon dun gemacht. Er verträgt nichts."

„Ist das wahr, mein Herr?"

Ihm schien es, als komme alles darauf an, in dieser Minute ihren Blick zu bestehen, und er trank sich ein in die schmalen grünen Ringe, die, nun sah er's, leise bewegt um die schwarze Pupille liefen. Einzudringen meinte er, tief, tiefer, das Gesehene verschwimmt, nun geht er durch ein glasklares grünes Wasser, das wie Luft ist, das jede Pore der Haut streichelt, auf dem Meeresgrund ist er, wandelnd *Ertrunkener*, märchenhaft frei –, als blitzschnell zwei Lider fallen, so nah, daß ein Windzug ihn zu streifen scheint.

Sie lacht. „Aber Augen kann er machen, Ihr Freund!"
Und Arne: „Gott! Das lütte Gemüse!"

Seltsam unverständliches Gespräch

Später hört er dem Gespräch der beiden zu. Sie sitzt leicht vorgebeugt, die schwarze Seide bauscht ein wenig vor der Brust, ein Strohhalm tanzt zwischen ihren Fingern, sie fragt: „Wie gefällt Ihnen mein Pinscher?"
„Er scheint echt zu sein."
„Und ob! Fünfhundert Mark."
„Bitte, was gar nichts sagt."
„Sehen Sie ihm ins Maul: der Gaumen ist völlig schwarz."
Arne prüft, gibt sich besiegt. „Dann freilich!" Und: „Woher haben Sie ihn?"
„Von einem Herrn, einem Gastwirt."
„Das ist gut. Ich dachte schon, es wäre ein Damenhund, und Sie wissen –"
„Nun?"
„Damenhund. Man kennt das, wofür solche Tiere gehalten werden."
„Nein, das wäre mein Tod. So etwas ekelt mich an."
„Darum fragte ich, woher Sie ihn hätten. Ich dachte, er hätte üble Angewohnheiten."
„Neinnein! Lisa, höre bloß, der Herr meint . . .!"

Und Arne, zum Freund gewandt, doch die andern horchen darauf: „Ich kannte eine Kellnerin, die es sich für drei Mark von einer Ulmer Dogge machen ließ." Und nach einer Pause: „Du verstehst doch –?"

Geste. Die Mädchen kreischen, eine ruft: „Sone Kamellen! Zahlte die Dogge den Taler?"

„Unsinn! Die Zuschauer! Das Tier war wie –"

Gerda: „Na, ich danke!"

Und Lisa: „Aber das geht doch nicht!"

„Wieso: geht nicht?"

„Aber jeder sieht ein . . . Wie soll denn das funktionieren? Wie denken Sie sich denn das?"

„Gar nicht. Hab's gesehen und damit basta!"

Und ganz plötzlich greift sie nach Antons Hand, hebt sie sacht, läßt sie fallen, streicht einmal, zweimal darüber. „Nun – und Sie? Glauben Sie, was Ihr Freund erzählt?"

„Verzeihung, wie –? Ich habe wirklich nicht verstanden –"

Er verstummt, sieht sie an, und ein kleines, zages Lächeln runzelt um seine Augen. Ein wenig verziehen sich seine Lippen, und dann ist ihm, als habe sie verstanden, dieses: „Reden wir immerhin . . . *Das* zählt nicht."

Als ihm Arne auf die Schulter schlägt. „Der und verstanden! Diese Heideknospe! Wissen Sie, wie er bei uns auf dem Pennal –", verbessernd: „– Universität heißt –? Josaphat! Warum –? Keusch wie Joseph und liebreich wie das Tal Josaphat."

Sie hebt die Brauen, schiebt die Unterlippe vor. „Wie dumm das ist! Aber Jo werde ich ihn nennen, Jo paßt zu ihm. Lisa! Lisa! Sekt! Wir wollen Brüderschaft trinken."

„Aber ich habe kein Geld."

„Was macht das! Ich feiere heute Geburtstag, du bist mein Gast!"

Lisa lacht. „Schon wieder Geburtstag, Gerda? Wie lange ist's her, daß du mit dem dunklen –"

„Nicht dumm sein, Lisa. Ist Jo nicht lieb? Komm, trinke, kleiner Jo!"

„Und ich -?" fragt Arne.

„Wünschen Sie noch einen Schwedenpunsch?"

„Dann kann ich wohl gehen."

„Niemand hält Sie."

„Eine eigentümliche Bedienung! Ich werde den Wirt -"

„So ist es recht, mein Herr! Weil ich Ihren Freund netter finde, aber, was wollen Sie, Sie liegen mir einmal nicht..."

„Schon gut! Geschenkt! Also noch einen Punsch."

„Bitte schön."

„Übrigens habe ich Sie neulich mit dem dunklen Herrn gesehen."

„So?"

„Ja, auf der Steinstraße. Und ich wundre mich über Ihren Geschmack."

„Steht Ihnen frei."

„Er sah brutal aus."

„Möglich."

„Aber man weiß schon, wählerisch..."

„Zum Beispiel Sie -? Nein, mein Lieber. Nie!"

Und plötzlich beugt sich Anton vor; sein Gesicht nahe dem ihren, fast in ihren Mund fragt er leise und bebend: „Wie denn müßte man sein, Ihnen zu gefallen -?"

Sie ist stumm, sieht ihn an, ein sanftes Rot steigt in ihre Wangen; sie wendet ihre zweifelnden und feuchten Augen von ihm, blickt zur Erde. Noch mehr Stille, und dann: „Ich weiß nicht... nein... ich habe vergessen..."

Ein Übermaß von Freude glüht in ihm. Er lächelt verwirrt, streicht sich über die Stirn... Ihre Hand in der seinen spricht er: „Dies ist Leben, nicht?"

„Seht doch das Lüttje!"

Denkens Beginn

Verging Zeit –?

Vielleicht. Arne war streitsüchtig gewesen, dann lachend geräuschvoll, er hatte Zoten gerissen, Komplimente gedrechselt, nun musterte er mürrisch trübe die beiden, schwieg.

Doch Anton lernte sich anders kennen, fühlte Erwachen, ein nie erlebtes. Zartes feuriges Rieseln lief durch den Leib, seine Hände erneuten sich, und tasteten sie, *fühlten* die Finger wirklich. So stark drang durch die Haut Ansturm intensivsten Lebens, daß er einen Augenblick die Augen schloß, um nicht ganz an die Fülle verlorenzugehen. Wie ein Schmerz war es, ein heißer Schmerz, ein guter, daß er den Mund verzog.

„Lächelst du, Jo?"

„Nein. Nicht. Aber ich muß daran denken, daß ich es im Grunde immer gewußt habe. Es lag in mir, Kern in der Nuß, und nun ... ja, immer habe ich es gewußt, schon ganz früh ..."

„Was ist es, das du gewußt hast?"

„So war es. Sieh, daheim hörte ich nur von Pflicht, von Arbeit, Frömmigkeit. Nicht anders waren die Eltern. Sonst nichts. Gar nichts. Man war sie. Wurde wie sie. War's anders möglich? Denken war nie not, alles Erlebte Beweis, daß stets die Eltern recht hatten. Und mit ihnen ich Folgsamer. Siegte ich mit meinem Fleiß über die Faulen, zeigte nicht das schon, wie sehr sie recht hatten? Alles Abweichen trug seine Strafe in sich, und nur Schein war der Triumph des Betrügers, denn dem unentdeckten selbst wurde als mildeste Strafe das Bewußtsein, Sünder zu heißen, versetzt."

Ins Leere gesprochen, zögernd, suchend, mit zager Stimme: angstvolle Nichtigkeiten, unwichtige, angeglüht doch schon von dem Glanz des ungeheuren Sonnenaufgangs, der alles, alles sichtbar machen wird. Jetzt noch: schrecklich sichtbar. Eine Erhellung, die erschüttert, blinzeln läßt. Wo ist der gute Dämmerwinkel, da du haustest, Nachttier Bürger? Tastest in zu viel Licht nun, stolperst, suchst, tastest ...

Finger, schmale, klägliche Knabenfinger, deren mittelster von Schreibarbeit knotig verdickt ist, Finger tupfen leise über die Messingplatte, als wollten sie dies Gelbe schmecken. Nun hebt er den Blick, steil im Licht steht sein Gesicht, eine Strähne schlägt zärtlichen Bogen über die Stirn zum sinnenden Auge, feine Hände krampfen sich – und wie ein Schluchzen aus Glück schwingt's in der Stimme des Rufers: „Und zu denken, beinahe wär man sein ganzes Leben zu solchem Betruge verdammt! Ohne es zu wissen. Man hätte mitgemacht, von Treue und Stolz und Arbeit geredet und Pflicht – und die Elenden und die andern verachtet ... Nun kann man wohl niemand mehr verachten –?"

Er zweifelte, hob die Achsel, und seinen Blick in dem ihren, begann er plötzlich zu lächeln, ratlos. Der Bürger suchte den Winkel; rasch warf er den Kopf zurück, sprang auf. „Aber was kümmert uns das? Komm, die Musik spielt, wir tanzen ..."

Sie glitt um die Theke, ging ihm entgegen und staunend sah er, wie klein sie war, ein Junge, zart, doch mit Schultern, mit Hüften, die ... O nein, nicht denken, nicht überlegen, nur nicht zergliedern ... Aber du fühlst wohl, wie ihr Gang dich verwirrt, dieser streifende, sachte, der ein wenig breit ist; nicht wahr doch –? Ein wenig breit –?

„Ach, wie dumm! Ein Walzer!"

„Warum? Ist Walzer nicht schön?"

„O du! Wo hast du Tanzen gelernt? Nein, so: eines, zweie, drei ..."

Durch die Seide stieg die Kühle ihrer schmiegsamen

Schulter, eine Kühle, von weither seltsam erneuert durch ruhende Wärme – er zog die Hand zurück, taumelte, stand. „Es geht nicht."

„Nein, tanzen kannst du nicht. Aber was macht es? Ich bringe dir's schon bei."

„Du willst –?" Doch ganz enttäuscht: „Aber nein, es geht doch nicht."

„Warum nicht? Was sollte nicht gehen?"

„Nein. Du denkst doch daran, daß ich arm bin?"

Kurzes Besinnen, wegwerfend: „Oh, auch ich habe nie Geld."

„Aber –" Er sah sie fassungslos an. „Wer wie du –"

„Versteh doch! Frieren und hungern tu ich nicht, aber oft begehre ich toll etwas: einen Putz, irgendeinen Ring . . ." Ihr Blick verflattert, fällt. „Und . . ."

„Und . . ."

„Und es gibt nichts, das ich dann nicht täte."

„Das sagt man so."

„Sei still, du verstehst nichts davon, sollst es nie verstehen, nie –! Aber wo lebt denn ihr? Woher kommst denn du, daß du nicht einmal dies weißt? Wir wußten's schon als Kinder, und der Apfel beim Bruder, die Puppe der Schwester wurden lieber vernichtet als gegönnt."

„Wie du gelitten hast! Man muß sehr gut sein zu dir."

„Sei es. Versuch's. Sei es."

„Durchdacht muß es werden, all das. Auf der Fischerbastion werde ich morgen sitzen; über mir Wind in Bäumen, unten das gerauhte Band der Warnow, werde ich daran denken . . ."

„An was, Lieber?"

„An alles. An die Welt und dich. – Hast du nie Angst?"

„O ich kann böse sein."

„Siehst du, auch dich haben sie gestraft mit falschem Denken. Denn das muß falsch sein. Ich glaube nun, niemand ist böse. All das ist Lüge.

Aber ich habe es gewußt, ganz drunten in mir hat's gewußt und gewartet und nun brach's hervor, als ich dich ... Sieh, das ist so gewesen: wenn ich arbeitete und die Ziele sah und den Ehrgeiz fühlte und Wachsen des Wissens, dann war ich am frohesten, wenn ich die Vorhänge schließen konnte, das Gas summte leise, und kaum je, daß ein fliegender Ruf mich streifte."

Listig: „Aber das war es, da steckte der Betrug, und in mir hat's ihn geahnt: die Welt war draußen. Um mich Bücher – oh, es muß noch andere Bücher geben, und ich werde sie finden! –, Möbel, deren Häßlichkeit ich nun erst sehe, Spruchbänder, die mich immer anlogen, Nippes, versteinerte Gewordenheit –: aber die Welt war draußen."

Und mit freier Gebärde – als würfe er sich einer Sonne zu, erglänzte feierlich sein Gesicht –: „Warum wäre denn der Flieder gar so schön? Warum wäre die Welt einmal weiß und blau, einmal golden und grün? Warum krampfen Reihen von gereimten Worten mein Herz wunderbar schmerzvoll zusammen? Und warum ist es froh im tiefsten Grunde, da es dich sieht und nun bis an alles Ende weiß, daß es ein Lächeln wie deines auf der Welt gibt?"

„Danke, Liebster."

„Oh, ich ahne es erst, welcher Dumpfheit ich entkam. Noch ziehen die Nebel, und wenn ich erst die Sonne sehe ... Ich werde sie sehen!"

Und Arne. „Sie muß bald aufgehen. Ich denke, es ist Zeit für uns."

Ernüchtert: „Ja, natürlich. Wir sind wohl die letzten. Adieu, Gerda."

Ihre Hände sanken ineinander. Ihre Augen.

„Wartet, Buben, ich komme mit euch. Ihr bringt mich nach Haus."

(Nachhall: „Wartet, Buben –!")

Heimgang in der Frühe

Dunkle Straßen. Kalter Wind vom Meer.

Dem Jungen ist's, als müsse er aufhorchen, als würde er dann über dem endlosen Sturmessausen die hellen und wilden Rufe der Möwen vom Meere her hören, die ewig das Gefühl endlosester Einsamkeit in die Seele des Horchers schreien. Ihn fröstelt, ein wenig taumelt er, aber schon glitt eine warme Hand in seine, hielt ihn, eine Stimme fragte: „Mein Junge ist traurig?"

„Oh –"

„Soll es nicht sein. Bin ich doch da."

„Freilich, du bist da."

Und heiß, innen: „Aber bald wird sie wieder fort sein. Morgen schon! Morgen? Heute noch! Schon beginnt es zu dämmern, die Umrisse des Kröpeliner Tors treten aus der Nacht, so wenig Schritte noch und der neue wolkige Tag wird mit Regenschauern und Sturm die frohhellen Konturen dieser Nacht vage machen . . ."

Ein wenig zögerte er, dann rührte sich seine Hand in der ihren, und diese Bewegung schien seinen Wünschen Hoffnung, seinen Entschlüssen Feuer gegeben zu haben. Warum denn sollte man verzichten? Heimkehren wie ein Odysseus etwa, dem allein vom Locklied der Sirenen Strickmale an Arm und Bein blieben? Ins Wasser hinein! Vorwärts schnellen dich deine Schwimmstöße, und nun am Strande beugst du Nackter die Knie vor den nie geahnten Köstlichkeiten dieser. „Sterben –? Aber bei ihnen sterben! Nicht wieder heimkehren müssen in das Grau, dort arbeiten, Pflichten erfüllen und dort, dort, dort im Sumpfe sterben müssen! Nein, heitere Salzluft der erschwommenen Insel, heiteres Gesträuch, heitere Sonne, heiteres Lachen und –."

Und er sieht das Heim, Denkens Aus- und Eingang bis

heut; die Sonntagvormittag-Sonne liegt im gezirkten, gezierten Gärtchen, der Vater schlurft auf Pantoffeln – „Du könntest eben mal das Exerzitium der Obersekunda durchsehn, Anton. Merke die Fehler mit Bleistift an." –, das Frühstücksei liegt im Wattekorb – „schön wachsweich ist es noch, mein Tonerl" –, und das ist der Sonntag und morgen ist Penne und in drei Wochen ist Penne und Universität ist Penne und Beruf ist Penne und Heiraten ist Penne und Kinder-Aufbörnen ist Penne und ... ist Penne und ... ist Penne ...

„Aber doch! Sie sind zu klug gewesen, arglistig und klug. Wer bin ich denn? Ein Junior von siebzehn mit herrlichen Prospekten, durch väterliches Einkommen zu verwirklichen. Denn ich selbst, ich werde in zehn Jahren noch kaum genug Geld verdienen, sie einmal wöchentlich in der Bar zu besuchen. In zehn Jahren –? Zehn Jahre warten –!?! Oh, wo bin ich in kurzem so klug geworden zu wissen, eine zehnjährige Verlobtentreue sei in keinem Belang so rührend schön und gefühlvoll, wie jene rühmen –? Sondern ein Geschäft, bei dem beide Teile betrogen werden –! Nein, sollen wir leben, gemeinsam, für einander, so heute oder nie!"

Er fand eine Karte in seiner Hand, umtastete sie mechanisch, steckte sie in die Tasche und griff wieder nach den Fingern jener, rastlos weiterdenkend: „Heute –? Wer bin ich denn, was hat man mich denn lernen lassen, daß ich leben könnte außer ihren Umkoppelungen? Sieh doch, sieh: gleich achtzehn und so hilflos, daß ich nicht einen Tag ohne Eltern zu leben hätte. Doch mit herrlichem, kostbarem Wissen im Kopf! Das haben sie sehr gut gemacht, die sie uns gerade soviel und gerade das lernen lassen, was in ihren Händen Geltung hat, aber nicht einen Schritt draußen. Also eine Verschwörung ist das, eine große, über die ganze Welt erstreckte, die schlecht heißt, was sich zu ihrem Zeichen nicht bekennt, aber vorgibt, Gesinnungen jeder Art zu achten, auf daß sie die Wölfe erkenne ... So ist das also –?"

Er schluckte ein paarmal, ihn schwindelte, zu viele Gedanken drängten, er verlor den Faden, doch nun war es schon eine Helle über den ganzen Horizont, seltsam anders sehen in ihr Sprüche und Taten von Lehrer, Pastor, von Eltern aus ... Als ob man sie hassen müsse ...

Er ließ Gerdas Hand fallen, streifte ihre Schulter, blieb stehen, neigte sich vor, und ihr Gesicht hinter der geäderten Haut des Schleiers ahnend in einer fahlen Weiße, die ihre Tönung von dem Ziehenden, Jagenden dort oben entnommen zu haben schien, – ihr Gesicht nahe dem seinen, sprach er rasch, angstvoll verfliegend: „Entweder jetzt oder nie! Gefunden und verloren! Wer wäre ich! Ich habe nun begriffen. Und nie, nie will ich mehr verachten. Entweder jetzt oder nie! Jetzt kann nie sein, also muß nie jetzt sein. Du bist das Schönste, das Absonderlichste, das Weißeste, was je –. Haben wir denn miteinander gesprochen –? Woher kennen wir denn uns – etwa? Ist es nur der Blick gewesen, dieser eine Blick, in dessen Beginn du noch lächeltest, während sich deine Pupillen weiteten, weiteten –? Ja, vielleicht war es nur der Blick. Lebe wohl, sei tausendmal bedankt, lebe wohl ..."

Ihm war, als griffen Hände zu, als tönten Rufe, eine atemraubende Stille fiel ein, wenige kleine, klagende Schreie, und um die Ecke, um noch eine ... Nun nur noch der Klang der eigenen Schritte, und auf der Bank des Wallbergs hockt er, die Hände vorm Gesicht, die spärlichen Schultern beben, und etwas spricht in ihm: „Aber was ist denn das? Ich weine ja! Das darf doch nicht sein ... Nicht –?"

Horche auf, Kleiner ...

Horche auf, Kleiner. Horche auf mich!

Der Wind geht in den kahlen Bäumen, Rieselregen tropft leise, in der Ferne schlägt eine Uhr – und nichts kann trübseliger sein als diese gleichgültige Mahnung, daß auch die Stunde der Trauer vorübergehen wird und du bald wieder zu sprechen, zu arbeiten, zu lächeln hast und daß Löwenzahn blühen wird und Weißdorn.

Wie eine Qual ist's ihm, seine Schmerzen dem stachligen Gesperre solcher Zweige gleich gegen die Brust zu drücken, doch ahnt er, daß sie sein werden wie der weiße Saft jener andern Blüten, der gar zu rasch in ein häßliches Braun sich verfärbt.

Liebes eigenwilliges Gesicht. Kleine Finger, schmale, stolze. Und du Gang, der du ein wenig breit bist und so haftend, wie Katzen in der Sonne gehen. Liebes eigenwilliges Gesicht.

„Wenn man sterben könnte! Sterben müßte so gut sein, hier, zwischen den entfärbten Blättern, deren dumpfer Geruch an die Frühlingsauferstehung erinnert. Aber nicht einmal das kann man. Denn irgendwie ist es gesetzt zwischen dir und mir, daß wir da waren, uns zu grüßen und voneinander zu gehen mit dem Wissen, diese sei bis ans Ende zu tragen – diese Liebe ..."

Er horchte dem zum ersten Male durchfühlten Wort nach, die Miene versonnen; doch nun schlug eine Verzweiflung auf, die Hände ballten sich. „Nein! Nein!"

Und da fand er sie, fand die kleine Karte mit einem Namen, der ihn stutzen machte, denn anders lautete er wie Gerda, aber: „Bah, ich habe sie doch von ihr!"

Er liest die Adresse, macht zwei, macht drei Schritte, und schon ist er fort.

Horche auf mich, Kleiner!
 Wind geht in kahlem Geäst. Rieselregen tropft leise.

Der Träumer
legt sich von der Herzseite auf die rechte

Der Wind streicht über die Dünen, spielt im Strandhafer und im Haar des Träumers, geht weiter zu den Kiefernkuscheln, deren Zweige zurückwogen, – kommt, spielt, geht – und erfüllt ist der Himmel von der Melodie des Meeres.

Über das bleiche Gesicht huscht ein Zucken. Er rührt sich im Schlaf, legt sich von der Herz- auf die rechte Seite. Nun ist es, als wolle er erwachen, seine Lippen regen sich, und die Worte, welche nicht laut werden, heißen so: „Nicht dies. Nein, so war es nicht. Heimgang, Ermatten, Zweifeln und das Schlimmste: das Ungläubigwerden an ihr . . . das Ungläu. . .“

Der Mond ist fort, hinter Wolken. Es ist ganz dunkel.
 Sprach jemand?
 Entgleite, zögernder Schatten, dem Leibe des Träumers, gehe ans Ufer!

Auf dem Meeresgrund wandert einer, leis leuchtend durchstreifen ihn Fische, langsam rudernder Blasentang gleitet durch seine Hände.
 Ist er verirrt? Sucht er? Schicksale? Sind diese ungeheuren Tangwälder überfüllt von ungestalteten Träumen, versäumten Leben?
 Wen sieht er doch?
 Er lächelt, er spricht, klagt an – ach, er weint! Schon ist er wieder fort, er entgleitet, er ist hier, dort, zehn sind's, hundert, tausend . . . Wie sie streiten! Sie kämpfen, man-

che fallen, andere eilen herbei, sie umschlingen sich, sie scheinen ein Lied zu singen –: sie sind fort.

Nein, einer schleicht noch durch Tang und Gras, du siehst ihn kaum. Ist er verirrt? Sucht er? Er lächelt, er klagt an – ach, er weint!

Ein Wassertropfen. Ein Dichter, der versäumtes Leben träumt ...

Wind weht, Strandhafer raschelt, über die Hand eines Träumenden läuft klingender Sand.

Abgetan im Unratwinkel

„Dies ist der Weg, und dies ist das Tor. Was schlug die Uhr –? Vier –? Ah, zu wird das Haus sein, erst um sieben geht's auf, und wie soll denn ich, am hellichten Tag, zu ihr gehen, die nur ein Barmädel –"

Ein Anprall war es, ein Schlag ins Gesicht, ein rasender Schmerz. Seine ganze Vergangenheit steht in ihm, seine Gewordenheit steht auf ... jene meinte das Beiseitewort der Eltern, jene ihr Achselzucken, der Druck mit der Schulter, der fortschob ... jene auch manches Pennälerwort, in der Latrine aufgeschnappt ... ihr Busen wird lüstern entblößt, ihre Wange begeifert vom zotigen Wort ...

„Gerda, liebe, liebe Gerda, warum hast du das getan!

O Traum von Büchern, friedlichen Zimmern, in denen bei klarem Sommerwind weiße Gardinen wehen – Traum von Kindern, um meine Knie tanzend – Traum von jener Frau, die blond, blauäugig, schlank, mich grüßt mit ihrem schönsten Lächeln!"

Nun auf die feuchte Erde geworfen, das Haupt gegen eine Baumwurzel gelehnt – nun, in dem Dunst des Abfallwinkels, den eisig nassen Vorfrühlingsregen auf

Lippen und Wangen – nun, Bitterkeit im Herzen gegen sie und eine wilde Anklage auf der Zunge gegen sie, kleine, holde Traumzerstörerin – nun sah er eine andere Zukunft vor sich, eine dunkle, fahl Wetterschein erhellte: kaum brach das Licht der Bar durch abgestandenen Rauch, pelzig die Zunge vom Schnaps des vorigen Tags, doch deine Liebste hinter der Theke führt mit jedem, den's gelüstet, zotendes Gespräch.

Und er warf den Kopf zurück, ganz preis gab er sich Regen, Wind und Verderben, hinter seinen Lidern entstand Bild um Bild des Geahnten, und je weniger er wußte, was es eigentlich war, das so schrecklich sein sollte, um so fürchterlicher schien es.

Das ist der Schmerz, er blutet, er tropft; schreit er gleich tief da drinnen, auch im Körper tanzt er und reißt, wirft den Jungenleib umher und sein Ah und Oh entsteigt blasig dem Laokoonsmunde.

Denn das ist es, daß er nicht trennen kann: ihre Schande ist seine Schande – – –, aber Schande... Schande...! Der so sorgsam Behütete ahnt in diesem Winkel schon die viel bittrer beizende Verachtung der aufrechten Wandler. „Und die werde ich nie ertragen können –!"

„Und warum sollte ich es? Steh auf, geh heim: nichts ist geschehen. Nicht einmal deinen Namen weiß sie, deine Wohnung nicht. Es ist, als sei es nie gewesen. (Und Arne kann man morgen früh verständigen, daß er nichts sagt.)"

Er steht auf. Er zittert am ganzen Leibe. Er flüstert: „Und ich bin es doch gewesen, der vor wenigen Stunden erst sagte, man könne nicht schlecht sein? Was bin ich nun? Wie gemein? Freue mich, daß sie meinen Namen nicht weiß, sie, die nichts von mir wollte, die mir meinen Wein bezahlte –?"

Schüttelnd: „Nein, so geht es nicht. Anders müßte

man ... Aber wie denn entscheiden –? Hat man's nicht im Blut? Denn unberührt von allem saß Arne dabei und konnte sogar mit ihr streiten ..."

Plötzlich lächelt er. Ihr kleines, wie getuschtes, zärtliches Bild war ihm von neuem erschienen und Zweifel Torheit geworden. „Was ist denn? Liebe ich denn nicht –?"

„Aber sie hat gelacht zu Arnes Zoten! Und wenn! Bewiese das etwas –? Ja schon. Aber jedenfalls: nun gehe ich zu ihr. Keine Eile, keine Eile, denn wenn es sein soll, soll es sein, und wenn es nicht sein soll – so soll es doch sein!"

Fiebertag

Längst schlug die Uhr fünf. Lichter wurde die Nacht.

Schon erkennt er, vernebelt noch, die schnörkligen Hochgiebel der alten Häuser mit ihren Ladeluken, am Wall.

Nicht nur sie. Eine kleine holde Gestalt streicht ihm entgegen – sein Herz stockt: „Nein,nein, wie sollte sie es sein?" –, eine Hand faßt ihn, und aus dem Stimmklang ahnt er das frohe Lächeln hinterm Schleierhauch, als sie ihn grüßt: „Siehst du, da bist du!" Und : „Du mußtest ja kommen."

„Freilich, ich wollte wählen, überlegen, doch dann merkte ich, daß alles längst beschlossen."

(‚Aber das sage ich dir nicht, daß ich dich verriet. Selbst dir nicht!')

„Nun aber hinauf mit dir! Wie kalt deine Hände sind und wie feucht!"

(‚Ja – doch! Einmal werde ich dir auch das sagen können ... einst.')

„So, und nun hier die Stufen. Wart einen Augenblick, schließe das Haus nur noch zu. – Hier sind wir."

Der Schalter knackt, Licht flammt auf, und in ihrem Aufschrei – „Gott, wie siehst du aus!" – erblickt er vor sich einen Jungen, blutleeren Gesichtes, Haare wild in der Stirn, mit flammendem Mund wie ein Wundriß, gebeutelten Kleidern, feuchten, verdreckten, und dem irrenden Blick eines Zweiflers.

Ja, auch er zweifelt, wendet sich ab, zweifelt mit dem Mund, irrt mit den Augen, wendet sich ab.

Da begreift der Achtzehnjährige, daß er in diesen regengestrichenen, winddurchsausten Nachtstunden noch andere Wege ging wie die lehmfeuchten des Walls, bittere Wege, begreift's, daß die gradlinigen amönen Wiesenpfade passiert sind, daß nun die Hecken und Knicks kommen, die so stachlig sind, unübersichtlich, eng.

War es dies, das ihn murmeln machte: „Verurteilt vor der Schuld und verdammt ohne Berufung . . . ?"

Sie stand neben ihm, sah das Weicherwerden des Gesichts – schon zuckte die Lippe –, und sie ahnte vielleicht, dunkel und trübe, das Zerren der alten Bande, das Erwachen einer Stallmüdigkeit, das Erinnern an welche Eltern, aber weichhändig spielt sie die Strähnen aus der Stirn, schmeichelt die Falten fort, ruft: „Was schaust du dich an? Wirst dich doch kennen. Dort hinein und ins Bett. Einen Tee koch ich dir . . ."

Im Zimmer stand er, sah um sich, atmete auf. „Allein! Sie hat mich nicht erraten!"

Wundersam streichelt die glatte Kühle der Laken die erhitzten Glieder, seidig schmiegt sich das Kissen in den Nacken, die Lider sinken zu, und nur die Nase noch schnuppert nach einem Gemisch von Düften, das sie zu unterscheiden beginnt, aber dessen Bestandteile sie nicht bestimmen kann. Kleine Bilder blühen hinter den geschlossenen Lidern auf: ein ovaler Ring in lila Farbe, bläuliche Flämmchen zacken von ihm, dann ein tiefblauer Ball mit weißgoldenem Rand, dann – und er reißt die Augen auf, faltet die Hände, als ihm einfällt, daß es vielleicht sinnlos ist, das Abendgebet zu sprechen, da sich doch alles so veränderte. Aber auch das muß erst durchdacht werden, er wird das Gebet so lange zurückstellen und auch gerade hier, ob es nicht hier geschmacklos ist –?

„Aber nein, grade hier ...", und steigenden Trotz in sich und das Bewußtsein, wie kindisch doch solcher Trotz, betet er – gegen die andern, gegen die Eltern und auch gegen ihn, den Gott – sein Vaterunser, atmet ein paarmal rasch, schluckt, fühlt das Bedürfnis, laut zu sagen: „Alles egal!", und bläst wieder in die Kissen –.

Als die Tür aufgeht und er hellwach tastenden Schritten lauscht.

„Jo?"

„Ja?"

„Ich habe dir deinen Tee gebracht. Aber alles Licht ist aus. Ja, hättest du nur wenigstens die Nachtlampe angelassen. Wie soll man denn ..."

Ganz leise und zag: „Verzeih nur."

Das Licht glüht sanft, sie sagt: „ O du Dummer du, wie soll ich denn im Dunkel mein Bett finden?"

„Ich dachte ... dein Bett ..."

„Ja, mein Bett ... wie ...?"

„O verzeih nur ..."

„Da schaust du. Wo steht es wohl, mein Bett –?"

„Aber, Gerda! Hättest du das doch gesagt. Ich gehe, einen Moment –"

Und er will hinaus, hält voll Scham inne, angelt mit dem nackten Fuß in der Kühle, sieht sie so verzweifelt an, daß sie ihn auslacht. „Dieses eine Zimmer hab ich eben nur. Nein, schau nicht so ängstlich aus, wir werden uns schon vertragen. Leg dich rum, schau dir die Tapete an, gleich bin ich bei dir."

(‚Es ist ein Märchen. Ein Traum. Gleich wache ich auf, und Martha ruft mich zum Kaffee. Aufstehn, junger Herr...! Gott!')

„O Gerda, Gerda, was habe ich gemacht! Ich muß doch nach Haus. Was sollen denn die Eltern denken, wenn ich um sieben nicht zum Kaffee da bin?"

„Gleich legst du dich wieder hin."

Aber er hat es schon getan, denn im Auffahren sah er etwas Weißes, atmend Bewegtes. ‚O Gott ich habe ihre Brust gesehen. Nein, nein, ich darf nicht so an sie denken. Ich beschmutze sie und mich und all meine Gefühle für sie, wenn ich so an sie denke. Aber wenn sie wüßte –!'

Und wieder kommt die Angst, und wieder bettelt er: „Laß mich doch aufstehen, Gerda. Du weißt nicht, was geschieht –"

„Du bleibst liegen. Das wäre noch schöner, so naß und verfroren gleich wieder heraus. Wo du grade ein bißchen warm geworden bist. Da trinken die Herren Eltern eben einmal allein Kaffee. Was ist dabei –? Ein so großer Sohn –"

„Aber du verstehst nicht, es ist unmöglich –"

Doch sie lacht nur, lacht seine Unmöglichkeiten in den Grund. „Wenn du jetzt nicht ganz still bist, so stelle ich mich wie ich bin, splitterfadennackt, vor dein Bett und nehme dich in meine Arme –"

Er sagt kein Aber mehr, er schweigt, doch er muß immer daran denken, was sein wird, morgen früh, am Kaffeetisch, die Eltern, das unberührte Bett, die Fragen... Und sein Kopf ist so seltsam heiß, nun dreht sich alles, das Bett scheint unter ihm fortzurutschen, wird lang, länger, schräg, und er gleitet darauf hinab, reißend schnell... Nein, das ist ja die Warnow. Er steht auf dem Dampfersteg, das Wasser gleitet so schnell unter ihm, gluckst an den Pfosten, als lachte es... Nun treiben Blasen, schwindlig greift er zum Geländer, will sich halten, aber das Geländer ist fort, er greift ins Leere. Und immer schneller treibt das Wasser, immer schneller, singt leise, kühl, kühl, etwas Weißes treibt darauf, ein Blatt Papier, der Examensaufsatz: Iphigenie, ein Inbegriff deutscher Sehnsucht, nein, es ist eine Blüte, eine große weiße Blüte, und sie treibt näher, immer näher, sie rührt ihn kühl an –: er schreit, er reißt die Augen auf. Da ist ihr Gesicht über ihn geneigt: ein Leben genügt nicht, diesen ihren Blick zu erschöpfen, in dem alles liegt: Liebe, Not, Nichthelfenkönnen und die Angst der zu oft Enttäuschten.

„Ist dir besser, armer Junge?"

„Das ist dein Gesicht, Gerda? O das ist gut. Halte es nahe. Es weht kühl von ihm, aber in mir ist eine Hitze, ich verbrenne. Das ist die Sünde in mir, die den Leib verbrennt..."

„Was solltest du wohl für eine Sünde in dir haben, mein kleiner Kerl?"

„Das ist die Sünde, daß ich falsch gedacht habe und sündhaft, daß ich hochmütig gewesen bin und ehrgeizig und stolz. Er aber hat gesagt: ich will deine Sünden von dir nehmen und dich rein waschen wie ein Lamm, das zur Scherbank kommt. Nein, das ist nicht der Spruch, den ich meine. Wo steht er doch? Er steht im ersten Buche Mosis und lautet daselbst vom ersten bis zum dreizehnten Vers –"

„Willst du nicht zu schlafen versuchen?"

„Doch will ich das. Sofort. Aber du darfst nicht vergessen, daß Arne in der Schifferade der Bar gesagt hat, daß die Kinderzeiten vorbei seien, verführen müsse ich die Frauen... denn ich bin ein Mann!"

„Ach der dumme Kerl!"

„Ja, dumm ist er schon. Aber ich muß doch darum zum Frühstück zu Haus sein. Welche Zeit ist es? Halb elf?"

„Jo, hörst du mich, lieber Jo! Willst du hören, was ich sage?"

„Natürlich höre ich dich. Ich höre alles, was du sagst und was Arne sagt. Aber -"

„Jo, sage eines, wie heißt du? Jo, bitte, lieber Jo, wo wohnst du? Ich muß doch deine Eltern -"

„Meine Eltern -?" Und der Kranke fuhr hoch. „Meine Eltern? Fragst du nach denen?" Flüsternd, nach ihrer Hand tastend: „Ich verstoße sie. Ich reiße sie aus meinem Herzen aus. Sie haben mich lügen gelehrt, und nun ist die Lüge eine Wunde geworden über meinen ganzen Leib hin. Und sie brennt. Und ich liege auf dem Rost und brenne . . ."

„Jo! Jo!!"

Aber der Kranke hörte sie nicht mehr. Eilfertig huschten die Hände über die Decke, als müßten sie weite Wege zu imaginären Zielen gehen, seine Augen schienen nach innen zu schauen, und er sprach immerzu, mit sich, mit andern, klagte an und verteidigte sich, lächelte, erflehte Vergebung, die er nicht erhielt, und zürnte einem, der zu weinen schien. Es war, als eitere sein ganzes bisheriges Leben in ihm, habe sich in kalten Brand versetzt und kämpfe mit den gesunden Säften seiner Seele.

Neben ihm hockte das Mädchen, mit der Schnauze stieß der kleine Hund an ihre Knie, sie achtete seiner nicht, rastlos glitten ihre Hände über die fieberheiße Stirn, kühlten, strichen die feuchten Strähnen fort. Auch sie flüsterte. War Mutter geworden, sprach zum kranken Kinde, nannte es bei allen Kosenamen, und eine neue Bedeutung stieg aus den abgenutzten auf, da sie in dieser Nachtstunde sie brauchte. Stunden schlugen. Durch die Vorhänge einfallende Strahlen wurden aus Dämmergrau weißlich und weiß, doch immer huschten die Hände, flüsterte der Kranke, war eine junge Mutter selig betrübt.

Abfuhr

Junge Mutter -? Selig betrübte -? Sieh doch diese Kampfbereite, geschlossenen Gesichts, mit kalten Augen! Sieh doch dies Mädchen, gefährlich, wehrhaft gegen den stärksten Mann, wie sie Arne einläßt, auf Anton zeigt: „Da! Wenn Sie mir nicht glauben, schaun Sie ihn an; packen Sie 'n auf und nehmen ihn mit nach Hause."

„Von Nichtglauben kann nicht die Rede sein, aber -"

„Aber Sie wollten sich mit eigenen Augen überzeugen, und das nennt man eben Nichtglauben."

„Bitte!" Statt einer Antwort feinfeine Geste, dann: „Also da bist du ja, alter Junge! Kater ausgeschlafen, was?"

Aber der Kranke rührt sich nicht.

Die Wirtin warnt: „Nicht so laut, junger Herr. Eben war der Arzt da, gab ein Schlafmittel. Er ist müde."

„Der Teufel ist Ihr junger Herr. Ich bin auch müde und muß hier nach dem jungen Hunde rumrasen, um den die Alten schon wimmern. - Josaphat, sei nicht so schlapp, rapple dich auf, komm mit. In deiner Bude kannst du dich langlegen, soviel du willst."

Lauter: „Josaphat, was sollen die alten Herrschaften denken?"

Aber der Kranke schweigt, sieht wie lächelnd in den tanzenden Lichtstrahl und spricht kein Wort.

„Na -", und ein Achselzucken. „Was denken Sie sich eigentlich, Beste, was wird -?"

„Von mir aus!"

„Nee, nee, denken Sie nur nicht, daß ich hier einspringe. Schicken Sie man zu seinen Eltern und melden das Strandgut. Ich sage einfach, ich habe ihn nicht gefunden."

„Dann erfahren die ja von mir, daß Sie ihn gefunden haben."

„Was –?! Sie würden ...?"
„Selbstredend."
„Nein, hören Sie ..."
Als die Kubschen eingriff: „Haben Sie sich doch nicht. Nehmen Sie seinen Vater beiseite und sagen Sie so und so und dies und das. Gott, der ist auch einmal jung gewesen!"
„Der –? Bestimmt nicht. Und wenn, hat er's lange vergessen. Nein, nein, ausgeschlossen. Etwas Nettes hat sich das Unglückshuhn da eingebrockt ..."
Als Gerda näher trat. Leise sagte sie's, aber den Blick klar in dem seinen, der abirren wollte, aber festgehalten wurde: „Sie gehen jetzt, sage ich Ihnen. Wäre der Jo wach, er schämte sich meiner nicht, er sagte Ihnen die Wahrheit. Wer hat sich denn so? Sie – der wirklich gemein ist, der die gewöhnlichsten Mädchen ins Lokal schleppt, der immer zotet, Sie tun ja wahrhaftig, als fiele die Welt ein, weil das Kerlchen in meinem Bett liegt, und bloß, weil's Tag ist und die andern davon erfahren könnten. Nein, nun gehen Sie und sagen seinen Eltern Bescheid, daß er hier ist. Was Sie ihnen vorlügen, ist mir egal, ich werde Sie nicht verraten. Aber wenn Sie nicht hingehen, dann schicke ich und dann sollen sie hören, wer ihn zu mir gebracht hat und lächerlich machen wollte mit seiner Keuschheit! Und ... nun gehen Sie!"
„Aber ... bitte ... es war doch nicht so ... wirklich ..."
Jubelnd krähte der Kranke: „So ist es recht, Gerda! Gib es ihm! Gib es ihm tüchtig!"
„Bist du wach? Oh, wie geht es dir? Junge, was habe ich für Angst gehabt –!"
„Das ist recht, Josaphat, daß du wieder zu Verstand kommst. Und nun –"
„Sind Sie noch nicht fort? Sind Sie ... Da geht er hin.

Neugierig bin ich nun doch, ob er zu deinen Alten . . .
Was hast du? Was ist dir, Liebes?"

Der Kranke beugt sich vor, das Hemd klafft, zeigt die kranke bläuliche Haut über der mageren Brust, an den Schläfen kleben die durchschwitzten Haare, Schweiß steht in vielen feinen Tröpfchen auf seiner Stirn, aber langsam und deutlich spricht er: „Falsch hast du mich gerühmt . . . Auch ich habe mich deiner geschämt, heute Nacht . . . darum . . ."

Es ist still. Zeit geht langsam, unerträglich, tropft, tropft unendlich langsam, tropft . . .

Und die vielen guten Worte, die Gerda nach einer Weile sagen kann, hört er nicht mehr, er singt: „Sie wissen den Teufel, was Freiheit heißt –!"

Kleines Gewitter

Eine Uhr schlägt zwölf, eine Tür fliegt auf, und in ihrem Rahmen zögert die kleine Dicke, sieht scheu um sich, wird vorgestoßen, und ihr nach kommt mit Gesten, gesträubten Bartes, rutschenden Klemmers, voll Schweiß, Professor Färber. „Ich traue meinen Ohren nicht, was mir da der junge Freund meines Sohnes sagt . . . Und hier . . . hier . . ."

Du am Ofen, du, Gerda, siehst die Eltern nicht, siehst nur den Feind, der auf Raub geht. Wie böse wirst du sein? Wann hast du die Verachtung dieser erlernt mit der ganzen, nichts ersparenden Schmerzgierde des jungen Herzens, dich gegen sie gewehrt, als du erkanntest, wie feige sie war und wie unaufrichtig –? Und wann war es, daß du dich mit ihr abfandest –? Damals glaubtest du nun das Recht erworben, gegen alle böse zu sein, dich gegen alle zu behaupten, mit welcher Waffe auch . . . Und nun, da du einen liebst, liebst, liebst, glaubst du dies

Recht noch erweitert? Gegen einen weich sein und alle andern hassen, alle, nicht wahr?

Ah, du bist auf dem Lande groß geworden, in der Gemeinschaft stiller Tiere, stiller Gewächse –: eine Zeit muß in deinem Leben gewesen sein, da du an Güte gegen alle glaubtest. Und so leicht schien sie. Schon die Tiere . . . o schweige doch! Damals! Damals!

Des Professors Augen sitzen auf Stielen, die Blicke schießen vor, fliehen wie in Angst, an der schlüpfrigen Sünde des Raums hängenzubleiben. Aber die Mutter hat das Kind entdeckt, sie eilt darauf zu, ruft: „Er ist wirklich krank, Altchen! Sieh doch –"

„Ist er krank? So bestraft sich Sünde. Sofort. Gott läßt seiner nicht spotten. – Aber Sie, mein Fräulein, – oder Frau? Ich weiß wirklich nicht –"

„Ich auch nicht."

„Wie –? Wie –?!"

„Nein!"

„Nein? Was nein –?!"

Ruft die Mutter: „Komm doch, Altchen! Der arme Junge . . ."

Und frisch angefeuert legt der Vater los: „Armer Junge –? Sei so gut! Mitleid hieße Sünde. Doch Sie . . . wissen Sie, daß Sie sich der Verführung eines Minderjährigen schuldig gemacht haben? Der Junge ist erst siebzehn Jahr! Ich werde Sie bei der Staatsanwaltschaft anzeigen."

„Bitte! Wenn es Ihnen Spaß macht. Die Herren, die mit mir kommen, zeigen ja im allgemeinen nicht ihren Taufschein vor."

„Und Sie da, Frau –"

„Kubsch."

„Kubsch, also Kubsch . . . Übrigens ich hatte einen Schüler Kubsch, warten Sie, 1908, Untertertia, faul, phlegmatisch, ständig ut mit dem Indikativ . . ."

„Das war mein Sohn."

Triumphierend: „Also! Da ist ja alles klar!" Wieder in frischem Feuer: „Sie dulden das in Ihrer Wohnung -? Solche . . . Aber das ist Kuppelei, und auf Kuppelei steht Zuchthaus. Ich werde Sie . . ."

„. . . bei der Staatsanwaltschaft anzeigen."

Herumfahrend: „Wie -? Wie denn? Sie erlauben sich. . .? Sie . . ."

„. . . werden Sie auch anzeigen."

„Frech wird das noch! Aber Sie sollen etwas erleben! Ich werde mit Ihnen allen abrechnen. - Alma! Was wird nun? Alma!"

„Herr Professor, ich möchte auch abrechnen. Zwei Flaschen Sekt und eine Nacht habe ich noch bei Ihnen gut."

„Aber das ist das Ende! Das ist Sodom und Gomorrha! Was fällt Ihnen denn ein! Wissen Sie, wer ich bin?"

„Ich sehe es."

„Sie . . . freilich mit solchem Pack sollte man sich gar nicht erst . . . Alma! Alma!! Warum steht denn der Junge nicht auf? Es ist . . ."

„Aber er kann doch nicht!"

„Kann nicht? Gibt es nicht. Muß können." An das Bett tretend, rein väterlich, wenn auch mit angemessner Strenge im Ton: „Anton! Besinne dich, wo du bist. Was hast du getan? Wie konntest du dich so weit vergessen -? Anton!"

Als im Kranken eine Feder einzuschnappen scheint. Er richtet sich halb auf, macht eine große Geste und beginnt schallend: „Ahnst du voll Wonne, was uns am Pippusbogen winkt, während die Sonne . . ."

Und die Jungenstimme erhebt sich höher, mit geschlossenen Augen liegt er da, die Stirne gefaltet, aber er vollendet: „. . . Venus, die Fee, um, segnet die Nacht."

„Nun, wir sind ja sehr fidel heute, junger Freund! – Ah Pardon! Ich bin der Arzt. Wehrfritz."

„Und ich der Vater... Ich meine: Professor Färber... dies meine Frau..."

„Vom hiesigen Gymnasium?"

„Ich habe die Ehre, dem hiesigen Lehrkörper bereits dreißig Jahre anzugehören. Und wenn ich mich recht erinnere, war auch ein Sohn von Ihnen..."

„Stimmt! So, und jetzt möchten Sie Ihren Knaben natürlich gern nach Haus haben?"

Der Vater flüsternd: „Sie verstehen. Diese Schande. Aber der Junge hört ja nicht, will nicht aufstehen. Scheint vollkommen betrunken. Auch nur so kann ich mir erklären, daß er –"

Wird abgeschnitten: „Jaja. Aufstehn ist natürlich Unsinn. Im Krankenwagen ginge vielleicht... Und, Gerda, sag mal, Mädelchen, hat er immer so gesungen, seit ich da war heute früh?"

Sie lächelt. Plötzlich ist sie eine andere, eine ganz andere wie die Herausfordernde, Freche, Beleidigende von vorhin. Gott, ein Mädelchen ist sie wirklich nun, ein Kind, anschmiegsam, sanft, ein Gewächs und so gut –!

Aber der Vater protestiert: „Krankenwagen? Aber das geht doch nicht, Herr Doktor! Die Leute sammeln sich auf der Straße, und in einer Stunde weiß die halbe Stadt, wo mein Sohn –"

„Bitte!" Und sanft, aus seinem Gottvaterbart zu Gerda: „Und die Temperatur vons Kind?"

„Immer noch vierzig."

„Aber Sie müssen mich anhören, Herr Doktor. Der Krankenwagen –"

„Ich bin für den Kranken hier, nicht für Sie. Wenn Sie ihn nicht transportieren wollen, lassen Sie ihn hier. Ein drittes gibt es nicht."

„Aber –"

„Bitte!" Der Riesenarm des Alten fährt durch die Luft, und das Männlein fällt zurück, schnappend, erledigt. Dann aber faucht es: „Ja, dann freilich! Ich verstehe schon."

Sanft fragt der Arzt: „Was denn? Was verstehen Sie –?"

„Oh, wir wollen nicht davon reden. Aber es ist ja bekannt, nicht wahr?" Und rasch und leise: „Sie reden diese – Dame mit du an?"

„Herr! Was unterstehen Sie sich –! Wie können Sie es wagen, mir mit solchem Guano zu kommen! Nicht der Verdacht ist mir eklig, aber weil es Ihr Verdacht ist, Ihr feiger, schmieriger Zelotenverdacht, darum! Und weil ich Ihnen schon längst einmal meine Meinung sagen wollte, darum!"

„Wissen Sie, wer ich bin! Ich bin der –"

„Ruhe", brüllt der Alte, „jetzt rede ich und jetzt hören Sie zu! Wer Sie sind, sagen Sie? Ein für Lebenszeit sitzengebliebener Untersekundaner sind Sie! Bis zum Xenophon kommen Sie, bis Bellum Catilinae, Sallust, bis Vergil. Und kommen nie weiter. Da haben Ihre Gedanken, Ihre Ansichten aufgehört und mit fünfundfünfzig sind Sie noch immer fünfzehn! Sehen Sie sich doch im Spiegel! Auch körperlich ein überarbeiteter, blutarmer Jüngling. Nicht einmal einen ordentlichen Bart haben Sie! Und Sie wollen richten! Sie wollen Anspielungen machen! Sie wollen ein Mädel anschmieren, das zehnmal soviel durchgemacht und ertragen hat wie Sie, der durch Standesvorrechte und Denkunvermögen vom ganzen Leben fernblieb?"

„Weil Ihr Sohn sitzengeblieben ist ..."

„Ja, weil mein Sohn sitzengeblieben ist! Aber jetzt gehen Sie, denn nun schimpfe ich nur noch, und was Sie hören sollten, haben Sie gehört! Ihnen hilft es freilich nicht, aber mir hat es geholfen, Sie Auskehricht, unnützer, Sie Arschpauker, Sie –"

„Alma, wir gehen! Ich befehle dir . . ."

„Ab! Und Ihren Sohn lassen Sie durch das Krankenauto holen, sonst bekommen Sie ihn nicht."

„Alma!"

Aber die Frau fragt den Arzt: „Ist es sehr schlimm?"

„So lange ist es nie sehr schlimm. Pflegen Sie ihn nur gut. Und keine Vorwürfe, keine Ermahnungen. Wahrscheinlich wird er diese ganze Geschichte vergessen haben, wenn er zur Besinnung kommt. Ihr Arzt soll mich anrufen. Empfehle mich, gnädige Frau."

Und ihr nachschauend: „Auch so eine Pute, der man alles in den Mund schmieren muß. Dumm sind diese Weiber . . . Na!"

„Wird er wirklich alles vergessen?"

„Wenn ich es doch sage, Gerdakind! Ruhe ist wichtig, nicht? Und Eltern können so nölen, so schrecklich nölen, was? Ich bin selbst Vater. Adieu auch."

Mutter und Sohn

„Fortschleichen? Feige Flucht? Oh, nur Erdientes wird Verdienst; ich habe Klagen und Abwehr zu ertragen, aber sprechen muß ich, den Eltern sagen, daß ich nicht will. Freilich –"

Anton springt auf, die Decke gleitet zur Erde. „Verdammtes Herz! Es gibt kein freilich. Ich sage es ihnen, sage sofort . . ." Und wendet sich ängstlich horchend: „Herein! – Ja Mama?"

„Du läufst schon wieder herum, Anton, und der Arzt hat doch gesagt, du sollst dich noch schonen."

„Verzeih, es geschah in Gedanken. Ich setze mich schon."

„Ja, und das Denken! Papa hat dir so viele gute Bücher hin gelegt, aber nie liest du darin. Immer sitzt du und grübelst. Und das viele Grübeln ist auch ungesund."

„Neinnein, natürlich werde ich lesen. Laß sehen –"
„Wart, ich hole sie dir. Bleib doch, ich kann ja so gut –"
„Nein, Mama, wirklich. Du sollst nicht –"
„Hier, Junge. Und dies schenke ich dir. Ich habe es dir gekauft. Es ist eine Sonderausgabe, vom Buch Ruth. Ich weiß ja nicht, ob es noch dein Geschmack –"
„Das Buch Ruth, Mutti –? Nein, höre einmal . . ."
„Lies es mir zuliebe, Tonerl, ich bitte dich –"
Und plötzlich wirft er den Kopf auf den Tisch – helles Verwundern steigt in ihm auf: was tue ich denn? –, wirft den Kopf auf den Tisch und weint los, laut, schluchzend, wie er als Kind geweint, ein bißchen klagend, ein bißchen wimmernd, mit vielen Vokalen. Weiß das alles, tut's weiter, fühlt sich erlöst, und schon liegt der Kopf der Mutter neben dem seinen, ihre Haare kitzeln ein wenig, stören ein bißchen, aber nun geht ihr Schluchzen neben dem seinen, sie fühlen nicht, wessen Tränen die Wangen feuchten, die deinen, die meinen: sie weinen.

„Das ist das Leben, Junge, das Leben. Aber es wird wieder gut, glaube mir."
„Nein . . . nein . . ."
Und steht plötzlich. Noch laufen die Tränen über sein Gesicht, das böse ist. „Geh, geh, sage ich dir. Nicht so. Ich will nicht weinen. Ich darf nicht – so mit dir weinen."
„Was hast du? Bist du böse auf mich?"
„Nein, nicht auf dich. Auf mich. Geh, ich bitte dich."

„So weit wären wir also nun: Heuchler. Mit der Mutter geweint, die an Reue glaubt! Und grade beschlossen, zu ihnen zu gehen und zu sagen –!"
„Und doch! Doch! Ich bin ehrlich gewesen, als ich beschloß, ehrlich, als ich weinte. Nein, nicht aus Reue geweint. Sondern weil ich weiß, daß ich ihr Schmerzen

mache, größere noch, nun, wenn ich von ihnen gehe zu jener und all dieses lasse, alles ...

Mach es dir klar, Anton, alles! Keine Bücher mehr und gestorben für die, mit denen du aufwuchst. Ein Dasein wie Kinofilm, Außendinge nur, und was dem blöden Erleben allein Sinn gibt, ist die Liebe, an die wir glauben müssen. Freilich ...

Wie das winkt! Wie sie lockt, jene kleine Wartende dort hinten; das Gefühl, ein Menschenantlitz ganz zu eigen zu haben, sich fortschenken, ewig und immer empfangen ... Und das Gefühl, dies kommt einmal und nie, nie wieder ..."

„Aber warum stehe ich hier? Denke tausendmal Durchdachtes? Warum spreche ich nicht mit den Eltern und eile fort zu ihr, die wartet? Warum nicht? Ist nicht alles beschlossen –?"

„Ah, beschlossen wohl, aber noch wartet das Herz, zögert, hofft immer noch, Äußerstes bliebe erspart, wartet... O ich kann nicht! Ich will und kann nicht! Ich wage nicht. Und es wird zu spät sein, bald schon zu spät ... und ich warte ..."

„Hier ist dein Frühstück, Tonerl. Iß das Ei nur gleich; es wird grade sein, wie du's magst."

„Danke schön, Mutti. Und was macht Papa?"

„Er läßt grüßen. Ach, er hat so viel Ärger mit der neuen Klasse!"

„So? Aber ich denke, da ist doch Kunkel drin und Beggerow und Peuß –"

„Grade der Peuß, der ist der Schlimmste! Treibt sich am hellen Tage mit Mädchen rum. Papa hat ihn selber gesehen. Und –"

„Glaubst du, Mama, daß es viel Zweck hat, wenn du mir so was erzählst?"

„O sei nicht böse, Jung. Nein, natürlich. Ich habe vergessen ... Sieh nur, wie schön heute die Sonne scheint. Bald kannst du nun auch wieder –"

„Ja, ja, schon gut! Laß nur. Aber ... das muß ich sagen, tun braucht ihr nicht so, als sei ich ein Schwerkranker. Als Gesunder habe ich das getan! Als Gesunder! Und das Beste war es und das Schönste –. Und daß ihr da so duckerich herumschleicht, mit Getu und halben Worten, das ist gemein von euch! Das ist ..."

„Aber setz dich doch, Tonerl! Setz dich hin. Siehst du, nun hat es dich wieder, nun weinst du schon wieder. Wie dumm von mir, dich so aufzuregen! So, die Decke schön über die Knie. Es zieht immer noch kalt herein. Papa wird schön schelten, wenn er hört, was ich da angerichtet habe! Hast du auch ein Taschentuch! Warte, ich hole ein frisches, dies ist nicht mehr gut. Ja, sehr krank bist du gewesen, das wirkt nach. Lange. Aber dann auf einmal bist du wieder froh, dann ist es der Lebensmut ...".

„Ja, laß schon, Mama. Und du hast gehört, was ich gesagt habe: das Beste und Schönste ... Übrigens ist es ein Ekel, davon zu reden. Dann wird alles Kitsch."

„Ein schlechtes Mädchen ist das gewesen. Ein ganz schlechtes!"

„Ja ... ja ..."

„Und Papa hat sich auch nach ihr erkundigt: soviel Liebhaber wie die ... verführt hat sie dich!"

„Bitte, Mama."

„Und auch der Arzt da – aber das weißt du nicht mehr, da warst du zu krank –, das war ein Kerl, wie gemein der geredet hat –"

„Doch, ich erinnere mich; einen langen Gottvaterbart, nicht?"

„Der mit seinen grauen Zotteln ... und der Kellner in dem Lokal, den hält sie aus ... und mit dem andern Mädchen da, einer Rothaarigen ... man kann es ja gar nicht sagen; daß es so etwas gibt . . .! Immer heißt es, wir haben eine Polizei, aber für solche . . ."

„Willst du nicht lieber von etwas anderm reden?"

„Aber sagen mußte ich dir es doch einmal, Tonerl, es drückte mir das Herz ab, daß mein reiner Junge mit so einer . . ."

„Also . . ."

„Und wenn du nicht krank gewesen wärst . . ., aber so etwas wittern die sofort . . . und dann sind sie hinterher wie die . . ."

„Ich lese jetzt, Mama."

„Das ist recht. Und bitte, Tonerl, lies jetzt in der Bibel, es sieht gut aus . . ."

„Warum soll es gut aussehen?"

„Und es tut dir auch gut. Es kommt nämlich Besuch."

„Aber ich will keinen Besuch!"

„Doch, dieser freut dich gewiß. Onkel Otto kommt nämlich. Auf der Durchreise –"

„Onkel Otto? Und so ganz zufällig –?"

„Ja, denke dir. In Berlin ist Missionsversammlung, und weil der Umweg über Rostock ja nur klein ist . . ."

„Auf der Durchreise –?"

„Ja, und da will er dir zuliebe . . . er möchte gern mit dir sprechen –"

„Mama, das hättet ihr euch nun wirklich schenken können."

„Nein, ich weiß, du wirst dich freuen. Und Papa war auch so dafür."

„Übrigens ist es egal. Tut, was ihr wollt. Raus kommt doch nichts dabei. – Ich lese jetzt, Mama. Die Bibel für den Onkel Superintendent."

Onkel Otto

Krachend versank der Onkel in einem Korbsessel, schwoll violett an, räusperte sich und begann: „Heiß haben wir's."

„Achtzehn Grad."

„Réaumur?"

„Nein, Celsius."

„Das ist eigentlich nicht so viel."

„Nein eigentlich nicht."

„Ich dachte, daß wir es wärmer hätten."

„Ja."

Und der andere stöhnend: „Für einen Frühlingstag ist es schließlich warm genug."

Nein, es war nicht nur die Abneigung des Mageren gegen den fett Gedunsenen, die den Neffen packte, mehr noch erzürnt war er über diesen, der mit ödem Dreckseich daherkam, fest überzeugt, seine Anwesenheit genüge schon, alles zu schlichten. ‚Wie er in den Sessel hineinplatzt, wird er in meine Innerlichkeiten hineinfahren, mit einem öden Schema bewaffnet, das ihm das einzig gültige ist, an dem Zweifel schon verdammenswert. – Und ich bin schwach gegen ihn. Zu sehr habe ich ihn früher bewundert, wenn er auf dem Hofe wirtschaftete, ein widerspenstiges Pferd zuritt, Erntefuder auf die Tenne schob, Säcke zum Boden trug. Wie sanft konnte er sein, dieser Fette, zu einer kalbenden Kuh, zu einem halb ertrunkenen Gössel, fast zärtlich sind diese Wurstfinger, wenn sie den losgerissenen Obstbaum am Pfahle anbinden. Ja, ein Bauer ist er, ein tüchtiger, und fast wehrlos macht es mich, daß ich ihm damals so viel Recht in mir gab. Aber nur daran will ich denken, daß er mir heute als Quäler kommt, mich noch mehr zu schwächen ... und ich dulde es nicht ...'

„Nein, ich rauche nicht."

„Wie du denkst. Eigentlich bist du schon in dem Alter, daß du mal rauchen kannst."

„Nein, danke."

„Ach natürlich, deine Lungenentzündung. Das ist vernünftig."

Wütend: „Nein, nicht so. Bitte, gib mir eine."

„Wirklich? Wie du willst. Genug sind da für uns beide. Und wenn sie alle sind –"

„... kaufen wir neue. Das kennen wir schon. Aber wovon?"

„Wovon –? Na, du bist gut! Vom Gelde."

„Freilich, vom Gelde. Aber von welchem Gelde –?"

„Welchem Gelde –?"

„Ja, welchem Gelde –?!"

„Das muß man dir lassen, du kannst fragen." Der Dicke sann. Ja, wirklich, er dachte nach, das Gesicht veränderte sich, das schweinisch Gedankenlose fiel ab; dieses Gesicht zerlegte sich, gliederte sich, Sinn bekam jede Falte, etwas ein wenig Hilfloses und Bestürztes erschien, zugleich eine Hartnäckigkeit, die Vertrauen erweckte.

‚Muß ich auch hier noch zweifeln?' fragte sich der Junge. ‚Vielleicht war mein Urteil vorschnell, vielleicht ist er ein ganz anderer, wie ich meine? Dürfte ich ihn doch verachten, uneingeschränkt, wie viel leichter ... Verachten? Nun werde ich wohl niemand mehr verachten dürfen, fragte ich das nicht einmal? Neinnein, ich will nicht mehr, alles zerfällt, ich entgleite ...'

Der andere schien sich zurechtgefunden zu haben. „Ach, so meinst du das! Aber mein Superintendentengehalt spielt wirklich kaum eine Rolle. Die Hauptsache ist der Hof, und da arbeite ich."

„Aber das andere nimmst du doch und, vor allem, bist du!"

„Freilich! Doch woher weißt du, daß es Schwindel ist –?"

(‚Au fein! Sieh da! Dumm ist der gar nicht!')

„Ich glaube nicht, daß ich etwas von Schwindel gesagt habe."

„Aber wenn du solche Diskussion nicht wünschest, solltest du dich nicht so weit vorwagen, lieber Neffe. Also –?"

„Gut denn, ich habe es gedacht."

„Na schön. – Sieh mal, es ist natürlich ausgeschlossen, daß ich dir jetzt in einer halben Stunde meine ganze Entwicklung erzähle, und außerdem: so was glaubt sich erst, wenn man es sieht. Und da denke ich, du wirst nächstens mal ein paar Wochen zu Besuch zu uns herauskommen, schaust du dir das am besten einmal an. Du hast doch keine Bedenken, mich zu besuchen?"

„Nei ... n. Nein."

„Das beruhigt. Schön. Aber was ich sagen wollte ... laß dir da nur einmal eine kleine Geschichte erzählen, die ich kürzlich erlebt habe. Ist da eine Landarztfrau bei uns, halb Dutzend Gören, er natürlich ganz Darwinist, Haeckelmann, und sie brav in seinem Fahrwasser. Schön, wie das so kommt, der Mann macht dumme Geschichten, verplempert sich irgendwie, schießt sich tot. Und zwei Tage darauf ist die Frau bei mir, sagt: ‚Herr Superintendent, so und so, als ich klein war, da hatte ich meinen Glauben, und als dann mein Mann kam, hatte ich seinen Glauben, und das war schön, aber nun, so ganz allein, möchte ich wieder zu Gott heimfinden, es ist doch leichter!' Siehst du, da hast du ..."

„Aber, aber ...", unterbrach ihn Anton erregt, „das ist ja gemein! Diese Schamlosigkeit! Das wechselt man doch nicht wie Wäsche!"

„Diese Schamlosigkeit, lieber Junge, ist eigentlich

der einzige Trost auf der Welt. Daß wir nämlichen den Glauben wechseln können und immer neu hoffen. Sonst –"

„Aber doch nicht so! Das ist doch . . ."

„Aber das steht augenblicklich gar nicht in Frage. Sondern darum handelt es sich, daß für diese Frau und für tausend andere Menschen jemand da ist, der ihnen hilft. Und wenn er nun selbst mit einer Lüge hilft, er hilft doch!" Plötzlich war da das trübe Gesicht, das vor Antons Blicken verschwamm, wieder ein ganz anderes geworden; ein scharfes, ein junges Gesicht, mit entzückenden Spottfältchen um die Augen, lächelte zart, fragte leis: „Hast du nie einen Menschen aus Liebe belogen, um ihm zu helfen –?"

Anton schwieg, aber in ihm schrie's: ‚Eben erst! Eben erst die Mama. Daß ich mit ihr weinte . . .'

Und der Onkel, als hätte er gar keine Antwort erwartet, fuhr ruhig fort: „Also sieh mal, selbst gesetzt den Fall, ich löge, was ganz und gar unrichtig ist, wäre auch das noch nicht einmal so schlimm, sondern vielleicht gar von dir zu entschuldigen. Also – kann ich und darfst du in aller Ruhe diese Virginia rauchen, selbst wenn sie von meinem Gehalt gekauft ist."

Wozu der Onkel fidel und aufgeräumt lächelte, plötzlich wieder der dicke Geistliche. Aber nun verlor Anton den Kopf; dieses Parlamentieren, diese Vorreden hatten ihn ermüdet, seine Aufmerksamkeit abgelenkt, die Angriffstimmung gebrochen, ihn selbst zu einer Verteidigung unfähig gemacht. Und in der Furcht, bei längerem Zuwarten könnten seine Nerven ihn ganz im Stich lassen: „Das ist alles ja ganz schön und gut, aber – wollen wir nicht endlich zum Thema kommen?!"

Onkel Otto glotzte. „Zum Thema?"

„Freilich zum Thema! Denn du willst mir doch wohl nicht einreden, daß du die Reise von Martensdorf nach

Rostock gemacht hast, mich davon zu überzeugen, daß du ein - religiöser Seelenhirt bist?"

„Und was sollte denn unser Thema sein? Etwa?"

„Ach Onkel -!" Nun gaben die Nerven wirklich nach, Anton fühlte mit Entsetzen, wie sich alles in ihm entspannte, wie die Tränen in der Kehle würgten, daß er in fünf Minuten schon allem ja sagen würde, nur um allein zu sein . . . „Soll ich dich wirklich erst in Gang bringen? Habe etwas Mitleid! Mit meinen Nerven. . ."

„Aber ich weiß wirklich nicht . . ."

„Schon gut! Schon gut! Dann eben nicht! Aber ich mache dich darauf aufmerksam, Onkel . . ." (‚O wie häßlich schreie ich! Ich darf doch nicht so abscheulich kreischen!') „Ich mache dich darauf aufmerksam, daß ich beim ersten Worte über Gerda das Zimmer verlassen werde und . . ."

„Gerda! Welche Gerda -?"

„Welche Gerda! Tue doch nicht, als seist du vom Monde! Aber ich komme nicht wieder! Ich komme nicht wieder! Bestimmt nie!"

Und da war das Weinen da, würgte in der Kehle, schnellte die Schultern hoch, krümmte den Leib, aber dieser Wutteufel raste weiter in ihm, zwang ihn zu wilden Gebärden, zwischen Schluchzern hervorgeschnellten Ausrufen: „Wie ihr mich alle elendet! Laßt mich doch in Ruhe! Ich mag dies nicht mehr. Ich will. . ." Und er weinte, floß aus darin, schwemmte fort und hörte doch so gierig auf die ruhig behutsame Stimme des andern, der da leise auf und ab ging und gar nicht zu ihm zu sprechen schien.

„So ist das! Aber es ist zum Bangewerden. Hat man sich geschnitten, so wird die Wunde verbunden und das Glied geschont, hat man aber in seiner Seele eine Wunde, so sticht alles hinein. Das heißt, es scheint nur so, aber es ist gleichgültig, ob es so ist oder scheint: weh tut es allemal. Wenn wir nicht ganz mit uns im Gleichgewicht sind, wenn da eine schwache Stelle in uns ist, so fällt alles Erleben auf diese Stelle und vergrößert den Schmerz. Und ein Wunder bleibt es, daß so eine Stelle je wieder ausheilt, aber das tut sie, wie ist nicht zu erklären, eines Tages ist sie heil..."

Der Dicke hielt inne, wandte sich zum Fenster, und nun sprach er, schien's, zu dem Blütenast draußen: „Jedenfalls kann ich dir die Versicherung geben, daß ich von einer Gerda nichts weiß. Deine Eltern haben mir geschrieben, dir ginge es schlecht, du seiest krank gewesen, auf eine schriftliche Einladung würdest du doch nicht reagieren, ich möchte kommen und dir zureden. Das ist alles. Da liegt der Brief der Eltern, überzeuge dich selbst. Nein, bitte, ich weiß, was in solcher Lage Mißtrauen tun kann. Freilich kannst du sagen, der Brief sei zugerichtet und ich eben mündlich instruiert. Aber was hätte es denn für einen Zweck, mich zu instruieren, wenn ich doch nicht über das Thema reden will? Und ich will nicht. Vielleicht, daß du einmal willst, dann bin ich natürlich bereit. Jedenfalls habe ich deine Zusage für Martensdorf. Was meinst du zu Montag? Na schön. Und nun mach dich zum Essen zurecht; wir essen doch gemeinsam?"

Der Onkel ging. Doch in der Tür drehte er noch einmal um und sagte, nebenbei: „Vielleicht denkst du einmal daran, ‚Es ist doch leichter so!' Was –?"

Da wußte er die Antwort: „Aber es soll nicht leichter sein!"

Der Traum

Zum Waschbecken ging er, beugte sein Haupt vor, ließ Ströme des Kühlen über das Glühende gleiten, doch immer von neuem brannte sie heiß hindurch, die Haut, und die gesuchte Linderung wich dem Drängenden aus. Da ging er zum Sofa, ausgehöhlt von einer Unruhe, für die er keinen Namen und nicht einen Grund wußte, lehnte sich zurück und versuchte einzudämmern. Das Ticken der Weckuhr vermurmelte, die Geräusche wurden flach, als strichen Hände darüber hin, sie abzuschleifen, dann schwoll das Ticken an, wurde hart, laut, lauter, nistete sich in sein Ohr, bekam Rhythmus, Wortlaut selbst, und nun hackte es in ihm: Ich muß ja – zum Essen gehen! Ich muß ja – zum Essen gehen!

Aber die Hitze wuchs, noch mehr zerrte die Unruhe, warf den Körper hierum, dorthin. Dort war wie Linderung, und da er den Atem stiller gehen ließ, schien's der Wind vom Fenster zu sein, der so kühlend sich auf die Wangen legte, die Lippen weich und still machte. Das Verlangen wuchs aus Wunsch zum Willen, ihn zu spüren, diesen Kühlewind, über die ganze heiße Dehnung und Verschwellung des Leibes: da zerrte er schon an den Knöpfen, riß an Haken, warf alles zurück, das Weiße der Wäsche und das Schwarze der Kleider, glitt auf das Sofa und dehnte sich befreit.

Und nun blies der kühlende Wind über heilsam erschauernde Haut. Nun glitt es wie Streicheln des größsten Atems über das verhetzt Erhitzte, und die Güte einer nicht liebegebundenen Weltseele war's, die allein so kühlen konnte. Hinter den schmerzenden Augendeckeln glomm ein kleiner Traum auf, ein Julitraum von Glück, unklar, verschwommen zuerst, doch nun unterschied er belaubte Zweige, die gefiederten Blätter eines Walnußbaums, eine weiße Bank darunter, Rosen rankten, Geißblatt fiel von Fichtenstützen, ein Bienenhaus ... Und über eine sanfte Wiese gingen zwei, verschränkter Arme, beide in Weiß; mit ihrem Haar wehten die Birkenäste, Blumen huschten und erblühten zwischen den Schritten, ganz in der Ferne riefen Hörner, und ewige Wolken reisten stetig und langsam im Blauen über den besonnt glänzenden Häuptern.

Näher kamen sie, nun unterschied er die beiden einander zugeneigten Gesichter, seine Hand hielt ihr Haupt im Nacken – und er kannte die Hand. Sein Gesicht neigte sich über das ihre – und er kannte dies Gesicht. Ein seliger Abglanz schwoll auf beiden wie ein endlos ausgehaltener, immer aufs neue verstärkter Orgelton ... Nun wehten ihre Wimpern, vom Lippenhauch gestreift, zu, so nahe, daß er erschreckt zurückfuhr, aber es war, als fiele ein endlos seliger Vorhang über eine herrliche Landschaft, fiel, fiel – Engel jubilierten –, war meergrün, wechselte in tieferes Blau, fiel, fiel, wechselte in Schwarz, ward ganz dunkel, daß er nichts mehr sah, nur die Ahnung dieses endlosen, rasenden Sturzes war noch da – und eine Stimme rief: „Mittagessen!"

„Ja doch!"

„Mittagessen!"

Er erhob sich langsam, taumelnd. Durch das Zimmer lag ein breiter goldener Sonnenbalken, in dem Stäubchen tanzten, fielen; er endete bei dem gebrannten Spruchsegen, und mechanisch las Anton die Worte: „Der Herr ist meine Zuflucht, die Liebe aber mein Berg Tabor."

„Die Liebe aber mein Berg Tabor –? Seltsam. Was heißt das –?" fragte er sich grübelnd, als er treppab stieg. Dann kam ihm die Idee, daß er träume, noch nicht ganz wach sei, denn seine Gedanken und selbst die Dinge um ihn schienen sonderbar verändert, – und selbst die Treppenstufen, auf denen er hinabstieg, waren nicht mehr hölzern, sondern ein Gewachsen-Wachsendes, das im Begriffe stand, unter seinem Fuß Laut zu geben und ein Unerhörtes zu sprechen. Die grüne Samtportiere verweilte auf seiner Schulter, ihr Gewebe schien sich zu lösen, nein, es war, als ginge er durch sie hindurch, ließe seinen Leib durch sie hindurchstreichen und schlösse sich hinter ihr wieder auf eine magische Art, unbeschädigt und doch verändert, als sei seinem Leib nun ein Partikel jener Schultern infiziert, die schon durch den Vorhang geschritten, ihn gestreift, ihn hastig, ihn gleichgiltig zurückgeschlagen hatten.

Aber nun war er im Speisezimmer. Die andern saßen schon da, am Kopfende des Tisches der Onkel, neben ihm links und rechts Mama und Papa, unten sein Platz frei. Sie sahen nicht auf, blickten in ihre Suppenteller, in denen etwas Rötliches schwamm, und so konnte Anton unbemerkt seinen Stuhl erreichen. „Ach, Tomatensuppe", sagte er, zum Löffel greifend.

„Ganz recht", setzte der Onkel ein, als habe er diese und grade diese zwei Worte erwartet, „dies ist der gekochte Saft und das gekochte Mark des Liebesapfels, auch Tomate genannt." Und er griff in die Tasche seines faltigen Rockes, zog eine dunkelrote Tomate hervor und zeigte sie zwischen zwei Fingern hoch.

Doch der Vater griff danach, hielt sie vor sich hin, genau wie der Onkel, blickte starr darauf und fuhr fort: „Eines der wenigen zur Familie der Nachtschattengewächse gehörenden Pflanzenreises, dessen Früchte ungiftig, ja, dem menschlichen Gaumen zuträglich und angenehm sind."

Doch schon war die Mama an der Reihe: „Man macht diese zuträgliche und angenehme Suppe mit Mehl sämig – ich nahm das knistrige Kartoffelmehl..."

‚Wie verrückt reden sie, wie verstiegen!' dachte Anton. ‚Oder ist es vielleicht ihre Art so? Beobachte ich heute nur besonders scharf? Es kam mir schon vorhin so vor – ah, ich bin daran!'

Zwischen Zeigefinger und Daumen drehte er den rötlichen Apfel, dessen Haut seidig und kühl, geheimnisvoll unter seinen Fingern strammte und wich, als ein Automat in ihm losschnurrte: „Das knistrige Kartoffelmehl, das aus der Stärke der Kartoffelknolle gewonnen wird, auch eines Nachtschattengewächses, dessen Früchte oder Beeren hinwiederum durch ihren hohen Solaningehalt giftig sind."

Die Tomate flog auf den Onkel zu, er empfing sie mit seinem Tischmesser, sie zerteilte sich im Fluge, noch im Fallen streute er auf die saftigen Schnittflächen Salz und Pfeffer, und mit jeder Hand bot er Schwester und Schwager das Gericht. „Man nennt es eine Barbarei, diese Früchte mit Pfeffer ...", begann er von neuem.

Aber Anton hörte nicht mehr. Sein vom Schnellen der Tomate in die Ruhelage rückkehrender Arm hatte die Messerbank berührt, eine unerwartete Kühle hatte seine Nerven erschreckt, er sah auf den Arm, seine Brust, an sich nieder – rieb seine Augen, atmete einmal ganz tief, aber es blieb, wie es war: er saß splitterfadennackt am häuslichen Mittagstisch!

Sein erstes Gefühl war: aufspringen, davonlaufen; doch wie leicht konnten sie dann aufschauen, seine Blöße entdecken. Unglaublicher Gedanke: sie hatten noch nichts gemerkt! Nein, es schien so. Der angstvoll und scheu Aufblickende sah gleichmütige Mienen, unbeschäftigte, alltägliche, aber doch wie aus der Alltagsbasis verschobene ..., er hörte die seltsam verstiegenen Worte, die mit abseitigen Ausdrücken glatteste Alltäglichkeit verbrämten, und er tastete nach der Serviette – „Gott sei Dank, die ist wenigstens da" –, schlang sie um seinen Hals, zerrte sie vorn auf den Bauch hinab und preßte die nackten Arme fest an die Stuhllehne, während eine wilde Unruhe ihn aus dem Zimmer jagen wollte, indes ihm sein Verstand das Bleiben befahl. „Es ist sicherer so. Ich lasse sie alle aufstehen und hinausgehn. Und dann schleiche ich fort."

Aber das Fleisch juckte schlimmer, er mußte in seinen Schoß spähen, wo das neue bräunliche Haar so erregend wuchs, ein Muttermal am Oberschenkel saß höhnend grell dort. Ein Gefühl wuchs, als habe er allein die Schmach und Schande, so nackt sein zu müssen: ein haarloser, kärglicher Leib, spärlichen, ungesund gelblichen Fleisches, indes doch die andern – alle! alle! – bekleidet seien, Kleidermenschen selbst ohne Kleider, und die Schmach solcher Nacktheit allein für ihn bereitet sei.

„Mann!" sprach die Mutter, „unser gemeinsamer Sohn Anton ißt seine Taube nicht, obschon es eine junge Taube ist."

„Verzehre sie, Anton, verzehre sie immerhin."

Aus weiter Ferne drangen diese Worte zu ihm, er lauschte auf die Nähe, die Tür hinter ihm hatte ein leises Geräusch gemacht; nun strich es heran, behutsam, sacht, streifte ihn seidig, und neben dem Onkel saß sie am Tisch, sie! Gerda! Neigte ein wenig das Haupt und lächelte.

Doch dies seltsame Mahl ging fort, niemand schien jemanden zu sehen, immer sprach einer und spickte seine Sätze mit entlegenen Worten, die niemand hörte außer dem angstvollen Anton, sondern jeder nur Automat seiner selbst, der sein Sprüchlein knarrte und schwieg ... Sprüchlein knarrte und schwieg. Schauer liefen heftig über Antons Leib, sein Blick trübte sich, er konnte nicht mehr unterscheiden, ob jemand ihn vielleicht doch angesehen, die Serviette ging auf, fiel in den Teller, färbte sich fettig braun, und da war es, als habe ihm Gerda rasch und verstohlen zugezwinkert. Er sah hin: nichts. Aber dies Zwinkern wiederholte sich, es sprang aus dem Winkel, die Facetten der Lampe zwinkerten blau auf und erloschen, über das Gesicht des Onkels lief ein boshaftes Zucken, als könne er Lachen nicht ganz mehr unterdrücken; des Vaters Klemmer stürzte in das Kompott, wütend riß er ihn an der Schnur heraus, schleuderte den spritzenden von sich, und wie ein Vogel ritt er durch die Luft auf Gerda zu, die ihn gleichmütig einfing, ihren Seidenrock hochnahm und daran abrieb. Der Vater zerrte an der Schnur, er flog zurück auf die Nase des Herrn, von der kleine zuckende Rinnsale zum Munde liefen.

Laut klagend rief die Mutter: „Er ißt nicht! Unser gemeinschaftlicher Sohn, Gatte aller Gatten, ißt nicht!"

Kalt sagte der Vater: „Seiner Nacktheit schämt sich wohl das Kind."

Der Onkel brummte: „Auf eure Leisten aber werde ich Geschwüre setzen und auf eure Lenden das Horn des Herrn", wozu Gerda schrill lachend über den Tisch jubelte, mit den Händen applaudierend.

„Ich bin verraten!" schreit Anton klagend und springt auf. Die Serviette ist zurückgeglitten: er ist nackt, er ist nackt! Alle starren auf ihn, ihre Gesichter haben etwas gespenstisch Bekümmertes... Und er fühlt mit Schrekken, wie sein Fleisch sich rührt, er muß fliehen, sonst geschieht Unglück – gleich! gleich! –, aber seine Füße kleben am Boden, er kann nicht... Ein wahnsinniger Taumel jagt durch ihn...

„Gerda! Gerda, sieh weg!" schreit er jammernd.

Aber sie blickt auf ihn, blickt mit diesen ruhevollen grünen Augen ein wenig traurig auf ihn, der sich zu fliehen bemüht, seine Blöße bedecken will, seine Geilheit kaschieren und sich immer schlimmer preisgibt...

Blickt auf ihn...

Auf ihn...

Eine Stimme schreit: „Mittagessen! Anton! Höchste Zeit! Mit – tag – essen!"

Er blickt um sich: angekleidet liegt er auf dem Sofa, und sein Blick fällt auf das Spruchband: „Der Herr ist meine Zuflucht für und für."

Angst

Im Zimmer stand er. Sah an sich hin, zitternd. Eine Angst verzog sein Gesicht, wie ein kümmerliches Lächeln war es. Angst, als würde sich alles um ihn in dieser Sekunde noch verwandeln: Tisch, Stuhl, das Sofa, und er nichts mehr erkennen. „Was geschieht mit mir –?" fragte er leise.

„Wie hat sich die Welt gewandelt seit jener Nachtstunde? Bin ich nirgend mehr zu Haus? Fremd, fortgegeben, eine sinnlose Welt?"

Worte des Betens wollten ausgehn aus seinem Mund, aber ihr Sinn staute sich im Hirn, lag wie Blöcke dort, verwirrend, und er irrte um sie.

Da ließ er sich fallen. Vor so entfremdeter Welt fiel ab von ihm die Kraft seines Verlangens, sein Sehnen zerbrach, und es blieb nur das eine, dieses: Hinabstürzen in das Eßzimmer, zu den Eltern, zum Onkel, seine Hände fassen und flehen: „Ich will reisen mit dir! Sofort reisen!"

Und der Onkel sprach sanft: „Aber gewiß doch, Junge. Wir fahren noch heute. – Und nun wollen wir uns stärken."

Worauf er das Tischgebet absang.

Im Garten

Besonnt lag der Garten. Die kleinen Vögel liefen hurtig durch seine frisch und dünn belaubten Zweige, die Bienen zogen zu den blühenden Johannisbeersträuchern, der leise Westwind verlor sich in den Gängen voller Gras dem Flusse zu. Hier, wo im trocknen Boden die Hühner ihre Sandnester geschärrt hatten, lag Anton, auf dem Rücken, nach den Wolken blinzelnd und wundersam erwärmt von der Sonne, die immer noch eine tiefere

Stelle seines Leibes zum Einnisten und Einkuscheln zu finden schien. So war es schön! Die kleinen gezackten Blätter des Stachelbeerstrauchs tanzten leise über ihm, die Sonne wärmte Gesicht und Hände, und rechts unten, wo Erlen standen, sprach immerfort der Fluß seine nahen Worte.

Hier, dem so Liegenden, war es unmöglich zu glauben, daß es Stadt, enge Gassen, in die schwer und naß Dunkelheit einbrach, daß es solch alles gebe; Welt war frei, besonnt oder überwölkt, und völliger Nonsens war's wohl zu glauben, neben der Weinhandlung hause der Papierfritze, dann der Optiker, und hinter ihm tue sich der bunt bemalte Flurschlund der Bar auf . . ., da doch ein Hochblick belehrte, an den Garten stieße Sommerung, dann Wiese, dann ein grasiger Hügel, dessen Schopf Birken waren, und dann der Himmel mit Wolken, mit Glanz und, nächtens, dem flimmernden Gepunkte endloser Sterne . . . Unmöglich, anders zu denken, denn dieses allein war Natur, hier verlor man sich in der Harmonie erdhaften Gewelles, und nie doch war man verloren. Eines allein, Mitgebrachtes von dort hinten, wo Erde Ende hieß, war geblieben und wert zu bleiben: das sanghaft wellende Gestrophe von einem Halbhundert Versen, die man sich vorsprach, tief drinnen, und die einen weiter machten, ausgesponnen und die atmende Brust in einen Takt mit tanzendem Blatt und Streichelwind. Guter Frühling, der im Vorsommer wächst!

Nun läuten die Glocken. „Richtig, es ist Sonntag heute, und es war so schön und friedlich, wie's nur an einem Alltag auf dem Lande sein kann. Aufstehn –? Kirchegehn –? Ach bah!"

Aber die Büsche rauschten, ein paar Zweige tanzten, und Cousine Inge fragte: „Nun, Anton? Und die Kirche? Mach schnell! Alle warten."

„Ach, weiß du, ich glaube, Ingerl, ich bleib liegen."

„Aber Vater schilt."

„Das tut er auch so. Bleib auch schon. Hier ist gut sein. Meine Mutter ist die Sonne, und ich weiß, sie hat mich lieb."

„Kirche ist dumm. Darf ich auch hier liegen?"

„Immerzu. Nein leg dich dorthin, an den Apfelbaum, und sieh zum Giebel hin. Recht so."

„Aber warum?"

„Weil ich dich gern ansehe."

„Wirklich? Tust du wirklich? Das ist nett von dir, aber –"

„Anton! – Inge!! Inge!! – Anton!"

„Sie rufen uns."

„Laß sie."

„Jetzt suchen sie im Garten."

„Laß sie."

Er blinzelte nach ihr. Schritte und Rufe kamen näher, etwas streifte die Büsche, prustete, rief schnaufend. Sie lag auf der Seite, Kopf in der Hand, kaute an einem Grashalm, und mit geöffneten Fingern lag die andere Hand still und verhalten im Schoß. Ihre Augen lachten und freuten sich. Über der großen bauschigen Haarflechte, die stracks aus der Stirn zum Nacken gezogen war, wo sie Zopf wurde, saß die breite, weißseidene Schleife, nickte, hob sich, flatterte ein wenig im Wind.

Sie flüstert: „Jetzt sucht er am Fluß."

„Ssssst!"

Wirklich kommt noch jemand gelaufen, rasch, ruft immerzu: „Herr Superintendent! Herr Superintendent!"

Dann murmelt und schwätzt wieder der Fluß, die Glocken läuten noch einmal, rasch, bimmlig, und in den Forthall des letzten Klangs sagt Inge: „Nun haben wir zwei Stunden Ruh."

„Mindestens."

„Und mittags Schelte, Stubenarrest, und die süße Speise werde ich auch nicht bekommen."

„Bitter! Bitter!"

„Heute gibt's solche mit Makronen . . ." Sie denkt nach, wehmutsvoll bewegt. Plötzlich jubelnd: „Nachher klettern wir am Spalier in die Speisekammer! Machst du mit?"

„Natürlich. Rausgeworfen werde ich doch bald."

„Das glaube ich auch, Tonerl. Vater meinte heute zu Mama, du seiest noch immer nicht zu ihm gekommen, du seiest verstockt. Und er meinte . . ."

„Verstockt? Nicht übel. Und er meinte -"

„Was?"

„Was meinte er noch, Ingraban?"

„Noch? Nichts."

„Doch, du hast etwas sagen wollen."

„Aber gar nichts."

„Wenn du also nicht willst – bitte!"

Sie schweigen. Zwischen den Büschen scharren glucksend die Hühner, eine Gans schreit. Anton sieht spähend nach Inge, ihr Fuß im Halbschuh schlägt taktmäßig die Erde, das kurze schottische Röckchen reicht kaum über die Knie, und immer, einen Sekundenbruchteil, sieht er zwischen Aufschlag und Aufschlag etwas Weißes leuchten. Wie ist es gut, so zu liegen, indes ganz langsam verschwimmende Wünsche und Träume durchs Herz ziehen!

‚Fett von Pollen surren die Bienen; so etwas zu denken ist tausendmal schöner als . . .' Aber nun liegt sie auf dem Rücken. Zwischen Arm und Brust flimmern ein paar Strähnen Haars. Die Wimpern tanzen. Der blaßrote Mund ist ein wenig geöffnet, die Zähne schimmern, aber mehr noch schimmert die hohe stille Stirn, das Unbegreiflichste an diesem Mädel.

Nun fragt sie langsam: „Jetzt habe ich es auch gefühlt. Eben jetzt. Wie war das mit den Versen vorhin? Oder waren es keine Verse?"

„Doch. So hieß das: meine Mutter ist die Sonne, und ich weiß, sie hat mich lieb."

„Meine Mutter ist die Sonne . . . gut tut das, weißt du, sehr gut . . ." Herumfahrend: „Aber nun fühle ich nichts mehr. Gar nichts. Es ist weg. Nur heiß ist mir."

Weise: „Das ist immer so; wenn man etwas fühlen will, ist man ganz leer. Nur der Körper plagt einen dann. Wenn man genießen will, darf man gar nicht mehr da sein . . ."

Sie wirft rasch ein paar Bröcklein Erde gegen den Stamm, trifft oder trifft nicht, und sie hält inne. „Tonerl?"

„Ja, Ingraban?"

„. . . ist es mit dem Verlieben auch so?"

„Nanu?!" Er sieht ihr Gesicht nicht, auf dem Bauch liegt sie, Haar fällt hinein. „Was wissen wohl so kleine Mädchen vom Verlieben?"

„Sei nicht dumm, großer Anton! Gar nichts wissen sie, aber möchten alles wissen."

„Ich bin erst achtzehn, liebe Inge, auch ich weiß nichts."

„Bitte, sprich doch, Tonerl!"

„Auch du erzählst nichts. Vorhin –"

„Wenn ich dir doch sage . . ."

„Wenn ich dich bitte, Engelein . . ."

Er hat sich ganz zurückgelegt, und späht er nun verstohlen, kann er zwischen den Händen das feste Kinn und fast den ganzen Mund sehen. Der ist leise geöffnet, und als er mit seiner Schmeichelanrede schloß, kam dort die Zungenspitze hervor, von der Mitte des Mundes zum Winkel, und wie sie dort eine Wendung machte und verschwand, war es ein kleines, holdes, entzückendes und entzücktes Wunder, und noch einmal sagte er: „Engelein, Ingelein, bitte, sag doch ..."

„Das ist schön. Du bist gut. Woher hast du es?"

„Gar nicht. Es kam, als ich dich ansah."

„So? Kam es? Willst du mir die Wahrheit sagen, ganz die Wahrheit, Anton?"

„Gewiß will ich, wenn ich kann .."

„Anton, sage mir ganz ehrlich ... Anton ... bin ich hübsch?"

Sie sehen sich an. Ihr Gesicht, von den Händen abgehoben, ist ernst, so ernst, ihre Augen, weit offen, begegnen den seinen, halten den Blick, plötzlich träuft Lächeln in ihnen, alles erhellt sich, ihre Hand tastet hoch ... sie wirft sich zurück, sie lacht selig ... Und die Lerchen singen im Blau, die kleinen Vögel huschen geschäftig im Gezweig, dicke Hummeln burren schwer Zickzack, und das kühle Wasser setzt unten am Schilf eine dunklere Begleitung zu dem süßen Lach- und Loblied ihrer Kehle.

„Engelein ... Ingelein ... Engelein ..."

„Du bist lieb, du!" Herumgewälzt, seinen Kopf gefaßt, sein Haar gezaust und nun wild das Gesicht geküßt, mit vollen Lippen, ungeschickt, kindhaft, wie es trifft. „Lieb bist du, so lieb!"

Und da sein Arm um ihre Schulter sich tastet, ist sie auf, schüttelt Haar und Rock. „Zur Schaukel! Wer zuerst da ist!"

Und ist fort.

Schaukel und Kokotte

„Es ist nur schön, wenn man beinahe fällt", sagt sie.

Und er: „Freilich." Sie streifen mit dem Fuß Blattwerk, und ganz unten sieht er, neben ihrem Kopf, kleine grüne Gräser, auf die geschwind der Schatten zufliegt.

„Manchmal ist Schlaf schön, ist er auch wie Schwingen, endloses Schwingen und dann ..." Sie stößt, wird klein, krümmt sich und nun in freiem Schwung: „Und man schwingt immer weiter, weiter, und dann fällt man, aber es ist wie Fallen nach oben ..."

Sie verstummt, holt aus, er denkt: ‚Warum sieht sie mich nicht an? Ihre Augen sind so nah ...'

„Als wenn es solch Fallen nach oben gäbe! Aber man ist so leicht. Hat man auch die Augen zu ..."

‚Sie schaut mich nicht an. Jetzt berühre ich ihre Hand. Nun -? Nichts.'

„Auch mit geschlossenen Augen weiß man: dies ist nicht Schlaf, ist Schwingen, Schwingen ... Schläfst du auch so?"

„Nein. Nie."

„Sag wirklich, Anton, warst du schon verliebt?"

Sie sehen sich an. Es scheint, als habe mit der verschwingenden Schaukel auch ihr Sinn Langsameres, Haftendes bekommen.

„Inge! Inge!"

„Was ist? Darf ich nicht fragen?"

„Nein." Er springt ab, geht zur Bank, setzt sich. Über die Schulter späht sie ihm nach, lächelt, läuft zu ihm, beschaut ihn, lockt: nichts. Ein Grashalm kitzelt, er schlägt nach ihrer Hand, wütend, im Ernst. Sie beugt sich näher, fragt sanft und still: „Anton - darf ich denn fragen, was ... eine Kokotte ist?"

Fassungslos starrt er sie an. Aufgejagt ist er, entdeckt. Schon nur noch wütend, und so schnell springt sie nicht zurück, daß er sie nicht fasse, würge, hinwerfe, über sie; Gewälz, Keuchen, Zugriffe, Schreie: „Ich werde dich lehren, Luder!" - „Anton, ich kratze ..." - Verschlingen, Stöhnen, Schläge, rasch, sinnlos ... Stille ... und ein Schluchzen hebt an, Schluchzen ...

Er späht nach ihr, will fortschleichen, und in einer zerrissenen Bluse glimmt Weiß unbegreiflich gerundeter Schulter, von Gold wirrer Strähnen überspült. Seligkeit ist es, Wonne, maßlos frevelnde Wonne, dies zu betrachten ... es weicht, tränengefüllte Augen schauen zum Späher, ein zuckender Mund, und er glättet sich, lächelt, lacht: „Wie du ausschaust, Anton! Wie du nur ausschaust!"

Sieht an sich hin: hier hängt der Kragen, aus zerrissener Weste schlängelt der Schlips, an einem Knopf baumelt die Hose, über den Schuhen aufstauchend, und die im Gesicht tastende Hand fühlt schmutzig verriebene Feuchte von Tränen, klebrig trocknendes Blut.

Er sah nun zu ihr, wie im Traum ... und eine trübe Ahnung wächst in ihm, als werde es irgendwie stets so sein: schmutzig, zerkämpft, lachhaft er, aber in ihre Stirn wirft sich nur schöner die zerzauste Strähne, die gekrümmte Braue zuckt betörend – Lust oder Schmerz? Weiß *sie* es nur? –, und die blasse vom Kampf entblößte Schulter läßt sie nur holder noch sein. „O du!" murmelt er. „Du ...!"

Sie hängt sich ein, kuschelnd, zärtlich, Überstrom: „Wie du bös werden kannst!"

„Geh doch! Nein, laß schon."

„Aber jetzt bist du wieder gut?"

„Woher hattest du das?"

„Alles sage ich –. Nein, nun schäme ich mich gar nicht mehr vor dir. Seit du mich schlugst ..."

„Sprich schon."

„Von der Kokotte? Mach kein Gesicht. Ist das Wort so schlimm? Ich sag es nicht wieder ..." Und beiseite, leise, auf der Zunge probend: „Kokotte ... was es nur ist? Es klingt nicht wie andere Worte ... beinahe, als schmecke man es. Oder ein Geruch?"

„Sprich endlich."

„Ich habe gelauscht. Gestern abend an der Veranda. Und Papa sagte, du seiest verstockt, hoffnungslos, weil verliebt in eine ..."

„Ah! – Nein, nichts mehr. Laß."

Er hat sie losgelassen. Er steht allein. Der Garten versinkt und der Wind verstummt. Wo sind die pollenbehosten Hummeln hingeburrt? Unter welchem Himmel singen Lerchen – etwa?

Einsamer und an dein Herz Verratener, wieder siehst du den feisten Onkel in dem frühlingshaften Zimmer, er hebt beteuernd die Hände, er versichert nichts zu wissen, nichts; gar nichts hat ihm die Mutter gesagt, gar nichts der Vater geschrieben ... krank ist der Neffe, nichts sonst –.

Nun – Fuß im Gras, Haupt in durchsonnter Luft, Hand halb erhoben –, nun steht er in schwärzester, regenwindgepeitschter Nacht, nun hört er sie tuscheln, bestellte Arbeit war der vorgewiesene Brief, in die Falte eines andern geschoben? Was wurde getuschelt, unten, ehe der Onkel hinaufstieg? Sagte er, satt und selbstzufrieden, als er zurückkehrte: „Den haben wir eingewikkelt, den Parsifal!" –?

Stimme läutet, Stimme ruft: „Anton! – An – ton!"
Alles muß stille sein. „Schweige, du!"

„So ist es gewesen, so, und nicht anders. Was nie Schande war, nun ist es meine Schande geworden, durch ihr Heimlichtun, ihre Verdächte ..."

Sie trat hervor, wie sie damals hervorgetreten, hinter einer Theke, zum Tanze gerufen, zum Tanze bereit.

Wie klein sie war! Nichts Holderes konnte man träumen als die süße Bubenhaftigkeit ihrer Figur, die irgendwie verquickt war mit der wissenden Frauenhaftigkeit keuscher Tiere. Und der Gang ...

Er stöhnte auf.

Das rauchig Dunkle – nun sind die Kerzen neu entzündet und ihr Schein fällt auf jenes liebelächelnde Antlitz, das ihn einst meinte. Aber im Schatten flüstern...

Er wandte sich um. Hand glitt durch Haar, und jene andere war es, jene Inge, die sanft flüsterte: „Armer Bub. Armer lieber Bub."

‚Klang es nicht einmal schon so? Wann doch?'

„Wir müssen uns zurechtmachen. Die Kirche wird bald aus sein."

Fuß stand im Grase, Haupt umfloß besonnte Luft und mit der Hand nach ihrer greifend: „Gehen wir also, uns zurechtzumachen."

Der Gummi

Hand in Hand über den Kies liefen sie, schwiegen, das Ohr gespitzt, ob der Kirchturm läute zu Heimkehr, Mittagsmahl, Geatz, Geschmatz, umglotztem Krätzer, dickem röchelndem Schlaf, endlosem Kaffeekuchengetunke, Geschwafel, Gähnen, immer noch zögernder Sonne, verweilender, rastender, und dem Schlußgestöhn des Onkels: „Doch gut, daß es nur einen Sonntag gibt..."

Lieber so laufen, schweigend Hand in Hand, über umbuschte Steige, durch Sonne, und die großen wachsemüden Blätter streifen schlaff ihre erhitzten Wangen.

„Nein, nicht über die Veranda, Anton. Rosa sähe uns."

„Über den Kirchsteig –?"

„Dummer! An der Giebelwand hoch übers Spalier in dein Zimmer."

Sie sehen empor, mustern den Anstieg. „Bis zum Fenster geht's. Aber hineinkommen scheint elend, Inge."

„Geht schon. Hast du Angst? Ich steige voran, Anton."

„Angst? – Angst?" (‚Die schon. Aber dir sie zu zeigen, noch größere Angst!') „Ich steige voran."

„Nein, laß mich, Anton."

„Warte, bis ich drin bin."

‚Seltsam ist das', dachte er, mechanisch nebenbei greifend, klimmend, eine Leiste packend, ‚seltsam ist es, daß ich vor Inge mich immer behaupten, etwas vorstellen muß. Bei jener nie. Dort könnte ich armselig sein, ganz zertreten, nie käme Lust zum Verbergen ... Weil dort aller Wert aus der Liebe kommt und sonst alles, alles belanglos ist? Und hier muß erst mein Wert die Liebe machen? Aber wie? Neinnein, zu hell ...'

„Den Ast! Fasse den Ast! Du fällst."

Da er sich schon ausgleiten, Fuß Halt verlieren spürt – Äste kratzen, Blätter im Gesicht –, tut er einen Griff, fühlt seine Hand sich dehnen um die Fensterbank, reißt sich empor, kniet, springt hinein und aus dem Fenster prunkt er: „Me voilà. Mach mir das nach."

In sich aber: ‚Sie liebe ich nicht, mein Fräulein. Sie nicht.'

Sie jubelt bravo, späht, greift zu, Zweige rauschen, sie entschwindet, nur aus dem Grün noch ihr Fuß, dort die Schulter, hier die zitternde Schleife – und nun, die Hände um die Fensterleiste, lehnt sie vor ihm, aus strotzendem Grün, prallem Gerank hervor, wirren Haares, lachender Augen, roten Mundes ...

Er hilft mit dem Arm um die Schulter, sie neigt sich vor, ganz nah atmet dies Gesicht, so nah, daß er die Augen ... Unter seinem öffnet sich ein Mund ..., und eine Schulter wird schwer, warm und geschwungen in seinem Arm ...

Etwas springt auf den Boden. Eine Holde lacht. Eine Weiße verweht. Und die Tür fiel ins Schloß.

Draußen im Garten tanzt Blatt neben Blatt, der Kies schimmert und noch immer läuten die Glocken nicht.

Als er die Jacke vom Leibe reißt, spricht er langsam: „Dich liebe ich nicht . . . dich, du."

„Noch nicht fertig, Bummler?"
„Es geht nicht so schnell wie bei dir. Wie du aber ausschaust! Ganz neu wieder, ganz anders."
Sie hob die Hand, machte einen Schritt, lachte.
„Wie machst du's?"
„Daß ich immer neu bin?"
„Freilich."
„Wie kann ich das wissen? Ich lebe, und es ist immer schöner und selbst Ärger ist schöner und Tränen sind schöner und heute Langeweile sogar ist schöner als die von gestern, und was war, ist nie so schön wie was ist . . . weißt du nun alles, Gescheiter?"

Er stand, er sann, ein Klang von ehemals wehte, ein dumpfsimpler Kehrreim: „. . . ist Penne . . . ist Penne . . . ist Penne . . . dies freilich –"
„Wie dumm du aussiehst!" Ein Schwamm flog naß ins Gesicht.
„Laß das, Inge! Ich sage dir . . ."
Und schwieg unter einem dicken Strahl Wasser. Sie schrie leis über seine Wut, stürzte zur Tür, riß sie auf, floh den Gang hinab. Er blind tobend, triefend ihr nach, hätte sie fast gehascht, als sie seitlich abbog in ein Zimmer. Er folgt, stolpert, etwas schiebt sich unter seinen Füßen zusammen, er stürzt, greift nach der spanischen Wand, will sich halten und verschwindet wehenden Haarschopfes, bedeckt sich mit gelbem, gefälteltem Kattun.
Dann taucht er auf, gerötet, sieht sie am Bett kauern, lachzuckender Schultern, und murrt: „Solchem Pech hält die dickste Wut nicht stand."
Und sie, noch immer schluchzend: „Wie du aussahst, Held! Wie du verschwandest unter dem Schirm!"

„Nun ist's genug. Höre auf mit Lachen."

„Au, du tust mir weh!"

„Lange nicht genug." Und musternd: „Wo sind wir hier eigentlich?"

„Schaf! Eltern Schlafzimmer!"

Er blickt schnobernd, beinahe verlegen auf das Doppelbett; hier mit Inge zu sein schien irgendwie nicht richtig.

„Anton! Das mußt du mir sagen, was das ist. Ich zerbreche mir schon endlos den Kopf."

Er späht in die Lade des Schränkchens: ein Taschentuch, eine Bibel natürlich, Schachteln mit Salben, Gläschen, ein Fieberthermometer, aber Inge angelt weiter, murmelt: „Ganz hinten schiebt er's immer hin!", und sie weist eine runde Holzschachtel: „Da ist es!"

„Was ist es denn?"

„Das sollst du mir doch sagen!"

„Mach mal auf."

„Es ist ganz voll." Sie schauen beide gespannt auf den kleinen, grauen Ring, der seidig glänzt.

„Gib mal her."

„Vorsicht!"

„Laß doch mal anfassen. Ich glaube, es ist Gummi."

Inge weiß besser Bescheid. „Den Finger in die Mitte! Ganz lang wird es dann."

Rosig, klar, glänzend schimmert der Nagel durch die seidige Hülle, die sich dehnt und dehnt. Immer länger wird das. Auch sie probiert eines, schiebt's über den Finger, hält's mit der andern Hand stramm, daß jede Tönung durchschimmert. „Hübsch ist das!"

„Psch!" macht's, und der Nagel fährt durch. „Meines ist kaputt!"

„Meins auch!"

„Schadet nichts! Probieren wir noch einmal."

„Wofür das nur ist –?"

„Und ich dachte, du wüßtest es."
„Hat dein Vater einen wehen Finger?"
„Gar nicht! Und so lang?"
„Das stimmt. Weißt du, ich denke immer, es ist eine Geldbörse."
„Keine Ahnung! Die risse ja, wenn zwei Groschen drin sind."
„Was steht denn auf dem Deckel? Laß sehen... Never rip. Das ist englisch und heißt: zerreißt nie!"
„So ein Schwindel", sagt sie empört. „Richtiger englischer Schwindel!" Und sie beweist es, indem sie mit dem Finger hindurchfährt.
Er hat seines mit Zähnen und Zunge probiert. „Du, Gummi ist das nicht."
„Na laß schon. Da, deines ist auch entzwei. Vier sind nun glücklich kaputt, steck sie in die Tasche. So, da hat die Schachtel gelegen."
„Und nun will ich mir einen frischen Kragen umbinden."

„Lasset uns beten!"
Gemurmel der andern, gesenkte Köpfe, über die Lehne gefaltete Hände. Dann scharren die Löffel in der Suppe.
„Du bist wohl Städterin geworden, liebe Ingrid?" fragt der Super sanft über den Tisch.
Stille. Dann fragt sie erstaunt: „Städterin, Vater?"
„Ja, Städterin. Weil du wie unser lieber Gast aus der Stadt die Kirche versäumtest." Und sanft fährt der Würdige fort: „Wer aber nicht mit uns betet, soll auch nicht mit uns speisen, liebes Kind. - Du wartest wohl auf meinem Zimmer -?"
Sie ist fort. Wie sie den Kopf warf! Wie im Aufsprung die Röcke wehten! Dem rückbleibenden Anton ist's, als sei er Verräter, Verräter an ihr, mit der er so viel Sonnen-

stunden draußen verlachte. Unerträglich war es. Und leise legte er den Löffel in das Tellerrund, schob den Stuhl zurück, glaubte sich schon entschlichen, als Edi schrill jauchzte: „Au! Anton kneift aus!"

Und im tobenden Gelächter stand er, den Kopf gesenkt, zaudernd, sich ob Zauderns verfluchend, zurück, zur Tür, fort, hin, her, blinzelnd, mühsam eine Maske von Würde bewahrend, als der Onkel die Erstarrung löste: „Auch du wartest wohl auf meinem Zimmer, Anton."

Sie grinst ihm entgegen. „Rausgeschmissen auch du?"

„Ausgerissen", sagt er stolz. Und berichtet. Noch ist ihm heiß. Er reißt das Tuch aus der Tasche, trocknet die Stirn, fühlt sich Held, als sie sagt: „Du bist fein."

„Es war selbstverständlich!"

„Keiner hätte es getan. Glaubst du etwa, Fredi? Immer ließ er mich sitzen."

Nein, Fredi vielleicht nicht. Oder etwa Hans? Hans hatte kein Ehrgefühl. Oder -? Oder -? Oder -?

Schritte lärmten über den Gang, Lachen, Gejachter, nun der würdige Gang der Respektsperson, und mit gesenkten Köpfen standen die beiden vorm Super.

„Anton -!"

Er schaute hoch. Der treue Blick des Onkels suchte kummervoll seinen. „Du bist unser Gast, Anton, und ich habe dir wirklich nichts in den Weg gelegt. Du hast andere Lebensgewohnheiten. Schön. Du machst jetzt Kämpfe durch, seelische Kämpfe ..."

‚Dieser ist's, der zu mir spricht', denkt gleichlaufend der Neffe, ‚dieser ist's, der auch auf meinem Zimmer zu mir sprach. Er wußte alle Töne, aber ich lasse mich nicht noch einmal fangen ...'

„... Kämpfe, die wir alle durchgemacht haben – wir alle, Anton –, bei denen wir eine hilfreiche Hand wohl brauchen können. Du willst diese hilfreiche Hand nicht, auch schön. Ich tadle dich darum nicht. Du willst allein sein. Mit dir selber ins reine kommen. Du willst nicht Wort, nicht Zuspruch, nicht einmal Aussprache und Bekenntnis von Mann zu Mann. Schön. Ich tadle dich darum nicht. Aber ich tadle dich darum, daß du mein Kind, meine Tochter..."

Anton folgte dem Blick des Onkels, der nun von ihm abgenommen und auf das Kind, die Tochter, kurz auf Inge, Inge, Engelein gelegt ward. Dort stand sie, über den Rücken stäubte die goldene Flechte, sie hatte das Kinn, den Blick gesenkt; die Hände auf dem Rücken wippte sie spielerisch, in Gedanken verloren, von einem Fuß auf den andern, hin und her, unter dem kurzen Rock ging das Heben der Knie, das Senken der Knie.

Dem Onkel, dem Neffen geht es gleich: da sie nun auf das Mädchen sehen, diese kleine, versonnene, wippende, versponnene Heilige, glätten sich ihre Gesichter. In ihren Augen geht ein Lächeln auf, als sähen sie einen Vogel trinken. Sie haben nicht genug an diesem gesenkten Haupt, ihr Blick umfaßt die Gestalt; gleitet zu den Füßen, die sich heben und senken auf den Dielen und...

...und...

.........und...

Der Neffe starrt zum Onkel auf, zum Gesicht, das sich rötet, rötet und plötzlich fahl wird, grau-fahl, es ist als stürbe zitternd all dies Fett... ein ungläubiges Glotzen ist es, wird wie ein krampfiger Schmerz... „Sein Liebling ist Inge", schießt es Anton durch den Kopf...

Als die traumentrückte durch die Stille geweckt wird, unter sich blickt, ruft: „Gott! Du hast den Gummi verloren, Toni!"

(Den Gummi, lieber Gott! Wirklich den Gummi?)

Und einträchtig bücken sie sich, die verlorenen zu

sammeln, ihre Köpfe stoßen aneinander, ihre Hände grapschen ...
... Da Bricht Das Gewitter Los!

Garten im Mondschein

Leise rascheln die Blätter im Luftzug, dem Vorläufer vom Morgenwind, der Mond sinkt gegen das Baumgeäst, auf den Hockstangen die Hähne rühren sich, da tat ein Fenster der Giebelseite sich auf, Anton lehnte hinaus. Spähte. Lauschte. Nichts. Das leise Wehen der Blätter, Rascheln wie Schauer. Nichts. Etwas Schweres fällt. Wiederum langes Lauschen.

Und nun schwang er sich selbst hinaus, kletterte den fröhlichen Weg vom Morgen hinab, stand unten, griff das Bündel ... das Gesicht schräg erhoben stand er da.

Über ihm schwang mit tausend Flimmerpünktlein der ewige Himmel, der dicke nahrhafte Duft der Gebüsche stieg in seine Nase, die sanfte Kühle des Windes öffnete ihm den Mund. Dort, wo es zwischen Büschen und Bäumen licht ward, lag die herrliche Hinbreitung der Felder, die Saaten wuchsen in den Sommer hinein, und auf ihren flachen Nestern schliefen die feiernden Lerchen.

O Gott du, betet ein Herz, o Gott, wenn du bist, gib, daß allen Trauernden die Weite einer Landschaft bereitet sei, daß jede sorgende Hand sich in sprießendes Korn verwühlen dürfe und den Tau abstreifen, der Hand wie Sorge kühlt. O du Gott, so du bist, gib ihnen in ihren Steinhäusern die bunten Blätterfarben des Herbstes, das Murmeln rascher Bäche beschere ihnen und die Freundlichkeit solches Mondes, der über Birkengeäst sich dem kommenden Tage zuneigt, – solche Freundlichkeit halte ihrem Herzen nicht fern. Wenn ich böse bin, so gib mir einen Gedanken an die Hofhunde, die Nachthunde, die still um die Scheunen der Bauern streichen, und wenn mein Herz sich verstockt, so laß mich an diese Hügelmühle denken, deren ruhender Flügel wie eine schöne Wimper den Himmel durchstreicht.

„Wie der Kies knirscht! In dem Schatten an den Rasenrändern stehen Gestalten, und sie winken mir, unter den Büschen hocken sie und – welche trauern. Wäre ich erst draußen! Wäre erst all dies hinten und ich mit der dröhnenden Weite der Landstraße allein –: vor mir ein ganzes Leben . . ."

Aber er zaudert. Nun, dicht an der Gartenpforte, ist's ein weißerer Spuk als jene Buschschatten, der ihm entgegentritt, ist's nicht, als winke eine Hand? Ist's nicht eine gelöste Locke, die dort über eine Schulter rollt?

Nun hebt sich ein Gesicht, nun geht ein Lächeln auf, und so dunkel ist die Nacht nicht, daß er's nicht läse von ihren Lippen, nicht erriete von ihren Augen: daß dies Gruß heißt dem Freunde.

„Du gehst –?" fragt sie.

„Kann ich anders?"

„Zu der andern?"

„Wohin sonst?"

„Ich hätte dich gebeten: nimm mich mit!"

„Inge!"

„Ich kann es nicht aushalten! Er hat mich geschlagen. Wofür denn? Was habe ich getan? Um die paar Gummidinger? Ich will sie ihm wiederkaufen, habe ich gesagt. Erst recht tobte er."

„Ich soll in Zwangserziehung. Dich hätte ich verführt."

Sie sehen sich an. Ihre Gesichter waren bleich, zuckten. Aus dem lichtschwingenden Dunkel strahlte der tränenerfüllte Blick des andern. Eine Fledermaus flatterte huschend vorbei. Brust an Brust weinten sie. Dasselbe Schluchzen erschütterte beider Leib.

„Lebe wohl, Inge."

„Nimm mich mit, Tonerl."

„Lebe wohl, Inge."

Und der Tau fiel. Die Gräser wuchsen. Die Lerchen und die Hähne wachten auf.

„Lebe wohl, Inge. Liebe, liebe Inge."

Eine Wolkenwand vorm Monde

Höher und höher hat der Nordwind die Wolkenwand geblasen, die Wellen des Meeres sind lauter geworden, und der Mond ist fort.

Aber im Schatten rührt es sich. Unterm Wacholder richtet sich ein Träumer auf wie ein Ertrunkener, dessen Seele einen Ruf hörte. Eine Stimme spricht in die Nacht: „So will ich nicht träumen. So mag ich nicht träumen. Ist mein Leben schmutzig gewesen, laßt mir den Schmutz. Um seinetwillen habe ich gelitten, um seinetwillen bin ich im Dunkel aus Einschlafen hoch gefahren, habe um seinetwillen frohlockt!"

Und von neuem schreit der Träumer: „‚Lebe wohl, Inge!', o wie gut das klingt! Wie süß! Und der Garten voll Mondschein und die Schatten der Büsche überm Weg. Wie süß!

Aber es war kein Abschied und das ‚Nimm mich mit' nicht umsonst gerufen. Und die in den tauenden Morgen gingen, waren: zwei! Und dann kam die Stadt, die Häuser, die riechenden Gassen, der Hunger, die Schlafstelle, Polizei . . . Inge? Hieß sie Inge -? Richtig, sie hieß Ingrid, und ich habe sie gehaßt, sie . . ., und sie hat mir nie verziehen, daß ich sie mitnahm, damals als sie rief. Hätt ich sie doch gelassen, in jenem Garten, mit dem sie jung war!"

„Aber du hast sie dort gelassen", spricht eine sanfte Stimme, und die neu befreite Helligkeit des Mondes läuft über den Sand. „Aber du hast sie dort gelassen! Lag sie nicht eben an deiner Brust, schluchzend? Feuchtete nicht die gleiche Träne euer beider Wange? Nun ist das Gartentor aus grünen Latten zugefallen, und du gehst allein deinen einsamen und schweren Weg. Siehst du dort das Weiße –? Es ist Inge. Sie winkt dir. Der Weg macht eine Biegung. Du siehst sie nicht mehr."

„Träume doch, Träumer. Schlafe sanft, Schläfer. Träume, Träumehans du. Noch scheint der Mond der Verzückung. Die seltsamen Pflanzen bluten weiß in dieser Nacht, warum sollte deine Seele nicht bluten? Träume doch, Träumer."

Unter dem Wacholder liegt einer und schläft. Er lächelt. Sein Gesicht scheint besonnt.

Einen sieht er wandern, sich, da er noch jung. Die Lerchen haben sich aus ihren Nestern gehoben und bejubeln den jungen Tag. Der Rand der Sonnenscheibe taucht über dem Horizont auf.

Aber der Junge wandert dahin, die Feldbreiten laufen die Hügel hinan und sind fröhlich, die Büsche und Bäume loben in jedem Winkel den besonnten Tag, quick und hell sprudeln die Bäche, – er aber sieht ein unbekanntes, großes Leben vor sich, und er schreitet ihm entgegen, es ganz auszufüllen mit den Gebärden seines Seins.

Sei mir gelobt, Tag!
Sei mir gelobt, Sonne!
Und du, Leben, sei dreifach gelobt und gesegnet!

Aber träume doch, Träumer.

Zweites Buch

Auftakt

Fülle dein Herz, Schwacher, mit der klarsten Quelle des Entschlusses. Male, Feigling, die Bilder des Damals in Grau und in Schwarz, zeichne die Morgen dir so hell, wie kaum dieser Morgen ist, dessen Sonne sich strahlend über dem Firmamente erhebt. Krampfe die Hände, singe du, pfeife drei Töne – alles nichts.

Der Ansturm deines Entschlusses wird ermatten und das Feuer deines Vorhabens in der alltagsgrauen Luft zu Asche zerfallen.

Du willst gut sein, etwa?

Du möchtest nie mehr lügen, nie mehr dein Herz verraten?

Denke doch schon an die Müdigkeit deiner Füße. Kaum ist es Mittag geworden und die Stadt, die du erstrebst, liegt noch weit. Was? Du zauderst? Dir kommen Bedenken? Wieder murmelst du wie einstens: „Ich bin nichts. Ich kann nichts. Und doch will ich von allem mich lossagen...?"

Nicht wie einstens! Damals murmelte aus dem Geborgenen seines Zimmers der Geborgene solche Worte. Nun bist du frei und das ans Blaue verlorene Lied der Lerche scheint dir sicherer als das Ziel deines Fußes.

Bedenke auch die Dörfer. Auf sandigen Feldwegen umholst du sie in weitem Bogen, den Gendarm meidend, der dich fangen könnte. Grollt dein Stolz deiner Furcht? Du möchtest nie mehr dein Herz betrügen?

Armer du, Armer... Ich sehe Wege und grade sind sie

nicht, ich höre Gelübde und gehalten werden sie nicht, von Liebe spricht man und eine Sekunde ist es, ein Beil blinkt – wer sollte da Glauben glauben?

Heimkunft

In diesen Straßen spielte er als Kind. Dies war nahe, vertraut, heimlich. Dies alles hieß einst Vaterstadt.

Zu hell brennen die Laternen, keines Torwegs Dunkel ist dunkel genug, dem Vorbeigeher des Flüchtlings Antlitz zu bergen. Dort der Hund! Anbellen wird er ihn, sich in die Hose verbeißen, wie jener Dorfhund tat, die Leute werden herbeiströmen, Fenster geöffnet, und auf dem Fahrdamm steht im Blickziel aller der, den die Heimat verstieß.

Ihn schaudert. Ihm ist heiß. „Nur nicht krank werden", bittet er, „nur jetzt nicht krank werden!" War Kranksein früher schlimm? Nun ist ihm kein Bett bereitet, und niemand wird sein, der ihn pflegt.

O mattes Herz, das du mehr Mut haben mußtest, als dir zu tragen gegeben war. Müder Kopf du, der du nicht einmal ihr Bild . . . stille! Stille!

Die Klinke gibt nicht nach, und die Tür ist verschlossen. Welche Zeit mag es sein in dieser Nacht des Schreckens? Früh noch. Wohl kaum zwölf Uhr, und bis zum Morgengrauen hast du zu warten, bis sie kommt. Wie kannst du warten? Wie noch die Last der Stunden ertragen, deren jede notbedrängter ist als dein ganzes Leben bisher, bis du vor ihr . . .

Und da ist es, das Große:

„Wieder bin ich begnadet mit dem Anstrahl des Hellen."

„Holde, du! Holdeste! In die Schwärze meines Kummers, in den Eiter meiner Verzweiflung warf Gott die lichte Gelöstheit deines Bildes. Einmal in all diesen Tagen wehte dein Gesicht durch meinen Traum. Nun sehe ich es wieder. Hatte ich geglaubt, es sei dunkel? Hell ist es, und der Mond, den ich gestern über Gartenbäumen sah, ist dunkel gegen dieses dein Gesicht. Ich rieche sie, oh, ich rieche wieder die köstliche Frische deines Hauches, deine Lippen bewegen sich wieder, so ungeahnt langsam und willkürlich, wie ein träumendes Tier langsam und willkürlich die Pfote hebt und niedersetzt. Ich habe dich! Ich halte dich! Du bist mein! Träge ist mein Blut ohne dich und das Sausen des Windes tonlos ohne den Einklang deiner Stimme. Gerda, du Liebste, ich bin bei dir..."

Nacht, Nebel, kühler Stein, aber das benedeiende Herz des Knaben strahlt über von der Helligkeit seiner Erschautheiten. Glanz... Liebe...

Wiedersehen

Vielleicht hat ein Engel vor ihm seine strahlende Hand auf diese Klinke gelegt und hat den häßlichen Treppenflur mit seinem Glanze erfüllt, denn nun ist der Weg frei, Wartens Ende kam, und der froh hinaufsteigt, ist Anton.

Hier war es. Blechernen Klang gibt die Klingel, hallt nach, als wolle sie lange noch rufen, und ist plötzlich still. Er lauscht auf den Ton. Nein, damals haben sie nicht geklingelt, sie schloß auf, aber dann später der Arzt, die Eltern, der Freund: jedesmal schrillte in seine Fieberträume dieser Klang, schrillte und brach ab.

Noch einmal läutet er und lauscht. Stille bleibt. Das Ohr geneigt gegen das nur geahnte Getäfel horcht er und vernimmt – nichts.

Doch! Nun ist ihm, als höre er ein Atmen, leise und fein, drinnen, dort drinnen von ihrem Bett her. Sie schläft. Ihr müder Kopf ruht seitlich auf dem Kissen, und die Flechten ihrer Haare sind um ihn gebreitet wie ein strahlender Fächer.

Sie schläft. Störe sie nicht. Welche Stunde wäre dies, Eintritt zu fordern bei ihr, da durch ihren tagmüden Kopf heitere Gestalten vielleicht wandeln und der Druck eines Lebens leicht gemacht wurde diesen so jungen Schultern? Welche Stunde wäre dies?

Hocke dich immer beiseit auf den Fußteppich; so, das Haupt gegen die Wand gelehnt, das Bündel auf den frierenden Füßen, magst du immer der Stunde entgegenwarten, da du dein junges Leben mit einem ganzen Schicksal ihr hinbreiten wirst und sprechen: es ist dein.

Keine Verwechselung. Erkenntnis wuchs in dir. Schon kannst du nicht mehr sprechen: es ist dein, ohne zu wissen, daß dies ebensogut heißt: sei mein.

Geben, das heißt Nehmen, dieses erkanntest du. Und sich ganz verschenken, das heißt nichts, wie ein anderes ganz für sich fordern.

Er sieht es noch in idealischer Ebene, abstrakt; er ahnt noch nichts von den tausend Opfern, die das enge Zweisein fordert. Schenke dich nur fort – alles Gegebene ist rückzunehmen, und glücklich bist du, wenn deine Wage sich zum Schluß in englischer Schwebe hält.

Sie schläft...

Ihm verdämmert alles, eine köstliche Kühle steigt in sein erhitztes Hirn; scheint es nicht, als sei sie bei ihm?

Langsam breiten sich Gedanken wie Blumen aus, wie große weiße Blütenblätter, die auf den kühlen Teichen schwimmen. Wie wird es sein, wenn ich spreche? Mit welcher Gebärde werde ich mich hinbreiten? Wird wiederum ein Blick alles entscheiden?

Stille, mein Herz, sie schläft...

Nun ist der Horizont rot geworden und der Schlaf dicht wie das letzte Reusennetz um den Fisch. Glocken läuten, vor dem Fenster im Gras spielen zwei Kinder, eine helle Frau tritt ein, sie neigt sich zu ihm, lächelt und flüstert: „Mittag!"

Der Schläfer bewegt das Haupt. Seine kalte Hand streicht über das Gesicht, und eine Ahnung von Wirklichkeit bringt dieses Streifen in die gleitende Helle seiner Träumerei.

Er fährt auf. Etwas hat sich gerührt, draußen, drinnen, und da er die Augen aufreißt, ist das ganze Leben, dem er entschlüpfte, wieder da: das kalte, zugige Treppenhaus, die Fußmatte, die klebrige Ölwand im Rücken und die Kälte und die Starrheit und das Warten.

Horch doch! Es ist ihre Stimme.

Er will sprechen, rufen, pochen, da hört er Worte zu ihr, langsam gesprochene, und es ist die Stimme eines andern.

‚Sei still du. Sie schläft . . .'

Verwachse mit der Wand, Wahnsinniger, schmiege dich ein, werde Stein. Nun geht die Tür auf, und die Schande, so gewartet zu haben, liegt auf dir allein. Welche Träume! O welche Träume . . . Werde doch Mörtel, du, Kalkbewurf, Öl. Willst du ihnen dein blödes Gesicht hinhalten, und die Angst so vieler Stunden ihrem . . .

Ein Lichtschein tastet hinaus.

Beiseite, du!

„Ich komme noch mit und schließe die Tür auf."

Gott, hast du je gedacht, daß es diese Stimme gibt! Sie ist viel süßer als in deinen Träumen und so selbstverständlich wie der Wind. Gib, daß ich immer diese Stimme hören darf, und ich will kein Opfer scheuen. Laß mich nie ihren Klang vergessen, nein, laß sie immer in meinem Ohr sein.

Und es geschieht, daß er die Hände der Rückkehrenden faßt und nur fleht: „Nimm es an."

Letzter Rundgang

„Es scheint unfaßbar: hier ist ein Zimmer, für mich da, ich gehe auf und ab, ich rauche – nichts habe ich mehr zu tun. Keine Wünsche mehr. Keine Erwartungen. Keine Ziele. Ich habe ein ganzes Leben vor mir, und es ist schon, als sei alles fertig. Nur noch zu leben habe ich, nichts mehr zu tun. Einfach fertig. Und ich bin glücklich..."

„Was ist, Gerda? Woher kommst du?"

„Du mußt fort, Liebster! Sie suchen dich."

Er fühlt an der seinen die atmende Weiche ihrer Brust. Diese Mädelglieder strömen über von einer ungeahnten, verwirrenden Wärme, die in ihm hochsteigt, Schläfen und Wangen mit Blut übergießt. Die Hand zittert, die ihren Nacken streifte, und noch, als er neben ihr die Treppe hinabhuscht, auf den Hof läuft, durch andere Häuser, andere Höfe, weiß er nicht, was geschieht. Erst auf der Straße fragt er: „Wohin gehen wir? Was ist?"

„Zum Bahnhof. Du mußt vorausfahren, allein."

„Wohin?"

„Nach Leipzig. Dort finde ich Stellung. Ich komme dir nach. Wirst du warten können?"

Er nickt, hört nicht mehr das Geplauder Gerdas. Die großen Städte, deren Sausen in seine Träumerei klang, gestern noch fern und unerreichbar, nun wird er sie betreten. Nun plötzlich ist sein Leben weit geworden wie die ganze Welt, und die's ihm zuträgt, ist jene, die er liebt. Er kann sich kaum diese zärtliche Gestalt denken, in dem Dahinstrom Gleichgültiger, eine Welle von Liebe schwellt sein Herz und fragen muß er, zu ihr geneigt: „Du, warst du auch schon in Berlin?"

Sie wendet das Gesicht schräg aufwärts zu ihm. Die Sonne steht hinter dem Profil und ihr Glanz umgoldet seinen stumpfen Umriß. Sie bewegt die Lippen, und in einem Übervoll von Entzücken hört er ihre Stimme, läutend von weither: „O du hörst gar nicht auf das, was ich sage! Du wirst in Moskau landen, ich sehe es schon."

„Sag doch, warst du auch in Berlin?"

„Aber ja, Dummer! Ich habe in Berlin doch gearbeitet."

Ach so, sie hat in Berlin gearbeitet. Er sieht sie hinter der Theke sitzen, schwatzvertraut, trunkvertraut, und sein bürgerliches Herz sträubt sich dagegen, daß man auch dieses Arbeit nennt. Es sträubt sich, aber zugleich regt sich ein Neid auf dieses Leben, das sich an so viele ausgibt: wieviel frisches Lachen in die weit geöffneten, dampfenden Münder von Trinkern gelacht! Wieviel Gesten, kleine, behutsame, streut solch duckender Körper in einer Minute aus, deren Geist – und dieses muß die stärkste Inkarnation des Frauengeistes sein, deucht ihm –, deren Geist ungenossen verdampft, wie die kleinen Lachen um die Füße der Schnapsgläser ihren Geist verdampfen.

Den Aufblickenden trifft letzter Sonnenstrahl, in den Büschen am Postamt rascheln die Vögel, und jene sagt mit einem Aufatmen: „Der Bahnhof!"

‚Ach, die Gerda liebten, kann ich vergessen, mehr, sie sind schön, die ihr Herz an sie werfen und verschönen auch sie. Aber die andern, die vielen, dieser endlose Marsch grauer unkenntlicher Gestalten durch eine Wüste, zwischen denen ungeachtet und unerkannt das liebliche Manna ihres Wesens niederfiel, diese andern sind nicht zu verzeihen. Vergessen kann man sie – auf Zeit, aber in den Stunden, da man am tiefsten liebt, wird man daran denken, um den Hals welches Betrunkenen dieser allzu geliebte Arm sich das letzte Mal schlang...!'

„Ist es zu spät, du?"

„Der Zug ist fort. Erst um elf Uhr nachts fährt der

nächste. Und jener Sipo sieht uns so an. Komm, mach schnell."

„Du bildest es dir ein, du! Selbst hier ist es keine große Sache, daß ein Professorensohn ausriß. Wer sollte uns kennen?"

„Wenn ich es dir sage! Wer kennt mich hier nicht! Aber sie sollen es wagen! Ich habe Freunde hier, die mich beschützen, die gegen jede . . ." Stutzend, den Finger am Mundwinkel. „Freilich, dich nicht! Ich hatte es ganz vergessen . . . Wie verändert alles ist. Ich habe jemanden, für den ich sorgen muß, der allein von mir abhängt. Alles verließest du um meinetwillen. Ist es dir schwer geworden, Tonerl, bereust du es auch?"

„Wie du fragst! Nie war ich so glücklich . . ."

„Still! Man soll es nicht sagen. Man läßt auch einen Spiegel nicht fallen. – Laß uns langsamer gehen, ich kann kaum mehr atmen. Wie schnell wir gelaufen sind! Meine Knie waren ganz leicht, und doch klopfte mein Herz so . . . das war die Angst. Fühle nur. – O du faßt mich so sanft an, am Zufassen merke ich, daß du der erste bist, der mich liebt."

Sie senkte den Kopf, sie träumte: „Als Kleine glaubte ich immer, irgendwo müsse eine leben, grade wie ich, grade die Eltern wie ich, grade den Namen wie ich, mit meinen Haaren, meinen Augen, meiner Brust, alles grade wie ich, aber jene ist eine Prinzessin, immer hat sie reine Wäsche, jeden Tag kann sie baden, die Nägel pflegen und immer gut sein; sie braucht nie böse zu sein, nie zu lügen, keinem Schlechtes zu tun . . ."

Sie sah vor sich in eine imaginäre Welt: hell und lächelnd wandelte dort die Gestalt der reineren Schwester.

Aber er: „Du bist sie selbst, die Prinzessin. Du bist gut."

„Sprich nicht. Du weißt nichts. Aber du wirst es lernen müssen, einmal. Auch du wirst leiden . . ., und ich bin es dann . . . Wie alles verändert ist!"

Sie gingen still, schlendernd, hielten sich jedes leicht hinein in das fließende Leben des andern an der Seite da und spürten die seltsam fremde Wärme aus der Vermischung zweier so ferne erwachsener Existenzen aufsteigen. Noch mischten sie sich kaum. Leichter als Rehe wechselten Gefühle und Gedanken des einen über den lebendigen Waldboden des andern, und bei fremder Idee dachte jedes: „Ich forme dich schon ..."

Sie begann neu: „Nein laß, in die Stadt dürfen wir nicht. Einer könnte uns sehen, wir wären erkannt, und schon risse man uns auseinander wie damals, als du krank warst."

„Jetzt bin ich gesund, und sie können uns nicht trennen."

„Glaubst du es –?" Sie betrachtete ihn. „Du siehst aus, als glaubtest du es. Wie wenig mußt du erlebt haben, daß du es noch glaubst. Natürlich würden sie uns trennen. Und wir würden uns fügen ..., wir würden uns beide fügen."

„Nein, schweig still. Sieh, jetzt sind wir auf den Wallanlagen. Irgendwo dort links muß euer Haus liegen. Nein, schau nicht hin ..."

„Aber es ist dunkel."

„Vielleicht ist in ein Fenster eine Lampe gesetzt, die dich rufen soll, die dich erinnern soll. So etwas gibt es. Sieh nicht hin. Ein Fenster ist ein Auge und ein Auge ist ein Befehl."

Ihre Stimme verlor sich mit dem Wind, der durch das Blattwerk der Bäume strich. Einmal glaubte er sie noch murmeln zu hören: „Es hilft nichts. Alles hilft zu nichts." Aber es konnte auch die Stimme seines eigenen Herzens sein, das erschauerte.

Später: „Um diese Stunden ist der Wall leer. Alles sitzt zu Haus und ißt. Ich finde das dumm. Wie schön, hier allein herumzuwandern und nicht zu essen, wenn's alle tun. Nur die Kinder schweifen umher mit ihren Lampions. Hörst du, wie sie singen."

Sie standen still, lauschten und schauten. Überall in Busch- und Baumgewirr tanzten und torkelten die roten und goldenen Kugeln, und endlos sangen nah und fern die Kinder das alte Laternenlied, von dem Worte an ihr Ohr wehten: „Laterne, Laterne, Sonne, Mond und Sterne ... wenn der Hauptmann kommt, wenn der Hauptmann kommt ... Mamselling, kümm een beten dal ... Aal, Aal, Aal", und endlos wiederholt: „Aal ... Aal ... Aal ..."

Und am Ende sitzen sie auf der Bastion, drunten im Nebel fließt die nur geahnte Warnow dem Meere zu, dessen Nähe sie schmecken.

Sie neigt sich plötzlich zu ihm. „Ich liebe dich! Ich liebe dich!"

Wie den Wind oben in den Bäumen fühlt er den Wind ihrer Worte. Unten das Wandern des Wassers, vom Nebel verhüllt, ist wie das Ziehen und Wandern ihrer Leidenschaft, das nur dieser blasse Leib, dieses verdämmernde Gesicht hindern, in das Meer eines Allgefühls zu münden.

Und nun, im grauen Verstreichen einer Meer- und Landweite, im zögernden Vorüberwandern von Schatten, im fernen trägen Sausen der Kleinstadt, über die längst der nachblutende Abend niedersank, begann sie in sein Ohr die Geschichte ihrer Kindheit zu flüstern, die ewige, törichte Kleinmädchengeschichte, die seinen Ohren süß war, weil sie ihnen neu war, und die einen nicht vergeßbaren Schimmer durch die unverbrauchte Frische ihrer Glieder, den Zusprung ihrer Sprache und das erste tränenweiche Verdunkeln ihrer Augen erhielt.

Das erste – denn hier zum ersten Mal in einem Leben, das, mit Menschen bevölkert, so menschenleer war wie keine Wüste, öffnete sich das junge Herz der Bäckerstochter aus Lebus und sprach zum jungen Herzen. Hier fiel von ihr ab auch die letzte noch jener Kokottenmanieren, deren Erwerbung Trachten einer Jugend gewesen, und was ausklang und sich öffnete, war das Herz eines Kindes, das auf jedem Ideal noch besteht. Hier ist sie wahr, hier glaubt sie. Hier spricht sie es aus, dies: „Und denke dir ..."

„Wie bei mir! Grad wie bei mir!"

Und sie: „Auch du, hast auch du gelitten? Aber damals ..."

Der aus dem engsten Bürgerheim, die aus der Hefeluft einer moralteigüberfütterten Triebhaftigkeit – sie hatten in dieser Stunde dieselben Schicksale erlitten, dieselben Schmerzen geschmeckt, wie nun auch ihre Tränen, die in dieser Nachtstunde über ihre Gesichter rannen, die gleichen waren.

Trenne dich, du! Reiße dich von ihr! Eure Hände übertasten noch einmal die so nahen Gesichter, deren allerletzten Schimmer die Nacht nahm, und mit einem wollüstigen Erschauern fühlen sie in den Fingerspitzen eines des andern tränengeschwollene Kontur. Heute sind diese Formen mild zueinander. Sie dulden es, wenn ein Finger in die Braue fährt, an die Nase unbeholfen anstößt. Schnuppernde Katzen auf erster Nachtfahrt! Jagd! Seid Wild! Werft euch auf jeden Schatten!

„Ich habe Angst du, so allein zu fahren. Komm gleich mit."

„Lieber, ich komme ja nach. In drei Tagen schon, in zweien vielleicht. Nein, bestimmt!" Sie warf sich an ihn. „Geh, geh, mein Süßes. Immer denke ich an dich."

Sie taumeln, sie löst sich von ihm. „Geh", sagt sie sanft. Und noch einmal: „Geh – bitte geh."

Da er: „Aber ich habe kein Reisegeld."

Kleinmädchengeschichte

Hättest du zehn Jahre einsam auf einer Insel gelebt und ein Mensch käme zu dir, sein Gesicht vor dich zu tragen, seine Geschichte dir zu erzählen, er trüge das Gesicht eines Engels und seine Stimme wäre dir sanfter als der warme sachte Wind vor Abend in den Palmwedeln.

Dumpfes Leben, mit den tausend toten Leerläufen des Alltags, in das plötzlich sich, lockenschüttelnd, von gebogenen Maienreisern überhöht, das lachende Frühlingsantlitz der Liebe hebt. Belächelte Liebe, holder, früh erlernter Wahnsinn dieses Daseins, du allein entrückst uns wahrhaft, und dem ödesten Tun noch haucht das Gedenken an dein Antlitz den freudigen Rhythmus einer Feiertagswelt ein. Siehe nur! Wir waren stumm, und was wir an Worten zu den Quellen unsrer Insel Einsam sprachen, was wir zu den Tieren murmelten, den Papageien und den rotmäuligen, goldenäugigen Fischen und zu der Blume etwa gar: alles ist stumm gewesen.

Aber eine Stunde kommt, da der Wind in den Palmenfächern verstummt, noch tropfen die Quellen silbern, nun sind auch sie still, und hinter den verschrobenen Umrissen der Bananen aus dem samtigen Dunkel her spricht unendlich süß eine kleine Mädchenstimme.

Ah! Du lauschest, du Blasierter! Du sankest neben dem Quell auf die geöffnete Erde nieder, deine Ziegenfelle fielen von dir ab, und deine erste, einzige, allein einer Mädchenstimme zugestoßene Nacktheit war dir gerade recht so. Über deinem Haupt ahntest du die so oft taub geschaute Herrlichkeit der aufblühenden Sterne, fühltest unter deinen Knien das Samenkorn sich regen, und alles war schön um jener silbernen kleinen Mädchenstimme willen, die aus dem Dunkel heraus direkt in deine Brust sprach. Zum ersten Male hörtest du wirklich. Das kürzeste Zögern vor einem Wort machte dein Herz vor Angst springen, und der Nachhall eines sanften Beiworts beugte deinen Nacken tiefer.

Wußtest du schon in dieser Stunde, daß dieses Glück zu groß war, als daß man ganz glücklich hätte sein dürfen? Ahnte es dir schon da, daß die schrankenlos von einem Erfülltsein Beglückten dumm sind, da sie sich im Später solch stumpfer, unbedingter Hingabe werden schämen müssen?

Bäckerstochter aus Lebus, Paukersproß du aus Rostock – warum liebt euch mein Herz so? Ist es darum, weil ich schon das unendlich trostlose und einsame Schluchzen höre, das eure Kehlen schwellen wird? Weil ich euch dieses eine Mal in eurer angstvollen, jungen, rasenden, den Dummen gestohlenen Liebe lächeln sehe, dieses eine Mal lächeln und nie mehr.

Am Ende angelangt, werdet ihr vielleicht innehalten, zurückschauen und um diese Stunde wissen. Und fühlen, daß ihr um dieser einen Stunde willen lebtet. Fühlen – ja? O vielleicht. O sehr vielleicht!

Noch aber spricht die silberne Stimme der Einen, und das vierzehnte Kind des Meisters erzählt im Dunkel ihrem Geliebten die Wege ihres Werdens. Kleine Genäschige du, aufgewachsen in dem überfüllten Schlafzimmer, das voll ist von den Gerüchen, den Wünschen, den Lüsternheiten und den Zoten der Heranwachsenden, den nie ermüdenden Begierden des dürren gelenkigen Vaters, dem stöhnenden Dickwerden der Mutter. Welche herrlichen, schamfremden Kämpfe zwischen Brüdern und Schwestern des Morgens um das Nachtgeschirr. Welches Beglupschen abends der werdenden Glieder, da nicht ein unterm Arm, am Schamteil wachsendes Härchen, keine kommende Brust den Witzen der Geschwister entgeht. Junge Tiere, freche . . .

Aber die Spiele draußen, diese wilden, lärmenden, endlosen Spiele, denen erst die viel zu frühe Mondsichel, das rasche Fallen der Nacht ein Ende machen. Diese Jagden über die abgeernteten Felder, diese träge glimmenden, rauchigen Kartoffelfeuer, diese Träumereien in grünen Wasserlöchern auf Feldern, diese Kämpfe im Schnee und dies stürmende Schlittschuhlaufen gegen einen schneidenden Nordost über die dröhnenden, klingenden, singenden, dröhnenden Seen!

Wie kam es doch, daß diese kleine Wilde von vierzehn Jahren, diese noch nicht Konfirmierte, dieser Liebling des Vaters, der damals noch Elfriede hieß, – wie kam es doch, daß dieses kleine wilde Biest eines Tages einfach verschwunden war aus Lebus mit der Ladenkasse, und erst viel später wieder gefunden ward in Rostock bei einer durchaus nicht zweifelhaften Frau, der man sie entriß, um sie dem Elternheim wieder zuzustellen –? Wie kam es doch?

Der rückträumende Fahrer auf der Eisenbahn fragt es sich umsonst. Dies ist ihm Rätsel und bleibt es, und seine junge, kaum aufgeschnappte Weisheit von Vererbung, von Instinkten, gegen die nichts hilft, schien ihm ebenso dunkel wie das Rätsel selbst.

Doch die silberne Stimme spricht von neuem in das taktmäßige Schüttern des Waggons, der Huschefilm ihres geliebten Lebens tanzt über die Rote-Kreuz-Plakate, über die Bad-Elster-Preisungen an der Gegenwand. Seine Augen schmerzen, sein Hirn ist müde, aber die zwingende Gewalt der Bilder reißt ihn fort, denn in ihnen allen ist sie, sie, dieses geliebte Ding, das sein Herz beben macht.

Er sieht sie heimkommen, vom bekümmerten Vater verprügelt, von der weinenden Mutter unbeachtet („oh, wäre sie doch tot! Wäre sie lieber tot!"), von den Geschwistern beglotzt wie eine, auf deren Leib plötzlich ein fürchterliches Mal aufglühen wird.

Aber – und sie lachte hell – sie war dieselbe geblieben

wie früher, der Wildfang, die Stürmische, die Genäschige, die Leckere mit den kätzchenhaften Gliedern und der Unschuldsblume des Auges, – so sehr dieselbe geblieben, daß die andern vergessen mußten, was geschehen: diesem Ding war's nicht zu glauben. Jagte sie denn nicht wie vorher über Stoppel und Graben, zündete Kartoffelfeuer an, knuffte die Buben, vergaß immer die weiße Schürze und hatte ewig eine rabenschwarze Zauselocke in der Stirn?

So wurde sie, die sie gewesen, die Stromerin in allen Gassen, die windschnelle Nichtstuerin, Liebling des Vaters, Verzug der Mutter, und höchstens, wenn ihr einer, den sie gar zu sehr gepeinigt, das Hurenwort ins Gesicht warf, sah sie ihn bübisch mit ihren leuchtenden Augen an, bläkte die Zunge, machte einen Knicks: „Grade schön!"

Einzige Erinnerung an jenes Vierteljahr in der Stadt blieb die Weigerung des Pastors, sie zu konfirmieren. Sie sei moralisch noch nicht reif, sittlich noch nicht gefestigt genug. „Der dumme Kerl! Was er wollte! Gott hätte mich schon konfirmiert. Und nun bin ich's gar nicht."

„Gar nicht?"

Nein, sie war nicht konfirmiert worden. Plötzlich, alles schien den andern so gut, war sie wieder verschwunden.

Er fragt: „Aber warum? Ich verstehe nicht..."

Und sie: „Ich weiß nicht. Nur so."

„Aber du mußt Gründe gehabt haben."

„Gründe –? Ich erinnere mich nicht."

Dieses Mal fand man sie schneller, da man wußte, wo sie zu suchen, und dieses Mal kam sie nicht wieder nach Hause, sondern in ein Magdalenenheim.

„War es schlimm?"

„Schlimm? Nein. Aber eklig, man mußte so dumm lügen, sollte bereuen. Und dann die Feldarbeit... ich und Feldarbeit, die zu Haus nicht einmal Unkraut hakken wollte. Man müßte dort etwas lernen, was einem Spaß macht: Hüte garnieren oder schöne Kleider aus schönen Stoffen machen. Aber so – es war mir zu eklig. Und darum riß ich einfach aus."

„Ging es denn?"

„Natürlich ging es. Wenn man fest glaubt, daß man schöner ist als alle andern, erreicht man alles. Und ich war damals so jung. Kaum sechzehn. Wenn man jung ist und das viele Trinken noch nicht gelernt hat, ist es leicht, schön zu sein. – Du bist schön!"

Und nun wurde ihr Leben undeutlich, ein unbestimmtes Auf und Ab, voll von Männern, die kamen, bei ihr verweilten, sie weiterreichten. Sie unterschied ihre Gesichter nicht mehr. Ein endloser grauer Zug hatte seine Glut in diese kleine Schale ergossen, die dieselbe blieb mit ihrem Lachen, ihrer Behendigkeit, ihrem Anschmiegen, ihrem Snobismus, ihrer Verachtung gegen schlechter Gestellte, ihrem Neid gegen besitzende Kolleginnen. Diese Kolleginnen – oh, sie hatte keine vergessen, und heute noch wußte sie's mit der alten Empörung, daß die blonde Agnes Rotwein auf ihr weißes Kleid gegossen hatte, bloß weil sie eifersüchtig war auf den ...

„Wie hieß er doch?"

(Was war zu sprechen zu diesem Leben von einem behüteten Lehrerssohn: „Du? Auch du? Auch du hast dies gefühlt? Dieses erlitten?"

Ach, war es am Ende nichts weiter, was er dort Verwandtes fand, als das Handelnmüssen und Nicht-Wissen-Warum? Dieses fand er vielleicht: Wünsche zu haben im Blut, für sie leiden zu müssen und kein Ziel zu wissen und kein Warum.

Und er sagte: „Du? Auch du?")

Nein, sie war nicht ins Magdalenenheim zurückgekommen. Ihre Freunde hatten sie davor bewahrt. Sie hatte so viele, so gute. Und sicher war sie von dem einen und andern geliebt worden, wie nur die Kenntnisreiche geliebt wird. Aber die brünstigen Schreie der Leidenschaft, die letzten Liebkosungen und die Schwärmereien waren an ihr vorübergeflogen wie ein Wind, der kaum die Wangen rötet. Sie hatte nichts zurückbehalten aus ihnen als das Fehlen jedweder unwissenden Lüsternheit und die Klugheit einer Frau, die weiß, was sie gibt, wenn sie sich zum ersten Male wahrhaft gibt. Hier, bei ihr fand sich jene äußerste Liebe, die grenzenlos ist, weil sie die Grenzen aller im Zirkel ihres Daseins bestehenden Dinge nur zu wohl erkannt hat, und hier war es, daß die Kokotte ihrem ersten Geliebten die äußerste Keuschheit mit dem wollüstigen Beben eines letzten Wissens zubrachte.

Er sah sie ihm entgegenkommen aus dem Dunkel. Ihre silberne Stimme war verklungen, die Nacht über seinem Haupte war schwärzer geworden, aber jetzt, da sie die Arme um seinen Hals schlang, meinte er, daß unaufhörliche Kreisen der weißen Funkelsterne dort oben in seinem Blute zu fühlen. Jetzt, da der Geruch ihres Haares ihn umhüllte als ein dichter Mantel, aus dem nur die jubelnden Zimbelschläge eines frohen Frühlingsparfüms von ihrer Brust hervorjauchzten, schien ihm dieser Duft das Endliche zu sein, das Endgültige, das nie zu Vergessende, für das sein Leben einzig geschaffen war.

Und ein ungeheures Glücksgefühl erhöhte ihn. Dies, dies mit aller Süße und allem Beiwegelang und Ungefähr ward nur einmal erlebt und nur von Einem. Er begnadet und Er auserwählt.

Er hob den Blick. In den Ecken des trübe beleuchteten Abteils schwankten schlafende Gestalten. Ihre bebarteten Gesichter waren entfärbt oder überrötet, aus dem Haargewirr liefen wüste Falten, und ihre kahlen oder angeklebten Scheitel waren so künstlich und sündhaft wie nur noch ihre abgenutzten Hände mit den verschliffenen Nägeln.

„Nein! Nein! Diese haben nie so etwas erlebt. Sie haben überhaupt nichts erlebt. Ihre Tage waren voll von kleinen geschäftigen Regungen, und wenn sie gütig waren einmal, so nur darum, weil sie die andern gütig gegen sich wollten."

Einer regte sich ächzend im Schlaf, schien sprechen zu wollen, sein Glas, am Bande, rutschte von der Nase, fiel.

„Aber wie –?" fragte der Wache. „Wohin bin ich entführt? Habe ich denn nicht erkannt, daß wir alle Brüder seien, und Demut vonnöten? Schon sehe ich mich vom Ziele entfernt. Blicke ich euch an, so kann ich nicht glauben, was ich doch erkannte. Ich muß die Augen schließen, ich will euch heraufträumen, was ihr damals wart, als ihr jung wart und jenes eine Gefühl empfandet, um das ihr lebt."

„Ich will glauben."

Der Zug rauschte. Der Zug donnerte. Der Träumer träumte nicht, er schlief.

„Berlin!"

Die Zeitung

„Wie klein dieses Zimmer ist – eine Qual! Nicht einmal auf und ab gehen kann man. Und durch das Fenster nichts wie Dächer, Schornsteine, eine Brandmauer. Sah ich daheim hinaus, waren doch die Baumwipfel da, bald kahl, bald belaubt, und der Himmel darüber. Man hörte die Kinder singen: Lanterne ... Lanterne ... Hier lärmt ewig die Hotelglocke."

„Wie lange dauert das nun bereits? Laß uns rechnen, Anton. Nein, laß es sein, denn seit du zum ersten Male rechnetest, ist kaum Zeit verflossen, immer noch sind es sechseinhalb Tage, beinahe sieben. Und keine Nachricht von ihr ..."

„Ich kann ihr nicht schreiben. Meine Handschrift

würde erkannt, der Brief geöffnet, und morgen schon wäre der Befehl hier, mich zu fangen und heimzubringen. Welche Heimkehr."

„Und was hätte es schließlich für Zweck, ihr zu schreiben, die doch weiß, daß ich auf sie warte, kläglich warte, versagend warte ... Daß sie kommen muß ... muß ... muß! Auch dies hilft nicht mehr. Hundertmal habe ich ihr dieses Muß zugerufen, sie hört nicht. Sie will nicht hören! Wer sollte ihren Liebesschwüren trauen?"

„Nein, jetzt habe ich gelogen; sie hat es ehrlich gemeint, sie hat geglaubt. Aber – wie lange? Habe ich denn je geglaubt, ich verdiene solche Liebe? Als wir uns trennten, als der Schmerz des Abschieds mich ganz durchkrampfte, war ich nicht ganz innen ein wenig froh, daß sie nun Zeit haben würde, über mich nachzudenken? Nun hat sie entdeckt, daß ich nichts bin wie ein zu sentimentaler Junge, mäßig begabt, schlecht gepflegt, schlecht gekleidet und nicht einmal hübsch. Sicher!"

„Diese Lage ist unhaltbar. Ich kann hier nicht bis in alle Ewigkeit warten, schon, weil das Geld zu Ende ist. Ich dachte heute mittag zu sparen, als ich im Hotel aß. Man hätte es auf die Rechnung setzen können, die später bezahlt werden wird, irgendwie. Aber dieser verdammte Kellner lief mir nach und rief laut: ‚Das Mittagessen muß sofort bezahlt werden, mein Herr.‘ Alle sahen auf mich."

„Ich hasse diese Kellner, die so unfaßbar lächeln, die sich über mich lustig machen, weil sie genau wissen, daß ich ein Entlaufener bin und mehr noch: ein Gefallener. Und weil sie mich verachten, verachte ich mich selbst und bin feige. Aber am schlimmsten ist der glatte Lächler unten in der Loge, der so höflich jedesmal sagt, ehe ich noch ansetzen kann: ‚Nein, es hat niemand nach Ihnen gefragt, mein Herr.‘ Ich weiß wohl, daß er den Grad meines Erschreckens und Wankens abmißt, und im rechten Augenblick wird er Faktura geben. Und – ich habe noch fünf Mark!"

„Ruhmreiche Heimkehr! Ich werde den Mantel auseinanderschlagen, mit Hoheit werde ich sprechen: Ich bin nicht der Verworfene, der ich scheine. Ich bin der Professorensohn Färber aus Rostock, gebt mir Reisegeld. Meine Alten blechen alles. Ich werde heimkehren, ich werde studieren. So sehr im Dreck werde ich mit dem Erlebten noch protzen. Wie sie glotzen werden, die andern! Und selbst der Dandy Schütt wird nichts gegen mich sein!"

„Laß das! Es ist beinahe so schlimm wie das Spielen mit dem Gedanken an diese Elster- und Pleißegräben. Man tut es doch nicht. Von Dutzend Einbrüchen in Warnow und Wallgraben weiß ich zur Genüge, wie man schreit... schreit... schreit..., sich bis zum Äußersten wehrt."

„So – nun werde ich dem höflichen Portier trotzen, auf den Bahnhof gehen, den Sechsuhrzug abwarten, den Rostocker Anzeiger lesen. Wenn dieser Portier nicht wäre..."

„Ach was, wenn es zu schlimm kommt, habe ich noch diese Karte, die sie mir gab. Laß sehen: ‚Elfriede Loo', und darunter gekritzelt: ‚Sagt gut.' Aber viel sagt diese Karte! Elfriede Loo, wahrhaftig. Dort hieß sie Gerda Danier. Was meint die Polizei dazu?"

„Und ich soll sie nur dem Portier geben. Keinesfalls dem Kellner oder Geschäftsführer. Oh, ich habe neulich wohl den Blick gesehen, den im Corso jene Blonde dem Ober zuwarf, er eröffnete mir manches."

„Gehen wir!"

„Nein, ich werde diese Karte nicht brauchen, lieber mein Sohntum aufzeigen. Ich will diesem Kerl nicht auch noch die Chance geben, mich völlig bespucken zu dürfen."

„Es ging über Erwarten gut. Der Boy in der Drehtür muß mich verwechselt haben: er machte mir eine tiefe Verbeugung. Übrigens ist es noch viel zu früh für den Zug. Ich werde im Wartesaal ein Bayerisch trinken und den heimatlichen Langeweiler lesen. Seien wir üppig!"

„Und da hätten wir ... da hätten wir ... das wäre ... es kann kein Zweifel bestehen ... ich bin gemeint!"

Anton! Mutti schwer krank. Kehre zurück. Alles vergeben. A. F.

„Ja, das ist so, was man die offizielle Formel nennt. Mutti schwer krank? Nun schiebt es mich. Nun drängt es. Gehen wir heim. Entschleiern wir uns. Fahren wir!"

Hotelhalle

Hinter der Barre der Portier hantiert in Papieren, blickt auf und beginnt: „Es hat noch niemand –".

„Würden Sie so liebenswürdig sein, meine Rechnung ..."

„O bitte! Der Herr sind – einen Augenblick, lassen Sie mich nachsehen. Sie sind den sechsten Tag hier. Für Dauergäste wird Rechnung wöchentlich erteilt. Sie werden die Ihre morgen auf dem Zimmer finden."

„Nein, ich reise heute schon ab."

„Der Herr reisen heute schon ab. Ich werde dem Oberkellner sofort Bescheid sagen. Soll ich jemand zur Hilfe beim Packen schicken?"

„Nein, niemand zum Packen. Sie wissen sehr gut selbst ... Was soll das! Und nicht der Ober. Ich möchte mit Ihnen direkt ... Es braucht niemand zu wissen –."

„Ja –?"

„Ich ... ich habe kein Geld."

Dem Kleinen schien es, als verändere sich dieses höfliche, glattrasierte Gesicht in schrecklicher Weise, als schäume es plötzlich aus jeder Pore von jenem bislang nur geahnten Hohn über. Und ihm, der zitternd hier stand und voll Angst, der, zum ersten Male dem Gehege von Stand und Heim entflohen, die Feindlichkeit, mehr: die gleichgültige Verachtung der Geborgenen zu spüren bekam –, ihm war es, als müsse solche Stunde, einmal durchlebt, weiterschwären als untilgbares eitriges Mal.

Aber das wechselte, und schon war allein der Wunsch in seinem Hirn, krank zu werden auf der Stelle, sehr krank, oder sich hinzuwerfen und brüllend zu schreien, sich durch äußerste Schamlosigkeit vor äußerster Scham zu wehren.

Und auch das verging, und vor ihm war allein dieses glatte höhnische Gesicht, das fragte: „Also kein Geld? Nun, nun, Sie werden schon jemand hier haben, auf den Sie sich berufen können, was?"

„Jemand hier? Nein, ich bin ganz unbekannt, aber –"

„Aber mit den Papieren ist doch wohl alles in Ordnung –?"

„Nein, keine Papiere. Ich bin nämlich von Hause –, hier, bitte lesen Sie diesen Aufruf."

Er las unerträglich langsam, las wohl dreimal. „Und –? Sind das Sie –?"

Anton nickte, nahm das zurückgereichte Blatt. Bebend: „Danke sehr."

„Ja, das geht uns nun eigentlich gar nichts an. Wir müssen sehen, daß wir zu unserm Gelde kommen, nicht wahr? Das andere sind Privatsachen."

„Aber sehen Sie ... Sie müssen mir helfen. Mein Vater bezahlt ja gern alles. Nur daß ich hier fortkomme. Meine Mutter ist krank, Sie haben es ja gelesen ..."

„Was das angeht, das schreiben sie immer in solchen Aufrufen, bloß damit der andre darauf reinfällt. Und was das Geld angeht, da reden Sie am besten mit dem Geschäftsführer."

„Nein, nicht der Geschäftsführer. Legen Sie das Geld aus, bitte. Ich will Ihnen einen Wechsel geben, meinethalben mit hundert Prozent . . ."

„Für Wechsel sind Sie noch viel zu jung. Jetzt rufe ich den Geschäftsführer an –"

„Nein, bitte! Halt! Ich habe hier eine Karte, lesen Sie."

Stille, lange Stille. Der Kleine blickt nicht auf. Eine höfliche, eine sehr höfliche, ruhige Stimme sagt: „Hätten Sie das doch gleich gesagt. Selbstverständlich ist alles in Ordnung. Und wenn Sie Bargeld brauchen –"

„Nein, danke." Sein Gesicht verzerrt sich, töten möchte er den andern. Töten!

„Ich bitte!" Und ein Schein schiebt sich über die Barre.

Er aber steigt langsam, mit gekrümmten Schultern, die Stufen hinauf und fühlt, daß die Augen auf seinem Rücken ihn nie so verachten werden wie er sich.

Wirbel

Aber plötzlich entsteht hinter ihm ein Lachen, ein eiliges, dunkles, fröhliches Geschwätz, das elektrische Licht flammt auf, ein Hund blafft, und da er sich langsam umwendet, denkt er: „Alles umsonst! Als ob ich es nicht gewußt hätte! Und doch habe ich mich erniedrigt."

Sie steht unten, noch hat sie ihn nicht gesehen, sie schwatzt mit dem Portier, über dem Blaufuchs steht schmeichlerisch und höhnend dieses liebe, stolze, eigenwillige Gesicht, und wie in Haß murmelt er: „Ich hätte nie geglaubt, daß sie so schön ist."

Hinter ihr die beiden Dienstmänner sind angesteckt von dieser Lebendigkeit, sie hantieren ungewöhnlich und überflüssig mit den Koffern, packen Blumensträuße in Sessel. Ein kleiner Pinscher rast wild durch die Halle, blafft, schnuppert, dreht sich rasend im Kreise und springt an ihren Röcken hoch.

Er aber steht oben; leicht nur gewendet, sieht er von der Seite dieses Bild, und nun ist es Bitterkeit, die ihn ätzt, die darüber klagt, daß sein Leben so dumpf, so trübe, so haltlos, so blaß, so un-mutig ist und allen Glanz von jenem dort empfangen soll, das zugreift, bewußt ist, spielt, neckt, tanzt, tändelt, wirklich weint, wirklich jauchzt.

Er hört sie fragen. „Und ist er da? Er? Sieh mich nicht dumm an, Schmidt, du weißt ganz gut ... Was? O da stehst du ja! Warum kommst du nicht? - Nun also. Guten Tag. Was machst du? Gefällt dir Leipzig? Wie siehst du brummig aus! Natürlich böse. Ich habe die ganze Reise gedacht, daß du böse sein wirst, weil ich so spät komme. Aber nun du's wirklich bist, finde ich es schrecklich dumm!"

Leise: „Bitte nicht hier."

„Grade hier! Meinst du, ich geniere mich vor Schmidt? Ich nicht! Das ist übrigens eine Art Pflegevater von mir, was, Schmidtlein? Also - willst du gut sein?"

„Ja ... ja ..."

„Jaja ist gar nichts. Jaja ist noch weniger als nichts. Wenn du jetzt nicht gleich ein frohes Gesicht machst, tue ich hier vor allen Leuten einen Kniefall -"

„Ich ertrage dies nicht länger."

„Willst du? Oh, du wirst dich schrecklich genieren, ich kenne dich. Also, hier auf den Knien flehe ich dich an."

„Portier, ich gehe auf mein Zimmer und bin für niemand zu sprechen."

‚Dies ist die erste Stufe. Ich muß den Fuß sehr hoch heben, alles schwankt so seltsam. Nun das Geländer. Gleich bin ich auf dem Absatz, und sie hat noch nichts gesagt. Alles ist aus!'

„Anton! Auf Wiedersehen, Anton!"

Eine gebogene Schulter verschwand.

Abend

„Wie habe ich mich demütigen müssen! Was habe ich nicht alles erleiden müssen, ich Armer, seit ich jenen Mondscheingarten verließ und eine süße junge Blonde: Inge! Warum nicht dort bleiben? Ein gewöhnliches Geschick erleben und die kleinen Wiesenblumen in Weiß, Gelb und Rosa pflücken? Schon erkenne ich, daß man nichts wählt, und wenn man am ehesten glaubt, selbst gewählt zu haben, war man nicht einmal ein Erwählter!"

„Unter was für Menschen bin ich geraten? Pflegevater, wahrhaftig! Und Intimstes erörtert vor Dienstmännern in einer Hotelhalle! Ein Herz wird im Krampf öffentlich gezeigt, und daß es sich krampft, ist deren höchste Wonne, daß es sich im Öffentlichen krampft, ihr höchstes Entzücken."

„Freilich, ich sehe auch die andere Seite. Wohl ahne ich den verkehrten Reiz solches Bildes. Auf der Treppe stand ich, lauschend... schon gut! Aber ist mir doch, als habe noch ein andrer Anton dort gestanden, an der Drehtür etwa, und mit einem Gemisch von Entzücken und Scham diesem Herzen zugeschaut, das die Schönheit anbetet, an ihrer Unbürgerlichkeit leidet und doch weiß, daß es keine bürgerliche Schönheit gibt. Vielleicht ist es sehr gut so zu leiden, da auf diesem Wege wieder einer jenen verächtlichen sicheren Heimen entgleitet, aber wer dürfte sich rühmen, daß solches ihm leicht sei und daß keine Sehnsucht ihn packe nach der kleinen warmen Erhelltheit solcher Stuben, wo um acht das Bett aufgeschlagen wird und das Bad gewärmt?"

„Dort sitzen nun jene und leiden. Hier dämmert es schon; eben noch warf ein Flug Tauben seiner Flügel Schatten an die graue Wand, nun ist alles noch tiefer grau. Ich mag kein Licht, und auch jene werden kein Licht wollen. Ob sie wirklich krank ist? Wohl ist es möglich, und seltsam eigentlich scheint es, daß selbst dies mich wenig berührt. Wie leicht wäre jetzt ihre Erlösung! Sich aufraffen, auf die Bahn gehen, zu ihnen fahren. Leicht? Lerntest du noch nicht einmal das, daß man selbst zu dieser hübschen Lüge Geld braucht, und von wem wäre Reisegeld zu erhalten, wenn nicht von ihr –?"

„Es ist ganz dunkel. Sie hätte längst nach mir sehen können. Gehe ich nun zu ihr oder erwarte ich sie hier? Ach, das in einer halben Stunde Beschlossene werde ich doch in der nächsten Sekunde umstoßen."

„Gehen? Bleiben? Reisen?"

Diskorde

Sie tritt ein. Der Hund jagt vor ihren Füßen, verfängt sich in der Sofadecke, überschlägt sich und erschrickt vor dem am Fenster aufgebauten Düstern, das er anblafft.

„Du sitzt im Dunkeln? Das taugt nichts." Und Licht fällt ein. „Mach dich fertig, wir wollen ausgehen –"

„Ich habe nichts fertig zu machen. Außerdem will ich nicht ausgehen."

„Dein Anzug ist unmöglich. Gleich morgen müssen wir zu einem Schneider. Du sollst einen richtigen Scheitel tragen, nicht diese wüste Mähne. Auch könntest du mit Rasieren anfangen. Deine Fingernägel –"

„Ah! Du schämst dich meiner. Schön. Schön. – Bitte, lies mittlerweile dies hier." Er schiebt ihr das Zeitungsblatt zu, geht zum Waschtisch.

„Was soll das? Was willst du damit? Welcher Humbug! Wer fiele darauf herein! Du nicht einmal."

„Ich bitte dich! Meine Eltern –"

„Laß schon. Ich kenne sie, deine Eltern. Glaubtest du

daran, hättest du es dann als Waffe gegen mich benutzt? Du bist grade wie sie, heuchelst ein Gefühl und verlangst daraufhin Opfer."

Da er zuckt: „Siehst du! Ich wußte es."

Anders, weicher: „Du hast Baby noch gar nicht angesehen. Fällt dir nichts auf?"

„Nein. Nichts. Ich hatte wahrhaftig –"

„Es ist ein anderer. Den alten mochte ich nicht mehr, seit dein Freund –"

„Nicht mein Freund!"

„Verzeih! Du ahnst nicht, was für Mühe dieser Umtausch gemacht hat. Etwas Echtes sollte es doch sein, daß die andern glotzen! Zwei Tage bin ich umhergelaufen, von Tierarzt zu –"

„Ah, und um diese zwei Tage verspätest du dich, nicht? Jetzt haben wir uns ein wenig verschwatzt. Sonst hätte ich von dringenderen Abhaltungen hören müssen, nicht wahr?"

„Freilich du begreifst nie, daß einem auch ein Hund wichtig sein kann."

„Vor dem wartenden..."

„Sage doch: Geliebten. Schämst du dich? Übrigens sehe ich, daß ich noch immer viel zu früh kam. Deine Laune wäre durch Lagern vielleicht doch zu bessern gewesen."

„Ich wäre fort gewesen. Ich stand im Begriff abzureisen."

„Ohne Geld –?" Stutzend: „Nein, ich habe das nicht gesagt. Was tun wir? Laß, es hat keinen Sinn! Gehen wir."

„Du hast es gesagt, und ich vergesse es nicht. Gehen wir!"

Später, am Markt, in einem Weinkeller, in einer Nische: „Hier sitzen wir gut. Fast ungesehen und beobachten alle. Jener dort ist der Rechtsanwalt Hönig und dieser kleine Braune ... warte, es fällt mir gleich ein ..."

„Natürlich, ungesehen, das ist die Hauptsache. Du würdest dich schon gerne sehen lassen, aber du schämst dich meiner."

Leise, die Augen gesenkt: „Laß doch, laß! Muß es so sein? Wir wollen nicht wieder anfangen."

Aber er, schmerzhaft gequält: „Laß doch, laß – freilich, das klingt schön. Aber du bestreitest es nicht einmal. Natürlich, die herrlich gebügelten Hosen deiner Kavaliere habe ich nicht und auch nicht ihre angeklatschten Scheitel. Was ich hier überhaupt soll?!"

„Ah, du fragst! Warum fragst du nicht, was du bei mir sollst? Du wolltest es fragen, und nur deine Feigheit hielt dich zurück. Nun, schon gut! Wenn du schlecht gekleidet sein, wenn du ungepflegt aussehen willst, es ist deine Sache! Ich sage kein Wort mehr davon. Aber etwas anderes ist es, wenn du mit mir ausgehst. Man kennt mich hier."

„Man kennt dich hier! Du solltest es nicht so sagen."

„Nein, du nicht. Bist du verrückt?! Hast du vergessen, wer ich bin? Hast du es nicht vom ersten Abend an gewußt?"

„Nur zu gut! Ich erinnere mich ... Ich wartete einmal vor deiner Tür ..."

„Du erinnerst dich, aber du sagst es als Vorwurf! Du hast alles gewußt, doch bist du mitgekommen und nun wirfst du vor! Wie niedrig das ist, wie sehr jenen dumpfen Heimen entwachsen, wo keine Tat gilt, da immer lügnerischer Vorbehalt bleibt, und jede Liebe nur das Recht zur Unterdrückung ist. Ich –"

Aber er, in sich versunken, vor sich hin, unachtend: ‚Wie anders schien alles! Wie anders alles in jenem dunkelnden Park einer Meerluftstadt, in dem statt der Stimme einer Nachtigall die Stimme einer Geliebten und Liebenden losbrach. Dort war Weichheit, Liebe, die Zärtelei gütiger Hände. Hier ...'

Sie, ganz in ihn sich stürzend, bitter, aber mit einklingendem Flehen um Rückkehr: „Ich schämte mich deiner? Wie du oberflächlich bist! Wirklich? Deiner schämen? Jene Hülle ist es, von jenem Daheim dir angeklatscht, derer ich mich schäme. Dieses ungepflegte Äußere, auf das sie noch stolz sind, da sie meinen, es nicht nötig zu haben ... Bei uns begegnet der Zerlumpte kaum Mißtrauen, nur der ungepflegte Bürger. Der eine will hinauf, wird eines Tages sein wie wir – oder wir eines Tages wie er –, aber der andere bildet sich ein, daß Staub und Schuppen auf seinem Rock, ein schlecht rasiertes Kinn, zerbeulte Hosen eine edle Mißachtung bedeuten. Denke an deinen Vater –"

„Laß das! Ich rate dir."

„Sei nicht feige! Du denkst dasselbe wie ich, Schlimmeres vielleicht, aber du magst es nur dann nicht, wenn ich es ausspreche."

„Wie du mich kennst! Wie klug du bist! Wo lerntest du so reden?"

„Spotte nur! Wenn ich auch eine Kokotte bin, ich habe vieles gesehen, über vieles nachgedacht –"

„Den Männern nachgesprochen, meinst du."

„Recht! – Ja, ich habe immer Freunde gehabt, die mir von ihrem Leben erzählten. Ich habe gehört, ich habe gelernt. Wer sich fern jener Kaste behaupten will, muß ihre Dummheiten ausgelernt haben. Ohne mich kämest du nicht drei Tage weiter."

„Du irrst ..."

„Ich weiß es. Du weißt es auch. Was hast du heute nachmittag getan?"

„Worauf spielst du an? Ich weiß nicht ..."

„Du weißt schon! Wie er sich wieder schämt! Wohl hat Schmidt Recht gehabt mit seinem Rat, dich laufen zu lassen. Ich habe wohl verstanden, warum du meine Karte erst gabst, als kein Ausweg blieb. Ich scheine eine Dummheit gemacht zu haben, wie?"

Aber jener sah nur vor sich hin, bewegte die Hände, schwieg. Sie, gesteigert: „Du sagst kein Wort? Du schweigst? Aber aus deinem Schweigen soll ich Dutzende von Anklagen hören, nicht wahr? Genau wie vorhin ist es, als du mir immer wieder vorwarfst, ich schämte mich deiner, und nur darum, weil du dich meiner geschämt hattest. Ist es nicht so?"

Er bleibt stumm. Aus dem trüben Chaos seiner Bestürztheit will sich die Bitte um Verzeihung erheben und schwindet wieder, da sie nichts ändern kann. Wenn er die gesenkten Lider hebt, einmal, flüchtig, sieht er die dunklen Augen auf sich gerichtet, und die Stimmungen Anklage, Verachtung, Mitleid gleiten huschend über sie hin, wie Windschauer einen Teich aufrauhen.

„Ich will dir noch mehr sagen, ich kam vorhin ab: wenn du mit jenen ein Geschäft machen willst, mit den Bürgern, so betrügen sie dich immer. Das macht, weil sie nie sagen wollen, was sie meinen. Wenn sie Liebe sagen, so kann es Schweinerei heißen oder Geschäft oder Bemitleidetwerden, aber nie Liebe. Und du bist wie sie. Als ich abends klagte, riefest du: ‚Auch du?', aber als ich handelte, hast du verurteilt. Du hast von vornherein alles anerkannt, aber nun du einlösen sollst, verleugnest du deine Unterschrift."

„Wie du redest! Soll ich das sein, von dem du sprichst? Ich erkenne mich nicht. Bist du es, die so spricht? Wo bist du hingegangen?"

„Du erkennst dich nicht? Du machst ein ehrliches Gesicht. Und das ist das Schlimmste bei euch, daß ihr nicht einmal hört, wenn ihr lügt. So tief seid ihr drin. Und darum nie zu fassen. – Nein, es ist schon gut. Du gehörst zu jenen. Dies hat es völlig bewiesen. Ich habe einen Irrtum begangen, aber noch ist es nicht zu spät. – Kellner, zahlen!"

‚Was soll das? Wo will sie hin? Ich träume doch nur! Was ist eigentlich geschehen?'

Und sie, spöttisch: „Aber du wirst Reisegeld brauchen, nicht wahr?"

„Nein, nein, ich . . ."

„Aber von mir bekommst du es nicht! Merke dir es doch, Bürgerling, daß es Leihhäuser gibt, in denen man seine goldene Uhr versetzen kann. Man braucht nicht mit Karten von Huren zu Portiers zu gehen."

„Ich bitte dich . . ."

„Laß! – Ober, wieviel macht es? Hier. – Du bleibst wohl noch sitzen, bitte, bemühe dich nicht. Was der Herr verzehrt, geht noch auf meine Rechnung. Guten Abend!"

„Guten Abend!"

‚Nun ist sie fort! Aber dies ist ein Mißverständnis, nein, kein Mißverständnis ... Sie hat recht, ich lüge zuviel, ohne es zu merken. Aber ich kann mich ändern! Ich kann mich bessern! Ich will!'

Auf dem Marktplatz, um sich schauend: ‚Sie ist fort! Alles ist aus!'

Und: ‚Was denn eigentlich ist geschehen? Was habe ich denn getan? Ich begreife nichts.'

Nacht

„Das scheint ein Zimmer zu sein und jenes Hellere dort – Rechteckform – ein Fenster. Es ist Nacht, aber wohl sehe ich den Schatten gegen die Scheiben gelehnt, etwas Gehauchtes gegen das wollige Grauschwarz. Bin ich es, der sich dort spiegelt?"

Eine Stimme tastet: „Bist du wach, Toni? Rührtest du dich nicht?"

Murmelnd: „Weiter träume ich! Ein neuer Traum. Unter Weidenbäumen in leichtem Winde auf einer Rasenböschung entschlafen, kommen nun Traum um Traum, schreckliche und sanfte. Dieser ist sanft, denn die Stimme jener, die mich verließ, klingt aus ihm. Ob ich ihr Gesicht sehen werde – noch einmal?"

„Alles verstehe ich nicht, was du sagst. Du sprichst, als schliefest du noch. Was aber redest du von Traum? Wer hätte dich verlassen, du Böser? Ich bin ein wenig zu spät gekommen, ich weiß, aber willst du darum nicht zu mir kommen? Du darfst nicht böse sein, du weißt nicht –"

„Erlebe ich doppelt? Soll sich die Qual des Abends im Traum erneuern? Einmal war's gut, als der duftende Mond aufging, vorher, seitdem nichts wie Qual."

„Lauter. Du sprichst ins Dunkel, als seiest du allein. Zu lange warst du es. Es war böse von mir ... trotzdem ..."

„Jene Stimme bricht auf, wie eine Blüte aufbricht. Der ganze Raum ist voll von ihrem sanften Gesang, wie von Resedaduft. Erwachte ich doch nie!"

„Du bist erwacht! Komm doch her zu mir. Nein, bleib –! Hier, diese Hand, fühlst du ihre Wärme? Ist solche Wärme Traum? So, Wange an Wange, Arm bei Arm, laß uns sitzen in dieser Nacht, die unsre erste ist und über allem Traum ..."

„Ja, über allem Traum. Nein, ich will nicht. Ist dies Wachsein, war alles vorher Traum, und wenn es nicht wirklich war, warum solche Qual –?"

„Stille doch. Leise."

„Wo denn fing es an? Bei jenem Streit? Bei deiner Rückkunft? Unten beim Portier? Auf dem Bahnhof? Alles ist entglitten ... O wie war es? Das Zeitungsblatt! Wo ist es? So sprich doch!"

„Ich verstehe dich nicht, Liebster. Wovon sprichst du?"

„Von der Zeitung! Dem Aufruf der Eltern ... Ach,

wenn auch das – Wann bist du gekommen? Sag, wann bist du –?"

„Vor einer Stunde, Toni. Du saßest hier, schliefst..."

Er saß starr. Erschrocken spürte sie die eisige Kälte eines unbekannten Entsetzens, das seinen Arm überwogte, in den ihren trat.

Ihr war es, als sähe sie trotz aller Nacht, nein, noch gesteigert in ihr, den blinden Ausdruck äußerster Angst, der das Gesicht ihres Freundes klein und weiß machte, diese Flecke Angst, wie ein Stecknadelkopf groß, in seinem Auge; ihr war, als höre sie sein Herz angstvoll flattern, flügelschlagen, vergehen.

„Toni! Liebster."

Sie tat alle Liebesworte in ihren Mund, aber in diesen Sturm reichte die Tragkraft keines Wortes. Sie rief jene Erinnerungen, die im ungründigen Sand ihres Erlebens eingewurzelt waren wie Bäume, aber ihre Stimme ging klein neben seiner Angst her und reichte nicht hinein.

Da tat sie die köstliche Gebärde jeder Frau: sie nahm das erstarrte Haupt in die Hände, legte es an ihre Brust, fuhr durch sein Haar und sprach sanft: „So weine doch! O so weine doch!"

„Deine Hände gut, deine Stimme gut, du bist sanft! Gerda."

Zärtliche, entschwindende Holdheit, Streifestimmung der Nacht, seid bedankt!

„So weine doch! O so weine doch..."

Refrain

„So träume doch, Träumer! O so träu..."

Noch Nacht, bald Dämmern

Nun löste sie sich, diese Angst eines erschrockenen Herzens, nun strömte der jugendliche Mund über von kleinen trüben Klagen, die forthuschten ins Dunkel, aufgelöst und nicht mehr da. Zwischen ihre tröstenden, liebkosenden Worte, deren tiefer samtiger Klang allein etwas bedeutete, warf er die Gebärden eines irren Schmerzes, die zu deutlich, die übertrieben wurden, da er sie in Worte formte.

Aber seine Brust wurde leichter, sein Herz froher, als er diese Straße hinablief –: oben lag die verbrannte Hochebene seiner Angst, längs des Weges standen erlittene Schmerzen als Bilder der Qual, aber sie wurden selten und seltener, und schon trat sein Fuß den froh grünenden Wiesenteppich gelösten Gefühls, das in einer Liebe mündete.

Dort sitzen sie, es ist Nacht, auf diesem Hotelsofa, wo so viele Begierden gestillt wurden, lehnt er sein Haupt an ihre Brust, seine Hände streicheln den Leib, der ihm entgegenblüht, sein Mund spricht Traum: „Einen blauen Himmel träume ich, Sommersonne. Ein struppiges, weichknochiges Fohlen trendelt über die Weide. Laß uns niederhocken auf dem Kahlschlag. Die Kiefern duften. Kleine Tiere eilen geschäftig. Nun, die Häupter zurückgelehnt, laß uns in Sonne ertrinken. In dir möchte ich ertrinken ..."

„Ja, ja, Liebster. Bald. Gleich. So komm doch."

„Still, hörst du es nicht? Es ist wie ein kleines Nagen, mein Herz schmerzt so, ich kann nicht mehr ..."

„Doch! Doch! Komm!"

„O laß! Was tust du? Ich will gehen ..."

„Ist die Tür verriegelt –?"

„Ja, aber – o deine Brust! Deine Brust!"

Diese Stunde ist endgültig, nach ihr kann keine mehr sein.

Nun kommen die Wellen gelaufen, die endlosen blauen Dünungen der Hochsee, sie wiegen sich, sie gleiten dahin, es sind andere da, höhere, blauere ...

Süße ungeahnte Wonne du: Umschlingen eines geliebten Leibes!

Wie konnte man je ahnen, daß Arme sich so um einen Nacken legen können? Wie herrlich ist es, all jene eingelernte Scham von sich zu werfen, Nacktsein zu Nacktsein zu tun, eine Wölbung zu streicheln, schmeichelnd die schmiegsame Haut in die Fingerspitzen wachsen zu fühlen, mit dem Mund die Rosenknospe einer Brust zu umschließen und ihr Starrwerden zu spüren, den unnennbaren Geschmack jenes kleinen Tropfens auszuschmecken, den du ihr entsaugtest!

„Herrliche, köstliche Wärme! Da ist der Duft deines Haares, Gerda, Liebste; der unbefriedigte, erregende Geschmack deiner Achsel weckt die Erinnerung an das Tasten, Quälen, das Stammeln der Werdejahre. Er füllt meinen Mund ganz aus, und wieder bin ich Knabe, betrachte rätselnd Bilder nackter Frauen, betaste das Lautgefüge manches Wortes und zittere vor dem Ausschnitt einer Bluse, der, beim Bücken, eine Brust ahnen läßt, die lau sein muß. Welch weiter Weg von damals bis zu dir!"

Tiefe dunkle Stimme, in der tausend Freuden, Jubelblumen blühen: „Ich habe dich in mir! Ich habe dich in meinen Bauch zurückgenommen. Du bist mein Kind. Mein Kleines! O ich habe dich in mir!"

Später. Ein Mund wandert über einen Arm, rastet in der Beuge, fühlt den verhaltenen Zug nächsten Blutes. „Es ist Feiertag geworden, ein Sonntag. Nun, in deinem Blut, fühle ich das Schwanken vieler hoher, feierlicher Schiffe in einem Hafen. Das Meer sendet ganz sachte Wellen. Von den kreisenden Masten wehen die Wimpel. Du!"

Noch später, Leib an Leib, die Arme verschlungen, Wange an Wange, den Körper köstlich müde eingewiegt. „Sieh doch, Liebste, es dämmert. Noch ist alles still. Nur ein Vogel rührt sich, und die da singt, scheint eine Amsel.

Wir sind am Ende. Nun ist mir, als seiest du meine holdeste Schwester, und von allen Wünschen blieb nur jener eine mir: so neben dir zu ruhen, wunschlos, und jene Weiche zu spüren."

„Du mein Kind!"

„Dein Kind, ja. Aber irgendwie bin ich verändert und ungeheuer gewachsen. Nie wieder darf ich nach diesem mich geringachten. Auch kein anderer darf es, da du mich liebst."

„Mein Kind du."

„Ich liebe dich."

„O du mein Bub, mein süßer!"

Morgen

Du lässest den Blick auf das schlummernde Antlitz der Geliebten gleiten und spürst das rastvolle Verweilen jeder Minute, die jede ohne alle Zukunft ist, da keine schönere aufziehen kann als die weiche Morgenröte dieses Schlafflächelns, das sie lächelt.

Welche Nacht denn vermöchte je wieder so viele Sternenblüten in dein aufgetanes Herz regnen zu lassen wie diese erste? Du fühlst körperlich den stillen Strom jenes ungeheuren Gefühls, der dieses übersonnte Heute von jedem Gestern, jedem möglichen Morgen scheidet und es ungemein macht und nie wieder zu erleben.

Diese Wangen haben Schlaf und Traum von Liebe so leise gerötet, diese lange Wimper scheint zu beben unter dem flüchtigen Streicheln eines Windes, der ganz voll ist von süßen Erinnerungen. Und dieser leicht geöffnete Mund blüht so sanft vor sich hin, als wüßte er nichts von den raschen griffigen Reden des Geldforderns, als habe er nichts gelernt wie den liebeschwingenden Tonfall dieses „Liebster!", das die Erwachende murmelt.

„Liebste!"

Hast du diese Augen vergessen? Größer und feierlicher kann keine Sonne aufgehen als dieser Blick, der als erstes den Geliebten spiegelt. Wie die Lider rasten, halb verhüllend, sich auftun, und nun spiegelst du dich ganz in diesem Schwarz. Du hast sie gefühlt, die ganze Nacht im Dunkel, sie waren da wie Mondlicht, das schwach durch Wolken leuchtet; nun sind sie ganz da und sprechen: „Liebe! Liebe!"

Und nie wird in deinen Erinnerungen jener Sonnenschein auf einer Brandmauer fehlen, der das ganze Zimmer mit freudigen Schreien füllt, mit dem Wehen von jungem Grün und dem vagen Gefühl von unendlich gestreckten überblühten Wiesen, auf denen überall Gruppen von Laubbäumen wurzeln.

„Die Vorhänge wehen im Wind, grade in unser Bad scheint die Sonne, dein Leib ist ganz überzittert von ihren goldenen und silbernen Zeichen, die ständig wechseln. Nun legst du die Hand in den Schoß, das Wasser plätschert leise, dort liegt sie, klug geöffnet, wie spielend, ein fremdes Ding, ein zärtliches. Ich liebe dich."

„Es ist wie Sommerabend zu Haus. Auf dem Kirchhof werden die Schatten länger, wir sind endlos um die Lebensbäume und Grabsteine gelaufen, nun liegen wir unter den Ulmen am Hang, das rote Ziegeldach taucht aus ihrem Grün, die andern sind fort, wir sind allein: Waldemar, ich."

„Waldemar?"

„Nicht er. Wir schwatzen, wir lachen, ich necke ihn, er fällt über mich her, wir ringen, kneifen und kratzen, plötzlich will er mich küssen. Es war das erste Mal, daß mich einer küssen wollte ...

Von den Schwestern hatte ich gelernt, das dürfe nich ohne weiteres sein, ich wehrte mich, wurde wütend, er auch. Fing an zu schlagen. Ich weinte, flehte, er schlug und schlug.

Und plötzlich kam Petta aus den Büschen, sie hatte gelauscht, nun kam sie hervor und schrie, sie habe alles gesehen, wir hätten uns geküßt, und noch mehr, ich hätte ihn zwischen die Beine gefaßt, und sie wolle es Lehrer, Pastor und Eltern ...

Es war eine Lüge. Waldemar stand verbast, aber ich sprang auf und schalt sie Lügnerin. Da griff ich sie, wir fielen gleich hin. Erst schlug ich besinnungslos drein, aber dann merkte ich, daß sie sich nicht wehrte – regungslos lag sie da, und ich spürte ihre Hand, die zwischen meinen Schenkeln kroch wie ein kleines gieriges schmeichelndes Tier ...

Plötzlich brausten die Bienen ganz laut in den Linden, daß mir schwindlig wurde, alles sauste, und ich sah ihren Mund, einen schmalen Mund, der sich leise bewegte, und ich küßte ihn, küßte ihn lange ..."

Nach langem Schweigen lächelte sie, mit einem bösen Lächeln, das ihm weh tut. „Petta hieß und rothaarig war sie. Ganz weiße, weiche Haut und rothaarig, du verstehst?"

„Ah, rothaarig –?"

„Sage nicht Ah! Du verstehst nichts, du weißt nichts. Noch heute ist es so: rothaarige Frauen regen mich auf. Wenn sie mich ansehen, kommt der Schwindel von damals wieder, ich höre die Bienen tosend in den Linden summen, und ich möchte die Rothaarige küssen.

Aber ich habe Angst davor, schreckliche Angst. Es ist nie wieder geschehen, aber ich weiß – nein, es wird auch nie wieder geschehen."

Nachdenklich: „Petta allein habe ich geliebt."

Sie faßte in seine Haare: „Schnell aus dem Bad, Fauler. Das Wasser ist kalt und sicher ist es schrecklich spät."

Eine Stimme fragt: „Wer ist das?"

(Eine Stimme fragt: „Wer ist das?")

Mittag ... doch bald Dämmerung

Welch fröhliche Stadt! Wie wehen die weißen Kleider der Mädchen! Wie geschäftig sie sind! Wie sie eilen! Gewiß ahnt ein jedes nahe sein Glück und trägt ihm als Gabe den aufbrechenden Granatapfel eines Lächelns zu.

„Welch ein Glück, an deiner Seite, an deinem Arm zu gehen!

Sicher müssen am Himmel über dieser heiteren Siedlung stets wie nun die aufgepufften Federwölkchen stehen; hinter jeder Straßenbiegung ahne ich jene grünen und hellen Parks, deren Baumwerk und Gesträuch im Tanzschritt zu einem klaren, rasch fließenden Wasser hinabwandeln.

Ich schwärme? Nein, warte noch. Wir sind alle gut, wir ziehen in die Parks, auf die grünen Wiesen streuen sich die Blumen eurer Gesichter, Leiber und Kleider, wir beten die Sonne, die Fruchtbarkeit, die ganze gedankenlose rührende Güte an, und unsere endlich erfüllten Wünsche werfen sich als steile Sterne in die dunklen Himmel unsers Gefühls.

Ich schwärmte? O, ich will schwärmen, ich muß es. Jene Taxameteruhr mit ihrem Schnapp-Schnapp, das die Zeit zerlegt, ist nicht nötig, mir zu sagen, daß das eben gespürte Gefühl schon vorbei ist, daß alle Gegenwart schon Vergangenheit ist und immer war, und daß ich, der ich jetzt spreche, schon ein anderer bin wie der, der das Gesprochene erdachte. Wie ein Sikkern ist es vor meinem Ohr, ein kleines betäubendes Sickern, und jenes Mädchen, das vorhin so fröhlich vorbeistrich, weint vielleicht schon. Wann werden wir weinen?

Nein, sage nichts. Wer war der Herr, der dich eben grüßte –? Sprich nicht, still. Er ist der vierte bereits, und alle sehen sie gleich aus: dunkel, sehr männlich, bartlos, ihr entfärbtes Gesicht scheint unter einem gelben Bleich ein fahleres Grün zu verbergen, ihre Brust muß behaart sein wie ihre Hände.

Sie sind reich, nicht wahr? Woher kennst du sie? Wie lange warst du nicht hier? Nein, still, still, ich will nichts wissen. Alles was du sagtest, müßte ich dir glauben, aber dies will ich nicht glauben. Denn dieser Schmerz ist eine immer erneute, immer tiefer erneute Lust . . .

Die Rothaarige, erinnerst du dich? Siehst du, nun habe ich dich doch verstanden! Alles wie bei dir. Alles ganz gleich."

„Ja, laß uns unter dieses fröhlich flatternde Zelt hinsitzen. Was trinkt man um diese Stunde? – Es ist recht. Schiebe mir Geld unter dem Tisch zu, es sieht so schlecht aus, wenn du für mich bezahlst.

Jedenfalls mag ich es nicht.

Den ganzen Platz übersehen wir nun, von dem ich eben noch glaubte, die wundervollen Reigen einer geänderten Menschheit würden ihn überfluten. An meine Eltern dachte ich. Wie herrlich würde es sein, in solchem

Reigen zu wandeln, und jede Frau, deren kühnes und stolzes Gesicht uns ansieht, könnte unsere Mutter sein...

Ach daß wir unsere Eltern kennenlernten, so daß wir sie hassen müssen. Unbekannte Eltern, euch grüße ich! Ihr entschwandet irgendwann in der jungen Ferne meines Lebens, manch erhobene Sternenstunde läßt mich ein geneigtes Gesicht schauen, rätselhaft mit trüben Augen einem ungekannten Kinde zulächelnd, und meine Mutter vielleicht könnte es sein.

Schweig doch, schweig! Wenn du ein Kind haben wirst, wird auch dich eines Tages die schreckliche Furcht vor der Stunde packen, wo dein Kind erkennen und dich hassen wird. Dich hassen für all das, was du ihm ins Blut legtest, für seine Wünsche, seine Gelüste, seine Abneigungen, die die deinen waren, für ein Muttermal, den zehnten Teil einer zu hellen oder dunklen Schattierung des Haares; für die Ideen, die du es lehrtest, für die Worte, für jede Geste wird es dich hassen –.

Warum ich lache? Nein, ich lache nicht, ich grinse. Grinse vor Beschämung. Hast du gesehen, wie ich eben die Hand erhob? Grade so tut es mein Vater in der Klasse bei einem Fehler: ‚Kuntze, der zweite Aorist von ...? Falsch. Setzen. Eine Fünf!' So, diese Geste. Grade so. Soll ich ihn nicht hassen dürfen, daß er so in mir steckt, daß ich nicht allein sein darf, daß ich sogar seine Gesten machen muß, daß sein Stimmklang und seine Gebärden in alles schleichen und alles verfälschen? Soll ich ihn nicht hassen dürfen?"

„Ich durchschaue ihn wohl. Nicht um seinetwillen ereifert er sich so für die Kinder. Ihm ist jener Tag des Wachwerdens keine Furcht. Er glaubt noch nicht daran, daß auch er älter werden wird. Im Grunde glaubt er an den Menschen. Keinen kennt er als sich. Und die andern alle, so sehr ihre Gesichter, ihre Gesten, ihre Worte ihn erschrecken, – er hofft noch, sie könnten anders sein, wie sie scheinen, und sie zu verurteilen scheut sich sein unerprobtes Herz. Kennte er sie –!

Also – das ist es nicht. Nicht um seinetwillen hat er Furcht. Aber da bin ich, und ich würde ihre Mutter sein. Wenn er wüßte ...

Sein Gesicht, so von der Seite, sieht bitter aus und seltsam alt. Er ist eigentlich der Jüngste, aber in Stunden wie diesen, da seine Seele alle kommenden Schmerzen schmeckt, da er sich aufschwingen möchte und die irre Angst fortreden, da er feige mich anflehen möchte, nach seinem Herzen zu leben, – in diesen Stunden überschleicht es sein Gesicht. Das glatte junge Erdland zerfällt, eine düsterfahle Gestirnlandschaft zerklüftet sich, und jede Falte ist der Weg, den ein Schmerz ging, und kein Fixstern irrt und durchschneidet so tausend Bahnen, wie das Flimmern und Abirren seines Blickes jedes Leid flieht und sucht.

Stürzte er doch hin vor mir und flehte mich an, gut zu sein, seinem Herzen zu leben und niemand zu kennen wie ihn! Ich weiß wohl, tief innen sehnt er sich nach einem ganz von Sonnenaufgang übergoldeten, frühen freiwilligen Tod. Er und ich – alles andere dahinten, und sterbend wäre ich für ihn wahrhaft die keusche Geliebte, die sein Bürgerblut juckt. Aber er schämt sich. Er wagt es nicht!

Was tut er nun anderes, wie immer vorgebeugt und lauschend über jedem Gefühl zu sitzen, es zu prüfen, sich zu durchschauen, die folgenden zu erwägen, das Entgleitende schon als enteilt zu belächeln, und sie alle, alle, leichte wie schwere, in den Wind wehen zu lassen, indem er zu ihnen spricht: ‚Ihr alle geltet nichts, und ich gelte nichts, auch sie nicht. Was wollt ihr? Geht! Soll ich trunken über euch werden? Weinen? Jauchzen? Bewundern? Höhnen? Und Anbeten? Ich werde alles tun, aber alles wird eine Rolle sein, die der Schauspieler rasch vergißt, und unsere trunkensten Küsse, unsre seligsten Umarmungen wird eine Betonung von drei Worten überschwärzen.'

Ach hielte er sich doch, ein kühner Schwimmer, die Arme gebreitet und den endlosen Schrei des Entzückens in der Kehle, auf der Woge seines Gefühls! Sie wird sich schaumig kräuseln, sie wird überstürzen, – aber er versänke dann, im Hirn noch das unnennbare Gefühl gläsernen Gleitens im Glück . . .

Neinnein, nur das nicht! Ich will das nicht. Denn darum allein liebe ich ihn ja, weil ihn nicht das dumme, so leicht erfüllbare Glück der andern beseligt, sondern weil noch im Lächeln sein Auge fragt. Darum –?

Eine stattliche Reihe ist es schon derer, die mich heiraten gewollt, entführen, eine Etage einrichten, – hier sitze ich nun mit einem entlaufenen Schüler und weiß, dies ist das Höchste, weiß, dies wird nicht dauern . . .

Es wird nicht dauern? Was denn, was? Seine Liebe etwa? Aber er liebt mich ja nicht! Lächelt er schon über die andern, lächelt er doch auch über sich, und seiner Liebe zu mir mißtraut er wie allem. Liebe zu mir? Er ist ja allein! Und alle, die um ihn leben, gehen durch sein Herz wie Wandelbilder, und seine Stimme ist's, die er aus der ihren hört, und seine Gefühle sind's, die ihn überschauern, nicht die ihren. Noch das größte Opfer – er brächte es für sich und namenlos allein auf der geisterhaft beleuchteten Bühne seines Herzens. Ich sehe ihn dort, den skeptischen Schauspieler seiner Leidenschaften, wie er niederkniet, die Arme ausstreckt, seine Stimme schwillt in Schluchzen, und die süßesten Worte, die sein Herz weiß, wirft er in den Schattenwinkeln an der Kulisse zu einer, die er sich schuf. Aber dazwischen winkt sein Auge jenem im Parkett zu, der er ist und kein anderer, sein eigener Zuschauer, sein eigener Belächter...

Ach, er liebt auch das Bild, das er geschaffen zu haben meint, wider sich. Denn warum sonst haßte er seine Eltern so, als weil er eine andere Geliebte von ihnen her im Blut hat, eine keusche, reine, unwissende, errötende Braut, die er alles noch zu lehren hätte? Ich...

Seine Eltern – er hat sie im Blut, sie sitzen in ihm, sie strammen unter der Haut. Daß er so sehr ihr Sohn ist, selbst noch im Belangreichsten, das ist's, was er ihnen nicht verzeihen kann. Und es ist möglich, daß ein Augenblick kommt, da er vor sie hinstürzt und sie trotz allem liebt, grade um dieses Verachteten willen liebt, um sich nicht hassen zu müssen!

Und für seine erträumten Kinder hofft er die andere Mutter. Mich – fürchtet er. Ach, er weiß nicht, noch nicht, daß diese Furcht wenigstens umsonst ist und daß er sich eine andere für seine Kinder wird wählen müssen.

Und was wird er zu mir sagen, wenn auch er krank wird? Es wird kommen, über kurz oder lang. Würde es das Ende sein? Und welches Ende?

Ich werde ihn fragen. Vielleicht ahnt er auch das. Ich werde ihn fragen."

„Ich habe wieder gelogen: böse bin ich dir, daß du schwiegst. Warum schweigst du? Erzählst nicht? Dein ganzes Leben möchte ich wissen; hineinschlüpfen möchte ich, daß es wäre, als umspannte diese eine Haut zwei Leben, als hätte dieser eine Mund sich als Frauenmund unter männlichen Küssen geöffnet, die er auch gab – er oder andere! Warum lächelst du so still? Denkst du an die andern? Ist es jener, der dort sitzt? Oder..."

„Warum sollte ich sprechen? Ich werde – nein, hebe nicht die Hand wie dein Vater...! Erzählte ich, du dürftest schon glauben, und doch bliebe dir dein Schmerz ... zehnmal bitterer vielleicht noch ..."

„Wie du redest! Warum ist dein Gesicht so böse geworden? Du willst irgendwohin, ich rieche wohl die Spur, aber ... wo ist das Ziel? Sage doch."

„Siehst du den, der über deinen festlichen Platz schreitet? Vielleicht wird er an unsern Tisch kommen, herablassend grüßen, einen Stuhl nehmen und sein unverhüllter Blick, der mich mustert, wäre der Blick eines Kennenden. – Was tätest du?"

„Was ich täte? Glaubst du noch an große Gesten, ein Sichbehaupten, an den Erfolg eines Streites? Ich nicht. Ich stünde auf, schliche fort, die Brust voller Schmerzen, aber solch Erniedrigtsein wäre köstlichster Schmerz. Warum sollte ich darauf verzichten? Ich hasse die herrische Geste."

„Weil du sie nicht kannst."

„Aber selbst, könnte ich sie, gewönne sie mir etwas gegen dich? Aus dir? Nein, ich verzichte. Rufe jenen nur heran –"

„Er ist schon vorbei, was du gut weißt. Denn du spielst nur mit all diesen Dingen, ihrer Wirklichkeit glaubst du nicht und denkst, nun da ich dich liebe, blieben alle dahinten."

„Aber –?"

„Aber vielleicht nur heute! Morgen schon wird ihre Reihe – es kann sein – schon wieder über mich hinziehen, und der Mund, der dir letzte Nacht zuflüsterte, wird dann zu jenen stammeln. Du verziehst das Gesicht? Vergißt du, Verliebter, daß wir Geld verdienen müssen, um zu leben?"

„Und unsre Liebe beschmutzen, um lieben zu können ... nicht wahr?"

„Es ist kein Schmutz!"

„Dir nicht, aber ich bin es, der gilt! Ich ahne schon die

endlose, ermüdende Reihe jener Verzeihungen, die dir mein Herz gegen sich gewähren wird. Aber ich ahne auch den Tag des Aufschwungs. Einmal wird der kommen, an dem nicht verziehen wird ... Sie ist weit, diese dunkle Stunde, in der ein Schrei laut wird, ein Stählernes blitzt und ein Herz zu jedem Ende spricht: ‚Komme doch schon!' Ach, käme es doch schon, ein solches Ende!"

„Käme es doch schon ..."

„Du sagst es, du meinst es auch? Nein, eine muß sein, die an mich glaubt, meiner Liebe traut ... du!

„Käme es schon – seliges Ende!"

„Blicke auf den Platz, wie er in Sonne ertrinkt! Um den häßlichen Obelisken flattern Tauben. Wie alle Tiere sind sie sanft. Wir wollen es auch sein, Liebste!"

„Über diesen Platz wird einer kommen, und du bist es nicht. Grüßen werde ich ihn, aber dich grüße ich dann nicht. Ich werde –"

„Schweig!"

„Wie doch, Geliebtester, war es mit dem Portier? Ein Pumpversuch, was?"

„Woher weißt du ...? Es war ein Traum!"

„War es ein Traum –?"

„Dein Glas fällt um, du zitterst – ah, du liebst mich doch!"

„Schweig! Sprich nicht! Ich will nichts wissen, nie mehr!"

„Ah! Du bist schön, mein Kind! Mein Geliebter, du bist schön! Warum nicht fortgehen, dieses alles verlassen? Warum nicht fliehen?"

„Du glaubst noch an Flucht? Wir schleppen uns mit, unsere Liebe, unsern Haß."

„Ich bitte dich: laß uns fliehen."

„Du willst? Fliehen wir immerhin."

Drittes Buch

Im Wartesaal

Denen, die vom Obeliskenplatz gingen, war alles geändert: keine fröhliche Stadt mehr, keine lachenden Menschen, von wilder Angst scheint die Pupille verengert, und der Gang ist lose, schon flüchtend. Wie leicht könnte es geschehen, einer jener Dunkelbehaarten streifte vorüber, stutzte, grüßte mit einem leicht verhaltenen, leicht erfreuten Lächeln, und das bisher als Unterton Schwingende wäre am Tage, und das Ende hieße zögerndes Entweichen jenes gekrümmten Rückens, der ein Herz deckt, das nicht mehr lieben will.

Am ersten Tage ständest du allein, Gerda, und das göttliche Geschenk, dessen Duft dein Blut ungewohnt erregte, wäre schon deinen Händen entglitten. Du tust recht daran, ihn – wenn schon ohne Glauben an seine Liebe – festzuhalten, fliehend ihn wieder in deinen Armen einzufangen. Recht tust du!

Neben-, fast hintereinander eilen sie dahin; will er sich verlieren? Plötzlich fort sein in der Menge aus ihrem Leben heraus, ohne ein Wort? Frage nicht ängstlich, du! Deinen Gang betrachtend, halb hinter dir, vergißt er selber das Gehen.

Endlich der Bahnhof. Ihr müßt warten noch, ihr! Ein paar Stunden, und nördlich reißt euch der Nachtzug zu jenem Meer, das sein Wunsch ist, du ahnst es.

„Und du wartest diese Stunden hier, ja? Im Saal sitzt man gut. Eine Welt habe ich unterdes zu besorgen. Im

Hotel muß ich packen, dir eine Ausstattung besorgen, auf die Bank – "

Erschrocken: „Du willst doch nicht mit, nein?"

Ruhiger: „Es ist besser hierzubleiben. Das andere ist eine Hatz. Kauf dir ein Buch. Lieber, ja? Und iß ordentlich zu Abend. Du hast noch nichts Rechtes gegessen heut."

Lächelnd, sehr gütig, sehr leise: „Was siehst du mich an –? Hast du Angst, ich käme nicht wieder? Meinst, ich ginge zu einem von jenen? Kind du, großes! Aber mein Kind. Immer werde ich wiederkommen zu dir, immer. Nur zu warten brauchst du, nur zu . . . Sieh mich weiter an, aber versuche zu lächeln, ja. Mir ist angst . . ."

Gehaucht: „Lebe wohl, Liebster."

Sie geht. Was macht es, daß sie in der Tür sich noch einmal wendet, ihn anzuschauen? Er sitzt da, den Kopf zurückgelehnt, den Blick verschwimmend in dem Gewölbe des dämmerigen Saales, als erwarte er Schlaf und Traum. Vielleicht erwartet er Schlaf und Traum.

Sie streift den Schleier hinab. „Wie werde ich ihn wiederfinden –?" fragt sie. „Werde ich ihn wiederfinden? Mir ist angst."

Sie geht.

„Wie werde ich ihn wiederfinden?"

Erinnerung

Ist der vergessen, der im Dunkel draußen liegt und träumt? Um ihn ist Düne, der Seewind spielt in seinen Haaren, vom Ufer her kommt der laute Schall der Wellen, ein Wacholder steht krumm ihm zu Häupten, und aus den Wolken tritt ab und zu der Mond und bescheint das bleiche, das zerfurchte Gesicht. Dann ist es, daß er sich regt, ein paar Worte murmelt, sich wehrt, weinen möchte, aber schon sinkt er zurück in den zähen Boden seines Traums und schweigt. Ist er vergessen von euch?

Von diesem Träumer, von seinem Traum spreche ich.

Es geschieht, daß er sich völlig aufsetzt. Eine bebende Hand streicht über die regenfeuchte Stirn, strähnt im nassen Haar. Ein Mund beginnt, und eine Stimme hebt an, eine Geschichte wird erzählt dem Wind, den Wellen, der Nacht.

Eine Geschichte hebt an, ein Mund beginnt, eine Stimme klagt.

Höret doch.

Wind, Wellen, Nacht erzählt

Ich rechtfertige mich. Nicht kann ich es länger leiden, daß jener mein ganzes Leben umlügt. In seine Hände jene Nacht! Schläft er dort im Wartesaal –? Nun gut, ich werde ihm meinen Traum senden, den ich einst träumte, der mich einst zerstörte, und er soll sehen, wie er ihm gedeiht. Wachsen soll er in seinem Herzen, seine Liebe soll unter solchem Schatten kümmern, wie meine kümmerte.

Hörst du gut zu, Schläfer im Wartesaal? Dies ist die Stunde des geöffneten Herzens, höre denn!

Du bewegst unwillig das Haupt im Schlaf? Fühlest in Angst den Traum, der zu deiner Seele möchte, und willst nicht?

Höre mich doch, ich flehe dich an! Ich gestehe ja, daß ich log. Nicht dich zu quälen, nicht mich zu rechtfertigen, spreche ich. Sondern laßt mich gegen den Glanz jenes möglichen Lebens, das der kleine Weiße führte, der ich hätte sein können, – laßt mich dagegen die Qual einer Nachtstunde setzen, und dann urteilt!

Höret mich, und dann urteilt!

Fremde Stadt

An jenem Tag war ich in Rostock. Aber nein, ich war nicht in Rostock. Ich war in einer Stadt, die vielleicht einmal durch Rostock hindurchschlenderte und sich diese Allee mitgenommen hatte und jene Straßenecke. Ja, wohl auch die Häuser. Aber die andere Stadt hatte alles seltsam verändert, und in die Straße, in der das Haus der Eltern stand, hatte sie endlose Bataillone von Tischen und Stühlen gesetzt, unzählbare, mit ganz schmalen kiesigen Gängen dazwischen. Und sogar über die Beete hinweg hatte sie Tische gereiht, so daß die Tulpen ratlos einer häßlichen Platte entgegenstielten.

Besah man die Häuser, schienen sie altbekannt, aber trat man hinein, so ging die Treppe nach links statt nach rechts, und es war auch kein roter Läufer da, sondern eine Kokosfasermatte, und die Eltern wohnten nicht im ersten, sondern im dritten Stock.

Man konnte in dieser andern Stadt die Blutstraße hinuntergehen und jeden Augenblick den Markt erwarten, da stand man plötzlich auf einem weiten wüsten Feld voll rotem, kalkigem Schutt oder bei einem Galgen mit Gehenkten. Gewitter hing über einem, und ferne im fahlgelben Licht duckten sich die Dächer einer fremden Stadt.

Und wie die Dinge, altgewohnt und sprunghaft neu, so waren auch die Menschen. Ja, es waren alles alte Bekannte, aber sie waren irgendwie aus ihren Fugen gedrückt, und plötzlich schnellten aus ihnen Federn spiralig heraus und schossen ungewohnte, tadelnswerte Taten auf einen ab. Sie streckten wohl die Hand zum Gruß, aber wollte man sie nehmen, zwickten sie einen in die Wade oder zeigten mit einem glasharten Lächeln ihre immensen Schamteile oder plötzlich fiel ihr Gesicht herunter und zerfloß in einen weichen, kuhdungartigen Brei auf dem glitzrigen Granitpflaster.

Eines aber weiß ich bestimmt: sie alle und die Häuser und die Straßen, auch die Bäume waren völlig lautlos. Ihre Bewegungen waren nicht in Luft, sondern in Watte hinein gemacht und hatten keine Resonanz. Das machte vielleicht ihre Gebärden so seltsam, gab ihrem Tun diesen mystischen Schwung, denn ich erinnere mich, daß auch mich in dieser anderen Stadt eine fieberhafte Rastlosigkeit fortriß und dem Zentrum meiner Gewordenheit entfernte.

In dieser Stadt also war ich damals. Meine Erinnerungen sind zerrissen, hie und da ein scharfes Bild, aber alle Zwischenglieder fehlen.

Lokal

Ich saß in dem großen Zimmer eines Lokals. In jeder Ecke stand ein Tisch mit einem großen roten Sofa dahinter, in das von Zigaretten schwarze Löcher gebrannt waren.

Auf einem dieser Sofas saß ich, meilenweit entfernt von den anderen Tischen, so daß ich nicht erkennen konnte, wer dort war. In den Gläsern schalte schaumloser Sekt. Zwei Gläser standen vor mir. Und ich bemerkte plötzlich, daß ich nicht allein war, sondern neben mir saß starr, mit tief gesenkten Lidern, eine meiner früheren Schreibdamen. Während ich sie noch rätselnd anschaute, wurden ihre Arme mit einem Ruck wie an Schnüren zur Decke gerissen; schon saß sie auf meinem Schoß. Straff gekreist riß sich ihr Mund auf, ihre Kleider klafften auseinander, und ich sah zwischen ihren Brüsten abwärts über den Nabel fort einen Streif wolligen Vließes, der sich zwischen den Schenkeln verlor. Dann sagte sie, daß sie Austern wolle.

(Plötzlich fällt mir ein, daß wir doch reden konnten. Aber das hebt das vorhin Gesagte nicht auf. Im Gegenteil. Unser Sprechen war noch lautloser als unsere Bewegungen.)

Irgendwie standen die Austern auf dem Tisch vor mir. Und quälend überfiel mich der Gedanke, daß ich sie nicht bezahlen konnte. Ich wollte in den Taschen nach Geld suchen, aber Theas Blick lag glashart in meinem. Die Hände entliefen mir über den Tisch, stießen ein Glas Sekt um. Wieder warf Thea die Arme zur Decke.

Da wurde ich gewahr, daß ich die Gruppe am Ecktisch rechter Hand erkennen konnte. Dort saß in tadellosem Frack mit starrer Götzenmiene mein alter Bekannter, der Baron von Bür. Sein Leib war von einer Unzahl Flaschen umstellt, die goldgeköpft den Tisch bedeckten. Neben ihm hockte ein graubärtiger Buckliger, der rastlos die Flaschen in große flache Schalen leerte.

Der Baron bedrohte mit dem Revolver eine dicht zusammen gedrängte Schar nackter Männer, einige ganz dürr, so daß ihre Steißbeine die faltige Haut durchstachen, andere mit überquellenden rosigen Speckfalten im Nacken. Diese Männer, die in ihrer Nacktheit zitterten, daß ihre Ellbogen sich blutig aneinanderrieben, tranken auf die Drohung des Barons den endlos vom Buckligen verschenkten Wein. Einige lagen schon auf dem Boden, sie wälzten sich und gaben unter Stoßen und Krächzen das Genossene von sich.

Dann schoß der Baron. Männer fielen, ein breiter Strom von Blut und Erbrochenem schwemmte durch die Stube. –

Das Bild ist fort. Bür ist fort. Thea ahne ich nur noch zu meiner Linken. Ich kann nichts mehr sehen. Ich bin ganz allein.

In dem weiten Raum ist nun nur noch ein endloses Weinen. Ein ganz tiefes, nicht aufhörendes Weinen. Es fängt sehr leise an wie aus dem Schlaf heraus, wird stärker und immer stärker und hält dann in gleicher

Höhe aus, mit sehr kleinen Klagelauten dazwischen, wie sie Kinder haben. Es hockt in meinem Hirn, in jeder Zimmerecke dreht es sich, es fällt von oben auf mich herab. Ich schüttele mich, aber das Weinen will nicht enden.

Plötzlich weiß ich, daß es meine Braut ist, die so weint, irgendwo. Ich habe es gewußt, daß sie mit mir in dieser fremden Stadt ist, ich habe es vergessen, und all die Zeit war ich krampfhaft bemüht, mein Wissen wieder zu finden.

Ich springe auf, trete aus dem Zimmer.

Begegnungen

Draußen regnet es. Fädig wie Sirup schleimt der Regen vom Himmel, überzieht Blätter und Baumstämme mit einer Gummischicht und macht das Pflaster so schlüpfrig, daß ich ausgleite und mich mit verzweifeltem Griff an einem Vorübergehenden halten muß.

Um Verzeihung bittend, blicke ich an ihm empor: ein großer Mann mit einem sehr starken wolligen Bart, der im Hutschatten beginnt, so daß sein Gesicht vollkommen verborgen ist. Wortlos nimmt er meinen Arm und zieht mich Widerstrebenden die immer dunkler werdende Allee hinab fort. Das Weinen fährt noch einmal hinter mir her, überholt mich und ist weg – wie ausgewischt.

Der schwarze Unkenntliche hebt den freien rechten Arm und deutet an meine Seite. Ich bemerke einen Menschen neben mir, sehr hager, mit hohem, schmalem Kopf, die Schläfen sehr weiß von blauen Adern durchsponnen. Sein Mund steht weit offen, rasch hintereinander bildet sich zwischen den Lippen Blutblase auf Blutblase, tritt umspeichelt aus, schwebt einen Augenblick vor ihm und steigt verleuchtend in den Himmel. Sein nackter Oberkörper ist gräßlich abgemagert, wie Peitschenstriemen liegen die Rippen auf ihm. Nahe der linken Brustwarze sind drei schwarzrandige Löcher, in denen bei jedem Atemzug Luft mit Blut pfeift und gurgelt. Seine Hose ist arg von Lehm beschmutzt, aber ich sehe doch, daß es einmal eine modische Smokinghose war. Sein Gang ist ein stolperndes Vornüberfallen und trägt etwas ruchlos Lustiges an sich.

Ganz, ganz schnell habe ich dies alles gesehen, sein Äußeres gemustert, und dämmerndes Erinnern springt mich an. Kindheits-, Jünglingsbilder rasen durch meinen Kopf wie durchgehende Pferde, ihre Hufe schleudern nur herausgerissene mißfarbene Erdbrocken und Grassoden in mein Wissen.

Zugleich weiß ich stärker denn je, daß meine Braut weint, irgendwo, ich muß sofort zu ihr, muß sie finden, sonst geschieht etwas Schreckliches – und ich reiße meinen Arm aus der Umschlingung des Schwarzen. Er gibt mich so rasch frei, daß ich taumele. Ich versuche, mich aufrecht zu halten, da jagt wieder eine Welle Weinen die Straße hinauf. Ich schlage die Hände vors Gesicht. Und stürze zu Boden.

Irre ... wo Ziel?

Der Schwarze ist fort, aber auf meinem Rücken hockt der dürre Begleiter; ich fühle, wie sein Blut warm und klebrig über meinen Kopf rinnt. Ich kann meine Augen nicht mehr öffnen, doch er reißt mich bei den Haaren, taumelnd stolpere ich hoch, und er sporntmich so lange mit seinen Schuhen, bis ich in hohem Trab die Allee hinabrase, allein geleitet von den spitzen, ziehenden Griffen in meinen Haaren.

Plötzlich stoße ich gegen etwas mit meiner Stirn, wieder falle ich, aber wie ich mich sofort wieder in die Knie erhebe, merke ich, daß mein Rücken ohne Last ist. Ich reibe die Blutkuchen aus den Lidern, ich öffne die Augen.

Es ist fast dunkel. Ich stehe vor einem hohen Haus. Ein Fenster ist beleuchtet, es ist geöffnet, und drinnen pfeift einer schrill, monoton, endlos die paar Töne zu dem Text: „Liebst du mich denn gar nicht mehr –?"

Ich weiß, ich weiß alles! Wie konnte ich vergessen!

Ich bücke mich. Der Dürre liegt stöhnend am Boden, phosphorisch glänzen die drei Kugellöcher, die ich einst – –. Oh, es ist ja Wahnsinn! Das alles ist doch schon Jahre her!

„Liebst du mich denn gar nicht mehr –?"

Ich bücke mich und nehme den erschossenen Freund auf die Arme. –

Der Schwarze steht bei mir. Er trägt ein Licht in der Hand, das trotz des rasenden Windes, der mich mit meiner Last immer wieder zum Wanken bringt, ohne Flackern brennt. Er geht schweigend ins Dunkel. Ich folge ihm. Wir wandern endlos. Eine graue Landstraße. Wieder Häuser. Immense dunkle Mietskasernen, die stinken. Mein Hut taumelt im Rinnstein.

Die Straßen werden enger. Gassen. Gäßchen. Aus den Fenstern bricht rosaroter Lichtschein. Hurenhäuser. Die Dirnen liegen mit nackten Brüsten auf den Fensterbrettern und speien glühende Zigarettenstummel auf mich. Der Dürre bekommt Zuckungen, ich muß alle Kräfte anstrengen, ihn zu halten. Dann kann ich nicht mehr. Ich breche in die Knie. Der Schwarze verschwindet lautlos um die Ecke. Ich lehne den andern an eine Wand. Ich muß Hilfe haben.

Ich gehe ins nächste Hurenhaus. Ich rede. Ich weise Blut. Ich stammele. Knie. Wälze mich bäuchlings. Die

Dirnen schreiten auf Zehen um mich herum und zeigen mit verzücktem Lächeln ihre Schamteile.

Ich entblöße mich. Ich reiße mein Herz aus der Brust, spucke darauf und gebe es der nächsten. Sie faßt es mit zwei Fingern und wirft es einem gähnenden, rosaroten Schwein ins Maul. –

Wieder stehe ich im Regen. Auch die Häuser sind jetzt dunkel. Ich friere sehr. Doch ich suche. Suche lange nach dem Dürren. Ich finde ihn. Er ist sehr schwer. Doch bei jedem Schritt wird er leichter. Schließlich halte ich ihn in den hohlen Händen und trabe seltsam gehoben den nur geahnten Weg.

Es dämmert.

Ich bin auf dem Kirchhof. Ein aufgeworfenes Grab mit einer Schar Menschen darum. Alles bekannte Gesichter, aber ich kann sie nicht einordnen. Sie wenden sich mir zu. Über ihre Starrheit scheint plötzlich ein stechender Spott zu laufen. Ich sehe genau zu: sie sind starr.

Ich trete an die gelbe Lehmgrube und will den Inhalt meiner Hände hineinlassen.

Der Tote liegt schon darin. Er lächelt. Böse.

Ich halte in den Händen mein Herz.

Der unkenntliche Schwarze tritt zu mir, er klappt meine Brust auf und legt das Herz in sie. Ich bin wieder sehr schwer. Ein Schluchzen würgt mich im Halse. Meine Augen brennen.

Die Versammlung faltet die Hände. In der Nähe spielt eine Orgel. Auch ich will beten. Meine Hände wollen sich nicht fügen.

„– Vater unser, der du ..."

Was spielt die Orgel? Ist das ein Choral? Mein Gott, nein, ich habe wieder alles vergessen! Ich muß ja suchen. Meine Braut weint, weint ...

Das ist keine Orgel!

Das ist Weinen. Das ist Weinen!

Angst

Die Sonne brennt. Ich stehe in der Straße mit den endlosen Tischreihen. An ihnen sitzen Scharen und Scharen von Bürgern, mit hohen ballonartigen Köpfen. Ihre Gesichter sind verquollen, aber ich merke wohl, daß sie mich mißbilligend ansehen.

Doch ich muß suchen. Suchen! Ich krieche unter die Tische. Ihre genagelten Schuhe treten auf meinen Rücken. Ihre Hunde beißen mich.

Suchen! Suchen!

Die Tischreihen wollen nicht enden. Ich suche fort.

Plötzlich bin ich in einem kegelbahnartigen Raum. Dort stehen drei Verwachsene mit schwarzen assyrischen Bärten. Sie sprechen geheimnisvoll miteinander. Ich weiß, sie reden von meiner Braut. Ich möchte sie fragen, aber ich wage es nicht.

Auf den Zehenspitzen schleiche ich mich näher, um zu lauschen. Da merke ich, daß der eine schielt: ich bin in seinem schiefen Blickwinkel. Er lächelt höhnisch und viehisch, greift mit einem Affenarm in seinen Buckel, holt aus ihm eine große hölzerne gelbe Kugel und schleudert sie nach mir. Die andern folgen seinem Beispiel.

Ich entfliehe rasend durch eine kleine Tür und sehe mich in dem düstern Lokal. Thea sitzt auf dem Plüschsofa. Sie wirft die Arme zur Decke. Der Baron hockt noch immer im Winkel und bedroht die Nackten.

Ich fliehe wieder und stehe auf einer bergan steigenden Straße. Vor einem Schlächterladen drängen sich Leute. Im Fenster hängen an großen Haken Rinderhälften. Das Fleisch ist rotblaufleckig, mit gelben Fettpolstern bestickt. Fliegen laufen darüber.

Ich fühle, daß die Entscheidung naht.

Ich stehe im Laden. Ein großer Mann will das Weitergehen verbieten. Doch eine Frau macht mit den Augen ein rasches Zeichen, und ich darf passieren.

Doch ein schreckliches Zittern schüttelt mich. Eine Welle von Todesangst springt in meiner Brust und will mich zurückwerfen. Meine Beine gehen vorwärts.

Ich stehe auf einem grell besonnten Hof. Es ist sehr heiß. Ich rieche einen schlimmen Geruch, einen süßlichen.

Ein Tisch, umdrängt von Leuten. Zwei Menschen in Uniform. Ich bemerke sie sofort. Sie haben in den Händen lange Messer, von denen Blut tropft.

In mir schreit es: zu spät! Zu spät!

Nun kann ich den Tisch übersehen. Ein Stück menschlichen Oberkörpers, aufgeschnitten, die Eingeweide daneben. Der Kopf fehlt. (Oh, ich weiß alles! Ich weiß alles!)

(Nur nicht den Kopf sehen, schreit es in mir. Nur nicht den Kopf sehen!)

Der eine Uniformierte fragt mich: „Können Sie zweckdienliche Angaben machen?"

Ich will reden. Wieder schüttelt mich die Angst. Da taucht am andern Ende des Tisches das gräßlich verzerrte quittengelbe Gesicht meines Vaters spitz auf mich zu auf: „Mach's schnell!"

Ich sehe unter den Tisch. Ich will nicht. Aber ich muß.

Da – liegt – ihr – Kopf!

Ich schreie auf. Ein Kind beißt mich in den Finger. Ich stürze nach hinten.

Gesang von Wind und Wellen, Gesang der Nacht

Nun ist vom federnden Bogen des Hasses das Geschoß ins Herz des Unschuldigen gesandt. Wie zittert der Pfeil! Schon treibt im Blut ihm der Giftsaft, seine Lippen haben sich verzogen, Worte murmelt er im Traum, und jene verzogene Braue weiß nichts mehr von einem guten Ende.

Ach, trotz allen Unglaubens – solch Ende wäre ihm so möglich erschienen! Nur Liebe – und Gutsein wäre so leicht gewesen.

Aber, Menschen, ist es euch nicht schon zu viel, daß ihr mit Herzen geboren werdet voll kolossalischer Wünsche, mit endlosen Begierden, dürstender Ruhmsucht?

Nun hasset ihr auch noch eure eigene Reinheit und schnellt ins eigene Herz nächtens den Pfeil eurer feigsten Wünsche, daß ihr vergiftet erwacht?

Was soll das alles?

Lange schon ist für euch der Pfiff: „Liebst du mich denn gar nicht mehr –?" keine Mahnung der Liebe, sondern Aufruf zum Haß!

Träume denn weiter, Träumer; wurde ein Sieg verscherzt: deiner! Unterlag ein Herz: deines!

Eine Stimme fragt: „Aber Inge –?"

Über das Gesicht huscht in kleinen Rucken der Wind. Haben diese Lippen je gesprochen?

Gleichviel. Nun sind sie stumm. Nun antworten sie nicht.

Erwachen

Still. Der Knabe murmelt: „Dies ist ein Wartesaal." Pause.

„Und jenes war Traum."

Lange Pause. Angstvolles Schlucken.

„Ah! Ich sehe es von den Wänden triefen. Es schleimt am Boden. Keine Täfelung kann es abdichten, keine Gebärde es bergen!

Warum glauben wir denn noch an Flieder, Sonne, Blauhimmel und das warme fromme Antlitz eines neugeborenen Kalbes? Auch das Gesicht meiner Liebsten war warm und so fromm, aber man wird es nach außen kehren, das Häßliche wird gewiesen sein, ein holder Leib ekel ausgeweidet, eine stammelnde Bitte bespuckt ... seht doch, da steht es: so ist das Leben!"

Wild: „Ich will nicht!"

Flehend, klein, kindhaft: „Ich will doch nicht. Bitte nicht."

Lange grübelt er. Sein gestütztes Kinn rutscht von der zitternden Hand ab. Sehr steil nun, hinausschnobernd in den Saal, den Geschäftigkeit, Geeß, stürzender Wortschwall durchschwingen. „Ich rieche es. Nichts vermag diesen süßen, faden Geruch zu übertäuben. Wir werden alle getötet, aber langsam, so langsam, immerzu sterben wir, und wenn der Leib nicht mehr will, wenn wir zusammenbrechen, unter Peitschenhieben wieder hochtaumeln, weiter stolpern und wieder zusammenbrechen, so sagen sie stolz: so ist das Leben!"

Er legt ängstlich, huschend und sacht die Hände aufeinander, er bittet zart: „Ich aber will nicht. Ich bin klein. Ich habe Angst. Ich komme aus einem sicheren Heim, in das Laubfahnen wehten. Es ist mir bestimmt versprochen, daß das Leben gut sei und schön, sei ich nur gut. Meine Eltern haben es mir versprochen, auch die Lehrer, in meinen Büchern stand es, der Pastor hat es mir gesagt. Warum sollten alle gegen mich einen lügen, der klein ist und nichts weiß?"

Mit einem sehr schönen, zagen Lächeln flüstert er: „Sie können doch nicht alle schlecht sein? Ich war doch noch ein Kind, da sagten sie schon ... Es war nur ein Traum, und Träume gelten nicht, nicht wahr? Mir braucht nicht angst zu sein. Alles war Schlaf."

Dieser traurige Blick, der Angst hat, irrt im Saale umher, er sucht auf den Gesichtern der andern die Erhärtung seines Hoffens, das Leben sei doch gut.

„Sie sehen mich alle an. Ach, mein Glas fiel um. Aber ..."

Von unten drang sein Blick vor; sein scheues Lächeln bat um *eine* Antwort. Es wurde blasser und blasser, es ging unter, und nun stieg der traurige Mond der Verzweiflung auf, und sein Schein beleuchtete die blutige, über das Gesicht breitgezerrte Maske.

Er senkt den Blick. Er ist sehr müde. Sein Herz geht so unheimlich langsam, und es müßte doch schnell gehen, ganz schnell, damit endlich Ende wäre.

„Sie haben mich so erschreckt", flüstert er, und eine letzte hoffnungslose Hoffnung läßt noch einmal den Blick wenden.

Da geschieht es. In dem tausendsten Teil einer Sekunde platzen die dürren Schalen der angelernten Begriffe: er sieht nicht mehr die bekannten Gesichter der Menschen.

Das sind wahnsinnige Mißgestalten, verrückte, gedunsene, kotige Fratzen. In den Poren stinkt Verwesung. Ihre aus zergehendem Fleisch herausgepreßten Leiber haben sie untereinander geschleppt. Ihre Verabredung ist zu tun, als sähen sie nichts.

Aber nun sieht man's! Man sieht die dicken hängenden Speckfalten, das ekelhafte Gebäude einer fleischigen Hand, den grotesken Irrsinn einer Lippe, auf der Haar borstet, man sieht das öde Glotzen von zwei Gallertdingern, die Poren, die Mitesser, die trocknen kahlen Schädel mit Glanzlichtern. Man riecht die Ausflußöffnungen der Münder, die Schweißkanäle. Man hört Würmer nagen, Bakterien feilen. Verdauungsmaschinen, voll stinkender Gärung und Zersetzung, sterbende!

Und über all dem hocken bizarr und grinsend die Dinge: die Zwicker plinkern, steife Hutlappen höhnen, Ärmelfalten treiben Unzucht, Westen prahlen herrenhaft über schlappen Bäuchen, Hosenknie höhnen als irrsinnige Wülste.

Im tausendsten Teil einer Sekunde sieht er es, er

begreift den Wahnsinn, daß er unter Toten sitzt, unter häßlichen, feixenden Toten – und nun schnarren sie alle: „So ist das Leben!"

Nun knarren sie: „Wie ist das Leben?"

Nun schwatzen sie stolz: „Hart ist das Leben!"

Da geht im Kleinen eine hohe Welle auf, sie stürzt in Seele und Hirn, fegt ihn fort, durch die Räume, über Treppen ins Freie.

Wie werde –?

Auch dir war angst gewesen, Liebste!

„Wie werde ich ihn wiederfinden –?" hattest du gefragt, in der Tür verharrt und noch einmal nach dem Gesicht des Freundes zurückgeschaut. Dann hattest du den Schleier herabgezogen, du warst gegangen.

Nun stehst du wieder in der Tür, nun trägst du zu ihm ein Herz, das ganz angefüllt ist von der Lust des Schenkendürfens, denn tausenderlei hast du gekauft, da du ihn schön möchtest.

Dein erster Blick ist noch sicher, aber der zweite zögert schon, du stutzt, fragst: „Irre ich mich denn? Ist das nicht sein Tisch?"

Wie zögert doch der Schritt der Nahenden, wie ängstlich fragt sie den vorbeistreichenden Kellner: „Der einzelne Herr –?"

„Sie sind die Dame zu dem Herrn? Der Herr hat vergessen zu zahlen. Er ist fortgestürzt . . ."

„Er ist fortgestürzt . . ."

Sie zahlt. Sie geht. Warum geht sie? Warum läßt sie sich nicht zur Erde nieder, wo sie steht, und wächst hinein in sie, um Erde zu sein –? Warum nicht? Da er doch fort ist! Was hat das alles für einen Sinn? Warum laufen diese Menschen umher? Warum grüßt jener Herr auffordernd mit den Augen? Und warum lächelt sie ihm zu mit ihrem Maschinenlächeln, ihrem Gewerbelächeln, das nirgend mehr deckt? Warum? Da er doch fort ist? Ihr entflohen?

Und es beginnt die Qual des anklagenden Herzens. Anhebt die Qual des entschuldigenden Herzens. Und es beginnt das Rätseln um das Warum.

„Warum floh er? War er verfolgt? Von den Eltern? Wohin? Haben sie ihn gefaßt? Im Gefängnis etwa? Schon im Zuge nach Rostock? Denkt er an mich? Wartet er auf mich im Hotel? Was habe ich ihm getan? Bin ich nicht gut zu ihm gewesen? Schämt er sich meiner, will nicht mit mir reisen? Wenn er mich suchte! Ist er auf dem Bahnsteig, im Glauben, unser Zug ginge schon? Oder nur auf der Toilette? Längst wieder am Tisch? – Ah, ich muß sehen ... Nein, der Tisch ist leer. Wo ist er? Was habe ich getan?"

Und die Anklage beginnt. Das kummervolle Rechnen des Herzens, das schreckliche Messen der Zärtlichkeitsdichte einer längst entwesten Umarmung, das geizige Wägen eines Wortgewichtes.

Diese Stunde kann nie verziehen, solch Wartenacht nie vergessen werden, käme er selbst zurück. Was denn hätte er am Ende zu sagen, solches Wartens Last ganz zu tilgen –? Nichts.

Und nie wird von ihr begriffen werden, daß er floh, um das glatte göttliche Gesicht der Liebe sich zu bewahren. Diesen herben, unerfüllten ersten Heuduft in den Nüstern ist er entflohen, und die Liebe von zwei Reinen ist es, die *seine* Angst retten will, unberührt noch von dem Elend, das tapfend anschleicht.

Wie aber könnte er es ihr sagen?

Wie aber könnte sie ihn verstehen?

Und alles wird sie ihm zum Vorwurf machen: das erniedrigende Fragen bei Hotelportiers, ihre spöttischen Antworten, das Herumirren, die Nachfragen, die Unmöglichkeit, sich auf der Polizei zu erkundigen, die umsonst gekauften Geschenke, die umsonst gehabte Vorfreude, alles, bis zu dem Herrn, der mit den Augen grüßte und ihr Gewerbelächeln empfing – alles, alles wird Vorwurf sein!

... käme er selbst zurück.

Nachtwanderung

Er eilt durch die nächtliche Stadt. Bogenlampen werfen ihr weißes Licht auf die Vorüberstreichenden. Ihm ist, als stünde er still und als würden jene in rasendem Tempo an ihm vorübergehetzt, angesogen von dem Atem eines ungeheuren Strudels, der irgendwo dorthinten lauert und dem sie entgegentanzen mit ihrem starren Puppenlächeln über das ganze Gesicht hin.

Sähe er doch *eine* menschliche Gebärde! Wenn sie stillständen, eines eine Sekunde, bei jenem Busch etwa, und verweilend ein Blatt streichelten; wenn zwei sich die Hände nur geben würden und einbeschlossen läge in solcher Geste die runde unangreifbare Kurve eines Gefühles, wenn – nichts: sie streifen vorüber, rasch, so rasch, mit starren Blicken und sind fort. Sie werden nie wieder da sein.

Fremde Stadt! Vertauschte Menschen!

Ihre erhellten Autos schnellen vorbei. Sie haben es eilig noch. Er sieht Seide glänzen. Ein weißer Arm leuchtet auf. Eine mit sanftestem Violett vom Hutrand beschattete Wangenkontur – und fort!

„Nein, ihr alle täuscht mich nicht mehr. Ihr alle wißt, daß ihr Verwesung seid, fort, schon nicht mehr gerechnet, da ihr noch atmet in den Mund eures Liebsten, – und solch Wissen hat euch schlecht gemacht. Es zu vergessen, eine Sekunde, tut ihr Bösestes, verratet, verkauft. Aber euer listiges Betrügerspiel bräche zusammen, stünde ein Reiner auf unter euch, und ihn zu töten im leisesten Anfang, erfandet ihr die großen Worte von der Liebe, der Treue, von der Ewigkeit.

Ich rieche sie, eure Ewigkeit! Es ist die Ewigkeit allen Vergehens. Der ungeheure Schrei der Verzweiflung erhallt Nacht wie Tag ungehört, in den Kissen erstickt, von lebenden Fingern in die Mundhöhle zurückgegittert. Es schreit. Immer und ewig schreit es. Diese dunklen Häuser, wieviel endloser Wahnsinn steckte schon in ihnen? Welch Strom von Tränen stürzt heraus!

Mir ist angst. Denn ich, der redet, eilt, verzweifelt – bin ich anders? Bin ich nicht schon vorbei? Ich habe es gespürt, es warnte mich, damals als ich mit ihr ging – wann?, heute mittag –, überrieselte mich der erste Schauer. Mich überkam's, daß auch wir vorbei sein werden, daß dann andere schlendern, lachen, küssen werden, daß andern ein blauer Morgen über dem Bett ihrer ersten erfüllten Liebe aufgehen wird. Andern! Und wir ganz vorbei ...

Aber, mein Gott, ich habe daran geglaubt, daß man schön und gut sein könnte bis zu jenem Ende, an die Gewalt des rosenfarbenen Himmels, an den allmächtigen Hebel Liebe habe ich geglaubt. Wie? Gut bis zum Ende? Schön? Die Arme gebreitet, den köstlichen Schrei der Liebe auf den Lippen in jene Ewigkeit hinabtaumeln, die unser letztes Weinlaublachen noch verhöhnt?

Nie hat mir geahnt, daß wir lebend sterben, in jeder Sekunde und in der schönsten zumeist, daß plötzlich unter einem Kuß eine eisige Kälte die Lippen lähmt und daß der herrlich zuckende Leib unter uns nur noch eine tote Maschine ist, der längst die Seele entfloh.

Gerda! Liebste Gerda! Dein kleines längliches Dunkelgesicht ist tot! Die Menschen werden lachen, aber deine holde Schnobernase wird Fäulnis sein. Deine

Hände verwest! Wer weiß dann noch von der Musik deines Ganges? In welches Ohr wäre das Lied unserer Liebe zu gießen, dieses ewige, das schon verhallt ist!

Bleibe, Gerda! Blicke mich an mit deinen Meeraugen! Umsonst ... Eiseskälte steht um unsere nächste Umarmung und ... Nächste? Ach, unsere letzte ist längst verwest! Mir ist angst!"

Er hält inne. Stille. Er sieht um sich. Dunkel. Wo der eben noch hallende Lärm der Stadt? Fort. Die Häuser? Versunken. Menschen? Gestorben wohl. Die lieben Menschen, all die lieben Menschen? Gestorben wohl.

Allein ist er. Allein. Und das ängstlich tastende Auge erkennt, daß er in nächtlichem Wald steht; dunkle Baumumrisse, kaum durch Blick geformt, zergehen schon wieder in dunklen Schatten. Der nach oben gerichtete Blick sieht keinen hellen Schein der nahen Siedlung.

„Wolken wohl."

Ein ganz leises Säuseln: Wind in Blättern. Stille. Rechts knackt ein Ast. Der Kleine fährt herum. Nun hinter seinem Rücken Knacken. Hier. Dort. Tappt jemand herum? Greift einer nach ihm? Die Schwärze surrt zitternd vorm Blick. Wer tupft ihn mit eisiger Hand, daß er bebt? Nichts. Stille. Langes Rascheln, absetzend, wieder aufgenommm, lauter, fort. (O die Angst! Die Angst!) Wald, Nacht, Wind, schwärzestes Dunkel.

Er versucht einen Schritt, hält, das Haupt nach rückwärts gedreht, bebend. Dunkel. Stille. Aber nun streift es, kommt näher, bläst ihm kalt ins Gesicht: er macht einen Satz. Es ist fort. Plötzlich scheckert es laut. Er fährt zusammen. Kann es ein Vogel sein? Unmöglich. „Wenn es ein Mensch wäre, ein einziger Mensch! Ich will nie wieder sündigen. Bitte. Bitte."

Und die Flucht beginnt, der Hexensabbat leisester Laute, in eine Nirwanastille stürzend, die sie unheimlich mästet, bis sie knallend über den Kopf des Flüchtlings platzen. Der Nachtwald tost. Schreie, Gelächter brüllen, Schatten huschen vorbei, Fratzen biegen sich über seine Schulter, grinsen in die Angstaugen und zergehen unter ihrem Blick in Schwarz. Wo ist der Weg? Keiner! Ruten peitschen in sein Gesicht, er taumelt über Baumstümpfe, Sumpfwasser in Gräben näßt ihn bis zum Knie.

Dann stürzt er. Er fällt nicht schwer. Er bleibt liegen, es ist gut, so liegenzubleiben, mit geschlossenen Augen, indes der Wahnsinn in seinem Hirn abebbt. Und nun breiten sich sachte und leise die stillen Regungen des Windes oben in den Wipfeln über ihm aus. Es singt ein, es singt still und ewig: „O du Mensch! O du Mensch! O du Mensch!"

Ein leidvoller Lobgesang scheint das, ein tröstender Hymnus auf einen Kämpfer, der ehrenvoll erlag.

Er öffnet die Augen, blinzelt. Ein Lichtpfeil schoß hinein. Licht in Nacht. Er richtet sich halb auf, späht und erkennt ein Haus vor sich, ein mehrstöckiges, zwischen Bäumen, in dem da und dort ein Fenster tröstlich und gewiß scheint.

„Dank! O Dank!"

Und, als er sich über einen Zaun schwingt: „Nun werde ich dich immer lieben."

Er öffnet eine Tür, tritt in ein Treppenhaus, steht auf einem Flur, der endlos lang, kahlweiß im Licht von elektrischen Birnen liegt.

Ein zögernder Schritt. Er schleift hohl am Steinboden, klappt an den Wänden, verklingt. Es ist, als halte dieses nächtlich beleuchtete Haus den Atem an über den Eindringling. Er wartet endlos. Kein Laut. Nur das Klopfen des Herzens, nur das Sausen des Blutes. Zwei Schritte, drei . . . Er räuspert sich. Hustet.

Da – und der Kleine erstarrt – schwillt ein Schrei an, dringend, irgendwo im Haus, schwillt, schwillt, wird lauter, immer lauter, brüllt.

Und die Stille ist zerbrochen, ein Toben, ein Rasen, ein Trampeln, Krachen von Holz, Schreien vieler Stimmen, wie Weinen, wie Schluchzen, ein Krähen, ein Höhnen, ein Keifen ...

Und ebbt ab ...

Und nur eine Weile noch der Schrei, der hohe, gelle, nicht endende Schrei, wie ein Tier schreit, in äußerster Angst.

Und Stille. Und das Licht im weißgelben Gang. Und vor dem Fenster Waldnacht.

Aber am Fenster ein Zusammengestürzter, der irr immer wieder fragt: Wo bin ich? In der Hölle?

Nachtvergnügung

Sie hält ein im Gehen, blickt gedankenlos in ein Schaufenster, ihr Herz spricht: „Was könnte man nun noch tun? Etwa –? Ah, man müßte sich zusammenraffen können auf der Spur der eignen Schritte, man dreht sich rasch, aus dem Sande schleift die Schleppe jene Spur, die bis hierher führte, und man begönne als Neue völlig Neues. Jeder Baum doch blüht neu jedes Jahr und weiß nichts von den alten Blüten. Warum dürfen wir Menschen denn nicht unser altes Blühen überbieten und überblühen."

Eine sanfte Stimme spricht an ihrer Seite überzeugend in ihr Ohr: „Jenes Sandfarbene dort mit der schwarzen Stickerei dürfte Ihnen herrlich stehn. Soll ich –?" Und die Hand nicht ernstlich an der Ladentür mit einem Lächeln: „Es ist zu spät! Man muß Ihnen böse sein, Gnädigste, daß Sie so spät erst ..."

Sie ist herumgefahren. Sie begreift, wer, wo sie ist. Noch nicht erkennt sie, wieso sie hierherkam, verlockt von jenem Entflohenen, der auch sie herauswarf aus ihrer Bahn, sie in eine Luft brachte, die sich gut atmen ließ, doch das Herz verwirrte.

Nun hat die tausendmal gehörte Männerstimme die Entführte wie Wind aus Heimatland angeweht, ihr nur zu bereites Lächeln blüht auf, und zwei endwissende Kenner spielen das alte Spiel mit seinen so bürgerlich reizenden Umwegen, seinen so bürgerlich feinen Höflichkeiten. Sie umlügen das Ende göttlich.

„Nein, wie Sie mich erschreckt haben! Ich war ganz in Gedanken. Ich hatte keine Ahnung..."

„Schon seit dem Bahnhof folge ich Ihnen. Dort sah ich Sie. Ich bin untröstlich, so wenig Eindruck..."

„Wer weiß! Übrigens, das Sandfarbene ist wirklich schön. Was es kosten..."

„Aber wir stehen hier und stehen. Wie das Pflaster riecht! Auto! Hallo, Auto!"

„Und wohin?"

„Sagen wir..."

„Nein, nicht. Keinen Sekt. Laß etwas mischen. Halt, ich weiß..."

„Du bist noch nicht lange in Leipzig?"

„Gestern gekommen. Aber ich war früher schon... Ich trat im ‚Nachtfalter' auf."

„Als was?"

„Spitzentänzerin."

„Diese Spitzen oder –", den Rock sacht anhebend, „diese –?"

„Nicht ungezogen werden! Was sollen die Leute..."

Hört niemand eine kleine weiße Stimme, die um so viel Unschuld bittet, eine Minute oben sein zu dürfen, auf dem Teichspiegel, wo die Seerosen blühen, die schönen grausamen Libellen schwirrend stehen und eine weiße Wolke sich weißer spiegelt?

Hört niemand sie?

„O du meinst die blonde Agnes! Gewiß, sie war vor einem Jahr in der ‚Viktoriadiele'. Etwas ganz Ausgefallenes."

„Mir gefiel sie eigentlich sehr."

„Na, weißt du! Sie konnte ja nicht mal richtig gehen. Und diese Waden! Aber sie war frech und das muß man sein, um euch Männern ..."

„Weißt du vielleicht, wo sie jetzt ...?"

„Keine Ahnung! Sie ist ja mit einem Kellner durchgegangen."

„Von Leipzig fort?"

„Ja, denke dir."

„Und ich sah sie gestern noch auf der Grimmschen."

„Wenn ich dir doch sage! Du wirst sie eben verwechselt haben."

„Ausgeschlossen."

„Dann meinst du eine andere Agnes."

„Ja, meine Liebe ..."

Du bist nämlich auch klein gewesen. Du hast auf einem Kirchhof gespielt, wo Schierling wuchs. Du weißt, wie gut Kühe riechen. – Hast du nicht Nester ausgenommen, und ein Flaumweiches mit wachsgelbem Riesenschnabel kuschelte in deiner Hand, hatte schwarze Punktaugen, und ein kleines Herz klopfte hell und rasch gegen deinen Daumenballen? Hast Heu gerochen? Und blühende besonnte Lupinen?

Du träumst bloß. Du wirst erwachen und ein linder Sommerwind weht dein Röckchen um bloße Knie. Du stößt kleine Vogelschreie der Lust aus und läufst hinter Schmetterlingen. All deine Haar stürzen dir in die Stirn.

Du träumst bloß.

„Donnerwetter, so spät! Ich muß ja machen, daß ich nach Haus komme."

„Du wirst schon Zeit haben. Ich weiß hier in der Nähe ein Hotel, wir trinken noch gemütlich eine Tasse Mokka und ..."

„Ich müßte wirklich nach Haus. Aber wenn du meinst ..."

„Nein, natürlich ganz wie du meinst."

Sieht ihn niemand dort knien, den Kleinen, den Bebenden –? Er ist allein. Es ist still um ihn, und in der elektrischen Helle geht Gespenst auf Gespenst um. Ihn graust. Er meinte eine kleine Zärtliche zu finden und die Gebärde einer Liebe, die schön und darum ewig ist; er aber fand nur sein eigenes Herz, das schmerzte. Und nicht einmal dies will er glauben.

Stille ist's. Gespenster gehen um. Auf dem dunklen Hintergrunde der Nacht wandeln erhellte Gestalten, er hört sie sprechen ...

Sieht ihn niemand dort?
Auch du nicht?
Auch sie nicht!
Er hört sie sprechen ...

„Jetzt mußt du dich umdrehen, ich muß auf den Eimer ..."

„O laß schon. Ich ..."

Sähe man euch, hörte man euch, röche man euch – keiner glaubte, daß ihr Kinder wart, so völlig gelang es euch, aller Reinheit zu entrinnen.

Aber doch höre ich in der kleinen weißen Stimme, die nun schrill und leer ist, die Stimme der Unschuldigen. Du bist ein Kind gewesen, in der Sonne hast du gekräht, nach dem Monde gegriffen, der Puxhund war dein Freund, die ganze Welt war dein Freund.

Tue die Kleider ab. Wende dich ganz langsam um. In

jenem matten Spiegel erblickst du dich zum ersten Male selbst. Wie es deinen Leib schon zurichtete! Die Knospen deiner Brüste sehen alt aus, bläulich. Über den Bauch eine Falte. Jene Wulst an der Hüfte ... Die Bißnarbe am Arm ...

Wie alt bist du?

O nein! Da du dich nun siehst, bist du dreißig. Was bliebe noch, wärest du es auch nach Jahren?

Nein, ich beschwöre dich, halte ein! Versuche an jenen zu denken, dessen geglaubten Verrat dein Herz doch nicht anzurechnen vermag. Er ist so sanft zu dir. Seine ungelenken Glieder sind voll tausend neuer sprühender Liebkosungen für dich, seine Hände um deine Schenkel sind zärtlicher als eine verliebte Katze, die ihren Kopf an deine Wange stößt. Denkst du daran?

Tritt hinter dich! Wende dich und geh. In dieser Stunde muß es sein. Kein Zögern.

Denke doch an ihn! Denke einen Augenblick nur an ihn.

„Du küßt so süß, Liebling."

Schlafsaal

Eine Hand berührt seine Schulter. Er blickt hinter sich und sieht einen Großen in blauweißem Kittel, hört ihn fragen: „Wer sind Sie? Was machen Sie hier?"

Er stammelt: „Verlaufen ... erstes Licht ..."

Jener: „Nicht hier. Ich darf nicht so lange fort sein. Kommen Sie mit in den Wachtsaal."

Er wendet sich ab, geht den Gang hinunter, schließt eine Tür auf, hinter Anton wieder zu. Ein dunkler Raum. Durch eine angelehnte Tür Lichtschein. Eine betäubende Luft, gemischt aus ekligem Dumpfen und ekligem Scharfen. Das Geräusch von Stimmen, seltsamen Stimmen, monotonen Stimmen, die reden, als redeten sie ganz allein für sich, ohne Beziehung zu etwas Erdenklichem.

Er tritt ein und begreift: ein Krankenhaus.

Lange Bettreihen. Sehr sauber, sehr hell alles. Das Linoleum des Bodens spiegelnd. Weißes Licht von der Decke.

Er fühlt sich beruhigt, schon möchte er lächeln, da sieht er – wie seltsam doch! –, daß einem der Pfleger ein Handtuch unter das Kinn schiebt; nun zuckt es im Bett, „Krämpfe", denkt der Kleine, aber wie fest der Wärter jenen hält, als sei er kein Mensch, irgendein Stück Ding, das gehalten werden muß, gleichgültig wie.

Und nun kommen Schreie, kleine, klagende, sehr laute Schreie, dann ein Stöhnen, ein Rasseln in der Luft und wieder Schreie. Ihm ist, als müsse er wie jener dort, den die Wärterfigur nur halb verbirgt, stöhnen, rasseln, schreien, sich zuckend dehnen, einen schaumigen Speichel aufs Handtuch träufeln lassen.

(Und dabei ahnst du noch die Augen nicht, diese Augen, die auch einmal gelächelt haben und deren Blick nun ganz weggedreht ist in das wüste Steinchaos eines erlöschenden Hirns, während nur ein müdes, ermüdetes Gelb das zugespitzte Oval erfüllt.)

Nun ist der ganze Saal lebendig, in allen Betten zuckt es, erstorbene Händen kriechen wie Würmer, längst auseinandergefallene Gesichter starren, einer hustet schrill, einer erbricht.

Und der angstvoll nach Ruhe irrende Blick sieht nur die Verzerrungen des Wahnsinns, die längst entmenschten Hüllen einst vielleicht Suchender, er hört Lallworte ...

Und er sieht einen Greisen, dessen Arm unermüdlich zum Deckenlicht deutet, die Hand kreist, der Mund plappert schwerzüngig: „Und der weiße Mond und die helle Sonne, die in meinem Pariser Hotel, in dem ich nur französische Seife . . ."

Dort huscht einer auf, schleicht leise in kurzem Hemd zu einem Schlafenden, lüftet die Decke, entblößt ihn, da jagt ihn der Wärter zurück. „Das dürfen Sie nicht, Herr Wetzel!"

Herr! Wie das Antons Hirn trifft! Auch diese sollen sein wie er, sie, die kaum noch die Gesten des Menschen haben, die von einer unbekannten, nie erlebten Resonanzlosigkeit sind. Kaum noch Pflanzen, sondern Traumgewächse, verkümmerte.

Und der Lärm schwillt ab, der Wärter kehrt an seinen Tisch zurück; er schreibt etwas, dreht an einer Uhr. Dann fragend: „Also –?"

Nach einer Weile: „Gut. Gut. Aber Sie müssen bis zur Ablösung warten. Ich darf Sie jetzt nicht hinauslassen. Ich kann hier nicht fort."

„Und wo bin ich?"

Jener lacht. „Und er fragt noch! Das müssen Sie doch sehen. Irrenanstalt. Abteilung Männer drei. Die unheilbaren, wissen Sie."

„Richtig. Die Unheilbaren."

Halbe Heimat

Diese Nacht ist voll seltsamer Träumereien. Den Kopf in die Hand gestützt, läßt Anton zwischen den halb geschlossenen Lidern den Blick über die Bettreihen streichen, sein Ohr lauscht den tiefen, tierhaften Atemzügen der Schlafenden, dem immer wiederkehrenden An- und Abschwellen des Lärms, und ihm scheint, so schlimm sei dies am Ende gar nicht.

Wenn jene ihre wilden Schreie ausstoßen, seltsame Gebärden vollbringen, Redeströme loslassen, so ist es, wie wenn Regen fällt, Schnee stöbert im Nordost –: es ist Natur, und das sich darob krampfende Herz gehört nie den so bald wieder tierhaft unschuldig Schlafenden. Freilich, der Weg in dieses weiße saubere Bett muß schwer sein, aber möglich, daß man ihn nicht schwerer geht als jeden andern. Und wann wäre denn ein Augenblick, innezuhalten und mit Schaudern die Stationen zu betrachten, die ein Weißes, Lebendiges, Atmendes so entkernten? Wann denn? Etwa hier noch –?!

Oh, halte dein Herz fest in Händen! Sieh nur, im gepolsterten Kastenbett hinten tanzt jemand hoch, ein Junger, dessen Schädel, eine knollige Kugel, wie aus sehr hartem Holz gebosselt scheint. Nun stürzen Tränen aus seinen Augen, das junge Gesicht, alt von vielen Furchtfalten, fleht: „Ich kann doch nichts dafür! Ich kann doch nichts dafür! Meine Eltern haben mich immer auf den Kopf geschlagen. Ich kann doch nichts dafür!"

Der Pfleger geht sacht hin. „Maxe, hab nur keine Bange. Dir tut keiner nichts." Und reicht ihm einen Hampelmann.

Wie das Tränen überströmte Gesicht strahlt! Der zuckende Mund öffnet sich kindlich, rührt sich leise, schreit freudig.

Und der Rückkehrende auf eine Frage: „Ich weiß nicht. Ein Bauernjunge. War wohl immer blöde. Und dann viele Schläge –, der eine verträgt's, der andere nicht. Das ist einmal so."

Nun wehen große heilige Flügel durch den Saal. Ihr lindes Fächeln senkt deine Lider, und schon siehst du dich in jenem Bett nächtens. Der weiße Deckenmond gießt seinen milchigen Schimmer auf dich. Du hast dich aufgerichtet, im stillen beruhigten Atmen um dich hat sich etwas gerührt, in dir, und über die dunkle Schlucht deines Herzens gebeugt, spähest du.

Und jetzt – oh, es ist vielleicht Spanne einer Zeit, die

keine Uhr mißt – siehst du den Weg bis hier, an seinen Rändern blühen überstaubt deine verschwendete Liebe, deine Pläne von Arbeit, Glück und Ruhm. Sie wuchsen, um zu verstauben, ohne Frucht, und kein Wind wehte auf den Stempel deines Herzens goldstaubigen Pollen.

Und da begreifst du die kolossalische Verzweiflung jenes zuerst gehörten Schreis, der allein noch laut in dir werden kann – denn wo wären Worte für dies? – und der in sich als ein Motiv die ganze traurige Melodie deines Lebens zusammenfaßt.

Dich hat bestochen diese spiegelnde Weiße, die geschäftliche, unsentimentale Art des Pflegers, dieses tiefe Schlafen, in dem kein Traum sich mehr rührt. Ginge dein Weg in dieses Bett über Gras und Blumen, nichts wäre dir abgenommen –: in eine Sekunde reißt sich Chaos zusammen und gebiert den Schrei.

Und in diesem Schrei liegt alles: die erloschenen Feuerstätten deiner Jugend glimmen noch einmal auf, alle Hoffnungslosigkeit stäubt als feingefrorener Schnee eines Wintertages vom grauen Himmel, und die flehend gespreizte Hand fleht um nichts mehr.

Aber die Sonne geht ihre Bahn, Menschen lachen, die Blumen blühen, die feuchte grüne Welt duftet, und sanfte Kälber schnobern sich tief in den Klee – du nur allein...

Halbe Heimat meintest du?

Nichts wird geschenkt und gar nichts genommen, und wohl kann es sein, daß du den ganzen schweren Weg mühselig gehst und als „leichtes" Ende dir solch Bett bereitet steht.

Und solch Schrei.

Fort, nur zu ihr...

Heller dämmert es durch die Scheiben. Anton spürt den Blick des Wärters, den prüfenden, er fragt: „Wann ist Ihre Wache zu Ende?"
„Um sechs."
„Und dann kann ich gehen, nicht wahr?"
„Ja, sehen Sie... Sie dürfen mir das nicht übelnehmen... Sie könnten ja aus einer andern Abteilung durchgegangen sein... Unsereines muß sich vorsehen, nicht?"
„Ja... aber..."
„Und da ist es schon besser, Sie warten, bis die Visite kommt."
„Die Visite?"
„Die Ärzte, ja."
„Und das ist?"
„Um neun."
„Und jetzt?"
„Halb fünf."
„Ja. Ja..."

Tut es weh, innen? Du begreifst, wärest du einer von jenen dunklen Männern am Marktplatz, er hätte dich ohne Bedenken fortgelassen. Du aber bist ein Fragwürdiger. Jedes Gefühl gleitet, und nichts gilt länger als einen Augenblick.

Du bewertest dich am Ende selber nicht anders?

Ah, siehst du, da liegt es: wer sollte dich voll und rund in den Kauf nehmen, da du dich selber für so fragwürdig hältst. Glaubst du andern mehr? Meinst du, daß sie klüger, besser sind als du? Nein, das meinst du nicht. Weniger nicht als dich selbst bezweifelst du die andern. Aber, das weißt du, sie bezweifeln sich selbst nicht, und einander glauben sie ihren Wert vollkommen.

Oder wäre auch das ein Spiel, ein abgekartetes? Prüfe dies scharf, ganz scharf. Erinnerst du dich, wenn der Onkel Otto, der Superintendentenonkel, den Rektor etwa auf dem Markt traf? Ging dann jenes Augurenlächeln neben dem achtungsvoll ernsten Gruß einher?

Nein – du atmest auf –, sie glauben einander; sie gingen zugrunde, müßten sie an sich, am eigenen Vorzug zweifeln. Selbstzersetzung, das ist noch dein Hausererbtes, dein Mitgebrachtes. Oder dein Gewinnst?

Sein Geist entflieht ganz rasch. Nach allen Seiten tun sich Konsequenzen auf, und war richtig, was er eben dachte, mußten ihn all jene hassen. Ihr Feind war er.

Er hatte geglaubt, das wenigstens würden sie gewähren, ihn ungehindert seines eigenen Weges ziehen lassen. Aber nun schien es unmöglich. Sie werden den Feind in ihm wittern, Jagd wird auf ihn angesagt, jetzt da er noch weiß ist, wieviel mehr noch dann, wenn er Schmach und Schuld – nach jenen Satzungen – auf sich lud. (Und das würde geschehen, bald schon, er ahnte es.) Sie würden ihn einkesseln, und die letzte Demütigung, vor jene hinzuknien und Irrtum reuig zu bekennen, würde ihn kaum aus dem Gefängnis ins Irrenhaus helfen.

Und wirst du wirklich eines Tages entlassen, so bist du gestempelt, und es währt nicht lange, so drücken sie dich tiefer. Sie haben es nicht einmal nötig, „ungerecht" zu sein, da du so „unrichtig" bist.

Sei wie ich, lieber Bruder, sonst bin ich dein Feind.

Bete wie ich, Bruder, sonst muß ich dich schlagen.

Aber du betrügst mich ja, liebster Bruder, du achtest mich nicht so hoch wie ich dich; darum mußt du – zwar blutet mein Herz – jetzt sterben!

Er macht eine rasche Geste durch die Luft, grimassiert, schneidet den imaginären Bonzen eine Fratze.

„Ihr seid zu dumm. Einfach zu dumm. Eine Schande wäre es – aber eine Schande für mich! –, ließet ihr mich unbehelligt meinen Weg gehen. Wie –? Ich bin euer Feind, will euch verachten und erwarte Duldung von euch? Ihr sollt mich hassen, mich verfolgen, einkesseln: hinstürzend will ich noch auf mein Gesicht jenes Lächeln reißen, das euch sagen soll: euer Sieg Niederlage, nichts Endgültiges gewonnen, vergossenes Blut, selig fließendes Empörerblut!

Aber ich werde allein sein! Keiner an meiner Seite. Allen Mut muß ich aus dem eigenen Herzen nehmen, das nur zu gut weiß, wie schwach es ist. Meine Hände – sieh doch diese schwachen gebrechlichen Hände! Und mein Auge, das vor jenem Blick stets abirrt. Wie soll ich mich gegen sie behaupten?"

Langsam, zweiflerisch: „Werde ich am Ende nicht doch die Knie der Eltern umklammern und Verzeihung erflehen? Ich ahne, man tut viel, um nicht frieren und hungern zu müssen, mehr noch, um nicht von allen, allen verachtet zu sein."

Lange sah er vor sich hin, sinnend. Dann nahm er die Hände zusammen, der Abglanz eines schönsten Lächelns zog wolkenhaft still über sein Antlitz, sein Herz jubelte voll Andacht.

„Aber ich habe sie ja vergessen! Gerda! Ich hatte dich vergessen. Du bist an meiner Seite. Du bist mein Mut. Deine selige weiße Gestalt weht mir als freudigster Wimpel voran. Was ich zweifelnd, tastend, ewig den Weg verlierend und wiederfindend mir erdenken muß, du hast es im Blut, jeder Kuß sagt es, und die Gebärde, mit der du im Menschengedränge der Bahnhofshalle die Schultern an dich zogst, als fröstelte dich, spricht mehr gegen die Bürger und Wahreres als mein ganzes Sein ..."

Eine zarte Geste begann er, als wollte er umarmen. Unvermittelt trifft ihn der Blick des Pflegers; er fängt die gleitende Hand ein, sie streicht über die Stirn, der Blick senkt sich suchend, er fragt: „Der dort ... was fehlt ihm?"

Der andere läßt nur langsam das Gesicht seines Gegenübers los, zögernd folgt er dem deutenden Arm, sieht gleichgültig auf den weißen und rosigen Greis, dessen kreisende Hand neu zum Deckenlicht weist, dessen stolpernde Zunge wieder von französischer Seife und Pariser Hotels endlos geschachtelte Relativsätze baut, er antwortet: „Der alte Professor? Paralyse."

‚Paralyse', denkt der Kleine, ‚Auflösung also. Dafür ist er alt genug.'

„Gehirnerweichung", setzt der andere hinzu.

„Und woher kommt es?"

„Bei den meisten von der Lues."

„Und woher kommt die?"

Nun lächelt der Wärter wieder. Nein, dieser Kleine ist doch wohl noch nie in Anstalten gewesen, sonst wüßte er ... Freilich, man lieferte hier Männer ein, ältere, im letzten Stadium der unbegreiflich vernachlässigten Krankheit, die kaum mehr wußten ...

Dieser kleine Behutsame hier soll wissen.

Und er berichtet, deckt den Greis auf, weist eiternde Wunden, zerfressenes Glied ...

Seltsamer Weg, fern, fernab von allem, was dich betrifft. Einmal horchst du auf, Toni, wie der Biedere das Wort „Hurerei" braucht, einen kleinen Augenblick ist es, als wolle eine ganz große Angst in dir sich erheben, aber ein klarer dunkler Blick sieht dich an, ein kühler fester Leib umschlingt dich: verflogen.

„Hurerei" - und du lächelst. Deutsche Literaturstunde. Lessing: „Minna von Barnhelm". Wieder macht

Just den Vorschlag, des Wirts Tochter zur Hure zu machen.

Alle Jungenherzen zucken einen Augenblick. Ihr Atem steht still.

Werden sie erfahren –?

Keine Besorgnis. So tief sind wir noch nicht gesunken, daß ein staatlich angestellter Literaturlehrer Knaben Erfahrungen am eigenen Leibe ersparte. („Sie mag's ja spüren, die Bande, wenn sie so sittenlos ist!")

„Eine Hure ist ein unanständiges Frauenzimmer. Eine weitere Erklärung werden Sie mir erlassen."

Wie wundervoll war zu träumen über solchen Worten! Unanständig, das war ein gesteigertes und auf das Körperliche spezialisiertes Ungezogensein, und nun hatte man herrlich auf der Straße nach einer Frau, „einem Frauenzimmer", zu suchen, der so etwas zuzutrauen wäre. Nur – man fand keine.

Und wie herrlich grotesk solch ein Wort war: Hure! Der reinste Bonbon! Die unanständigsten Worte waren eigentlich die nettesten.

Und nun sagte gar der Pfleger eine ganze Musterkollektion solcher Worte auf, gutmütig warnte er den Kleinen vor den anderen Krankheiten: Gonorrhöe oder Tripper, der weiche Schanker ... „Jeden kann es treffen. Nicht leichtnehmen, nur nicht auf die leichte Achsel nehmen, so was!"

„Nein, nein, natürlich nicht", sagt Anton und wendet das Gesicht zur Wand, damit jener sein Lächeln nicht sieht.

Der sorgliche Pfleger ist entschwunden, an seine Stelle ist eine ganze Schar Blauweißjacken getreten, der glänzende Boden wird noch glänzender gebohnt, die Betten aufgeschüttelt, die Fenster geöffnet. Nun steht ein grauer Frühtag im Saal, alles ist unvermittelt grau, trübe, trostlos. In diesem Licht begreift's sich, wie schlimm es sein muß, hier zu liegen, Tag für Tag, Monat für Monat, Jahr für Jahr, bis der Sarg kommt mit der Nummer, das Grab – und dann? Ruhe hoffentlich. Keine Seligkeit kann größer sein als völlige Ruhe.

Aber in all die Geschäftigkeit der Pfleger klingt immer wieder der Ruf: „Stationspfleger, warum ist der neue Kranke noch nicht eingekleidet?"

Tuscheln dann, deuten, der zum zehnten Male gegebene Bericht, immer widerspenstiger gegeben, da nichts, aber gar nichts geschieht. Und die Unmöglichkeit zu rauchen. Und das Nichtaufstehendürfen vom Stuhl, da auf diesem Glanzwichseboden nur die Herren Ärzte in Schuhen schreiten dürfen, alles andere in Pantoffeln. Dieses Beglotztwerden!

„Wie zähe die Stunden sickern! Unser Zug ist längst fort. Wo ist sie? Was tut sie? Werde ich sie erreichen? Und wo? Ah, wäre ich erst bei ihr! Noch kommen die Ärzte, und ein falsches Wort, ein unrichtiger Ton, ich bin verraten, ich komme nie mehr zu ihr."

Er schreckt auf.

Da sind sie! Zwei in weißen Mänteln, ein Stab von Pflegern darum. Halt an jedem Bett. Worte, rasch gesprochen. Näherkommen. Jener Lange dort, mit dem hohen schmalen Schädel und dem Assessorengesicht, ist der Oberste sichtlich. Und hört ihn je näher, je hörbarere, strengere Anordnungen treffen, sichtlich unnötige, wie die Mienen des Stabes verraten.

‚Ah! Du hast ein Publikum. In dem kleinen Fremden, dessen Morgengruß du zu beachten für nicht nötig hieltst. Wir spielen uns ein wenig auf, nicht wahr? Es ist so schön befehlen zu können, wenn unten dumpf einer glotzt!'

„Und wen haben wir denn hier?"

Anton verbeugt sich. Das Bewußtsein, beschmutzte

Kleidung zu tragen, läßt die Verbeugung schwungvoller werden als beabsichtigt.

Der Dicke, der Oberpfleger tituliert wird, murmelt etwas. Der lange Bemantelte nickt. „Ja so, ich erinnere mich. – Richtig! Sagen Sie mal, wie sind Sie denn eigentlich über die Mauer gekommen?"

„Rübergeklettert. Übrigens war es keine Mauer, sondern ein Drahtzaun."

„Zaun oder Mauer. Das ist ganz gleich. Aber man klettert doch nicht so ohne weiteres über fremde Mauern –?"

Beifälliges, gehorsames Schmunzeln im Kreis.

„Oder haben Sie geglaubt, es sei Ihre Mauer?"

Schmunzeln gesteigert.

„Ja, wie ist das nun? Was meinen Sie? Wie war das eigentlich?"

„Aber jener Herr dort erzählte Ihnen eben..."

„Der Oberpfleger? O ja! Doch ich möchte von Ihnen –"

Und nach drei Sätzen des Berichts, herrlich gütig: „Selbstverständlich können Sie gehen... Ich werde einen Pfleger anweisen... Ein anderes Mal..."

Und schon ist der Arzt beim nächsten, dem Epileptiker. Eine erlosche Stimme flüstert, die Antwort klingt: „Ob Sie noch Aussicht haben, gesund zu werden? Aber das wäre ja schrecklich, Ihnen alle Hoffnung zu nehmen! Natürlich sollen Sie hoffen... natürlich..."

„O du Häßlicher!" stammelt der Kleine, „o du Biest!"

Marsch

Das Tor fiel zu. Einmal noch wendet er sich: besonnt in einem frühen, tastenden Licht liegen die Häuser dorten. Vergessen, was war. Fröhlicher Marsch zwischen Alleebäumen, indes noch jeder Grashalm leise unter Tautropfen und Winden schwankt.

Wie singen diese blauen aufgeräumten, fröhlichen Himmel! Dies ist Gehen nicht, sondern Gleiten, hemmungsloses. Nicht ziellos ist der wilde, frohgemute Schrei der Sehnsucht, den er nun, abstreichend, ausstößt, sondern das kleine, zärtliche Herz der Hübschlerin ist's, dem die Sehne des Verlangens ihn zuschleudert.

Anders – o wie anders! – jener Marsch dort hinten aus einem mondlichtblauen Ingegarten in die Wirrsal einer gefürchteten Stadt, wo ein unbegreifliches Wesen lebte, das alle Formen in ihm zerbrach. Nun ist ihr Atem getrunken, und dieser sacht im Laub sich verlärndelnde Morgenwind kann nicht halb so köstlich sein wie er. Als sie ihre schwarzen Haare in dein Gesicht stürzte, als dein zärtlicher und verliebter Biß jenen unsagbaren Geschmack spürte, der aus Duft, Trockenheit und Glanz bestand, da war alles bisher Erlebte aufgehoben und Einsamkeit abseits gestellt.

Wie freundlich, wie gesellig sind Straßen! Wie gütig Rasenwangen der Gräben! Aus Bäumen und Himmel fällt in dein Ohr Frucht und Frucht sommerlichen Vogelliedes, und spannst du die Arme, umspannst du – nichts und die ganze Welt.

Auch jenes geliebte Herz.

Jenes? Du meinst, ein Herz gefunden zu haben, das ganz dir gehört?

Horche auf deines! Wohin spielt es, in jedem Augenblick an Blüten, Gelächter, Münder, Trübsinn, Blicke verschenkt –? Wie oft sank deine Seele nieder unter der nicht zu bewältigenden Fülle des Andrängenden, sank, und dein Herz floß fort im vom Abendstern wehenden Wind –?

Nun glaubst du an ein anderes, das deines sei?

Es ist deines – und es fließt dahin, fliegt dahin, ein fröhlicher, ein betrübter Vogel. In jedem sachten Wind. Jedem Wolkenverdunkeln.

Er setzte sich an seinen Tisch im Wartesaal. Ein Abglanz wie von Sonne umleuchtete die schmale Stirne.

„Sie wird kommen", sprach es in ihm. „Denn ich liebe ein Herz. Sie muß kommen."

Das Sandfarbene

Lachend, noch warm vom Sommermittag draußen, betraten sie das Zimmer ihres Absteigehotels. Aber das Dumpfe fing sie sofort ein. Kaum versuchte sie noch im Spiegel das Ende ihres vergnügten Lächelns zu betrachten, es war schon fort wie der letzte Ton der rasch abgebrochenen Melodie, die er pfiff. Umsonst tastete die Hand an den Stores, das Dreieck Straße, dem Ausblick nun offen, leugnet den Sommer, ist grau und trübe wie das Zimmer auch.

Ist es der Spiegel, dieser matte Spiegel, der hinterm Glase wie verstaubt ist, der nicht die Ekstasen behalten hat, sondern die traumlos tiefen Ermattungen, nicht das lachende Eintreten nächtens, sondern das haßstumme Auseinandergehen am Morgen, nicht die an Wange geschmiegte Wange, sondern die Zuckungen kranker Körper – ist es der Spiegel?

Ist es die verstaubte Eleganz? Die Überdeutlichkeit der aufgeschlagenen, schon neugerichteten Betten? Sind es die draußen in der Küche, die Wirtinnen, die Dienstmädchen, die Schlumpen?

Nichts ... nichts ... nichts ... schwere, trübe Geschöpfe von unten ... häßliche Seelen, dumpfe ...

(Aber sei es, daß ihr einen Schritt tut, zögernd, das eine Bein vors andere, euer Gesicht ist gesenkt –: da ahnt man in den Schatten die Schatten nie gesehener Wälder, und ein plötzlich kindhaft verzogener Mund scheint ein törichtes und so überaus weises Warum zu flüstern ...

Ja. Sehr wohl schwere, trübe Geschöpfe. Sehr wohl.) Trübe ... grau ... trübe ...

„O! Pack aus! Pack doch aus! Ich muß sehen, wie es mir steht. Dort im Laden, das war gar nichts. Hier in aller Ruhe ..."

Er bückt sich, öffnet den Karton. Das Seidenpapier schlägt auseinander. Er hebt das Kleid hoch, und sie betrachtet dieses Leichte aus meersandfarbener Seide, um dessen Rand eine breite stumpfschwarze Stickerei läuft.

Sie lobt: „Wie geschickt du das Kleid hältst! Der erste Mann, der ein Kleid anfassen kann. Zu lieb, Kurt, es mir zu schenken."

Sie schnellt hoch vom Sessel. „Es muß vorzüglich zu meinem Haar und Teint stehen. Was meinst du?"

Aber schon weiter, ohne Antwort zu hören, streift sie ihr Kleid ab, steht vorm Spiegel, dreht sich lächelnd, greift zum neuen –.

Da läßt er es fallen. Sie sieht den starren, besinnungslosen Ausdruck seiner Augen, den sie gut, nur zu gut kennt, sie fühlt sich umschlungen, um ihre Brüste greift es starr, sie ist hochgehoben, sie schreit: „Ich will nicht! Nein, das ist ekelhaft! Ich will nicht! Du bist gemein."

Sie taumeln gegen das Bett, sie fallen, sein Atem streicht über ihre Lider, seine Wange streift ihren Mund, er reißt an ihrer Wäsche –.

Da – und es rieseln schnell, klingend und freudig viele Melodien in ihrem Blute –, da beißt sie zu, fest hinein in dieses Wangenfleisch ...: sie fühlt ihre Zähne aufeinander.

Und den knirschenden Jubel erfüllten Hasses.

Er brüllt kurz auf. Stille. Stöhnt. Sie bekommt einen Stoß. Fällt. Es wird grau, schwarz, schneller schwarz, tiefer schwarz, nun lehnt sie sich ganz zurück – Gott, wie weit man sich doch zurücklehnen kann, ohne zu fallen! -, aber nun fällt sie doch, endlos - - -.

Es rieselt. Es plätschert. Sie blinzelt: gebückt steht er am Waschtisch, wäscht sich. Sie starrt zu ihm hinüber, fühlt einen süßfaden, eklen Geschmack, tastet mit dem Finger nach der Lippe, sieht ihn gerötet. Sie erinnert sich.

Er dreht sich um. Das Taschentuch gegen die Wange gedrückt: „Was für ein Vieh du bist! Ist so was erhört..."

„Sagen Sie gefälligst, wenn Sie etwas wollen. Aber so eine Dame zu überfallen..."

„Dame! Eure verdammten Manieren! Aber ich werde es dir austreiben. Perverses Vieh! Ich gehe zur Polizei."

„Oh bitte! Aber recht bald, ja? Denn Ihre Anwesenheit hier, wissen Sie..."

„Daß du es weißt, in Leipzig bist du unmöglich. Meine Freunde..."

„Was ich mir daraus..."

„Also..."

„Bitte!"

Unter dem Schließen der Tür jubelt sie: „Das Kleid hat er dagelassen! Eine Angst hatte ich, er würde daran denken!"

Abschließend: „Sicherheitshalber. Sonst kommt er noch einmal, weil es ihm einfiel..."

Das Kleid in der Hand: „Es ist fabelhaft schön. Am besten muß es an der See aussehen. Gegen das blaue Wasser. An der See! Ich wollte dorthin... Soll ich allein...?"

Sie zaudert, betrachtet das Kleid wieder: „Entschieden muß ich es an der See tragen. Nur dort paßt es hin. Ich werde reisen, mit oder ohne ihn...

Also ohne ihn."

Wartesaal

Er hebt den Kopf: sie tritt ein.

Und er lächelt jenes Lächeln, um das er so lange gewußt hat. Sein Lächeln.

Sie geht auf ihn zu, leicht, schnell, sie senkt den Kopf, sie faßt seine Hand.

„Toni!"

„Gerda!"

„Wie ich dich liebe!"

„Wie ich dich liebe!"

(Lacht nicht. Ich bitte euch, lacht nicht!

Nie können wir wahrhaftiger sein als diese jetzt. Wir erliegen. Wir zweifeln. Wir sind ganz unten. Wir belügen uns, andere. Wir sind ganz falsch. Aber daß wir einmal, in einer kurzen Sekunde, aus unserm tiefsten Herzen sagen können: „Wie ich dich liebe!" –, das ist unser einziges Glück, unser wahrster Stolz.)

„Wie ich dich liebe!"

Viertes Buch

Motiv

Später, in der Erinnerung schien es ihm, als hätten an allen Bahndämmen ihre Fahrt entlang golden grüne Birken gestanden; das Haupt gegen den warmen eiligen Luftzug, der sein und ihr Haar verwirrte, gesenkt, hatten sie gemeinschaftlich ausgeblickt und bei mancher bergan sich werfenden Wiese an das stundenlange, blinzelnde Liegen in Sonne gedacht, das nun kommen würde.

Und als eine beinahe schmerzhaft heitere Vision hatten sie auf einer Waldlichtung ein Häuschen gesehen, mit grünen Läden, von feierlichen Pappeln umschritten, und – verlassen schien es. In die Polster zurückgeworfen, die Blicke ineinander, hatten sie sich in einen Märchentraum von Fernsein aller Menschen verspielt; sie waren leiser geworden, sie hatten am Ende schweigend gesessen. Das noch festgehaltene Lächeln wehmütiger, doch der Blick glänzend von der Liebe, der einen großen Liebe.

Und – indes längst andere Stätten, Bäume, Hänge, Getier und Fenster vorüberhuschten –, und er hatte sich tiefer in eine selige Träumerei verloren.

Er sah sie hinausgehen, eines frühen Morgens, in jenen kleinen Garten, über dessen Lattenzaun Blumen sich drängten über Blumen. Die Sonne war kaum auf, ihr erster rötlicher Schimmer veränderte die Wipfel der Bäume.

Von seiner Seite war sie fortgeglitten, im Halbschlummer hatte er's gespürt, nun sah er sie durch die tauigen

Blumenstauden gleiten, als wüßte sie nichts. Er begriff: sie schlief. Sie träumte wohl. Diese geöffneten Augen sahen nichts, und nur der sachte Fuß ertastete zage seinen Weg. Dann hatte die Tür im Weidenband geknirscht, schnell und schneller war sie über die Lichtung geglitten, durch die ziehenden Erdnebel, selber ein zarter Nebel.

Er hatte sie wieder gesehen, kniend auf dem Berge. Eine Quelle entsprang unterhalb der Kuppe, an ihr kniete sie. Sie warf drei grüne Zweige ins quicke Wasser, sie wusch andächtig ihr Gesicht, sie hob den feierlich erkennenden Blick zur Sonne, die handbreit über dem Horizont stand.

Sie sang.

„Wir werden ein Kind haben", sang sie, „wir werden einen schönen Sohn haben", sang sie ihm zu.

Unvergeßliche Vögel erhoben sich bunt aus den Zweigen in das goldene Licht, Märchenschleier wehten, eine endlose Freude ließ sein Herz erbeben.

„Wir werden ein Kind haben", sang sie, „einen schönen und starken Sohn."

Sie sah vor sich und zu ihm hin. Oh, sie hatte es vielleicht mehr noch im Blute als er, dieses grünlädige Haus, aufgewachsen aus dem Gestreif und Gesperr einer waldigen Wiese. Aber sie sah kein Bild. Dieses hier: hinzufahren mit ihm, den sie liebte, der sie völlig erfüllte, das war jenes Haus schon und alles Ende, über dem es nichts Erdenkliches mehr geben konnte. Solch Glück war nicht zu überbieten. Er träumte sich ein Haus, ein äußerstes und entscheidendes Alleinsein; sie wußte, kein Alleinsein vermochte jenes Gespräch im Wartesaal zu überbieten, und Wiederholung jenes Feierlichen wäre als Äußerstes dem Leben noch abzutrotzen, nein, abzuschmeicheln.

Sie bewegte ein wenig die Schulter, schnoberte, krauste die Stirn. „Aber wir werden essen müssen, du! Und Essen geben uns nur die schlechten Menschen. Da sind sie schon wieder, siehst du!"

„Aber ..." Er schiebt die Schulter vor, öffnet die Hände, als griffe er etwas. „Aber ..."

Sie deckt rasch ihre Hand auf die seinen. „Pfui! Sage nicht, daß du selber den Garten bestellen würdest! Was du für ein Bauer wärest, mit diesen Schultern, deinen weichen Händen! Ziehe kein Gesicht, liebe ich dich nicht so wie du bist?"

„Aber ich will gar nicht das Land selbst bebauen. Ich weiß etwas viel Besseres. Wir gehen in die Südsee, auf eine Insel. Dort ist es ewig warm, kein Winter. Die Bäume tragen, was wir zum Leben brauchen. Wir sind allein. Keine Menschen. Denk doch, keine Menschen!"

„Wir müssen doch ein Haus haben, Kleider, Möbel?"

„Ein Haus –? Wir schlafen unter Bäumen, regnet es, in einer Höhle. Möbel – für was denn? Wozu Kleider, da es immer warm ist?"

Sie entschied: „Ich mag sie nicht, deine Insel. Ich will nicht so leben. Ich muß schöne Dinge haben, viele: Pelze und Kleider und Schmuck. Schönes Essen. Wäsche. Und Wein. Und Parfüms. Dann das Nacktsein. Ich mag nackt sein, morgens, nackt über einen roten Teppich laufen, das Fenster aufstoßen, Sonne einlassen. Am liebsten nackt in ein Zimmer huschen, an dem am Abend vorher viele Männer waren, die mich alle haben wollten, und dann um die leeren Sessel tanzen und höhnen. Aber immer nackt sein, wie langweilig! Wozu sind schöne Kleider da? Oh, ich habe welche, in denen bin ich froh wie ein Mädel, übermütig, lache, daß ich neben dem Stuhl sitze. Und andere, die machen mich feierlich, kurze Schritte muß ich gehen, und die Brust steht ganz fest.

Kleider, schöne Dinge – geh mit ewigem Nacktsein auf einer Insel."

Leise: „Aber die andern! Denke an sie. Ich muß immer an sie denken. Eines Tages ..."

„Nichts. Nichts! Es gibt keine andern. Es sind immer nur du und ich. Nur du und ich! Die andern leben ja nicht. Nur wir sind da. Du und ich."

„Heute."

Hierhin – dorthin

Der Wagen schaukelt, leis klirren Glas und Geschirr, unter dem Blick eines Dicken neigt sich Anton zu Gerda und macht eine Bemerkung, die frech sein muß, denn jener schnauft kurz.

Drüben zischelt leise Seide, das Land breitet sich vorbei, schlägt sich auf, rasch, Wald um Feld, Feld um Wiese, vorbei, sie neigt sich etwas vor, spricht lächelnd, die Bänder am Arm klingeln, der Kellner sagt: „Gnädige Frau", sie lächeln, sie lehnen sich zurück.

Sie fühlen die Blicke der andern auf sich, diese mißbilligenden, prüferisch abschätzenden, und sie machen's, daß ihre Wangen sich dunkler färben, ihre Blicke glänzender sind. Sie wollen schön sein, und dieser Wille macht sie schön, läßt in ihren Stimmen Frohsinn läuten.

Aber immer wieder kommt ein Augenblick, da es sachter in ihnen wird. Die Welle Übermut ebbt zurück, eine warme Hand streift die andere, sie stehen am Ende des Zuges, ihre Blicke begegnen sich und enteilen. Eine unnennbare, unbestimmte Schwermut steigt wolkig in ihnen auf, läßt die jungen Leiber leise erschauern, entfärbt die Wangen um eine Nuance. Sie sehen das Land entschwinden, und es ist, als risse der stampfende Zug mit ihm auch sie aus ihrer Liebe fort, die irgendwo dort hinten bleibt, du ahnst, unerreichbar, nie wiederzufinden.

Plötzlich kommt Angst wie ein Zwang, nach Bremsenzug sie bei der Hand zu nehmen, auszusteigen hier im Unbekannten, ehe es noch zu spät ist. Denn wie, wenn dies alles wäre, was noch zu erwarten, ein Dahinstampfen und schon Entschwinden, ein kaum „Erblicktwerden" und schon „Entschwundensein"? Wenn nichts weiter käme? Diese endlose Fahrt, rüttelnd, ohne Ende eben, zweie nebeneinander, trostlosen Blickes hinausstarrend, kaum je berühren sich die Schultern, kreuzen sich Blicke, Abschied nehmend, und verweilten doch so gerne –?

Sie faßt seine Schulter, sie ruft jubelnd: „Das Meer! Sieh doch das Meer!"

Da liegt es, ein unendlich tiefblauer schmaler Streif, zwischen gilbenden, weißenden Feldern.

„Es ist nur der Sund", murmelt er, „der Strelasund."

Aber sein Herz weitet sich. Ein Unbestimmtes, eine Rührung steigt in ihm auf, ein beglückendes Gefühl von Befangenheit läßt ihn kurz aufatmen, rasch schlucken. Ist es ihm doch, als zeige er der einzigen ewigen Schönheit auf Erden nun seine Liebe.

Der Sund blitzt noch einmal auf, Häuser schieben sich vor, Fabriken, Wäsche flattert im Wind, der Sund ist fort. Er stößt einen tiefen Seufzer aus. „Wir werden eine herrliche Dampferfahrt haben, du!"

Dampfer Möwe

„Fahre hin mit uns, fröhlich pochendes Schiff, kleiner Dampfer! Dort hinten stehen noch groß und in einem feuchten Graugrün die Türme der Stadt, aber nun, da der frische Seewind deinen Schleier faßt, da sich immer neue, immer glänzendere Flächen vor uns, seitlich auftun, werden sie so schnell klein und unbedeutend: sie halten das Auge nicht mehr, es ruht auf dem Wasser, das keinen Anhaltspunkt hat und immer hält. Es rauht sich auf, kleine geschwinde Wellen laufen uns entgegen, die große, schwarze Boje schaukelt leise. Sieh dort drüben den Leuchtturm! Das Festland ist zu Ende, rechts und links Inseln: Hiddensee, Rügen.

Du findest diese Insel kahl? Langweilig? Du hast sie ganz klein erwartet, mit einem Haus, zwei Kühen und ein paar Bäumen im Windschutz? Nun sei sie nicht anders wie das Land, über dem da hinten nun schon ein graublauer Dunst hauchfein liegt? Groß? Zu groß?

Aber du vergißt: wir werden am Außenstrand wohnen. Nächstes Land nördlich, blicken wir über die Wellen, ist Finnland, und dieser Name ruft wach für mich eine dunkle Vorstellung von ungeheuren schwarzen Nadelwaldungen, aus denen Tag wie Nacht der Qualm frisch angelegter oder auseinander gestoßener Kohlenmeiler zum Himmel steigt. Im Nordwind werden wir es riechen, dieses Land, in einem Geruch, durch dessen Teer und Harz Algen und Salz hindurchwehen.

Klein muß der Ort sein. Wie verlassen. Acht Häuser vielleicht. Wir werden uns ganz gehören, wie ich es träumte. Wie gut es von dir war, nicht in ein großes Seebad zu gehen. Alle hätten dich betrachtet, und ich wäre mir noch kleiner und jünger vorgekommen. Angst hätte ich gehabt vor ihren frechen Blicken, die Abwehr verlangen, und ich doch nicht gewußt, wie abzuwehren ist. Vielleicht hätte ich einen gefordert, und er hätte mich lachend ‚dummer Schuljunge' genannt, in seinen Arm hätte er dich gezwungen, ihr wäret über den Sund davongelaufen, gleich nur noch ein paar kleine, ferne Gestalten, die über eine Meerwasserlache springen, um die nächste Ecke biegen und fort sind. Ich wäre allein gewesen, und was hätte ich tun können?

Du hast gelacht. Jawohl, du lachtest. Aber es klang zu

scharf, dieses Lachen. Ist es darum, weil auch du dir mißtraust und jenes Bild für nicht so unmöglich hältst, wie ich glauben möchte und doch nicht kann? Nein, sieh mich nicht gut an. Das täuscht, und du bist nicht immer gut. Du bist es nur zu mir und nicht immer. Ich weiß es wohl, du würdest dich verachten, bliebe auf einem Gedemütigten noch ein Rest deiner Liebe. Du gingest, denn auch du bewunderst die Gewalt, und sei es auch nur die Kraft einer Faust. Ach, einen schwachen Körper haben und darum die Roheit jedes Lümmels fürchten müssen –: zersetzende, nie rastende Angst! Wie wäre denn das wieder gutzumachen, auch nur irgendwie einzuholen, welche Gebärde könnte man finden, dich wieder zurückzureißen in den hold verzauberten Kreis unserer Erlebtheiten, wenn irgendein Vieh vor dir mir den Hut vom Kopf schlug? Ich taumele. Die Wange schwillt rot an. Du siehst mich geduckt, den Sehnigen triumphierend, du wendest dich ab, du gehst. Welche Geste, welch äußerster Schrei wäre denn heraufzuholen aus einer roh gestoßenen Seele, der dich zurückriefe, so frei und so aus jeder Spannfeder des Gefühls geschnellt, daß du dich und mich nicht zu verachten brauchst und ich mich nicht?

Keiner. Denn schon, da du dich von dem Unterlegenen abwendest, müßte ich *dich* verachten und Liebe dürfte nicht Liebe mehr sein.

Du lächelst. Du siehst hinaus, der Wind hat an deinen Schläfen kleine Locken gekraust, du siehst fort von mir und meinen Worten. Hörst du sie nicht? Streift nur ihr Klang an deinem Ohr vorbei, und ist's dieser Klang, der dein Lächeln so rätselvoll traurig macht? Wo liegt sie, diese Traurigkeit? In dem Mund? In den leicht gehobenen Nasenflügeln? O es ist, weil ich deine Augen nicht sehe – schau mich doch an!

So . . . und nun sage, was sollte ich tun, schlüge mich einer?"

„Schlage zurück, du!"

„Ich könnte es nicht, schon im Körperlichen gehemmt. Mehr noch im Seelischen. Nur eines beweist dieses Schlagen und Geschlagenwerden: die infame Lüge des Bürgers, die behauptet, der Geschlagene sei nun unehrlich. Wer zuschlägt, ist's. Der lügt!

Aber was soll das –? Beweise ich dies mir und dir nur darum, weil ich zu schwach bin, zu schlagen? Hasse ich nur darum die Kraft, weil ich selbst kraftlos bin? Ach, ich weiß es nicht. Ich sehe mich nur dastehen, geschlagen, gedemütigt, wehrlos. Du schaust mich an, ich kenne diesen Blick, der schon nichts mehr von mir weiß, du schaust mich an und gehst.

Ich ertrüge es nicht. O nun weiß ich, eine Waffe muß ich haben, ich habe sie, der Beleidiger stürzt, und du bist wieder in meinen Armen. Ich halte dich. Alles zerflattert vor dieser Nähe.

Wie dick die Luft der Maschine mit ihrem Öl um uns steht! Komm laß uns ans Gitter treten. Dieser Wind erfrischt gut. Nun halte den Blick ins Wasser, das so rasch entgleitet mit seinen Schaumkränzen, seinem helleren, tieferen Grün, unter dem man die stummen, herrlichen Vögel des Wassers ahnt, die Fische, deren Schwimmen eine schönere Sprache ist ...

Komm, wir wollen uns wieder setzen. Nicht dort am riechenden Schornstein, sondern hier auf die Bank bei der Treppe. Hier bläst der Wind, macht klar, die dummen Gedanken sind fort, die ziehenden Wasser nehmen sie weg. Ich kann wieder klar denken.

In welchen Wahnsinn war ich geraten! Ich, ich wollte jemand fordern, eine Waffe ziehen, Unsinn durch größeren Unsinn überbieten –? Nein, nicht größeren, denn das Ergebnis entscheidet nichts: geschwollene Backe, erschossener Mann wiegen völlig gleich. Stumpfsinniger Irrtum, das Ergebnis zu bewerten. Aber ich *konnte* denken, ich *wußte*, es war Sünde, und der andere lebte vielleicht noch in aller erlernten Lüge ...

Welch langer Weg vor uns! Wie viele Generationen müssen noch diesen Gedanken denken, ehe er das blödsinnige, triebmäßige Argument der Faust tötet, ehe er uns im Blute sitzt!

Auch ich hatte den andern im Blut. War es denn nicht eine meiner ersten Entdeckungen, daß die Gewalt Unsinn ist, und nun wollte ich schlagen und schießen? Ach, ist man gedemütigt, spricht zuerst das Ererbte, und später erst – aber später ist zu spät – rührt sich Erworbenes.

Keiner hat Recht wie auf sich allein. Geschähe jenes – höre gut zu! –, schlüge mich einer, entrisse dich mir, entflöhe, verbliebe dem wahrhaft Beleidigten dieses Eine, und ich vollbrächte es vielleicht: abseits zu gehen und zu sterben. Und ich täte es! Möglich, daß dann, erführest du es, noch einmal die Sonne unsrer längst untergegangenen Liebe ein brennendes Rot in deine Seele würfe. Aber was nützte es mir –?

Du lächelst wieder. Dein Lächeln ist unbegreiflich leise und nicht einzufangen. Immer lächelst du. Immer bist du stumm. Hörst du mich überhaupt? Wo bist du?

Schon wieder lächelst du. Hier, am Meere, erfasse ich erst ganz, wie schön du bist. Auf diesem kleinen Dampfer, um den das Meer rauscht, fährst du zwischen den flachen, gelbgrünen Ufern dahin, ein Beutestück etwa, ein heimgebrachtes, ein herrliches Kunstwerk, dessen verschlungene Linien eine rätselhafte, ahnungsschwere Schrift bilden.

Auch die andern hier spüren es. Diese schweren, wie verhaltenen Landleute, die auf irgendeine Art nicht fertig geworden zu sein scheinen, hast du in Bewegung gebracht. Sie erklettern gar zu häufig den windumwehten Brückenbau, wo wir sitzen. Immer streichen sie dicht an dir vorüber, aber dann ist ihr Blick nicht auf dir. Er kommt erst wieder, wenn sie beim Kapitän am Ruder stehen. Sie begreifen dich nicht, niemand begreift dich; bloß schön vor sich hin zu blühen: unbegreiflichstes Geheimnis!"

„Ah, Liebste, es ist ganz anders! Jetzt weiß ich, warum sie so oft die Treppe hinaufsteigen! Du hast die Beine übergeschlagen, sie können gerade unter deine Röcke schauen. Darum also! Rücke hierher.
Du bleibst sitzen? Lächelst nur? Lächelst wieder? Du hast es also gewußt! Darum lächelst du?!!

Dämmerungswege ...

Der Dampfer schreit dreimal in den Abendhimmel hinaus, der nicht dunkler werden will, sondern in einem sachten und sanften Grün leuchtet.
Der Hafen taucht auf, Fischerboote schaukeln hastig in den Ausläuferwellen, endlich klappt die Brücke hinüber, ein Tumult beginnt. Sie warten bis zuletzt. Da sind die paar Wagen längst fort. Gerda sieht sich um. „Erwartet uns denn keiner? Ich habe doch telegraphiert."
Ein Individuum nähert sich mit einer Karre. Ja, er sei vom Ostseehotel. Er solle das Gepäck holen. Ein Wagen? Nein, es gäbe keinen Wagen. Aber es seien doch Wagen dagewesen! Das seien die Wagen von den Gütern. Wie weit es sei? O nur zehn Minuten!
Anton ist stumm. Wie es draußen dunkler wird, so auch in ihm. Er fühlt einen Arm zu schwer und heiß in seinem lasten, er hört eine Stimme neben sich reden, die er nicht kennt: „... Kaffern ... Bande ... unmögliche Wege ..."
Das Dorf ist zu Ende. Sie biegen in einen Feldweg ein, in der Nähe hochstämmige Waldung.

„Sieh doch, Gerda, da ist ja der Wald, den du so vermißtest!

„Ein schöner Wald! Kümmre dich lieber um den Weg. Wir sollen zehn Minuten gehen, und jetzt sind es schon dreißig."

„Es ist sicher richtig, eben war noch ein Wegweiser da."

„Wegweiser –! Nicht ein Haus ist zu sehen."

„Sicher liegen sie dort im Wald."

„Unsinn! Im Wald gibt es keine Häuser; dann ist es kein Wald. Wir hätten längst da sein müssen."

Von drüben der feierliche Laut der Brandung klang näher; vor ihnen lag das erleuchtete Hotel. Gerda weigerte sich, es anzuerkennen. „Das ist ein zweistöckiger Kasten, kein Hotel."

Sie versuchten Türen – „die elende Bande schläft wohl" – und gelangten in einen Saal, wo jachternd Leute ein Gesellschaftsspiel durchführten. Alles hielt inne, drehte sich um, glotzte.

Gerda fragte in die Starrenden nach dem Portier. Dies löste Heiterkeit aus. Im Hintergrund kicherte es. Flucht schien das beste, aber jene lähmende Feigheit, die Anton so gut für sich gekannt, nun hatte er sie auch für jene. Schweigen blieb allein; er stand neben ihr, ein wenig zurück, er versuchte, streng auszusehen, die kichernden Mädchen zu entdecken. Wann kam der Ausbruch? Er zitterte für ihn, er fürchtete ihn, nicht für sich – er hatte es immer gewußt, daß auch dies in ihr war, und sich's nie ernstlich geleugnet –, nein, er fürchtete diesen Ausbruch für sie.

Wie war es denn möglich, daß diese kleine Zärtliche, diese tollende Mädelschönheit mit Sekunden tiefster Versunkenheit schelten konnte, keifen? Sie, die in jedem Kleid, in jeder Farbe witterte, was zu ihr paßte, wesenseins mit ihr, scheute sich nicht vor Wörtern, die in ihrem Munde etwas sinnlos Groteskes annahmen.

Ihm war es, als wüste sie gegen sich selbst. Als treibe sie manchmal ein wahnwitziges Verlangen, die Schönheit, die sie war, zu schlagen, zu treten, in den Staub zu ziehen. Diese Augen, die nun flackerten, waren noch immer schön, aber es war ein Irrsinn in dieser Schönheit; diese zornig gekrümmte Hand hatte wohl nur darum so rosige, gepflegte Nägel, um, griff sie in Schmutz, wirklich etwas an sich zerstören zu können. Wie anders dies zornige, freche, gehässige Gesicht war und wie bekannt! Immer hatte es als Kern, als ein Kern in dem lieben gelegen, er hatte es nur vergessen wollen. Nun stand sie so da, und alle erkannten sie, gleich in der ersten Minute. Sie hatten hier Wochen leben wollen, still, friedlich, vergessend und vergessen, nun würde in jedem Blick zu lesen sein: „Das ist die Hure mit ihrem Geliebten."

Vielleicht wußte sie dies auch, im gleichen Augenblick. Es tat ihr weh wohl. Auch sie litt. Wer so böse war, mußte darunter leiden. Und Güte, äußerste Güte war es von ihr, daß sie nicht ihn zum Ziel dieser Szene machte. Aber er hätte beinahe gewünscht ...

„Ich frage, wo der Portier ist? Warum können Sie nicht antworten? Was ist?"

Eine unterdrückte Stimme murmelt: „Hier gibt es doch gar keinen Portier!"

„Ich habe Sie nicht gefragt! Ich frage diesen Herrn hier! Nun, was wird? Warum gibt es hier gar keinen Portier? Warum stellen Sie sich nicht vor? Wissen Sie nicht, was Sie einer Dame ..."

Eine schrille Stimme schreit: „Wer ist das denn eigentlich?"

Ein Dicker sagt halblaut: „Und Sie lassen sich das gefallen, Langenberg?"

Der lange Semmelblonde blinzelt durch seinen Klemmer, er sieht dunkelrot aus. Sein Blick irrt von Gerda ab, glotzt auf Anton, seine Miene wird drohend und heldisch. „Mein Herr, wenn Sie Ihre Dame nicht..."

Und Gerda noch drohender: „Lassen Sie bitte meinen Bruder in Frieden."

Die Schrillstimme schreit: „Bruder ist gut!"

Der Dicke: „Aber sehr gut!"

Und Gerda: „Was stehen Sie hier? Können Sie nicht wenigstens einen Kellner..."

Der Semmelblonde starrt hilflos, hypnotisiert, kaninchenhaft, er macht zwei Schritte zur Tür, als diese sich öffnet.

„Ah! Frau Helbig!"

„Hören Sie!"

Getuschel. Geflüster.

„Sie sind die Herrschaften aus Leipzig, die telegraphierten? Ihre Zimmer sind fertig. Bitte sehr."

Anton atmet auf. Gerda macht eine schnelle, ungeduldige Geste, aber es kommt nicht weiter als bis zu einem: „Gut."

Sie folgen der Frau.

Anton hebt grade das Gesicht vom Waschbecken, da hört er Stimmen, Streit, rasches, lautes, empörtes Sprechen, Geschrei, das Sprechen wird noch schneller, noch lauter. Er kennt diese Stimme. Diese im äußersten Moment vermiedene Szene – nun war es also doch zu ihr gekommen. Er schiebt seine Sachen in den Koffer zurück, bindet sich den Kragen um, den Schlips... Da fliegt die Tür auf, Gerda steht in ihr, das Gesicht weiß vor Wut, so sinnlos verzerrt, es tut unendlich weh, in dies zerstörte hineinzuschauen.

„Packe sofort ein. Nicht eine Minute bleiben wir in diesem Drecksloch. Wir fahren sofort nach Stralsund zurück. Was, es geht kein Dampfer mehr? So nehmen wir einen Wagen! – Wir kommen nicht übers Wasser mit einem Wagen? Du, du willst nur Hindernisse finden. Du hast mich hierhergelockt. Du willst..."

„Aber die Tür steht offen, Gerda. Laß sie mich wenigstens erst schließen..."

„Nichts da. Nichts wird geschlossen. Mag sie doch hören, diese unverschämte Person... Ich habe ein Bad bestellt, und unsre Zimmer sollten nebeneinander sein. Diese Frechheit..."

Sie gehen über den Gang, die Treppe hinunter. Hinter ihm werden Türen geöffnet, er spürt verächtliche Blicke in seinem Rücken. Gerda spricht vor sich hin.

Im Speisesaal steht noch eine Gruppe, erregt flüsternd. Sie gehen vorbei. Stille entsteht. In sie sagt Gerda vernehmlich: „Daß du dem Hausdiener kein Trinkgeld gibst. Du bezahlst keinen Pfennig. Für diese Bande ist ein einziger Groschen zu schade."

Jemand murmelt hörbar: „Freches Berliner Judenpack."

Beifälliges Gemurmel.

Gerda fährt herum, tritt nah an die Gruppe: „Was? Wer sagte hier etwas?"

Sie sieht prachtvoll aus, findet er, ganz weiß und schwarz, mit dieser leicht erhobenen, gekrümmten Hand, die sicher zuschlagen wird, spricht einer ein Wort. (Und diese Schlagbereitschaft findet er plötzlich schön.)

Aber keiner sagt etwas. Unter völliger Stille verlassen sie Saal und Hotel.

Draußen ist es ganz dunkel. Keine Beleuchtung. Kein Mond. Gerda atmet ein paarmal rasch, dann spricht sie, viel sachter: „Wir gehen in das Dorf zurück, wo der Dampfer anlegte. Es sind ja nur zehn Minuten."

Da er protestieren will: „Tu, was ich sage! Mach mich nicht noch einmal wild."

‚Noch einmal', denkt er, ‚war denn ich schuld?'

Sie hängt sich in seinen Arm ein, aber plötzlich will er nicht, er macht irgendeine ausweichende Geste, und sofort gibt sie ihn frei. „Wie du willst", sagt sie so sanft.

Im Dunkeln machen sie von neuem den Weg. Im Dunkeln tappen sie durch das lichtlose Dorf. Kein Mensch. Der Nachtwächter gibt ihnen am Ende Auskunft. Hier ist alles überfüllt. Sie müssen zurück in das Seebad.

Sie steht einen Augenblick stumm, verharrend. „Gehen wir", sagt sie kurz.

Und sie gehen den Weg zum dritten Male, getrennt, einzeln, stumm. Und da geschieht es, daß sein Herz sich bewegt in einem unendlichen Mitleid für diese laute stumme Schöne, die unter ihrer Schönheit leidet, sich selbst schmerzende Wunden schlägt, die auch nicht ganz ist, ungebrochen, ohne Naht und Fehl, sondern in der Dunkles mit Hellem kämpft und so oft traurige Siege erringt.

Auch sie klein, schwach. Auch sie am Boden. Auch in ihrem Gesicht der dumme rohe Absatz des Zwangs.

Könntest du doch sein ein fröhliches kleines Tier, bei dem Wollen und Tat eines sind, und ein Reueloses. Ach, deine schöne wilde Fröhlichkeit, wie ist sie umdampft von der Salzluft deiner traurigen Tränen!

„Bist du noch böse?" flüstert eines.

Er will antworten, heißes Schluchzen bedrängt seine Kehle, er tastet nach ihrer Hand, dieser alles zu sagen, im Dunkeln findet er sie nicht. Schweigend gehen sie weiter. Das Schweigen wächst, es ist groß und dunkel, eine ganze Nacht wie die um sie.

Am Ende liegen sie in einer kleinen Villa neben dem Hotel und wollen schlafen. Ihre Zimmer stoßen nicht aneinander, sie haben kein Bad.

Halbwach

Um ihn lag das Schlaflose – wie ein Grasfeld. Silbrige Rispen beugten sich im Wind, tanzten hoch, beugten sich neu. Man mußte sich wundern, wie silbrig sie waren, wie sie immer wieder fortglitten und neu sich ins Gesichtsfeld schoben. Man konnte spielen, nun ließe man seine Hand hinein, sie wurde gestrichen, sanft, sanft, aber nun stürzte das Schwarze einem vorbei, sehr rasch, immer tiefer schwarz. Kein Gras wehte mehr, doch der Laut der Wellen ging groß und ewig um ihn. Er wußte es nah, das Schöne, und er hätte ihm näher liegen mögen, im Sande etwa, mit dem Wind zu Häupten und tiefer hineinhorchen, viel tiefer.

Doch nun glitt auch das fort, es war nie dagewesen, und einzig ihre Stimme sprach zu ihm, jenes: „Komm zu mir, nachher."

Er drückte den Kopf tiefer ins Kissen, seine Lippen formten die Laute nach, die in seinem Ohr klangen. In diesem blassen Gesicht, das nun im Dunkeln nahe sich schob, waren die Lider gesenkt gewesen, vor der lächerlichen Hausfrau hatten ihre Lippen beihin gesprochen: „Komm zu mir, nachher", und laut und gleichgültig: „Ja, mein Bruder. Er hat seine Papiere nicht da, sie werden ihm nachgesandt."

Welch verwirrender Zauber in diesem jungen Gesicht lag, das in gleicher Sekunde frech öffentliche Aufforderung zu Intimstem und ruhig verächtliche Erfindung einer Lüge in sich vereinte. Nun war es nahe bei ihm, dieses Gesicht, es zerging mit seinen Zügen, seiner Wellung, seinem Fleisch unter dem Blick des Halbwachen, wie ein herrlicher blaßgelber Blütenstrauß war es, duftend, köstlich und unbegreiflich, wie solch ein Blütenblatt in unsrer Hand: es lebt, die ganz kleine Aderung von der muschelförmigen Ansatzstelle bis zum vollendet geschwungenen Rand verfolgst du ... es lebt, aber das undurchdringliche Geheimnis seiner Formung und seines Seins überwältigt dich.

Der Strauß duftet stärker, das Grasfeld ist wieder da und verschwunden, ein Blumengarten nun, und am strohgedeckten Bienenschauer klettern die blaßgelben Rosen höher und höher, die Bienen summen so stark, die Blüten nicken im Wind, eine frohe, tiefe Stimme ruft: „Es ist gleich Essenszeit!"

Zwei Kinder beugen Blütendolden zu sich herab.

Eine dunkle Stimme spricht: „Das geht dich an!"

Die Bienen summen so stark.

Das andere Gesicht

Die Brandung ist wieder da. Eine weiße Helle springt in das Zimmer, huscht tagklar in Winkel, rastet nicht, ist wieder fort.

Er tastet sich zum Fenster. Es ist dunkel, das Geräusch der Wellen ist näher um ihn, da tut sich drüben, weit draußen in der Nacht, etwas blendend Weißes auf, so hell, daß es im Auge schmerzt, es wirft sich breit wie ein Viertelsfächerschlag zu ihm her – er meint in seinem Schein Bäume, Masten, schaumige Wellen zu sehen –, ist vorbei: „Der Leuchtturm! Ah, der Leuchtturm!"

Er geht zurück zum Bett. Weitoffner Augen liegt er da. Nun beginnt, da sein Herz laut und unhaltbar weiter dem Ende zu klopft, die Beschwörung dieses Herzens um das im Einschlaf geschaute Gesicht. Bild um Bild wird gerufen und umsonst gerufen: jenes Gesicht erscheint nicht. Es ist versunken in ihm, schöne Göttinnenstatue, die, als die Mannschaft schlief, über Bord glitt. Nun erhebt sich ein anderes Gesicht aus den Wellen, ein blasses, trauriges. Er hat es nie gesehen, aber diese böse Traurigkeit scheint ihm so wohlbekannt. Sie ist mit ihnen gewesen in allen Stunden, von der erstersten an, sie kam in jener rätselhaften Gartenhotelnacht wohl hervor, sie lag versteckt in dem zornigen Gesicht heute abend in jenem verfluchten Speisesaal. Aber vor allem war sie in jener Stimme heute nacht, die zum dritten Male den Weg zum Badeort gebot, die jenes stille „Wie du willst" sprach, als sein Arm dem ihren entglitt. – Unter dem Blick dieser traurigen, zweifelnden, hilflosen Augen stöhnte er auf. Jenes tiefe Mitleid krampfte von neuem sein Herz, das ihn da schon ergriffen. Er schluckte schnell. Seine Augen brannten.

„Nein, ich werde heute nacht nicht zu dir gehen. Süße Liebende, schmerzliche Geliebte, verzeih! In dieser Stunde bist du über aller Liebe. Ich denke wohl an jene Stunden, da der Tag grauer wurde und eine Amsel sang. Aber nun kommt zurück jene früheste Stunde, da du sprachest zu mir: ‚Ich bin böse . . . so böse . . .' Ich wollte es dir nicht glauben, verzeih doch, es war Unrecht an dir. Ich glaubte dir zu sehr dein äußeres Sein. Wenn du geschwind warst und lachtest, wenn du Streiche tatst und trankst, wenn du in einer übermütigen Geste plötzlich versonnen wurdest und ein Lächeln an dir hattest, als gingest du durch einen blühenden Seegarten –: ich glaubte dir alles. Ja, ich glaubte dich wahrhaft frei, ohne Hemmung, Wille und Tat ein Schlag.

Nun sehe ich die Kette, die auch deine zarten Knöchel blutig schneidet. Auch du mußt lachen, wenn du weinen möchtest, du schweigst und gehst stumm neben dem Nächsten einher, da doch alles in dir dazu drängt, den Arm jenem dort um den Hals zu schlingen. Du leidest. Du bist klein.

Nein, nun bist du nicht mehr so weit über mir. Ich sehe dich näher, Leidende, unentrinnbar Gefesselte. Ich werde mehr den Mut haben, dich zu lieben, jetzt, da du böse bist, da du mir wehe tust. Glaubte ich nicht bisher, du tätest es aus Laune, mich zu kränken? Ach, ich lernte aus diesem Stimmklang, daß deine Launen dir auferlegt sind wie allen und daß sie dich nicht weniger schmerzen als mich.

Es ist mir, als ob diese dunkle und schweigende Wegstunde unsrer tiefsten Liebe erste Stunde gewesen sei. Da, als das brüderliche Mitleid in mich fiel wie tausend Tränen, wurdest du aus der Geliebten die Schwestergeliebte, die Vergötterung wandelte sich, über die starren Züge lief ein Schein ... Schau doch, sie leben nun, und in ihnen formtest du dich: du Mensch!"

Er sah grade vor sich hin. Das weiße Licht kam, ging, kam. Rastlos. Aus der kargen Dunkelheitminute leuchtete ihr Antlitz, noch unter Tränen. Er schien zu danken.

„Nein, ich komme heut nacht nicht zu dir. Wie könnte ich in dieser Stunde des Erkennens solch Geliebter sein?!"

Die Glücks- und Unglückstage

Eine Weile lag er still, fühlte in sich das starke Sein eines schönen Gefühls, dann verging es, ganz leise, unmerklich, und da er ihm erschrocken nachspürte, war es schon nicht mehr da. Eine fröhliche Heiterkeit tanzte in ihm, drehte sich zum Klang von Zimbeln, ihre lustigen Bänder flammten in der Sonne auf, ihre Füße, nackt auf dem Grase, waren geschwinde. Eine starke Stimme rief aus waldigen Bergen: „Nun lasset uns ernten."

Und das Echo warf sie unaufhörlich einem nächsten zu. Er lauschte ihm nach, ferne klang es und ferner, kaum noch zu unterscheiden, nun schien es der sachte Atem einer Schlafenden geworden, eine Stimme rief: „Die Blume, die verblüht ist, *ist* verblüht!"

Er zittert, wirft Kleider über und entschwindet tastend durch den nächtlichen Gang.

Er war eingetreten, die Tür schlupfte leise hinter ihm ins Schloß, er stand an ihr, im halben Dunkel, und sah zu Gerda hinüber. Sie saß am Tisch, vor ihr brannten Kerzen, auf dem Tisch Schreibzeug, Papier, Spiegel, Bürste und Kamm. Sie bewegte zwischen Blättern die Hände, sie sah nicht auf. Ihr Haar war gelöst, war gekämmt. Viel Duft war im Zimmer, stand zu ihm.

Was tat sie? Ihre Stirn war gerunzelt, getrübt; ihre Finger so eilend geschäftig mit dem Sortieren, dem Auflegen ... Er blickte verständnislos.

Nun stand sie auf, mit einem Ruck. Sie ging zum Koffer. Es war klar, daß sie von seiner Anwesenheit nichts ahnte. Sie beugte sich über den Koffer, wühlte darin, fand ein Buch, öffnete, las, abgewandt von ihm. Zwischen Blättern fragte sie: „Warum kommst du so spät?"

„Ich ... ja, warum? Ich weiß nicht, ich habe geträumt."

„Geträumt? Eingeschlafen bist du wohl. Jetzt ist es viel zu spät. Gleich Morgen. Geh nur."

„Nein, ich schlief nicht. Ich lag wach. Wachend träumte ich von dir. Du warst ein Rosenstrauß, in den ich mein Gesicht senkte. Nachher tanztest du. Du warst aller Frohsinn der Welt und tanztest dahin. Deine Füße ..."

„Mir ist nicht nach Tanzen zumut. Einen schönen Wahnsinn haben wir gemacht, an einem Unglückstage zu reisen. Ausgerechnet am 17. Juli. Daß da alles schiefgehen mußte ..."

„Einem Unglückstage –?"

„Frage nicht so höhnisch. Du lachst natürlich darüber. Du glaubst nicht daran. Das natürlich hast du in euern Schulen gelernt, daß man so etwas nicht glauben darf. Und nun verlachst du mich."

„Ich verlache dich nicht. Ich fragte nur. Ich habe nie etwas davon gehört. Was sind Unglückstage?"

„Was Unglückstage sind? Heute ist einer. Der 13. Januar ist einer. Der 18. Oktober. Es gibt Unglückstage erster Ordnung und zweiter Ordnung. Wer wie ich unter dem Merkur geboren ist -"

„Aber ich verstehe nichts! Was ist das? Ich habe nie etwas davon gehört. Woher weiß man das, von den Glücks- und Unglückstagen? Gilt es für alle?"

„Woher man es weiß? Verstelle dich noch! Ich habe oft genug gehört, daß ihr in der Schule vom sechsten Buch Mosis erfahrt. Du willst mich verspotten, du!"

„Aber ich versichere dir ... glaube mir doch! Ich weiß nichts. Zeige mir einmal dein Buch."

„Es ist das Buch der Wahrsagekunst. Auf der letzten Seite sind die Glücks- und Unglückstage abgedruckt. Da lies, daß -"

„Ja, das sind sie ... ich lese. Laß sehen, welcher Verlag ..."

„Aber was geht er dich an, der Verlag! Lies die Zahlen, die Daten! Heute ist ein Unglückstag. Wärest du nicht fortgelaufen, wir wären einen Tag früher gefahren. Alles wäre gut gegangen. Und so -"

„Gerda!"

„Sei still! Die Karten waren gut! So gut! Aber du hast alles verdorben. Du bringst mir Unglück. Immer denkst du nur an dich, du liebst mich nicht -"

„Du hast recht, vielleicht, aber -"

„Eine Blonde liebst du, eine Helle, ganz Junge ..."

„Ich gehe ..."

Aber er bleibt stehen, von neuem gehemmt durch ihre Rede, dort unter der Tür. Sie geht auf und ab, hastig, sie spricht vor sich hin, als spräche sie nur für sich selbst. Die Kerzen flackern im Zug ihres Kimonos, er sieht ihren Schatten an der Wand tanzen, beinahe lächeln muß er, wie grotesk ihre kleine eigenwillige Nase abgeschattet ausschaut, - dann hört er sie wieder reden: „Aber du willst dich über mich erheben! Du verachtest mich. Was bin ich dir? Hast du auf dem Dampfer ein gutes Wort zu mir gesagt? Ein eifersüchtiges, als ich diesen Viechern meine Beine zeigte übers Knie? Du hast geschwiegen. Du hast gar gelächelt. Kein Knecht hätte es geduldet von der, die er liebt! Du verachtest mich. Du willst mich unten sehen. Du hast nur von Haus fort wollen, mein Geld . . ."

„Ich gehe nun."

„Auf diesem Gang sind zwei Stufen. Ich will warten, bis der Leuchtturmschein kommt, damit ich nicht stolpere. Höre doch, dort hinten weint sie. Ach! Tränen gelten nichts, Weinen gilt nichts, aber . . .

Dies ist meine Zimmertür. Das Bett ist noch warm. So wenig Zeit verflossen. Welch ein Hexensabbat! Welch ein Tier mit Blut an den Krallen, meinem Blut . . .

Und sie hat ausgespäht . . . nein, ich will jetzt nichts denken. Aber alles ist vorbei. Alles. Dies vergibt sie sich nie. Wie kann sie?

Ich muß gehen, irgendwohin. Und weiß keines. Wieviel Welt tanzte heute an mir vorbei! Das kleine Jägerhaus auf der Waldwiese . . . alles ein Nirgendwo. Keine Bleibe für mich . . ."

„Anton . . . Toni . . . schläfst du? Ja? Ich wollte dir nur sagen, daß ich nach Berlin wegen deiner Papiere geschrieben habe. In zwei, drei Tagen sind sie hier. Halte dich bis dahin. Sie werden wie die Hunde hinter uns sein nach heute Abend . . .

Schläfst du wirklich? Hast du gehört? Ich gehe jetzt. Schlafe gut, Kind, schlafe gut!

Du sagst nichts? Bist du mir böse? Du darfst mir nie böse sein, ich liebe doch nur dich. Gute Nacht.

Ach, gib mir noch deine Hand. Bitte. Nein, sage kein Wort. Ich weiß, wir sind beide unglücklich. Alle sind wir es. Ade, mein Kleiner."

Tamburine knattern. Musik schrillt. Kastagnetten klappern. Im Saale drehen sich die Masken alle der Hübschlerin. Dort die Betörende ... dort, die an der Bar trinkt. Jene taumelt aus dem Arm eines Plumpen, aber nun ist es eine Frohe, Kindhafte, die die Füße zum Tanze hebt. Ein trauriges Gesicht blickt dich an, Schläfer; es weht vorüber, nun lehnt sich ein Kopf weit in den Nacken, Arme breiten sich zur Sonne. Das Gesicht überstrahlt ein grenzenloses Entzücken. Eine bückt sich, eine kniet, eine verreckt. Sie erhebt sich mit hoheitsvoller Gebärde und zankt wie ein Marktweib. Ein Kind jubelt ...
Sie ... sie ... sie ...
Es läßt sich schlafen, immerhin.

Morgen am Meer

Dieser Tag ist früh blau, von lauter weißen, kleinen, geschwinden Wolken besetzt. Wie Vögel, die von einem Gestern nichts wissen, werfen sie sich hinein in ihn –: wozu wäre denn Schlaf gut, als gestern völlig vergessen zu machen und belanglos fern?

Welch tausend Köstlichkeiten solch früher windiger durchsonnter Sommertag hat! Die weißen Vorhänge wehen im Wind, die Seife in der Schale duftet freundlich, leise und verschollen, die Diele unter der nackten Sohle ist so gut kühl, und lehnt man sich aus dem Fenster, ist draußen das Gelärm und Gejage vieler Vögel im Kieferngestrüpp, ein Endchen weiter eine Dünenkuppe und im Sattel zur nächsten ein Streif blaues Meer. Nur ein Streif.

Dann geht er über den Gang zu ihrem Zimmer. Daß hier einmal Nacht war und Verzweiflung, ist undenkbar. Er streicht mit der Hand über das Gesicht, ein-, zweimal, und das gute Sommermorgenlächeln blüht neu. Diese zwei Stolperstufen mit ihrer abgetretenen Kokosfasermatte in Rot und Grün sind gut. Er sieht sich im Spiegel und geht die paar Schritt an ihrem Zimmer vorbei, trotzdem er darin lockende Geräusche erlauscht, geht bis dicht an den Spiegel, um die ganze Figur zu sehen in ihrem ungewohnten Weiß.

Er macht mit dem Arm eine Geste, eine übermütige Jungensgeste, wie man den Servusgruß auf der Penne machte als Spießer umwerfenden Ulk, er salaamt vor sich, wirft Erde über Schulter und Haupt. Doch jener dort ist zu ermüdend folgsam, und schaut man näher hin, sind zwar seine Augen mit fröhlichen Lichtern besteckt, aber das Zweiflerische blieb, und dieses schwache Kinn nimmt alles zurück. So wendet er sich denn ab, dem Blick schulterüber sieht er entschwinden einen beunruhigend Eleganten, Weißen, Schlanken...

Sie macht drei Schritte zurück. Er weiß, nun liest sie aus dem Blühland seines Gesichtes die hohe Sonne, die längst den nächtlichen Regenschauer abtrocknete; ihre Miene wird plötzlich klein, spitz, spitzbübisch, sie greift nach hinten, und unter dem Augenschließen, das der von ihrer Hand aus dem Kruge gesprühte Strahl erzwingt, sieht er die jugendlich brüske Geste, mit der sie die schwarzen Haare aus dem Gesicht zurückwirft.

Vage und fern rührt sich eine Erinnerung in seinem Hirn und ist entschwunden, als sie nach ihm faßt.

Sie verfolgen sich, greifen sich, küssen sich, lassen einander los. Stühle stürzen, und das Zimmer ist erfüllt von den kleinen Ausrufen jugendlicher Kehlen, ihren plötzlichen Gelächtern. Sie enden atemlos, über das Bett hingeworfen, sie ruft zwischen seinen übermütigen, neckenden Küssen: „Ging je ein Bruder so mit seiner Schwester um! Was möchtest du denn von mir? Ich glaube gar..."

Ganz nah sehen sie einander an, überstrahlen einander. In die plötzliche Stille fallen die Geräusche des Hauses: Raschelei, Tuscheln, Türengeklapp.

„Da! Wir haben das ganze Haus in Aufruhr gebracht. Ein schöner Anfang! Was die Leute von uns denken mögen!"

Musternd: „Geh jetzt! Geh. Du kannst von frischem anfangen mit Anziehen. Dein Kragen ist hin und dein Schlips. Und Jackett. Und Hose."

„Aber die Hose ist noch ganz gut."

„Sie muß gebügelt werden. Die Quetschfalten haben wir endgültig überwunden."

Er bummelt den Gang hinauf. Ein kleines unterirdisches Dienstmädchen will an ihm vorbeihuschen, stutzt, und ihr leeres Gesicht trieft von Erstaunen. Er erinnert sich, wie er aussehen muß. Er lacht, lacht dem Mädchen ins Gesicht und zerrt seinen Schlips wild auseinander.

Noch lachend tritt er vor seinen Spiegel, mit verwildertem Haar, glänzenden Augen, einem übermütigen Mund. Und auch er stutzt bei seinem Anblick.

Die Vögel draußen lärmen lauter. Er bindet seinen Kragen ab.

Strand, Sand, Sonne

Sie überstehen am Ende auch das Frühstück, überwacht und belauert von ihrer kleinen, formlosen Wirtin, angegafft von Gästen, die den Kopf zur Verandatür hereinstecken, eine Entschuldigung murmeln und ihn viel später zurückziehen.

Sie brechen auf, gehen über die Straße.

Das Dorf war zu Ende. Flach und übersichtlich dehnte sich das Land vor ihnen aus, grüne und gilbende Felder, die sich durcheinanderschoben, bis dort hinten, mit einer Reihe von Chausseebäumen, einem großen, um die ragende rote Kirche gebauten Dorf alles zu Ende schien.

Die Ebene war erfüllt von sommerlichen Geräuschen: dem Wetzen von Sensen, Lerchenliedern, Schlagen von Wagenachsen, dem monotonen Schnattern von Mähmaschinen, und ein Knecht schrie laut seinem Viergespann etwas zu. Sie wandten sich zur Rechten, überschritten einen schmalen mit Kiefernkuscheln bestandenen Dünenstreif, der Weg hob sich, sie hielten inne auf der letzten Düne, und vor ihnen lag das Meer.

Es war lichtblau und wellenlos, erst ganz am Strande kräuselten sich einige klare Kämme und liefen klingend auf den Sand.

„Wie schön das ist!" rief sie und faßte seine Hand.

Der sanfte Busen der Küste verlor zur Linken unweit seine sandige Glätte, das Ufer wurde steinig, in der Sonne lag gelb, unfruchtbar und zerrissen die lehmige Steilküste, bis sie dahinten, wo das Meer tiefblau war, blendend weiß und hoch sich aus dem Meer auftürmte. Diese Übergänge von Weiß über Grau zu Gelb und dem schwirrenden Weißlich des Sandes, von dem fernen satten Grünblau des Wassers bis zum hellen Grünweiß der strandlaufenden Wellen machten ihre Herzen unter einer nie gefühlten Wonne erzittern. Ihre Schultern berührten sich, aneinander gelehnt sahen sie hinaus und spielten ihre Seele an diese Weite hin, die atmend schien wie sie und endlos wie ihre Liebe.

Jemand ging vorüber, sah sie scharf an. Sie schraken zusammen, ihre Schultern lösten sich voneinander, ihre Hände entglitten. Schweigend sahen sie dem langen Blonden nach, der storchbeinig durch den Sand stapfte. Sein schmales, wie ein First abschüssiges Genick war von feuchten Strähnen beklebt.

„Langenberg", sagte Gerda, „so war es, Langenberg."

Plötzlich bückte sie sich zum Sand, sie rief scharf: „Sssst", der Lange fuhr herum, sie warf in der Richtung nach ihm eine Hand voll Sand. Er stand zaudernd, sein

Gesicht färbte sich dunkelrot. Wieder rief Gerda: „Sssst! Sie da! Langenberg!", da wandte er sich schnell und eilte wie fliehend über den Sand. Seine schmalen Schultern waren rund und hochgezogen, er hielt die Hände fest gegen die Hüften, daß sie nicht schlenkern sollten.

Sie stiegen an den Strand hinunter. Zwischen Wasser und durchsonntem Sand schritten sie auf dem schmalen festen Streif dahin, den immer wieder eine längere Welle überrieselte, und betrachteten die zwei Dutzend Burgen mit ihren Strandkörben. „Wir werden die schönste Burg haben und die höchste", erklärte Gerda. „Außerdem zwei Strandkörbe. Für jeden von uns einen. Damit sie zu reden haben."

„Es wäre viel netter, wir ignorierten sie ganz."

„Sonst tue ich es auch. Aber hier ... O du glaubst nicht, welche Wut ich manchmal auf diese Spießer habe! Dieser Langenberg soll noch etwas erleben!"

„Aber er hat dir nichts getan! Er war so verschüchtert gestern abend."

„Fange nicht jeden Satz mit aber an. Das ist dumm. Stets sagst du ‚Aber' wie all die dummen Bürger. Die haben auch immer Bedenken und Erwägungen. – Und mit diesem Langenberg paßt mir das grade. Er ist so dumm. Und so feig. Wie er auf dich losfuhr! Sieh, jetzt hat er den ganzen Strand alarmiert. Alles glotzt."

Sie standen in ihren Burgen. Die dicken Männer hatten sich schnaufend aus den Strandkörben erhoben, ihre Bäuche zitterten unter den geöffneten Westen und den bunt gemusterten Hemden. Ihre reizlosen Frauen taten, als sähen sie nicht hin. Aber sie warfen über die Umwallung der Burgen einander scharfe Blicke zu.

Gerda setzte sich nieder, wo sie stand. Sie streifte ihre Schuhe ab und zog langsam und mit Bedacht die Strümpfe herunter. „Komm. Zieh dich aus. Wir waten."

„Aber die Schuh und Strümpfe!"

„Aber! Wir lassen sie hier liegen. Keiner nimmt sie. Die Damen passen zu gut auf!"

Und sie stieg, übertrieben vor der handhohen Welle geschürzt, ins Wasser. Er folgte ihr zögernd. „Du kannst, du wirst recht haben", begann er, „der Bürger denkt erst, wenn er spricht. Mit dem ersten Wort keimt sein Denken, im ersten Satz scheint die Entscheidung gefallen, doch, da er ihn ausspricht, dämmert aus seinem Nichts die Kehrseite, darum heißt sein zweiter Satz ‚Aber'. Oder sie sagen einen Gedanken mit verteilten Rollen auf und jedes neue Glied der Kette ist ein neues Aber. Sie . . ."

„Halte ein!" rief sie flehend. „Ist dies ein Gespräch fürs Waten. Wie kommst du darauf?"

„Aber du selbst fingest an mit dem Aber."

„Aber! Aber! Schau das Wasser an, wie klar es ist! Diese Sonnenkringel darin."

„Sie liegen auf dem Sand, huschend, verhuschend, immer wieder da, immer neue, immer sanfteres Gold. Es ist, als gingest du in ihm, trätest darauf . . ."

„Ich wollte, ich täte es."

Sie wanderten der östlichen Seite der Bucht zu. Auf einem zum Meere sich senkenden Hochland lagen verstreut Höfe und Dörfer zwischen Bäumen. Die Luft schien zu zittern darüber, aus den Schornsteinen stieg bläulicher Rauch, der sich rasch verlor, und man unterschied die in der Sonne blendenden Wände der Kreidebrüche. Wo die Spitze des Hochlandes ins Meer stieß, sahen sie die satten grünen Töne großer Laubwälder, die sich – fernerhin – gegen den blauen Himmel verwischten.

Dieses Hochland, das eine warme und ausgetrocknete Luft ihnen so nahe brachte, daß sie jedes Fenster, ein über die Dorfstraße huschendes Tier unterschieden, schien ihnen friedlich und von einer unbekannten stillen Schönheit.

„Wären wir dort!"
„Unter den Bäumen."
„Verwachsene Pfade eine Lichtung entlang."
„Sonniges Ruhen auf der Kante eines Kreidebruchs."
„Ach, auch dort werden Menschen sein!"
„Und nicht andere wie die schon gesehenen."
„Soviel müssen wir uns gegen sie behaupten, daß wir oft die für sie gemeinte Gebärde gegen uns wenden."
„Wo ist die stille Insel der Südsee?"
„Wo unser Waldwiesenhaus?"

Sie sahen einander in die Augen. Sie lasen in einander all jene Träume von Glück –: an deren Möglichkeit sie noch glaubten, die nur darum unmöglich schienen, weil jene überall waren.

„Auch hier sind wir allein!"

Fern hinten, kaum noch erkennbar, wehten die bunten Fahnenfetzen der Burgen. Sonnenbestrahlt, verlassen wanderten die weißlichen Dünen, Begleiterinnen ihres kühlen Weges.

„Gehen wir noch weiter. Das dort hinten soll ganz fort sein."

Sie wateten weiter. Ein wenig kamen sie vom Ufer ab, kühler wurde das Wasser, reichte bis zum Knie und Gerda stieß einen Schrei aus.

„Was ist?"

Sie versuchte umsonst, die gerafften Röcke mit einer Hand zu halten, um etwas zu greifen. Er hob ihr eine Qualle heraus, sie berührte sie mit einem Finger. „Setze sie zurück. Wie häßlich sie sich anfaßt und wie schön sie ist!"

Sie segelte langsam mit Dutzenden ihrer Schwestern längs der Küste dahin, ihre Fühlfäden, durch die manchmal ein Streif Lila lief, bewegten sich leise und die atmende Schale war durch eine bunte, regelmäßig gewundene Kante verziert.

„Woher kommen sie? Was wollen sie hier? Können sie sehen? Wovon leben sie?"

Er wußte fast nichts. „Wir wollen im Konversationslexikon nachsehen. Im Eßsaal ist eines."

„Hier will ich es wissen. Von dir. Gedruckt ist es bloß langweilig."

Sie schlenderten weiter. Sie wandten sich um: sie waren allein. Selbst das Dünenhotel war verschwunden. Ein breiter, fahl leuchtender Streif lag, unendlich sanft gewunden, die Küste vor ihnen. Die flachen Rücken duckten sich unter dem siegenden Blau des Himmels, in dem ein paar Möwen hingen, schossen, hingen, und aus einem Winkel der Bucht zog das rostrote Segel eines Fischerbootes auf die See hinaus.

Sie jubelten einen Schrei der Lust und stürmten durch spritzendes, sprühendes Wasser auf den Sand. Sie verhielt, und während er ihr zusah, begann sie mit ihrer gelenkigen Zehe Buchstaben zu malen, Herzen.

„Schreibe doch nicht immer deinen Namen."

Sie lachte und malte „Anton Loo". Eine Welle lief darüber, die Schrift wurde undeutlich, war fort.

„Er hat keinen langen Bestand gehabt, der Anton Loo!"

Sie besann sich, wieder begann sie zu malen, und vergebens suchte er nun über ihre Schulter zu spähen.

„Willst du fortgehen, Böse? Was hast du für Geheimnisse vor mir?"

Sie hielt inne, und was sie dann nachdrücklich mit der großen Zehe in den Sand drehte, mußte ein Punkt sein. Er drängte sie rasch, sie schrie leise, faßte nach ihm, der schon las: „Gerda Färber".

Er sah sie an. Sie stand mit hängenden Armen und betrachtete prüfend ihr Werk. Ihre Stirn hatte kleine, senkrechte Falten, als denke sie bemüht nach. Dann sah sie auf. Ihre Blicke trafen sich. Sie versuchte, dem seinen standzuhalten, ein leises Rot stieg ihr in die Wangen, sie senkte die Lider.

„Wie dumm ich nur bin."

„Wie dumm du bist, großes Mädchen!"

Plötzlich stieß sie ihn, daß er taumelte. Im Fallen sah er ihr Gesicht: ein zorniges.

„Fange mich!" Und sie war fort.

Während er sich aufraffte, ihr nachzusetzen, schossen ihm Fragen durch den Kopf, viele: Was wollte sie? War sie böse gewesen? Im Ernst? Und er töricht? Wünschte sie das wirklich? Aber sie mußte doch wissen, daß er es tun würde, jeden Tag, sobald sie nur wollte. Und daß es nicht das war. Aber etwas anderes hatte sie auch gemeint.

Er sah sich um. Sie war fort. Über die Dünenreihe entwischt. Er rief nach ihr. Keine Antwort.

„Eine Sehnsucht war es. Weiter nichts. Eine kleine, vorüberfliegende Sehnsucht nach einem andern Leben, daß sie sicherer glaubt, sturmfreier, von dem solch Name ihr ein Zeichen scheint. Wenn sie wüßte . . .!"

Er entdeckte sie, liegend in einer Sandmulde, gegen den Wind geschützt, in der Sonne röstend mit geschlossenen Augen.

„So braun will ich werden! So braun. Lege dich neben mich."

Indes er es tat: „Sei mir nicht böse, du. Ich war dumm, ich . . ."

Sie aber rasch: „Schweig. Kein Wort. Glaubst du, man kann über alles reden? Gar nicht!"

Und eine ganze Weile später, wie im Schlaf: „Gar nicht . . ."

Sie lagen da, weit ausgestreckt, ganz versunken in dies Durchsonntsein. Manchmal schmiegte sich ein Windstoß in ihre Böschung, der Strandhafer raschelte, und die feinen Sandkörner stießen klingend aneinander. Dann war wieder nur die Sonne da, die sich ein Nest zusammentrug auf ihrem Leib.

Einmal war es ihm, als sei sie fort; aber er mochte nicht nachsehen, herrlich müde eingewiegt. Nach einer Weile raschelte der Hafer: sie kam zurück.

„Wo warst du?" fragte er faul.

„Ich habe den Namen ausgelöscht. Er brauchte nicht dort zu stehen. Übrigens kommt jemand den Strand entlang; nun, wir liegen hier sicher."

Und wieder Stille, Sonne, ab und an Singen von Sand. Dann schnaufte es in ihrer Nähe, prustete. Es entstanden wunderbare Geräusche, man hüstelte, schnaubte. Eine verfettete, atemlose Stimme sagte: „Gnädigste!"

Und noch einmal flehend, beschwörend: „Gnädigste!"

Anton fuhr auf. Schon saß auch Gerda, die Hände hinter sich gestützt, weit fort die Beine, und einen Dicken betrachtete sie, der sich die Stirn trocknete. „Aber das ist ja der dicke Herr von gestern abend!" rief sie.

Er war es, und er verbeugte sich würdig vor den beiden, indem er erklärte, Hermann zu heißen.

„Herr Mann oder Herr Hermann?"

Nein, er war Herr Hermann. „Und womit können wir Ihnen dienen, Herr Hermann?"

„O Gnädigste, Ihre Schuhe und Ihre Strümpfe..." Er hielt inne mit runden Augen. „Das Wasser kam heran."

„Ja, und –?"

Er klopfte auf die Taschen, triumphierend, er glänzte von Lächeln und Fett. „Ich habe sie hier. Ich trage sie bei mir. Sie sind gerettet."

„Sehr gütig, Herr Hermann, sich dieser Mühe..."

„Oh, es war keine Mühe! Die Schuhe sind ja so klein. Achtundzwanzig oder dreißig. Sie gingen gut in die Taschen."

„Sie sind Schuhmacher?"

„Neinnein! Wieso? Welche Idee! Amtsvorsteher, Gnädigste!"

„Weil Sie sich so gut auf Schuhnummern verstehen, Herr Amtsvorsteher. Darf ich Sie jedenfalls bitten, die Schuhe an ihren Platz zurückzutragen?"

„Aber, meine Gnädigste, aber . . . das Wasser . . ."

„Lassen Sie immer das Wasser."

„Sie können gestohlen werden. Es ist Fundgut. Es ist sozusagen meine Pflicht als Amtsvorsteher . . ."

„Ihre Pflicht hat Ihnen natürlich auch befohlen, die Schuhe meines Bruders mitzubringen? Neinnein, gehen Sie nur. Ihre Erfindungsgabe ist recht mäßig, Herr Amtsvorsteher."

Und sie legte sich zurück in den Sand. Sie schloß die Augen.

„Gnädigste!" flehte der Dicke. Und noch einmal: „Gnädigste!" Er wandte sich ab. Er seufzte schwer. Noch einmal hielt er inne: „Darf ich Schuhe und Strümpfe nicht wenigstens hierlassen?"

Schwankend, mit gebeulten Taschen verschwand jener über die Dünenkuppe.

Auch Anton legte sich zurück. „Sie werden uns keine Ruhe lassen, diese."

„Ich werde schon für Ruhe sorgen."

Verhalten

Wie die Sonne sang! Manchmal war diese schmeichelnde Wärme, der der ganze Leib entgegen schwellte, dicht und warm über einem wie eine Decke, sie lüftete sich, der Wind rauschte in den Kiefernzweigen, vor den Augen glühten gezackte Ränder, und ganz ferne heulte ein Dampfer, einmal, zweimal, dreimal. Wieder war das Land still und nur noch Sonne.

„Nun freuen sich die kleinen Tiere und wir nicht anders. Eine Hand – deine Hand. So. Dieselbe Wärme singt in uns, wir strömen ineinander über. Ohne Grenzen ist unser Leib, er geht mit dem Wasser draußen in eins, leise verschwimmt er in Himmel, er wuchs in Erde, und gute Blumen wurden daraus, blausilbrige... ich sah solche, irgendwo... im Traume vielleicht..."

Und nach einer Weile: „Komm."

Sie schoben sich auf die Kuppe der Düne, sie spähten hinab – und wie je war es da, das Blaugrüne, Endlose. Kleine silbrige Wellen liefen klingend strandauf, sie führten, dunklere, duftenden Tang mit sich, sie löschten Namen aus, Quallen segelten leise bewegter, farbiger Fühlfäden in ihnen, und die Fische hatten ihr Reich dort, oben und unten, in dunklen Wäldern und im durchwärmt Strömenden. Und drüben lag das Hochland, seine Dörfer und Höfe ruhten zwischen Pappelwipfeln, der Wald vertuschte sich gegen den Horizont, die Wände der Kreidebrüche glänzten weiß. Eine düstere Fackel wehte die braunschwarze Rauchfahne eines Dampfers am fernen Walde.

Sie sahen sich an. Ihr Blick ging langsam auf, als begriffen sie noch nicht. Sie zauderten, und dann stürzten sie tief in die schwarzen, samtigen Rätsel des andern. Sie versanken. Ihm war es, als ginge er auf feinem Sand. Seltsam bebende, weiß und rosa fleischige Blumen schwankten auf sehnigen Stengeln, ihre Blütenblätter bewegten sich, wie im Atmen gingen sie auf und zu, und er hörte eine Stimme sagen, die vielleicht die seine war: „Das sind ihre Gedanken."

Sie färbten sich grauer. Ein fahles Zwielichtdämmern wie unter einer Sonnenfinsternis erhellte kaum seinen Weg; er drang vor, in einem Winkel hockte ein Blutendes, das zu weinen schien.

Dieser groteske und furchtbare Anblick machte sein

Herz erschauern. Eine Häsin war es, die dort hockte, eine kleine, blutende Kaninhäsin; über ihre süße, bewegliche Schnobernase lief Blut in klebrig erstarrenden Tropfen, ihr blaugraues Fell war von Bissen zerfetzt, ein Bein lag gebrochen in häßlich steifem Winkel hinter ihr.

Eine namenlose Bangigkeit ergriff ihn: diese roh zerfetzte Häsin betraf ihn und ihn allein. Ihm war sie fortgenommen, an seiner Brust hatte sie einst geruht, ein warmer, beruhigender Ballen ... Wie kam sie hierhin? Wer verletzte sie so?

Es wehte in ihm. Er spürte den Atem eines großen Sturmwindes, der ihn erzittern machte. Zu ihm auf hob die Häsin den blutenden Blick, der anklagend war und zweideutig.

Eine letzte Kraft ließ ihn die Knie beugen, sich emporschnellen, wie es ein Taucher vom stummen, tiefen Sandgrund des Meeres tut, seine Brust strudelte -, und schon schwamm er, fröhlich atmend, in dem samtigen Schwarz ihrer Pupille, in dem die Sonne sich spiegelte.

Der Bruchteil einer Sekunde war es gewesen. Ihre Blicke ließen einander los und suchten das Hochland. Dort war es: besonnt, friedlich und ein Leben, das mehr war, schien es, als die zärtliche Umfassung einer Hand, die einen Apfel vom Ast bricht. Längst zerging im Blau die dunkle Fahne des Dampfers.

„Nie werden wir es erreichen", flüsterte sie.

„Immer wird es dort liegen, besonnt, über die Maßen selig, unendlich fern."

„Kämen wir dorthin, alle Gebärden unserer Kämpfe wären unter jenen friedlichen Pappeln geschehen, und der Blick, mit dem die Wirtin das von uns benützte Bett anschaut, risse uns zurück in den eng quetschenden Kreis unserer Gewesenheit."

„Nie werden wir so glücklich sein, wie es unser Herz begehrt."

„Arme sind wir, denen das bißchen Reichtum zwischen den Fingern verrinnt."

„Nicht aber die Stunde, die Minute, die einzige Sekunde. Deinen Mund sehe ich dort, einen schmalen, blutigen Riß, wie sich verströmend von all den unfruchtbaren Küssen, die er empfing, bis ich kam."

„Ein Kind war ich, ein wildes, ein kleines. Wie flog, im Jagen durchs Feld, der schottische Rock ums nackte Knie! Wie ich jeden Schmetterling griff, nicht ruhte, bis er in meiner Hand war, der körnige Farbstaub von den Flügeln gestrichen, so fing ich ein jede Sekunde. Aber immer und immer habe ich gewußt, daß eine kommen würde, nicht abzugreifen; unter meinem Blick, unter atmendem Herz, dem meinen, leuchtete ihre Farbe freudiger auf, ich halte mich ganz hinein: die sich vergab an jedes Windlein, fühlt nun doch die Gnade der großen, geheiligten Fittiche eines Orkans."

„Ich sehe mein Zimmer am Wall. Meine Mutter pflegt es, kein Möbelstück ist verrückt, aufgeschlagen liegt mein letzter Aufsatz auf dem Tische, die Baumäste wehen mit zackigem und rundem Laub herein. Sie glaubt noch an Rückkehr. Ach, käme ich selbst zurück, vergäße Hochland, Meer und dein – o Geliebte! – dein Schlendern in Sand und Wasser: ich habe hingeblutet mein Blut an das Leben, das Wehen deines Kleides überweht allen Wind in den Bäumen; ich sehe mich dort, einen Schmalen, Blassen am Pult sitzend, er langt nach dem Wörterbuch, und plötzlich fühlt er wieder die Geschwistertheit aller Welt. Noch einmal singen am Wall die Kinder das alte Laternenlied. Da hört er das Schluchzen der Liebenden im Wege, die alles verrieten, um nicht verraten zu werden, die alles hinter sich ließen, auf den höchsten Gipfel der Liebe zu gelangen und allein zu sein. Umsonst verließen sie, sie erreichten ihn nicht. Das Laternenlied schallt wie je an das Ohr des Einsamen, er senkt das

Haupt, er will weinen, aber das Bewußtsein, solche Opfer – und wenn auch umsonst – gebracht zu haben, läßt die Tränen versiegen, er lächelt, und in seine Kammer tritt – sie!

Was der Ruhm! Was die Ehre! Was die Pflicht! Was Gehorsam, Streben, Arbeit, Stillesein!

Sie tritt herein, und da sie aus dem Mantel ihren Leib entfaltet, entfaltet sich alle Liebe. Sie lehnt sich über seinen Tisch, sie flüstert in sein Ohr. Von ihrer Brust steigt nie gespürter Duft in sein Hirn. Lachend verwirrt sie sein ängstlich gescheiteltes Haar, wie sie auch die Blätter seiner sorgfältigen Arbeiten verwirrt. Sie lächelt ihm zu. Und ihre Stimme ist über allen Stimmen der Bücher, sie singt süß, und seine Hände werden schlaff.

Nun weiß er, daß er in irgendeiner Stunde früheren Lebens seine Adern öffnete, sein Blut sickerte in die Erde fort, es ward Same für viele Blumen. Sie sind aufgegangen, sie drängen sich in Blühegärten, ihre Farben erschöpfen die Sonne, die Bienen werden des Fliegens nicht müde, noch des Nachts, unter der schief gestellten Sichel des Mondes, umfliegen sie solche nie gesehenen Blütenstände.

Doch deren schönste Blume ging auf vor ihm. Er nimmt sie an sein Herz. Sein Mund fließt über von Lobpreisungen. Starr stehen im Zimmer die von der Mutter geretteten Möbel. Er schwingt sich fort von ihnen, eine unendliche Seligkeit schwillt sein Herz, er vergißt alles. Vielleicht hat er umsonst gekämpft, möglich, daß er umsonst opferte. Aber ein Herz klopft an seinem, in ihm klingen alle je im Traum gehörten Sänge, tausendmal schöner, er hebt sich sehr hoch, er entschwindet."

„Und doch werden wir jenes Land nicht erreichen."

„Genug, es ersehnt zu haben."

Tage ... Nächte ...

Diese Tage waren unendlich lang, unnennbar köstlich und von einem immer sich verstärkenden Blau überspannt. Nie ging die Sonne aus ihnen unter. Sie war da, des Morgens, bei einem geschwinden, sicheren Aufwachen, das gleich fest im Tage ruhte, sie stand ewig lange über ihren Scheiteln, und sie war immer noch da, wenn sie längst ging; die viel zu grellen Töne ihres Untergangs waren verblaßt, aber ihr Schein hing, durchsichtig grün und leuchtend, im Firmament und erhob die Herzen der Liebenden.

Diese ewigen Geräusche der Vögel. Ihr Huschen, ihr Singen, das endlose, monotone Kuckuck des nie gesehenen Vogels, wenn die andern den Mittagsschlaf hielten. Dies Flattern im Geäst am Morgen, dies Hämmern des Spechtes am Mittag im Walde, die wilden Möwenschreie, das tiefe trauliche Kukuru der Wildtauben, wenn die leise Dämmerung kam und der leichte Abendwind, manchmal überschrieen von dem heiseren Schrei eines Eichelhähers.

Seltener suchten die Augen der beiden das selige Hügelland mit Gebüsch, Höfen und Wald. Sie hatten es schon erreicht. An seiner Schwelle hatte ihr Fuß gezittert. Aber die Verwirrenden, die weit über tierhaft Fremden waren fortgescheucht worden; nun wandelten sie allein die verwachsenen Waldpfade, in die die Brombeerranke hing, ihre Hüften gingen im gleichen Rhythmus, die unter dem Übermaß des Glückes erbleichenden Gesichter neigten sie einander zu, ihre Hände, die der Erfassung eines geliebten Leibes nie müde wurden, fühlten immer neu und immer neu reizvoll die Berührung einer erschauernden Haut, sie hoben die Arme, Augen versanken und verschwammen in einem Blick.

„Wie ich dich liebe!"

„Wie du mich liebst!"

Oft war sie eine unnennbare Qual, diese Liebe. Keine noch so lange, noch so inbrünstige Umarmung schien das Liebste näher holen zu können, der saugende, beißende Kuß ermattete, und umsonst schrie man zum gebrochenen, immer noch unbefriedigten Auge empor: „Nimm mich ganz! Nimm mich ganz."

Sie schlichen nebeneinander her, und sie leugneten nie, daß dort an der Seite ein Fremdes ging, das herrlich erregte und nicht erreichbar wurde. Die nie erfüllte Unfruchtbarkeit solcher Umarmungen erstaunte und erschreckte sie. Sie hätten das Liebste einschlürfen mögen wie einen köstlich parfümierten Likör, um es, stöhnend vor Wonne, ganz in sich zu haben. Die Blicke, von der Seite geworfen, schwarz umrandet, waren feig, hinterlistiger und jäher Begierden voll. Plötzlich stürzten sie aufeinander, mit einem heiseren Aufschrei, die Gelenke knackten, der Speichel mischte sich, Lippen und Zähne wühlten sich ineinander – und sie erhoben sich, beschämt, gesenkter Lider, im Letzten unbefriedigt.

Aber über ihren Häuptern leuchtete der unerhört blaue Himmel. Er war ihnen, in seiner nie ausschöpfbaren Schönheit, eine ewige, peinigende Mahnung, daß es nicht immer so sein, daß der Winter kommen würde, das Erkalten, und ihre Glut und Gier verdoppelte sich. Ihre erhitzten Sinne vergaßen unter der ruchlosen Aufreizung dieser Mahnung Zeit und Stunde. Kaum waren die Hände erschlafft fortgesunken, so erhoben sie sich von neuem, sie umschmeichelten eine starre, stehende Brust, sie spielten Fugen auf der nervösen Bahn eines Schenkels, ihre Schreie, wilder und unerfüllter denn je, glichen den Möwenschreien, ungefähr in die Sonne gerufen, fern, sehnsuchtbeizend, unerfüllt.

Sie versuchten alle Wege. Sie krochen ineinander hinein. Sie verschmähten die niedrigsten Reizungen nicht, und die Gemeinheit der Ausrufe, mit denen eines das andere zum äußersten aufreizte, war nicht mehr zu überholen. Sie überfielen einander. Die Öffentlichkeit des Speisesaals, eine Promenadenbank war ihnen nicht Würze genug für ihre Lust. Sie eilten abends, kaum dunkelte es, halb nackt auf die Straße, und ineinander verknäuelt, lauschten sie mit einem Empfinden äußersten Entzückens den Schritten der Vorübergehenden, die nahe an dem bergenden Busch vorbeistrichen.

Die Geliebten von ehemals erhoben aus dem Dunkel ihre grauen, längst vergessenen Häupter. Ihre Schreie waren es, die sie ihn lehrte, ihre griffigen, von Sehnen und Muskeln hart gemachten Liebkosungen, unter denen ihr Leib sich bog. Sie verschloß ihn. Die Beine zusammengepreßt, die Arme über der Brust gekreuzt, erwartete sie bleich, geschlossener Augen wie eine Tote seine Liebkosungen. Er sprengte sie. Er riß ihre Glieder voneinander, ihr wilder und scharfer Geruch reizte ihn auf, er wühlte sich ein, er ertrank in diesem eisigen und glühenden Fleisch, das ohne Laut, mit einer hartnäckigen Gier seinem Eindringen sich widersetzte, und mit Mund und Zunge in ihrem Letzten, zog vor seinen geschlossenen Augen das Bild des baumüberwehten friedlichen Heims vorüber, in das eine blonde Frau ihn rief, wo Kinder auf dem Rasenplatz vorm Fenster spielten.

Er stöhnte auf. Er erreichte sie nicht. Er überholte sie nicht. Sie blieb draußen. Die eisige Kälte ihres Leibes erhitzte sein Blut zum äußersten. Seine Schreie wurden Peitschen, Hände Krallen, Küsse Bisse, das Eindringende äußerster Frevel.

Sie glitt unter ihm fort, kalt, eisig, entferntest. Sie fiel endlos. Aus der Tiefe ihres Sturzes hob sie die verschwimmenden starren Augensterne bis an die Schale seines Gesichtes. Ihr Schoß öffnete sich, eine unnennbar schöne, im ersten und letzten unbegreifliche Blume breitete sich aus, sie duftete betörend, er verschwamm, er wurde endlos, dieser Welt Grenzen waren nicht seine Grenzen, zehntausend Sonnen tanzten ihm zu Häupten, er stieg. Er stieg!

Sie stöhnte: „Mehr! Mehr!"

Und es begann das unheilvolle, gänzlich vergebliche Einholenwollen der längst verstrichenen Sekunde. Es begannen die Peinigungen, die Geißelungen, die rauhen Worte. Die verschwitzten Leiber hingen sich ineinander, sie schienen eine Brücke zu bilden über den schreckensvollen Abgrund der Einsamkeit, der sie entsetzte, aber – sie waren allein, sie blieben allein.

Der Rest blieb.

Sie erlebten, abends spät auf eine Düne hingeworfen, die fürchterliche Reizung eines Meergewitters. Sie lagen nebeneinander; unter einer schlaffen, gelben, niedrigen Wolke lastete auf ihnen die dicke, gedunsene Luft des nahen Ungewitters. Nebeneinander hingeworfen, der Leib angeschwollen von einer Elektrizität, die keine Entladung findet, bissen sie sich einen unbefriedigt leidvollen Weg über Arm und Brust. Der erste Blitz, der erste Schlag warf sie aufeinander. Sie sahen sich in die gebrochenen Augen, ihre versagenden Stimmen flüsterten: „Wir sind Tote. Noch im Grabe lieben wir einander. Wir haben keine Ruhe."

Und der ewige Preis: „Wie wir uns lieben!"

Sie zerrten ihre Leichentücher von einander. Ihre blassen blauen Lippen wühlten sich ein, in die starren Augen flog der schweflige Reflex des Blitzes, leuchtete wider und erlosch. Das Meer stürmte, der Wind brauste, der Regen strich lau ihre eisige Nacktheit.

Nebeneinander, gebeugt, zitternd wankten sie nach Haus. Der Himmel, den der Blitz zerriß, öffnete sich ihnen nicht. Hundertmal verbluteten sie sich ineinander, hundertmal mehr begehrte ein Leib den andern.

Sie lagen im Bett, getrennt voneinander, aber den Kopf in den Arm gestützt, schien es ihnen, als hörten sie den lauen, von Begehren beschleunigten Atemzug des Geliebten im Gemach, sie erhoben sich zitternd, sie tasteten sich hinaus. Auf dem Gang, in der Schwärze der Nacht, umfaßten sie sich, sie fielen nieder, und mit einem wollüstigen Zittern lauschten sie dem Geräusch ihres Falles, der in dem bürgerlichen Hause widerhallte. Dann umschlangen sie sich. Auf dem kratzigen Teppich des Flurs begannen ihre Leiber den ewig erneuerten Kampf, sie schenkten einander nichts, und sie erreichten sich nie. Wie ihre Lippen geschwollen waren! Ihre Arme, ihre Brust, ihr Gesäß bluteten. Sie versuchten alle Pforten ihres Leibes, aber sie fielen, geschwinder als ein Stein, voneinander fort, und ferne, aus einer grausenvoll erleuchteten Nacht, erhob sich das fahl angeleuchtete Gesicht des Geliebten mit bebenden Lippen, die die ewige Frage zu fragen schienen: „Wo bist du? Ich finde dich nicht..."

Dann tasteten sie sich empor, sie lehnten an einer fremden Schlafzimmertür, sie lauschten mit einem perversen, verachtenden Entzücken dem taktmäßigen Rukken einer Bettstelle, dem unartikulierten „Ah" und „Oh", den sinnlosen Seufzern „Das ist zu viel" eines Bürgerpaars, und das Blut in Brand, schlichen sie einem Bett zu, das nur ihre Schwächung erlebte, nie ihre Erlösung.

Aber immer ging endlich, nach einer kurzen Weile, über ihnen dieser unerhört blaue Himmel auf. Noch war die Sonne nicht sengend, ein frischer Meerwind umstrich ihre Wangen. Sie richteten sich langsam empor. Das Lächeln, mit dem sie einander begrüßten, sah aus, so schön, als habe es ein Traum geformt, als holdestes Morgengeschenk für das Geliebte. Sie griffen sich bei den Händen, sie wuschen sich gegenseitig die gequälten Leiber. Die tollen Erlebnisse des Zuvor strichen an ihnen vorüber, sie machten ein Geräusch wie der verwirrende Flügelschlag niedrig ziehender Vögel im Nebel, sie lächelten, sie waren froh.

Sie waren endlich ohne Scham und ohne Geheimnis. Wie die Körper lagen die Seelen nackt voreinander. Sie waren die ersten Liebenden ohne Ekel, ohne Scham, ohne Verantwortung. Der Wurf, der das eine aus allen Grenzen schleuderte, schleuderte das andere mit. Sie neigten die Gesichter zueinander, sie hatten sich erkannt, sie waren die wahrsten Geschwister. Ein Leib hatte sie geboren, und sie waren ein Leib. Sie umgriffen schmeichelnd den kühlheißen Atlas der Haut des andern.

Diese Vögel sangen für sie. Dieser Möwenschrei für sie, dieses tiefe Kukuru für sie.

Ihre Handflächen lehnten sich aneinander, ihre Augen versanken, die Welt blühte in ihr Fenster.

Die Wonne ihrer Entzückung machte sie schluchzen: „Wie wir uns lieben!"

„Wie wir uns lieben!"

Groß, blau und feierlich hatte sich der Tag dem Meere enthoben. Der neue Tag.

Einer von tausenden.

Variationen über ein Thema

Du glaubst, sie seien traurig gewesen – in der Qual ihres Unerfülltseins? Nur ein gütiger Vogel konnte es sein, der über ihnen, bergend, seine unendlichen Flügel aufschlug. Sie hörten zitternd vor Glück die goldene Stimme seiner Erfüllung. Vor einer Distelstaude stürzten sie nieder, ihre Herzen waren ein Dank, daß sie solche nie geglaubte Blüte schauen durften. Ihre Schreie, ihre Küsse, ihre nimmermüden Umarmungen waren die tastenden frohen Schritte zu einem ganz gewissen Ziel. Sie hielten inne, ihre bleichen Wangen bestrahlte ein seliges Rot, sie rochen den Duft der ewig schönsten Leiber neu, und sie erhoben die Hände, als opferten sie. Ihre Liebe war überall und nirgends. Sie hockte in dem Lächeln des geliebtesten Antlitzes, mit dem rostbraunen Fischersegel zog sie in die himmelblaue Dünung, eine Möwe schoß senkrecht zu Wasser, und ihre Liebe war der Fisch, den sie verschlang, der gebreitete Fittich war sie, der sie trug; sie war in den kleinen Tieren des Waldes, im Wind zwischen Laub, sie erhielt den flammenden Peitschenschlag aus dem schiechen Blick eines Bürgers, der ihre Wangen glühen machte, die ineinander ruhenden Arme beben.

Wer hatte gewußt, daß dies auf der Welt sei? Man hatte seinen Körper geliebt oder verachtet oder nichts von ihm gewußt, nun war er ein herrliches Instrument geworden, dessen Töne das Himmelsgewölbe erfüllten. Man strich ihn mit einem Finger, und er schwellte sich göttlich wie die Brust eines Schwanes, der jubelnd den Tod grüßt, Töne hüpften aus ihm, die leicht und fröhlich waren wie Schritte von Kindern auf gefegter Erntetenne; eine Zunge küßte ihn zag und leise, und ein voller Wind warf sich in schäumendes Blütengeäst, kleine weiße Blätter tanzten in seinem Zuge und ein fortfliegender Duft, wie eine geahnte Erinnerung, die nicht über die Schwelle des Bewußtseins tritt; ein liebender Leib umschlang ihn mit aller Gewalt, und jener taube Gott war es, der, über sein Instrument gebeugt, Töne über eine Welt rauschen ließ, deren Ohren geschlossen waren und unfruchtbar von dem Gestammel der Nichtswürdigen.

Wer hatte gewußt, daß dies auf der Welt sei –? Niemand, auch war es nicht hier, sondern dorten, wo der Himmel kristallblau kreiste und die guten Sonnen ihr erfülltes Lachen lachten.

Jene erhoben die flachen Hände. Die kleinen Zapfen der Kiefern waren tausend Gehäuse für Wünsche, dein geheimstes Liebeswort legst du in eine Muschel und in ein Meer, und die Stunde wird die herrliche Perle ihm schon anspülen; du trinkst das Wasser der Geliebten und der süßfade ekle Geschmack ist wie das volle Aroma ihrer Person, die du nun ganz in dir hast; ein anderer Jupiter wandelst du dich tausendfach, besitzest sie tausendfach und begehrest sie immer neu. In jedem Wind wehte das selig-silbrige Gespinst ihrer Liebe.

Zwei Briefe

In einem Flieder stand ihr Frühstückstisch. Anton sah auf Gerda: aus den Ärmeln ihres weißen Kleides hervor griffen ihre Hände zierlich und wie spielend die Dinge vor ihr, in dem Schwarz ihres Haares standen die herzförmigen Lederblätter des Strauches seltsam stumpfgrün. Er erinnerte sich an den Flieder jenes Gartens da hinten: seine Blätter hatten der Sonne ein freudiges und helleres Grün gezeigt, das am nächsten noch dem blaßgoldenen junger Birken glich. Diese hier waren stumpf und schwer, jene nun längst verblühten frohsamen Dolden glaubte man ihnen nicht. Oder machte es das Haar, in dem mit vielen gebrochenen und glänzenden Lichtern die Sonne lohte... dessen Lebendigkeit alles andere langsam und wie verhalten werden ließ?

„Was ist –?" fragte sie unter seinem Blick und hob den ihren. Er war dunkel, aber schon im Wehen der Lider gingen Lichter in ihm auf, er erhellte sich ganz und bot ihm ein schönes Lächeln. „Was ist –?", und sie griff langsam mit einer köstlichen Gebärde an ihr Haar. So, unter der Huldigung seiner Augen, verharrte sie, das Hinterhaupt in die Hand gelehnt, halbgeöffneten Mundes, lächelnden Blicks.

Ihr Arm fiel herab, ihr Blick glitt neben Anton hin, nach der Gartenpforte hinter ihm, ihr Lächeln war erloschen, eine kleine irritierte Falte stand auf der Stirn.

„Jemand kommt", sagte sie leise, „einer in blauer Uniform. Deine Papiere waren in Ordnung?"

„Völlig."

„Jedenfalls gefaßt sein. Man weiß nie ..." Und, mit einem reizbaren, flüchtig zusammengesuchten Lächeln unter der gefalteten Stirn, indes sie ihn anschaut: „Wir segeln doch heute endlich, ja?"

„Gewiß, um drei Uhr."

„Und allein?" Sie wartet nicht auf seine Antwort, sondern fragt gleichgültig den Mann, der im grotesken, überknielangen Uniformrock an den Tisch tritt: „Sie wünschen?"

„Ich hätte hier zwei Briefe für den Herrn."

„Geben Sie nur her. Sie sind nicht der Briefträger, nein?"

„Ich bin der Amtsdiener. Es sind amtliche Schreiben. Das eine wenigstens."

„Nun gut. Geben Sie immer her." Und sie streckt zum zweiten Male die Hand nach den Briefen aus.

Er dreht sie in der Hand. Seine kleinen, wässrigen, trüben Augen blicken von der Dame auf die Briefe und zurück. Er wagt einen Blick auf den Herrn. „Das ist nun mal so", sagt er.

„Was ist?"

„Mit dem Herrn", meint er. „Sie sind doch Herr Anton Loo?"

„Ja. Und –?"

„Dann ist dieser Brief für Sie." Und er legt einen vor Anton hin. „Dann habe ich hier noch einen für Herrn Anton Färber."

Schweigen. Stille. O so lange Stille!

Er sieht dicht vor sich, über dem Kopf Gerdas, eine

kleine grüne Raupe kriechen, sie ist am Zweigende angelangt und hebt blind tastend den Kopf; er will Gerda zurufen: „Nimm dich in acht!", aber dann ist das gleichgültig geworden, denn nun hat sich dies alles ja ganz, ganz anders entschieden. Eine traurige Stimme flüstert in ihm etwas wie von schönsten Tagen, die längst vorbeigerauscht sind, ein Krümlein auf seinem Ärmel stört ihn, er will es fortwischen, seine Hand hält in der Schwebe inne, sein Gesicht nimmt einen gespannten lauschenden Ausdruck an, Wasser stürzt endlos, fällt, stäubt, aus weiter, weiter Ferne sagt eine klare, beherrschte Stimme, sagt Gerdas Stimme: „Nehmen Sie den Brief nur wieder mit, das muß ein Irrtum sein."

Er fährt hoch: „Gerda!"

Und sie fragt: „Anton –?"

Sie sehen einander an, eine Sekunde lang stockt beider Herzschlag, ihre Blicke messen sich, und da er den seinen senkt, scheint alles entschieden: jenes böse blutige Lächeln war darauf gekommen, sein Zweifel war erkannt, sein Verrätertum entlarvt, er war gewogen und zu leicht befunden.

Er wollte antworten, schluckte ein paarmal, machte eine Bewegung mit der Hand, da sagte sie schon, genauso lässig und ruhig wie zuvor: „Es ist alles in Ordnung, legen Sie den Brief immer hin."

Es geschieht. „Na also!" sagte der Amtsdiener. „Der Herr sagte schon, es würde stimmen."

Er drehte sich um, wandte sich noch einmal zurück, diese starren Gesichter erschreckten ihn wohl, er tat sein Äußerstes und brachte ein „Guten Morgen auch" über die Lippen.

„Guten Morgen", antwortete Gerda und nur Gerda. Das Knirschen auf dem kiesgestreuten Gang verging, die Gartentür fiel ins Schloß.

Eine unendliche Zeit verstrich. Mit einer wahnsinnig

machenden Regelmäßigkeit klappte Gerda den Deckel der Teekanne auf und zu. Er sah vor sich hin wie sie. Zwischen ihnen lagen die Briefe, zwei rechteckige stumpfweiße Flecke – sie brauchten nicht mehr geöffnet und gelesen werden, ihr Kommen hatte sie entlarvt, beide Liebenden, denen es kalt geworden war unter der Sonne. Sie froren.

Sie machte eine Geste und hielt inne. Ihr war, als lägen Blicke auf ihr, sie wandte sich ein wenig seitwärts, indem sie sich eines Fensters erinnerte, des einzigen, das auf diesen Garten hinausging. Sie warf brüsk den Kopf herum und sah einen dunklen Schatten, einen großen, unförmigen, der sich rasch zurückzog. Und wieder lehnte sie den Kopf zurück, ihre Finger griffen nach dem Deckel, sie dachte: ‚Sein Vater! Nun nicht, nun ist alles anders.' Und siegesgewiß: ‚Ich werde mein Spiel spielen.'

Seine Stimme kam ängstlich – noch hielt er den Blick gesenkt – zu ihr. Er fragte, und wieviel umsonst gewußte, doch gesprochene Bitte um Verzeihung lag in dem einzigen Namen: „Gerda?"

Ganz ruhig sagte sie: „Du willst deine Post lesen? Ich störe dich?"

Und er wieder: „Gerda?"

Sie stand nicht auf, sie ging nicht. Dunkel, ein unterirdischer Strom, brauste in ihr ein Gefühl, das keine Worte hatte, aber ein lächelnder Schmerz war, eine wehe Erkenntnis und eine Verzeihung bereits für dieses und das nächste und alles, was kommen würde – von ihm.

Sie hielt inne. Sie hob das Gesicht, sie schnoberte in diesem Gefühl, das sie *gegen* sich hatte, ihre ganze Gewordenheit wehrte sich, sie wollte rechnen, anklagen, sich wehren ...

Und plötzlich wurden ihre Augen feucht. Sie zog rasch die Schultern in die Höhe, ein Schluchzen aufzuhalten, das sich in ihrer Kehle löste.

Dann lächelte sie leise, ganz leise. Ihre trotzige Mädelstirn senkte sich, in ihrem Schatten sollten die beiden Tränen fallen, die sich nun, ungehindert, in ihren Augen bildeten. Sie fielen; zwei glänzende Tropfen lagen sie einen Augenblick in ihrem Schoße und zergingen rasch in den Stoff ihres Kleides.

Eine ungeheure Freude beseligte sie. Ihr war so leicht. Ihr ganzes früheres Leben war noch einmal vor ihr aufgetaucht, noch einmal, ein endloser Zug von Tagen, von denen nur die nächsten kenntlicher waren, graue, trübe Schatten in einem grauen, trüben Nebel, endlos und eintönig, hatten sie sich vorübergedrängt, sie waren lautlos im Nebel verschwunden, das Mädchen aber hatte sich von ihnen abgewendet und ging langsam einem anderen Leben zu.

‚Ich bin gern und mit Lust böse gewesen', dachte sie, ‚fortan muß ich ungerne gut sein zu ihm.'

Und dann, mit einem unnennbaren Entzücken, fühlte sie es zum ersten Male: ‚Mein Kind! Mein Kind!'

Sie hob ihre Hand sehr leicht und legte sie auf die seine, neben den Briefen.

Sein erblindeter, trostloser Blick kroch vor sie. Er erhellte sich ungeheuer, eine jauchzende Freude ließ die trüben Augen erstrahlen, seine Hand unter der ihren zitterte feucht.

Er hatte gesessen und sinnlos auf nicht gutzumachendes Vergangenes gestarrt, sie hatte es in sich genommen, es betrachtet und verzeihen können.

„Wir wollen deine Briefe gemeinsam lesen, drinnen?" sagte sie.

Dicht nebeneinander gingen sie den Gartensteg hinab. Sie zitterten beide. Ihre Glieder waren ungeheuer schwer.

Der Schatten am Fenster blieb vergessen.

Zwei Gegner

Langsam gingen die beiden, Arm in Arm, die Straße hinauf. Ein vorüberfahrender Wagen zwang sie, beiseite zu treten, sie ließen sich nicht los, im Sommerweg stehend, von Staub eingehüllt, hörten sie sein Rattern anschwellen, vorüber klingen – sie nahmen ihren Weg wieder auf.

Über ihnen jagten die Vögel in den Zweigen. Ein weißer Hund mit schwarzen Flecken lief auf drei Beinen über die Straße in jaulender Verfolgung einer Katze. Sie blieben stehen, sahen ihm nach, tauschten eine Bemerkung und nahmen ihren Weg wieder auf. Durch die Lücke zwischen zwei Häusern kam stärker das Geräusch des Meeres, er deutete leicht darauf hin, ohne sie anzuschauen, sagte er: „Das bleibt, das wenigstens bleibt."

Sie lächelte, ein verlorenes Lächeln, das niemand sah und das nichts galt, denn einen anderen ferneren Sinn schienen seine Worte zu tragen: Drohung klang mit, aufatmende Freude klang mit über die Gewißheit, niemals im Letzten unterliegen zu können. Und sie sprach es aus, beihin, leicht: „Sie werden uns nie bekommen, *das* rettet alles."

Er sah rasch auf sie: ihr Gesicht war sehr bleich, ihre blassen Lippen, festgeschlossen, schienen zu zittern, das Auge sah verloren gradaus, sah ein Bild vielleicht, hart, aber gut. Sie gingen schneller, unter den schwer gewordenen Füßen wirbelten kleine Staubwolken auf, die ihre Schuhe puderten.

Er sagte: „Wohin sind wir gekommen! Haben wir je diesen Weg geahnt?" Leiser: „Immer! Schon beim ersten Male."

Sie sagte rasch: „Mut, du! Alles ist grad, wie es war – und wird sein, auch nachher . . ."

Aber er zweifelte. „Mut, wofür wäre er gut? Ich weiß

nicht, wer ich bin, ich weiß nicht, wie ich handeln werde, – wüßte ich das alles, so hätte es Sinn, Mut zu haben."

Aber schon sehr rasch und warm: "Verzeih, o verzeih! Ich fürchte ja nicht den Kampf, nur den Ärger, die Verstimmungen ... All das war hinten geblieben in diesen Tagen ... nun drängt es sich wieder vor ... Das ist es! Neinnein, ich werde schon an dich denken."

"Ich hoffe, du denkst an dich. Das ist besser." Und aufschreckend: "Da sind wir schon!"

Sie betrachteten böse das kleine hingeschluderte Haus, mit seinen Holzvorbauten, seinen farbigen Verandascheiben, dem großen Schild, das die Inschrift trug: "Amtsvorsteher". Sie machte eine rasche Bewegung und gab ihn frei: "Es hilft nichts! Also mach's gut. Ich erwarte dich nachher am Strand."

Sie sah ihm nach, wie er den Kiesgang an der Flaggenstange hinaufging. Ein wenig langsam, ein wenig schlendernd, aber seine Haltung war einwandfrei. Einen Augenblick freute sie sich darüber, daß seine Hosen gestern frischgebügelt vom Schneider wiedergekommen waren.

In der Haustür schaute er sich um. Er sah sie hinten stehen, eine lichte schlanke Figur, über ihrem Haupt stand der ganze Himmel mit Sommersonnenglanz. Er hob grüßend die Hand.

Dann wandte er sich und öffnete die Haustür. Der kleine mit Kleidern vollgehängte Vorplatz schien ihm öde und grau.

"Wie ist Ihr Name?"
"Er steht auf der Ladung."
"Sie möchten mir ihn nicht sagen?"
"Ich sehe den Grund nicht. Da Sie lesen können."
"Sie täten mir einen Gefallen damit."
"Ich habe keine Ursache, Ihnen einen Gefallen zu tun. Wenn Sie es nicht als Gegenleistung für die Schuhe ..."

Der dicke Mann hob den Kopf. Seine ein wenig besorgten Augen musterten den Vorgeladenen, der, an den Ofen gelehnt, blinzelnd zu ihm sah. Jener sah blaß aus, jener Junge. Nun er nicht mehr sprach, fiel auf, wie schmal und festgeschlossen dieser Mund war: ein trotziges Bubengesicht, flimmernde Augen. Ah, dieser Kerl mochte so gut und sauber aussehen, wie er wollte, man wußte genug von ihm, in welchem Dreck er lebte. Man hatte völlig das Recht, ihn zu verachten. Wie gleichgültig er vor sich hin, wie ein Belangloses, diese Anspielung mit den Schuhen gesagt hatte! Wer vom Nebenzimmer aus zuhörte, konnte nicht einmal verstehen, daß es eine Spitze war.

Der Amtsvorsteher räusperte sich. Mit zwei Fingern griff er aus der Westentasche den Klemmer, er befestigte ihn auf der Nase. Und nun, mit verborgenen Augen: „Sie wollen Anton Loo heißen?"

„Sie haben vor ein paar Tagen bei der Anmeldung meine Papiere gesehen."

„Wann sind Sie geboren –?"

„Und wo?"

„Was waren Ihre Eltern?"

Anton zögerte nicht einmal. Nun kam wieder eine kleine Pause, der Amtsvorsteher fragte sacht: „Sie führen nicht etwa noch einen zweiten Namen?"

Eine ganz kleine Stille, in die plötzlich das Ticken der Uhr hineinschwang, lebhaft, rasch, unendlich die Zeit fortstürzend. „Nein", sagte Anton langsam, „nein, ich führe keinen zweiten Namen."

„Warum nehmen Sie dann einen auf den Namen Anton Färber lautenden Brief an?!"

Dies war rasch gesprochen, zufahrend; der Dicke war halb vom Stuhl hoch, er stützte sich mit seinen Armen auf das Pult, und sein Gesicht glänzte im Triumphe.

„Infolge eines Irrtums Ihres Boten, den ich sogleich

nach seinem Weggange merkte. Hier ist übrigens der Brief."

Und er reichte ihn hinüber. Der Dicke riß ihn ans Auge. "Wie! Was! Mensch! Sie haben den Brief Ihrer Mutter nicht gelesen!"

Er schnaufte. Eine fliegende Röte der Empörung färbte ihn bis unters Haar.

"Wie ich Ihnen neulich bereits bemerkte, ist meine Mutter im Jahr 1903 in Beuthen gestorben."

Der Dicke, den Brief in der Hand, erhob einen anklagenden Blick zur Decke. Er stöhnte: "Er hat den Brief seiner Mutter nicht gelesen! Er gibt ihn zurück!"

Er tastete sich hinter seinem Pult hervor, näherte sich dem am Ofen, streckte den Brief hin, flüsterte, mit einem Blick zur Tür: "Lesen Sie ihn jetzt noch, junger Mann. Ich bitte Sie. Ehe es zu spät ist. Ihre Mutter ist krank, schwerkrank."

"Ich verstehe Sie nicht."

Der Dicke zog sich zurück, murmelnd: "Ich weiß nicht . . . es ist unerhört . . . ich weiß wirklich nicht . . ."

Plötzlich in einer ganz anderen Tonart: "Entschuldigen Sie einen Augenblick." Und schnell entschwand er durch die Tür.

Anton lehnte das Haupt zurück an den Ofen. Plötzlich strömte ihm alles Blut zum Herzen, das dumpf pochte und sehr langsam. Er griff mit der Hand dahin. Er schloß die Augen. Er sah nichts mehr. Er war müde. Und jetzt erst würde es kommen, er würde sich zu behaupten haben, zu kämpfen; jetzt kam die Stunde, in der es zu beweisen galt, daß er des heutigen Morgengeschenks wert war. Und er mochte nicht kämpfen! Es überkam ihn das Verlangen, all dies hier im Stich zu lassen, zu entfliehen durch das ebenerdige Fenster und zu ihr zu eilen an den Strand.

"Aber wie soll ich dort niederknien vor ihr, wie gestehen, daß nichts entschieden wurde und daß es nur die Flucht eines kläglichen Herzens ist, die dort zu ihren Füßen endet! Ach, gleich wird diese Tür in ihren Angeln sich drehen, durch die offene werden zweie kommen, die Eltern, und ich werde wieder erfahren, was ich in all meinem Haß schon geahnt habe, daß ich mit all meinem Haß sie liebe. Hart müßte ich sein, und doch würgt schon der Gedanke an ihr Kommen meine Kehle. Ach, diese kleine gerundete Schrift auf dem Briefe! Sie schrieb mir auf der Schiefertafel vor, manchmal auch in den Heften, wie lange sah ich sie dann nicht! Nun kommt sie wieder zu mir, sie ist klein und wie scheu geblieben, aber nun fordert sie das unmögliche Opfer von mir und heißt dieses Opfer noch ihr Recht. Mutti, liebe Mutti, ich darf doch nicht! Und doch, wenn ich daran denke, daß sie jetzt hereinkommt, mit ihrem kleinen, scheuen, kummervollen Gesicht: ich werde weich werden!"

Die Augen offen, zum Fenster eilend: „Ich will nicht weich werden! Auch vor ihr nicht, dann ist Flucht besser."

Er öffnete den Fensterriegel, er lehnte hinaus.

Eine Stimme kam an sein Ohr: „Bitte, Herr Superintendent."

Er stand starr. Dann atmete er auf, leuchtend. Unendlich befreit regte sich Herz und Brust. ‚Dies ist Geschenk in der letzten Stunde', flüsterte er und stand wieder am alten Platz, als zwei Herren eintraten. Ein Streifblick: wirklich, der Onkel, der Onkel Otto. Und er grüßte gleichgültig mit dem Kopf.

„Da ist er", sagte der Amtsvorsteher halblaut.

Der Onkel trat langsam an den Neffen heran. Sein gewichtiger Leib war kolossalisch aufgerichtet, sein blühendes, fettes Gesicht schien blässer, aber seine Augen blickten böse. Steine waren sie; böse, undurchsichtige, kalte Steine.

Er trat ganz nahe heran. Und wieder einen Schritt zurück, um einen Überblick zu gewinnen. Er nickte bedeutungsvoll, sah von dem Neffen zum Amtsvorsteher und sagte: „Ganz, was ich mir gedacht hatte. Ganz und gar."

Die beiden Beleibten, der große Massige mit dem guten Ernährungsspeck des Theologen, der kleine Gedunsene mit dem faulen Sitzfleisch des Schreibers, sahen sich einig an. Sie nickten.

Anton war es plötzlich leicht, unendlich leicht. Tausend hurtige prallvolle Gelächter tanzten in ihm, sie stießen gegen seine Haut. Wer waren denn diese beiden, die ihn schädigen wollten, ihm wehtun, ihn kränken? Zwei bedeutungslose fette und ferne Leben, die nie, nie in sein Leben hineinreichen würden! Mochten sie sich bemühen, mochten sie sich abstrampeln: ihr Leben war nicht so geführt worden, daß es als Ergebnis ein Wort hätte aufweisen können, mit dem zu seinem Leben, zu seinem Herzen zu sprechen gewesen wäre. Hatte er unter seiner Einsamkeit, unter seiner Beziehungslosigkeit zu anderer Dasein gelitten? Nun erwies sich, wie gut sie sein konnte, solche Einsamkeit.

‚Wir müßten mindestens dieselbe Sprache sprechen', dachte er rasch. ‚Aber ihr seid einfach viel zu dick.'

Dieses Fett der andern drängte sich immer mehr vor in seinen Gedanken, wie ein nahes, häßliches Berühren war es an seinem Leibe, der sich darunter ekelte.

Und noch einmal wiederholte er, und dieses Mal laut: „Sie sind einfach zu dick."

Die beiden sahen rasch zu ihm, mit einem stieren verständnislosen Blick. Er fragte: „Betrifft dies noch meine Vorladung? Wer ist dieser Herr, Herr Amtsvorsteher?"

Er sah, verhalten lächelnd, ein wenig den Kopf vorgeneigt nach dem Ziel, zu sehen, ob sein Schuß traf.

Er traf! Der Amtsvorsteher machte eine Art Sprung, rang nach Atem, ein klagender Laut entrann seinem Munde, aber der geistliche Onkel tat eine dicke Gebärde mit dem Arm, die die Luft zu zermalmen schien, er schrie ein rotes: „Lassen Sie mich!" und stürzte auf den Neffen zu, den er bei den Schultern packte. „Anton!" schrie er und schüttelte ihn. „Anton!"

Der Neffe wand sich fort unter diesen Händen, strich sich über die Schultern. „Aber das wird dramatisch!" rief er leicht erstaunt. „Was will der Herr?"

„Wenn Sie sich irrten, Herr Superintendent! Wenn Sie sich *doch* irrten!"

„Sind Sie wahnsinnig, Mann?! Oder glauben Sie, daß ich wahnsinnig bin!" brüllte der Kirchenherr mit einer wilden Bewegung. „Ich werde doch meinen Neffen kennen! Den Sohn meiner Schwester!" Er wandte sich um, er sprach ruhiger: „Anton, du hast den Brief deiner Mutter nicht geöffnet. Du hast auf die Aufrufe in den Zeitungen nicht geantwortet. Aber deine Mutter ist wirklich sehr krank. Nicht nur körperlich. Ihr - Gemüt hat gelitten. Sie hat nicht glauben wollen, daß du entflohen bist, schimpflich mit einer - lassen wir das, du weißt ebensogut wie wir ... Ihr Herz hat nicht glauben können. Du bist anders geworden, ich sehe es dir an. Du bist nicht der Junge mehr, ich glaube es. Du hast in einer anderen Luft geatmet, andere Ansichten erworben. Ich spreche darüber nicht mit dir. Ich weiß nicht einmal, wer das ist, zu dem ich spreche, wo er zu fassen ist, wo sein schwacher Punkt ist. Ich bitte dich nur eines: denke zurück an die Zeiten, da du klein warst, da dieser Mutter Hand dich hielt, ihr Mund dich sprechen lehrte. Als sie erfuhr, daß du fort seiest - ich selbst brachte ihr die Nachricht vorsichtig, sehr vorsichtig -, sagte sie kein Wort. Sie sah uns nur an, deinen Vater und mich, sie schüttelte den Kopf, verließ uns. Wir glaubten, sie sei auf ihr Zimmer gegangen, wir dachten, es sei besser, sie allein zu lassen. Sie war nicht auf ihr Zimmer gegangen: sie war auf die Straße gelaufen. In der Nacht wurde sie uns von Leuten gebracht. Sie hatte dich gesucht. Überall war sie herumgeirrt, sie hatte nach dir gerufen, sie hatte dich gesucht. Aber schon hatte ihr kranker Geist vergessen, daß du groß warst, erwachsen, sie glaubt, ein Kind, ein vierjähriges, sei abhanden gekommen, böse Leute hätten es ihr gestohlen. Sie sucht dieses Kind. Wir haben später gehört, daß du zur gleichen Stunde wie sie in den Anlagen herumgelaufen bist, du mit jenem – Mädchen. Du hast sie nicht rufen hören."

Er brach ab, sein gesenkter Blick hob sich für einen Augenblick und suchte den Neffen, der am Fenster stand, eine verzogene Gestalt mit grauem, altem Gesicht, das unaussprechlich zu leiden schien. Die Stille dauerte an, plötzlich tickte die Uhr unerträglich laut, sie schien zu jagen. Das ebbte ab, und wieder war die tiefe Stille da, in der sich kein Gedanke bilden wollte, kein Wort laut werden, nur das ungeheure öde Gefühl einer schrecklichen Verwüstung.

„Wir können sie nur schwer zu Hause halten, immer will sie fort, dich zu suchen, alle Leute fragt sie, ob sie dich nicht gesehen haben. Nun haben wir alte Kinderkleider hervor gesucht, an denen näht sie, damit du etwas anzuziehen hast, wenn du wiederkommst."

Und wieder Stille. In ihr bildet sich ihm die Vision jener bekümmerten, besorgten, ältlichen Frau, die so gut zu ihm gewesen war, wie es ihr Herz nur verstand. Sie war gestraft worden, aber die Unschuldigste hatte die Strafe gebeugt, denn nie war ihr Kopf fähig gewesen, als Lüge zu erkennen, was sie tat. Sie hatte es so gelernt, und auf ihrer Seite lag der gute Glaube.

Ein dummer Satz war durch seinen Kopf gegangen, quälend, er murmelte ihn vor sich hin, um ihn loszuwerden. „Das sind die kleinen, häßlichen Tragödien des Bürgertums." Ja, wahrhaftig, sie *waren* klein, häßlich und niedrig! Was in aller Welt war geschehen! Ein junger Mann war seiner Liebe gefolgt, und weil er das nicht mit achtzehn, sondern erst mit achtundzwanzig Jahren hätte tun dürfen und nicht mit einem beschädigten, sondern einem intakten Mädchen, aus dummen, irrsinnigen, widerlichen Gründen also, verdüsterte sich ein kleiner, kummervoller, hilfloser Geist.

Er sah jene am Fenster sitzen, am Nähtisch, über den Rock eines schottischen Kinderkleidchens gebeugt, und fortwährend rannen ihr die blanken Tränen übers Gesicht, während sie weiternähte. Er erinnerte sich: sie konnte mühelos weinen wie ein Kind. Hinter der kleinen Vergrämten aber, mit dem hilflos zuckenden Mund, sah er ein Großes sich erheben, ein düsteres, unnennbar Häßliches, das ihren ganzen Himmel verdeckte: die Lüge von der Moral. Sie war da, immer lauerte sie im Hintergrund, sie vergiftete die Herzen und die Gedanken. Sie war's, die in die Herzen der Unreifen die widersinnigen Formeln von der ewigen Treue, der reinen Liebe, der Intaktheit des Weibes, dem feigen Leugnen der Geschlechtlichkeit einpflanzte, die den Samen säte zu den schrecklichsten Enttäuschungen, den widerlichsten Eröffnungen, irrsinnigen Kämpfen gegen das eigene Herz und dem Ekel, Ekel, Ekel ... Ihm war es, als höre er die Millionen Schreie derer, denen das Glück getötet wurde, und aller Tränen waren es, die seine Mutter weinte!

Da saß sie: keine Fremde, kein Schicksal, das man prüfend umwandern konnte, um die Waffen zu stählen gegen die Biester, die die Kirchen, die Schulen, die Gerichtshöfe füllten –; nein, *seine*, seine Mutter war es, und bei ihm stand es, über dies verhärmte Gesicht das Glück eines Lächelns zu gießen. Bei ihm! Oh, wie fern ist nun plötzlich Gerda, wie recht hatte sie gehabt, als sie mahnte: „Denke nicht an mich, denke an dich!" Er mußte an sich denken, er mußte sich klarmachen, daß die Rückkehr als reuiger Sohn eine Lüge gegen sein ganzes Herz sein würde... die am Ende doch vielleicht umsonst gelogen sein würde, wie sollte er das dort aushalten, immer, Tag für Tag? Ideen anhören zu müssen, die alles leugnen, was man achtet, Dinge und Menschen bespieen zu sehen, die man liebt – unerträgliche Qual! Und doch, dein Herz ist es mit, Armer, das dich auch zu jener Verkümmerten zieht, es erbebt schon jetzt von der äußersten Wonne der Umarmung, die dich an ihre Brust werfen wird. Du wirst es können. Oh, du wirst es können, denn du mußt es können!

Er macht drei Schritte zum Onkel. Sein Mund öffnet sich, er will sprechen. Da verändert sich sein Gesicht. Deutend streckt er den Zeigefinger aus, ein wahnsinniges Gelächter brüllt von seinen Lippen.

Die beiden sind aufgesprungen. Sie sehen seinem deutenden Finger nach. Da liegt auf dem Schreibtisch der Brief der Mutter!

Sie hat ja geschrieben an ihn! O Gott, diese Lügner! Sie hat wohl dem Vierjährigen geschrieben?

Brüllend vor Gelächter schießt Anton an den beiden vorbei aus dem Zimmer.

Entspannung

Die Haustür fiel hinter ihm zu, sehr laut. Von der Erschütterung lösten sich Blütenblätter, sie fielen vor ihn, er nahm eines in die Hand. Er betrachtete es neugierig. „Gut! Gut!" sagte er, dann ungeduldig: „Das ist zu Ende."

Langsam schlenderte er den Gartenweg hinauf, er kam an dem Fenster vorüber, hinter dem er eben noch gestanden, er wendete sein Gesicht fort. Er hörte keinen Laut von drinnen.

„Sie werden fortgegangen sein ...", überlegte er. „Diese Betrüger, beinahe hätten sie mich gefangen. Wenn ich den Brief nicht eben noch gesehen hätte ..."

Er trat aus dem Garten, ging über die Straße in den Wald auf der andern Seite. Er wollte noch nicht an den Strand, es war noch zu früh, er mußte sich erst klarwerden ... Nein, das brauchte er nicht. Das war es nicht. Klar genug stand es ihm vor der Seele, daß er Gerda wieder verraten, daß er während der ganzen Zeit kaum an sie gedacht hatte, daß *sie* seine Entschlüsse nicht beeinflußt hatte.

Er kam auf einen kleinen Hügel, von dem aus man, zwischen Bäumen und Büschen hindurch, aufs Land sehen konnte. Er warf sich hin, gleichgültig ging sein Blick über diese Felder, wo auf Brachen schwarzbuntes Vieh in langer Reihe getüdert stand, Wintergerste und Roggen schon reiften und die Kartoffeln ihre ersten lila oder weißen Blüten entfaltet hatten. Aber daß er das Meer nicht sah, tat ihm gut. Das hätte ihn wieder gemahnt an jene, die seiner wartete, die immer gut war, immer verzieh, immer liebte.

„Ach, ich Schwacher, der keine Stimmung aushält, den jede mit sich davonträgt und schon wieder läßt! Blicke ich zurück, in wieviel Brocken zerfallen diese Tage, immer sich wandelnd; eben noch voll hoher Entschlüsse bin ich nun schon Verräter und Verräter ohne Scham. Ja, ich sehe es, ich erkenne es, ich blicke vor mich hin, ich nicke mit dem Kopf: so bin ich! Ich kann es nicht ändern.

Schön, wahrhaftig! Was denn haben meine Entschlüsse, meine Hoffnungen für Sinn? Ich tue immer anderes. Ich sollte aufhören, zu entschließen, zu hoffen, und mich treiben lassen, wie es kommt, ohne Vorbehalt. Ja so: hinstürzen, die Hände küssen, ewige Liebe schwören, wie ein Bürger, und es glauben, wie kein Bürger, fortgehen, vergessen, einer andern Stunde und einer andern gehören, das ist das Leben, das *wäre* das Leben..."

Er atmete rasch, die Sommerluft stieß kleine duftende Wellen gegen sein Gesicht, die ihn entzückten, er schmiegte sich fester in die Grasbüschel, da hörte er einen leichten, schnellen Schritt, er wandte sich um, die Büsche bogen sich auseinander, eine helle Gestalt und...

Mahnung...

Nun erhebe noch einmal, aus dem Innersten dich empörend, deine Hand, Träumer, und weigere Folge einem Leben, das soviel seliger schien als deines und das nun – ganz wie deines – in jenem sinnlosen Grau sich zu verlieren scheint, das auch dich bis ins letzte entmutigte.

In all deinem Elend hegtest du doch den einen Traum, daß dein Leben über die Maßen köstlich gewesen wäre, hättest du deinen Fuß den eilenden Sandalen der Liebe folgen lassen. Nun wird der Traum geträumt, und in Grau, im Grau der Verzweifelung und des Verrates, endet er wie dein wahres Leben.

Dein Wehren hilft nichts, und deine Mahnung ist für den Wind. Eine schlimme Sonne stand über deinem heutigen Tag, ein schlimmerer Mond ist deinem Schlafe entstanden, und wie er sich verhüllt oder entbreitet, sendet er dir verzückte Ängste oder angstvolle Verzückungen.

Es hilft dir alles nichts: du mußt liegen und träumen. (Es hilft uns allen nichts: stille liegen müssen wir und träumen.)

Träume doch, Träumer!

Freundin –?

... und er rief: „Inge –!"

Sie beugte sich zu dem Liegenden, rasch atmend sah sie ihn an. „Daß ich dich gefunden habe!" rief sie rasch. Und noch einmal: „Daß ich dich gefunden habe!"

Eine wenig Veränderte erschaute er: die blonde Krone war aufgesteckt, der Hals etwas voller. Plötzlich kam ihm das Erinnern, er begriff, wieso er an diesem jungen Hals die fehlende Rundung der Reife erkannte. Seine Gedanken irrten ab zu jener, die auf ihn wartete und der er einen Sieg zu bringen hatte. Er murmelte mürrisch: „Du wünschest?"

Nein, der Sieg rechnete für ihn nicht. Aber er gab ihm das Recht, vor sie hinzustürzen, zu stammeln: „Ich bin jenen entronnen!", und dann das Gesicht in ihren Schoß. Mochte sie schon glauben, er verberge die Röte des Triumphes. Er würde nichts erklären. Keine Erklärung, keine Täuschung, kein Ruhm konnten einer Liebe etwas hinzufügen, die unabhängig von allen Winden als ein machtvoller Strom dahinfloß. Sie würde mit ihren Händen über seinen Kopf streichen, und diese Liebkosung würde ihm – ob verdient, ob unverdient – unsagbar lind sein. So stark sah er dies Bild, dessen dunkelblaue Schatten sich auf dem Strandsand vermengten, daß es nicht Zukunft, sondern Erinnerung zu sein schien. Jene beiden hatten ihre Gesichter zueinander erhoben, ein Glanz umfloß sie, und der Glanz jener unausweichlichen Einigung war es, die auch Lüge heißen konnte – gleichviel.

Von Südwest stieß ein warmer Wind stoßweis schnobernd gegen sein Gesicht, er brachte den Duft von Kleeheu heran mit dem süß durchsonnten von Lupinen, die dort hinten, samtig gelb, gegen den Horizont anstiegen. Wenige Dutzend Meter vor ihm hob sich eine Lerche aus der Brachfurche gegen den Himmel, sein Auge folgte ihr und meinte diesen Gesang zu sehen; zu nahe, zu fest geschichtet klang da die Stimme der Blonden an sein Ohr: „Wie schick du bist. Nein, wie schick du geworden bist!"

Er sah blinzelnd zu ihr. Eine ferne Gestalt aus so sehr versunkener Zeit hob dort ihr Haupt aus dem Grase, Lichter blitzten in den Augen, ein lieber, einst geliebter, eigenwilliger Mund zuckte und war fern, fern, fern.

„Ich weiß noch immer nicht, was du wünschst?"

„Und dieser lachsfarbene Schlips – du hast dich sehr, sehr verbessert, Tonerl."

Durch die Blätter ging das Sausen des Windes, leichte Sonnenflecken hoben sich beschwingt, huschten, nisteten auf ihrer Wange, ihrer Stirn, halb über ihrem Mund, waren fort und liefen im Grase, hierhin, dorthin, dahin, nicht zu halten.

Grollend sagte er: „Wie alt bist du – nebenbei –, Üz?"

Und sie, auf dem Bauche liegend wie damals, damals, damals: „Seit wir uns geküßt haben, zähle ich nicht mehr."

„Haben wir das? Wie wir dumm waren, damals!"
„Waren wir es? Wieso?"
„Weil wir nichts wußten, nichts, gar nichts! Heute –"
„Heute –?"
„Man muß erfahren haben, um genießen zu können."
„Ja, aber wie . . .?"

Rauschte nicht nebenan, hinter Johannisbeersträuchern, ein eiliger Fluß? Wurde nicht ein Superintendent gerufen? Lagen nicht zwei Verschworene beieinander auf dem Bauch, im warmen Sande, und taten die ersten täppischen Regungen der Liebe?

Ein verstrichener Frühsommer hob sein umkränztes Antlitz, unter seinem Hauch erblühte der Garten, zweie liefen, sie trugen die allgemeine Liebe im Herzen, die niemand betraf und alle . . . Die kleinen Vögel – waren sie damals nicht zutraulich gewesen? –, wohin hatten sie sich verflogen? Jene Lerche oben im Blau: sie galt nichts, war zu fern.

Er rückte näher an sie. Er versank mit seinem Blick in dieses Gesicht, dem einst so holde Verheißung lieberfüllten Lebens geglaubt worden war, er prüfte jeden Zug, aber verlockend formte sich die Wange wie vorher, diese Augen glänzten, dieser Mund war feucht wie bevor.

Eine lang verhallende Stimme rief: „Keine Eile hast du! Alles kehrt wieder."

Sie verklang. Einen Augenblick erhob sich ein weißer Garten zum Mondeslicht, erglänzte – und versank. Hurtige Lichter schwirrten, eine aufgehende Sonne verfärbte den Saum des Horizontes, eine klagende Stimme rief: „Nimm mich mit!"

„Ich habe nichts erfahren, diesen Sommer", sagte sie sehr traurig; eine Flechte fiel, wie breitgedrückt, in ihre ganze Stirn. „Wie könnte ich genießen –?"

Er beugte sich vor, er glaubte – in dieser Stunde – noch an das unbefruchtete Ohr, das zu hören vermochte, ohne den Schlick der Erfahrung einzumengen. Zu ihm sprach er, das übervolle Herz quoll über und die Stimme sang:

„Ich habe tausend Leben gelebt seit damals. Tausendmal starb ich. Immer wieder beugte sich eine weiße Liebende über mein entweichendes Leben, ihre Klagen strichen ihm nach, sie überholten es, sie brachten es zurück. Ich regte mich in ihren Armen, ich empfing es aus dem Hauch ihres Mundes; ich war tot gewesen, sie liebte mich immer noch, ich lebte neu. Neu? – Ich lebte zum ersten Male."

„Die Giebeluhr oben zählte jede Minute. Sie dehnten sich. Ich konnte einem Schmetterling nachsehen, eine Blüte brechen, ihre Blätter zählen und in den Wind fliegen lassen mit der Frage, wann er käme. Ich wartete, ich wartete – endlich hob ich das Auge: noch nicht eine Minute war vorbei."

„Mein Leben enthuschte mir schneller als ein Traum im Erwachen. Ich sehe zurück, und ich sehe viele große Gebärden an meinem Wege aufgerichtet, die nichts zu bedeuten scheinen. Ich habe soviel Angst gehabt, aber immer von neuem stürzte die Liebe in mich, ich lohte auf, und das Bewußtsein, für sie, als Fackel für den Glanz ihrer Wangen hinzubrennen, entschädigte für alles."

„Für was?"

„Ah, ich weiß es nicht! Doch, ich erinnere mich der Träume, die ich als Knabe hatte. Über meine Bücher gebeugt, verloren in dem Suchen nach einer lateinischen Vokabel, erhoben sich plötzlich die Gesichter der Frauen. Ich erinnere mich, ihre Gesichter waren fern, ihr Lächeln bleich und obszön. Es versprach unerhörte Dinge. Sie schienen in meinen Leib hineinzukriechen, sie waren in mir, die Wollust dieses Gefühls erzwang die Senkung des Hauptes. Sie waren unermeßlich, ihre Gelüste stoben über mich hin wie ein Nordwind über die Sandwüste: sie hatten den Geruch satter Wälder und waren aufgetrocknet in nichts. Ich verdurstete, aber, noch verdurstend, begehrte ich sein. Dann verzichtete ich auf sie alle, sie entglitten vor der Wirklichkeit schneller als Schatten vor der Mittagssonne: *sie* allein war da."

Er sah sie fragend an. Er versuchte ein Lächeln. „Sie allein war da", tastete er noch einmal.

Aber die Junge war längst näher bei ihm, sie machte eine freudige Gebärde mit beiden Händen, die den Blühegarten von einst beschwor. „Wie anders du wurdest, seit damals auf der Schaukel. Ich wünschte immer, du küßtest mich, aber wo warst du –? Bei jenen Frauen, bei jener, von der du sprichst? Ich glaube es dir nicht. Du sehntest dich nach mir, in den Ausschnitt meines Kleides spähtest, meinen Mund begehrtest du ... dann zogst du dich zurück, alles verwischte sich gegen einen nebelhaften Hintergrund; aber – jenes Begehren wurde nie eingelöst von dir, es besteht wie je und mir gilt es!"

Er hatte staunend sein Haupt erhoben, sie sah er nicht an, aber ihm schien, als sei das Wogen der Ährenfelder draußen ihre Stimme, ihm schien der sommerliche Duft von Klee und Lupine der gleiche zu sein wie der Duft jenes Gefühls, das aus ihren Worten wehte, er rief staunend: „Wer spricht? Wer spricht?"

„Oh, du meintest eine kleine höhere Tochter dahinten gelassen zu haben? Eine, die im ganzen Leben nie begreifen kann, was ihrem Herzen geschah, die nun dumpf und hilflos dahintaumelt, bis sie einer findet, der ihr das gibt, was er sein Herz nennt, dessen Sprache sie ebensowenig erlernen wird wie die jenes unvergessenen ersten? Aber zu gut hat man mir die Pfarrhauslektion eingeprägt, als daß ich sie nicht hassen müßte, diese Litanei von Liebe, Unterordnung und Treue, die schon darum Lüge sein muß, weil man sie gar so eifrig lehrt. Ich hasse sie! Du bist der erste, der zu diesem Herzen sprach, deine Hand war die erste, die in diesen Ausschnitt griff um eine wachsende Brust, und immer –"

„Du lügst! Du lügst ja!"

„Und immer werde ich dein sein, immer, ohne Bedingung, ohne Treue, ohne Liebe gar, weil du der bist, den zuerst mein Herz grüßte in einem Blühegarten."

„Ich will nicht. Toll bist du . . ."

Flüsternd: „Du brauchst heute nicht zu kommen noch morgen. Du kannst alt geworden sein, ekelhaft, dir selbst ekelhaft, wie je werde ich dasein, deiner wartend, jung, schön. Wie in jener Mondstunde damals, wird mein Ruf sein: ‚Nimm mich mit.' Und wird es nun nicht sein, daß du mir folgst, so viele Leben liegen vor uns: einmal biegst du aus deiner kläglich gewundenen, staubigen Spur und gehst den graden Weg zu mir."

„Du rufst umsonst! Du lügst!"

„Wo bist du?" rief sie, und ihre Stimme schien von weither zu kommen, vermischt mit dem Sausen der Wälder, dem freien, köstlichen Lärm der Wogen und den wilden Schreien der grenzunwissenden Vögel. „Wo bist du – über Länder schweifende Brust, in der mein Herz klopft? Süßer Sperber, warum hockst du nicht auf meinem Handschuh? Blume, Margaretenblume, warum macht zwischen meinen Fingern dein Gelb und dein Strahlenweiß mein Herz nicht verwirrt? Oh, so komm doch!"

Er sah sie: ihr von leichtestem Rot gefärbtes Gesicht war erhoben, ihre leuchtenden Augen sahen dem Geliebten entgegen, der gleich, gleich die Kulissen dieses Waldes zurückschlagen und vor sie, herrlich erregt, treten würde. Sie hatte die Hand ihm entgegengestreckt, gekrümmt, als wolle sie sofort sein Gelenk umfassen, um ihn zu Tänzen zu ziehen, die keinen Aufschub duldeten. Ihre Stirn leuchtete rein, und ihr Mund schien überzuströmen von einem Lächeln, das zu schön war, um Laut zu haben. Die Himmel sangen's.

Hingerissen sah er auf sie. Seine Zunge eilte: „Ich sehe ihn kommen! Er schlägt die Wogen zurück aus Grün und Blau, sein Fuß regt sich nicht, aber er gleitet dir schneller entgegen als die Natter auf dem Hungerweg ihrer Speise."

Sie umfaßte sein Handgelenk. Leise, dringlich: „Sein Gesicht leuchtet, sein Mund ist glühend, seine Hände kühl auf der Brust. Er hebt mich an seine Lippen, und in alle Himmel werde ich erhoben, tausend Sonnen taumeln klirrend in seinem Kuß, und die Fallende stürzt nach oben!"

Sie lagen Brust an Brust, ein Heuschreck feilte noch, das Land schien zu summen im Überentzücken der Sommersonne, eine geheimnisvolle, aufreizende Melodie wurde gespielt, hinten irgendwo in den Wäldern, die die Rehe im Sprunge einhalten ließ. Mit der Axt in der Hand zögert der Holzschläger und starrt auf den Traum seiner jungen Tage, der sich reizender denn je vor ihm auf weißen Fersen dreht, die Holztauben drücken sich tiefer auf ihre bläulichweißen Eier und lassen ihr endlos verhallendes Kukuru tönen, eine festliche Stimme ruft: „Zeit! Zeit!", Silberwellen streichen auf Silbersand ...

„Du meine Geliebteste ..."

„Liebster ... Du mein Liebster ..."

... alle Geräusche scheinen Atem der Sonne und das Zusammenströmen zweier Herzen ihr köstlichster Most –.

Feindin ...?

Dieses holde Inge-Gesicht unter ihm erblühte mehr und mehr. Dieser holde Mund tat sich auf, und die Worte, die er zwischen seinen Küssen hervorstieß, waren die zwitschernden Laute der Vögel, die nichts bedeuteten und alles. Hierhin, in dieses Antlitz hatten alle Meere ihre schönste Welle entsendet, ihre Kinderhände waren nah und fern zugleich, und der Leib, der sich ihm als erstem erschloß, verbarg unter den Krämpfen des Schmerzes nicht die roten wie die falben Rosen, die endlich, endlich doch alles überstürzten.

Rieche die Süßigkeit der Luft! Und die eines jungen unerschlossenen Leibes, der doch, pflegend, schon von sich wußte! Wie geschah solches dem Einsiedler aus einer Kammer? Die Laubbäume haben ihre Kronen hierher gestreckt, die schrillen und die verhaltenen Melodien der sehnsüchtigen oder der nehmenden Liebe sind allerorten aus den grünenden Hintergründen hervorgeklungen.

Wo denn wären Ströme, die hier nicht mündeten? Wo

denn Wiesen, deren Gräserspitzen solch Liebeswind nicht aus Süd kämmte?

Du hältst das geliebteste Haupt in den Armen, seine gebrochenen Augen erflehen von dir mehr noch Liebe, als ein Gott zu vergeben hätte; willig öffnet, saugt und schließt sich das begehrte Gefüge eines Mundes unter deinen Küssen, und unter einem fast unerträglichen Ansturm von Beseligung erlebst du die verborgene Behaarung eines Leibes, die geheimnisvolle und groteske, die Bildung eines Leibes, die unwiderruflicher und überraschender nie geschaffen schien.

Du lächelst dein zages Lächeln von ferne. Du spürst die Nacktheit und das aufreizende Vermischtsein von Unterkleidern mit Fleisch, das stöhnen macht vor Wollust, und das plötzliche Erfassen einer starren Brustknospe, das den Kopf taumeln läßt. Das scheinen tausend Arme um deinen Hals zu sein und tausend feuchte Küsse in deinem Gesicht. Deine überströmende Liebe findet keine Hemmung in der Begrenztheit eines Körpers, und was jenen Hemmung scheint: ein warmes, duffes Fleisch, das ist die Hochebene des Gefühls, über die allein von ferne jene Schneewipfel glänzen, die du ...

Stille doch!

Du müßtest dich endlos weit hinauslehnen aus der Bewaldung dieses Fleisches, um sie zu erschauen. Noch ist es süß, tausend murmelnde Quellen rinnen aus dem dir Eröffneten. Jener zarte andere Mund ist nur friedlich gemeint, und jene Lerche dort oben sänge beziehungslos?

Ah, geh! Ah, geh!

Verlorener liebest du! Liebender bist du entzückend verloren.

Deine Hände tanzen, deine Lippen küssen Loblied, dein gar zu rotes Herz möchte ertrinken im Blut.

Sieh das Haupt deiner Geliebten unter dir, mit seinem gebrochenen Auge und vielem Weiß. Welche Hilflosigkeit vermöchte dich mehr zu rühren als diese dir ausgelieferte, von deren Freuden und Wollüsten, von deren Trauertränen du nichts ahnst, so wild du dich hinein verbohrst.

Halte ein! Ich bitte dich. Sieh diese Lippen, die sich regen, regen sich für einen ganz anderen Genuß wie den von dir gemeinten. Diese gebrochenen Augen brach eine eigensüchtige Wollust. Diese Überströmung deines Leibes ward aus Eigenstem bestritten, dessen Quellen unerkennbar fern liegen.

Du küßt weiter? Dich kümmert nichts?

Ah! Dieser Wind kam von so weit, weht nach so weit – welches Gran deiner Leidenschaft wird er einer einsamen Liebenden zuwehen? Welches Gran fremder Verliebter wehte er dir zu, daß es deine Adern und zu dieser Stunde und mit ihren zugleich so erhitzte, daß dies wurde?

War es die Sehnsucht etwa jener Einsamen am Strand? Die Sehnsucht jener wartenden Einsamen? War es die?

Ach, nur dein eigen Herz war es, das in jedem Hauch von Leidenschaft eigensüchtig erzitterte, gleichviel von wo er weht. Nur von der erfassenden Gewalt des Sturmes weiß es, nichts darüber, ob von Inge, Gerda, ob von . . . (stille doch, willst du ein Herz beschämen –?) . . . ob er aus Nord oder Süd kommt. Und dies war ein Windstoß nur, in seinem Ansturm tanzten alle Blätter eines Mondsilber-Gartens auf, bebend wiesen sie ihre flaumige, sanfte Unterseite und – vorüber!

Nun sinkt vor deinem Auge eine erblindende Welt fort mit dem Haupte jener, das dem Wollust geschwellten Halse zu schwer ward. Ein rasch entfliehender Blick trifft dieses zu gerötete Antlitz, dessen Lippen verwühlt sind wie ein morgens verlassenes Bett. Er läßt sie entgleiten, er murmelt mürrisch: „Ach, so geh doch!"

Gegen einen Baumstamm gelehnt, sieht er ins Land hinaus, über dem die Sonne tiefere und raschere Melodien anstimmte. Aber unter ihnen allen geht als sacht anschwellende und verebbende Begleitung das Weinen jener Kleinen dort, die auf dem Bauch liegt, das Gesicht in den Händen verborgen. Aus dem Augenwinkel späht er ein-, zweimal rasch zu ihr, er sieht die verwirrt hängenden feuchten Haarflechten, die durcheinander gewuselten Kleider, zwischen denen so unsagbar gleichgültig der Häkelspitzenbesatz einer Hose aufblitzt, das stumpfe nahrhafte Weiß von sonst verborgenem Fleisch, – und schon sieht er wieder dem gelben Postauto nach, das auf jener Straße am Horizont auftaucht und rasch, zwischen Bäumen beim Kirchhof, entschwindet.

Das Weinen der Kleinen schwillt an, es zerbricht in tausend schluchzende, hervorgestoßene Splitter, sie schlägt wüst, in einem Überfall von Schmerz, mit den Beinen die Erde, es ist fort, und die Lerche singt oben allein, endlos und unermüdet, ein zitternder Punkt im Blau.

„Tannenwälder sind da, dunkle, auf steinigen Höhen eingewurzelt, unter einem Novemberhimmel geduckt, der das erste Schneetreiben verheißt. Und endlose wortstille Gespräche an einem frostklirrenden Tage über Land. Da sind Buchten, verrückt in ein Landprofil gerissen, mit Eis bedeckt, das in allen Farben von einem weißlichen Grau über Lila und Hellgrün in tiefstes Blau spielt. Da sind all die kalten Wege, die nur das Gefühl des Schreitens und Frierens beseligt. Da sind die wilden Schreie des Entzückens und der Aufreizung hinter einem Hasen her, der sein mit dem Winde eingescharrtes Lager verläßt und von Hunden verfolgt, schneestäubend, über die winddurchjagten Erdstücke dahinschnellt. Das alles ist in dir. Und denk doch, denk an die vielen herrlichen Stunden, da dein Herz sich rührte, seine Schwingen entfaltete als ein ungeheurer Vogel und dich entgegentrug dem Gleiß und Glimm der Sonne - unter dir, verschwimmend in vielen frühlingshaften Farben, lag eine jubelnde Welt, aber dein gereinigtes Herz hob dich selbst aus ihrem Anblick noch, und was nun an dein Ohr klang, war wohl der Gesang von Engeln –: du warst gut.

Nun weinet eine. Ah, diese nie gehörten Klagelaute kenne ich nur allzugut. Sie bejammern nichts, was eines Achselzuckens nur wert wäre. Die gemeinen hilflosen Klagen ob der Überrumpelung der Bürgerideale durch das Blut..."

Und plötzlich rauh, böse: „Ah, bist du entjungfert? Bringst du deinem Gemahl ins geordnete Ehebett eine entblätterte Rose, einen Acker, in dem jemand schon pflügte –? Ah, geh doch, geh!"

Und leise, neu: „Wie man sie verachten muß, diese alle, ob der unerhörten Gemeinheit ihrer Klagen! Aber doch, dieses Klagen schwillt an, es mischt sich mit dem Säuseln der Blätter, dem Gesang der Lerchen, und daß es so, in aller Natur besteht, rechtfertigt es beinahe, trotz aller Gemeinheit seines Anlasses. Mein Gott, am Ende ist es doch Weinen, wie es jeder weint - - -!"

Und zu ihr geneigt, den Arm um die zuckenden Schultern gelegt, sanft und leise: „Oh, so weine doch nicht! So weine doch nicht –!"

„Was soll ich tun?! Was soll ich tun?!"

Immer von neuem wiederholte sie diesen Ausruf, von Schluchzen unterbrochen, und mit jedem anderen Male schien er törichter und sinnloser geworden zu sein. Er zog den Arm zurück, aus kurzer Entfernung sah er in dieses von Tränen verschwollene, gerötete Gesicht, auf dessen rechter Backe etwas Schmutz verwischt war, die laue Ausdünstung der geöffneten, schwitzenden Poren traf ihn, und weiter abrückend, seufzte er verdrossen.

„Komm doch näher! Warum rückst du fort? Liebst du mich nicht mehr? Bin ich schon nicht mehr schön?"

Er antwortete nicht. Er dachte vielleicht jener andern, im Vorüberschnellen eines Augenblickes, die weder in höchster Lust noch tiefstem Leide die eingeborene Verpflichtung vergaß, schön zu sein, und die die Träne mit dem Schluchzen bezwang, um sich so zu erhalten. Diese hier wollte opferlos schön sein. Eine Frechheit war es, in diesem Zustande zu fragen, ob man noch schön sei. Nein, man war es nicht, man war nur schamlos. Welche Größe lag in der andern! Nie hatte jener Leib sich einmal merken lassen, daß er schmerzte, der Ruhe bedurfte, ein unzulängliches Werkzeug war. Mit einer köstlichen Gebärde entzog er sich dem Arm des Mannes, zurückgelehnt verlor man sich in berauschenden Träumen, und kehrte er zurück, war er duftender und frischer denn je.

Diese hier versagte beim ersten Male. Kaum hatte sie sich einem gegeben, dem ersten, so glaubte sie ihm gegenüber alle Scham, alle Verhüllung, allen Reiz überflüssig. Daß er in das Kleinod ihrer Jungfernschaft eingedrungen, das war ihr belangvoll, aus irgendwelchen dunklen religiösen Wahnsinnigkeiten.

Und indem er die Augen schloß, sah er, erzitternd, die schreckensvollen Stationen eines Lebens mit solcher, die dem bereitet waren, der sie als Braut zum heiligen Altare führen würde: die verlogene Anspruchsfülle aus den Idealen, die nie zu beweisende Lügenhaftigkeit ihrer Liebe und Treue, die Unduldsamkeit, die Kleinlichkeit, das Lüsterne nach Dreck. Aber die großen Dinge waren nicht diese, die kleinen waren es.

Er sah das Schludrigwerden, die hängenden Strümpfe, die zu selten gewechselte Wäsche, die schmutzigen Hälse und Ohren, die vernachlässigten Hände. Sie aßen laut, sie zogen den Schnupfen in der Nase hoch, und ihre riechenden, zerdrückten Taschentücher lagen überall umher. Während der Brautzeit verbannte, tötende Redensarten tauchten wieder auf, jeder Neuerung stemmte sich Indolenz entgegen, plötzlich hatten sie Tränen in den Augen und einen Schrei, der, so oft gehört, nur noch empörte. Auf Filzschuhen schlichen sie durch das Haus, sie lauschten an den Türen, durchstöberten den Papierkorb, und ihre sinnlose, durch keine Aufwendung von ihrer Seite sich rechtfertigende Eifersucht galt ebensosehr einem Buch oder Bild wie einer Frau. Daß sie einmal geheiratet waren, das gab ihnen schon das Recht, von vorneherein jedes Opfer zu verlangen, jedes Anderssein zu verurteilen, riechend in der Regel sich hinzuwerfen und zu schreien: „Ich bin *doch* schön (denn du hast mich ja geheiratet)."

Erschüttert murmelte er: „So wirst auch du sein. Auch du!"

Er sah die Weinende an, ihr unausweichliches Geschick erschreckte ihn, sanft wollte er sie umfassen, zu ihr die doch ganz überflüssige Warnung sprechen, – da jagte ein Windstoß durch den Wald, die Blätter raschelten, kaum bogen sich die Kronen der Bäume und sausten, aber – in seinem sommerduftenden Wehen – schien jene andere vorübergeflogen zu sein, fröhlich lachend, mit gelösten Haaren, bloßer Brust, all dem unvergänglichen Zauber befreiter Körperlichkeit.

„Sie hat's erreicht. Sie ja – und kam von unten", murmelte er, und zurückgelehnt, barsch zu Inge: „Willst du dich nicht wenigstens anständig hinlegen?"

Schon bereute er's. Kindisch schien ihm diese Mahnung nun und jener Unduldsamkeit entsprungen, die er eben erst bei ihr verurteilt. Mochte sie sein, wie sie wollte, kein Recht hatte er, sie zu fordern, wie er wollte.

Sie sah zu ihm hinüber. Mit einer raschen Bewegung

warf sie ihr Haar zurück aus der Stirn, ihre Schulter zuckte trotzig, ihr Mund wölbte sich. „Ist ja alles egal, jetzt..."

„Vielleicht ist nichts egal. Vielleicht wäre es besser..., aber lassen wir das jetzt. Überlege doch, Inge. Da ist die Sonne, sie scheint wie je, Wind kommt und geht in den Blättern, und die Vögel singen wie je, du trocknest dein Gesicht, ordnest deine Kleider, gehst auf die Straße: du hast nichts erlebt! Denn nichts geschieht, was du nicht erleben willst, nicht in dich hinein läßt. Siehst du!"

„Nichts erlebt -?"

„So verstehe doch - - -"

„Es ist nichts geschehen - aber... alles wurde anders, nun bin ich kein Mädchen mehr -"

„Aber doch nicht darum! Doch nicht aus einem physischen Grunde! Wenn etwas anders wurde, haben's deine Gefühle bedingt, wuchs es organisch aus dir -"

„Neinnein, rede nicht. Du verstehst nichts. Wohin bist du geraten, daß du meinst... ah, ganz egal du! Aber ich. Ich! Ich!! Ich habe alles verloren, ich bin kein Mädchen mehr, diese tausend sonnigen Stunden im Garten voll Träumens, wie es sein würde, und das Hineinwachsen darein... vorbei! Alles vorbei! Und so jung noch -!"

„Inge..."

Aber sie, wild: „Laß mich, laß mich gehen, du, du Idiot!"

Sie wendet sich, sie geht den Waldpfad hinunter. Er starrt ihr nach. Etwas Weißes gleitet an ihr hinunter, dreht sich einmal in der Luft, fällt. Sie entschwindet.

Vor dem Brief

Er starrt ihr nach. Jene Gräser dort scheinen sich noch zu bewegen von der Berührung ihres streifenden Rockes, aber sie ist fort, es ist wohl nur der Wind. Er sieht den

Waldgang hinab, der zwischen Unterholz unübersichtlich wird, sich verliert, man könnte glauben jene war nie da, ohne diesen weißen Fleck, der dort leuchtet, ein Taschentuch zweifelsohne.

„Ich werde es erfassen, ich werde daran riechen, ihr ganzer Duft wird um mich stehen, verlockend, wie damals, vorher."

„Ah nein, sie hat Recht gehabt, zu sehr bin ich jenen allen schon entfremdet, ich weiß nichts mehr von ihnen. Nun, da sie sprach, erinnere auch ich mich wieder jener ungeheuren gestaltlosen Träumereien, die einer Frau entblühten. Das war, ehe diese Wartende kam."

„Nun bleibt ihr nur das Eine, das sie jemanden von uns findet, die, befreit von allem Körperlichen, sich ihm hingeben können ohne Vorbehalt. Ich ahne, es wird deren viele geben, aufgewachsen in der Stickluft der Bürgerhäuser ersehnen sie die freie Luft um jeden Preis. Aber – wird sie warten können? Vermag sie dem Druck der andern zu widerstehen, dem sie schließlich doch nachgibt, indem sie ihm durch eine gänzlich sinnlose Ehe zu entrinnen glaubt?"

Er sah wieder die zärtliche Gestalt der kleinen Liebenden, sie wehte zögernd, verhalten und nun rasch wirbelnd an ihm vorüber wie ein Blatt im Winde. Kaum verhüllt von dem kurzen Rock bewegten sich die schlanken Beine. Ihre glänzenden Augen sahen nicht auf ihn, sondern ein erhabenes Ziel. Sie bewegte die weißen Hände zum Haar, ein verhaltenes Lachen schwellte ihre Brust.

„So ist sie. So allein ist Inge! Ich habe alles geträumt. Nie war sie bei mir, in engster Körperlichkeit befangen. Ihr Vater schickte mir diesen häßlichsten Traum.

Immer aber flüstert noch sie den überschönen Schlußklang im Mondgarten, sie wartet meiner wie je, die seidige Wimper von Tränen betaut."

Unwillkürlich macht er einige Schritte den Hügel hinab. Er steht auf dem Wege. Er eilt, er bückt sich, er hebt das Weiße. Dann murmelt ein unnennbar Erschütterter: „Ein Brief. Ah, ein Brief. Natürlich."

Brief – Katze – Brief –

Er hob den Brief zum Gesicht. Er betrachtete ihn, wollte ihn lesen, verschlungen und rätselhaft bewegte sich ein Zug schwarzer Zeichen vor seinen Augen, er löste sich, drängte sich zusammen, von weither drängte in sein Erinnern: „Herrn Anton Färber".

„Aber das ist ja ..."

Jaches Hundeläuten auf warmer Spur fiel in sein Ohr, Geräusch im Walde, er warf lauschend den Kopf herum, Unterholz brach, jagender Atem, das aufreizende, jaulende Kläffen wildernder Hunde – – –.

Er riß den Brief auf. „Mein lieber Junge ...", begann er, lief über vier Seiten ...

Aufstöhnend, ihn sinken lassend: „Also doch kein Betrug! Der Onkel redete Wahrheit!"

Da jagte es raschelnd auf dem Weg daher, die hetzenden Hunde tauchten, bräunliche, langgestreckte Körper, stumm nun, mit hängender Zunge, geröteten Augen auf, – etwas Weißes fing er im Arm, dann kam der Anprall, das japsende lautlose Anspringen der überraschten Hatz, er schrie: „Schert euch zum Teufel, verdammte Biester!", und sah sie, als er den moosigen Stein drohend erhob, zwischen dem Blattwerk verschwinden, knurrend, mit eingekniffenen Schwänzen.

„Bauernköter –!" murrte er.

Aber sanft, zu der Dreieckköpfigen, die mit nassen Flanken stoßweis atmete in seinem Arm: „Das ging mit heiler Haut, Miessekatt! Welcher Teufel besaß dich, daß du liefest, statt zu klettern –?! Wieviel rettende Bäume!"

Sie leckte die Schnauze, lag warm im Arm, er ging zur rasigen Anhöhe, und mit einem raschen Schwung bot sich ihm das ganze blühende, sommerliche Land dar, er setzte sich nieder, er streichelte die Läuferin. „Sachtpfötige, bessere Muskeln fürs Laufen haben die Hetzhunde. Warum magst du nicht klettern? Ohne mich wärest du ihnen nicht so sacht entwischt."

Er betastete ihre Beine. Mit dem großen blinzelfreien Blick, der nichts zu sehen schien, betrachtete ihn das Tier unverwandt und sanft, dann bog es sacht den Kopf zur Seite und rieb ihn mit zarten Stößen an seiner Weste. „Du hast es darauf ankommen lassen, Puschel –? Aber du mußtest wissen, daß auf dem Boden sie dich fangen würden. Tausendfach ererbte Erfahrung in deinem Blut – – –"

Sein leichter tröstender Ton verklang. Draußen am Horizont wanderte neben dem gelben Lupinenfeld die wipflige Straße. Unter der Decke der Saaten schien sich die Erde wie eine Atmende zu dehnen; der sanfte Wind, das Haar verwühlend, war der Atem, den die erwachende Schläferin gegen den Himmel schickte.

Lange sah er darauf hin. Eine beziehungsreiche Bedeutung, die in seinen Worten zur Katze aufgeglommen war, verging vor diesem Anblick, das fragend Zweiflerische in seinem Gesicht zerlöste sich, weich wurde es, die Katze schnurrte tief und verhalten in seinem Arm, über dem Finger spürte er das schnarrende Beben der Kehle – aber es kam von weiter her –, und plötzlich fühlte er sich von einer guten sanften Müdigkeit eingehüllt. Halb schloß er die Augen. Dann murmelte er: „Jetzt muß ich lesen, jetzt . . . nun tut es mir nichts . . ."

Er tastete nach dem Papier in seiner Tasche. Es war zwischen andere geglitten, blind suchten die Finger dazwischen, sie brachten es hervor mit einem andern, blinzelnd schaute er. „Das ist gut. So ist es gut. Ihr einziger Brief... und ihr einziger Brief..."

Aber er las nicht.

Vor ihm tanzten die rheinweingoldenen Sonnenflekken. So hatten sie auch um die beiden getanzt, als sie in der Laube saßen, damals – wann damals? –, o frage nicht! Irgendwelche Tage damals – – –!

Er schloß ganz die Augen, nun saßen sich beide wieder gegenüber in der Laube, sie schreibend, er wartend, die Morgenluft kam frisch vom Meere. Und die Zwiesprach hob an:

„Was schreibst du ewig?"
„Eine Viertelstunde."
„Das heißt?"
„Nicht ewig – nur ein Viertelstündchen."
„Was – frage ich doch!"
„Nein, du sagtest ewig."
„Bitte, Gerda –?"
„Ja –?"
„An wen schreibst du?"
„O du, Störenfried, gib mir einen Kuß."

Ihre Feder ging eiliger. Sie blätterte um. Auf dem Blatt lag ein Sonnenfleck, sie runzelte die Braue, rückte ein wenig: der Fleck blieb. Da hob sie die linke Hand gegen das grüne Laubendach, fing den Flecken darauf wie einen Schmetterling, und so, in dieser gezwungenen Haltung, schrieb sie weiter, und nichts konnte entzückender sein als diese weiße vorgebeugte Gestalt, der schwarze irisierende Strähnen in die Stirn hingen und die mit der linken Hand die Sonne aufzufangen schien, um sie, durch ihr Herz verwandelt, in kleinen eiligen Schriftzügen auf den Bogen zu malen.

Er aber grollte.

Einen raschen Blick warf sie zu ihm. Sie verzog den Mund. „Nein, welch ein Gesicht!"
„Ich habe wohl gelesen: ‚Mein lieber, lieber Junge'!"
„Nein ...?"
„Ich habe ..."
„Oh, still doch ... ich schreibe ..."
„Nein, Gerda!"
„Sssst!"

Ihre Feder hielt inne, sie sah diebisch lächelnd zu ihm wie ein Gassenmädel, die Haare wild, die Wangen sanft gerötet von der Anstrengung des Schreibens. Sie wollte etwas sagen, sie besann sich, noch einmal kritzelte die Feder, zärtlich malte sie ein Wort, sie wehte das Blatt hin und her.

Er aber flehend: „Du wirst den Brief nicht absenden!"
„Aber warum nicht, Schäflein -?"
„Ich habe wohl gelesen: ‚Mein lieber, lieber Junge -!' Du sollst solche Briefe nicht schreiben, wenn ich vor dir sitze - -"
„Aber nun habe ich doch geschrieben - -"
„Gib ihn mir, bitte, bitte! Wir wollen ihn zerreißen. Die kleinen Fetzen sollen im Winde wehen ... Ja -?"
„Aber nein, ich will ihn absenden -!"
„Ich bitte dich!"
„Absenden ..."
„Ich bitte dich. Zerreiße ihn ..."
„Nein."

Er haschte danach. Sie zog ihn lachend fort. Er beugte sich über den Tisch. Sie trat einen Schritt zurück.
„Gerda!"
„Tonerl!"
„Ich bitte dich, Gerda!"
„Mein Junge, mein lieber, lieber Junge!"
Er lauschte dem Klang nach, der sanft und zärtlich

verhallte. Er griff nach dem Blatt. Ihr Gesicht hielt das Lächeln fest. Sie nickte langsam und träumerisch: „Junge, mein lieber Junge ..."

Eine Ahnung überkam ihn. Er glitt auf die andere Seite des Tisches. Den Arm um ihre Hüfte, die sich warm heranwölbte, lasen sie gemeinsam die Worte, die sie ihm geschrieben. Sie sprach sie halblaut vor sich hin wie er, und dieser Doppelklang kam aus seinem Herzen, das in ihm wie neben ihm schlug; sie sprachen dieselben Worte, frühsommerlichen Lobesgesang in einer durchgoldeten Weinlaube:

„Mein lieber, lieber Junge, rede mir nicht ein, du wärest groß. Du bist mein Kind und nie, nie darfst du vergessen, daß du mein Kind bist. Ich habe dich in mich hineingenommen, du gehörst mir. Sei bei den andern wie du willst, bei mir sei mein Kind, mein Liebstes, das ich in meinem Leib empfing -"

Die Katze in seinem Arm rührte sich. Sie stieß mit dem Kopf verlangend gegen ihn. Er öffnete die Augen. Seitlich vom angetüderten schwarzbunten Vieh war eine Kolonne Schnitter auf die Kleebrache gelangt, ihre weißen Hemdärmel leuchteten in der Sonne; am Raine des Feldes angelangt, griffen sie aus dem Horn den nassen Stein: süß und träumerisch trug der Wind das Wetzen des Sensenblattes herüber.

Er sagte sanft: „Es war nicht gut, Katt, daß du mich störtest. Hast du Schmerzen? Wolltest du anders liegen? Wem gehörst du? Du schnurrst in meinem Arm, dir ist wohl hier. Aber ich werde dich enttäuschen müssen.

Warum hast du mich gestört?! So süß war jener Halbtraum. Nun muß ich andere Briefe lesen. Und ich werde böse werden auf dich und auf mich -"

Zögernd, in großer Angst, entfaltete er den andern Brief. Er las und ein bestürztes Erstaunen ließ seinen Mund zittern, hilflos, in Furcht vor Schluchzen.

„Mein lieber Junge, sie wollen mir einreden, daß du groß wärest, erwachsen. Aber ich weiß, daß du mein Kind bist, mein kleines, eben noch trug ich dich in mir: wie kann das wahr sein, was die andern sagen? Laß die andern reden, du bist mein Kind, mein einziges, ich weiß so gut ..."

„Willst du still sein, Kater! Was bäumst du dich in meinem Arm, mit gesträubtem Schnurrbart! Sind wieder die Hatzhunde auf deinem Wege?"

Leiser, verhalten: „Es ist nur ein Traum, Murr! Die Hunde sind längst geflohen, du kannst ruhig weiter schnurren und schlummern. Du willst nicht -? Du meinst, in dir seien sie ebenso schlimm wie außer dir? Schlafe, Großer, samtig Behaarter, träume von den blauen durchscheinenden Milchsatten der Liebe, die alles gut machen werden ... Schlaf ... Träume schon ..."

„Ah, laß doch sehn ... Ich verstehe noch nicht ..."

„... ich weiß so gut, daß ich an mein Kleines schreibe, daß sie Unsinn reden, daß du mir nicht fremd sein kannst. Wo hast du denn etwas in dir, was nicht von mir kam -? Habe ich dich nicht alles gelehrt vom mühsamen Gehen an bis zu jenem undeutlich lallenden Laut, der sich schließlich zu dem süßesten ‚Mutti' kristallisierte? Die, die dich groß wollen, mögen doch still sein, mein kleiner Bub bist du, auf Straßen verirrt, der nach mir ruft -"

„Schweige doch stille, Kater! Willst du durchaus nicht ruhig liegen, heh -? Zur Unzeit erinnerst du mich daran, daß zu mancher Stunde alles Erlernte nichts gilt, daß einmal die Katze die Lust überkommt, vor den Hatzrüden zu laufen - sie werden dich fangen, Käterle, nicht immer steht ein Mensch in deiner Fluchtstraße - -"

„Wie nun?"

„Glaubst du, du seiest erwachsen? Dir mögen es die andern einreden, mir nicht. Was warest du denn vor mir -? Hast du gelebt, vor mir, sprich -? Habe ich dich nicht alles gelehrt vom freien, achtlos schlendernden Gang an - vor mir gingest du ein wenig über die große Zehe, verzeih! - bis zum letzten Schwingungston, in dem du ‚Mama' zu mir sagtest -? ‚Meine Mama!' Was wärest du ohne mich? Und wo? Verirrt irgendwo, ewig unzufrieden, nach mir suchend aus der ziellosen Sehnsucht deines Innern heraus, nach mir, die du nicht kennst, die in all deinen Träumen aufsteht -"

„Du rufst nach mir. Ich beuge mich über die kleine Arbeit, die ich für deine Erwärmung stricke. (Denn du mußt frieren, manchmal, draußen, so verlassen.) Und sehe ich die winzigen Formen deiner Höschen an, ist es mir, als würde ich selber klein, ich verliere mich..."

„... du bist mein Kind. Manchmal ist mir seltsam. Unter deinem warmen Atem vergehe ich, mir ist, als wäre ich das kleine Mädchen..."

„Ob du stille bist, Katt? Du willst nicht? Ah, du mußt! Mit Gewalt! Ah, bitte schön, die Luft wird dir schon eher ausgehen als mir die Kraft, deine Kehle zu schließen -"

„... mir ist, als wäre ich das kleine Mädchen, das einst in einem Knieröckchen umherlief, wieder fühle ich den Wind an den nackten Beinen, so klein wie du bin ich, du mein Bruder, du mein Goldkind, und alles Wachsen, was du tust, tue ich auch; mit dir verwandle ich mich..."

„... du mußt nicht glauben, daß ich dir darum schriebe, weil die andern mich drängen. Schon seit Tagen bestürmen sie mich. Vielleicht begreift ein Kind nie, wie wenig neben einer Mutter alle andern gelten, endlos fern sind sie, ganz ohne Zusammenhang, das eine allein besteht: ich und du! Ich schreibe nicht einmal dir ... ich schreibe meinem Herzen, das du bist..."

„Siehst du, nun liegst du da, japst mit den Flanken und ächzt ... Wer hat dir von vornherein gesagt, daß er der Stärkere sei, Murr? Du willst bei deinem einzigen Freund nicht aushalten, Puschel –? So muß sein schmerzhafter Griff dich lehren, daß draußen die Feinde sind und dieser hier – dein Freund. In der Villenstraße werde ich dich absetzen, vielleicht findest du dort . . . ah, laß schon! Du schläfst wieder –? Nun gut."

„. . . vielleicht findest du es dumm, daß ich dir schreibe, da du doch vor mir sitzt und ich dir so viel besser Wort um Wort sagen könnte – nein, nicht besser. Ich bin albern, weißt du, und will ich sprechen, kommt alles mit ganz törichten Worten, einem ganz entstellten Klang heraus. Ich schreibe an dich, um dein Gesicht nicht zu sehen, in dem sich all die andern gespiegelt haben, die durch dich gingen. Nun, sehe ich dich nicht, wurden sie, was sie sind: ganz ferne, ohne Zusammenhang mit uns. Wir beide – wie das gut klingt! –, wir beide, wir zwei einzigen, – was gelten da noch andere? All mein Schreiben geht darum, dir das zu sagen, daß du immer, immer und ewig, mein einziges Kind bist und ich, ich, ich allein deine Mama."

„. . . ich sage meinem Herzen, daß, was ihm einmal entwuchs, sich nicht trennen kann davon, daß es mein, mein, mein Kind ist, das Kind deiner Mutter."

„Ah, du willst nicht stille sein, du verruchtes Biest? Deinen einzigen Freund kratzt du? Du bist dumm genug, zu laufen, wenn Hunde hinter dir sind, und zu verwunden, wenn ein Freund dich hält?! Da! – Da! – Und da –!"

„Siehst du! Das hat man davon, wenn man nicht stille hält!"

Intermezzo . . .

Er sah trübe auf den kleinen verkrümmten Leichnam, aus dessen Nase Blut tropfte. „So oder so", sagte er, „die Hunde hätten dich erwischt und zerrissen, so wurdest du erst einmal behütet, lagest warm, atmetest auf . . ."

Zusammenfahrend: „Ah, geht es mir nicht auch so? Biege auch ich mich nun nicht in einen Arm, der mich Aufatmenden so rasch schon töten wird? Ist nicht alles wie bei ihm? Lief nicht auch ich vorm Feind, der ich doch Klettern und Versteck erlernt hatte, und erst an ihrer Brust fand ich die Hilfe –?"

Den Kopf schüttelnd, trübe, indes das Tier unbeachtet den Händen entgleitet: „Neinnein, das alles ist es nicht – das Geborgenwerden, das zählt, nicht der hastige Tod, der nur Zufall ist. Das Aufatmen, selbst die bös zugesperrte Kehle –: die sind Lust –."

Er trat vor. Zu seinen Füßen fiel der Hügel ab, nicht weiter wanderten die Bäume, die verzweigte Kleepflanze war's, die gespreiztblättrige Lupine, die ihren Duft ihm sandten. Er öffnete die Arme. „Du, du bist meine Heimat. Du allein mein Zuhause. Du allein meine Mutter. Deine Sprache klingt wie die jener Fernen, aber mit Recht berufst du dich auf den Namen der Schwester, du Jüngere. In deinen Worten ist ein zages Geräusch gleich dem leisen Streifen von liebenden Armen: du bist, jene war, segne ein Gott ihr Leid."

Noch einmal der Strand ...

„Ah, daß die Büsche, die Waldwege hinter mir liegen! So verworren erhöhen sie noch die Verwirrung meines Herzens, das, unter tausend Anregungen schwankend, nicht weiß, wie es sich entscheiden soll. Ich müßte warten, aber ich kann es nicht, denn sie ist da –.

Diese Villenstraße nun, trotz Fenster, Staub, Menschen, ist besser schon, denn zwischen Dächern und Gartenbäumen blitzt ein Stück Meer auf, das alles erleichtert. Am Strande hingebreitet, dem eintönigen Geräusch der Dünung lauschend, wächst jeder Entschluß von selbst. Sie wird bei mir liegen –.

Dort sehe ich schon den Wimpel unsres Strandkorbes. Wenige Schritte und das einzige, was wert hat, wird wieder gelten: das Beisammensein."

Stutzend, starr: „Sie ist nicht allein? Jemand ist bei ihr? Ein Herr! Ich weiß nicht..."

Aber schon – und der Atem weht schneller – weiß er: „Langenberg... So hieß er... Langenberg..., aber es bedeutet nichts... lächerlich..."

Näher schon: „Sie sieht mich nicht... ganz vertieft sind sie in dies Gespräch... sie erwartet mich nicht... sie hat überhaupt nicht gewartet auf mich –"

Er steht, späht, er möchte jede Falte erraten, aber das Gesicht dieser scherzhaft Plaudernden ist undurchdringlich: „Wenn ich gehen könnte, fortgehen für immer aus ihrem Leben zu jener andern..."

Aber sofort: „Ich habe sie in mir! Ich müßte von mir fortgehen..."

Und lauschend, plötzlich sehr lauschend auf dieses letzte Wort nur, das ein Hauch von fernliegenden Ideen streng verfärbte: „Fortgehen... fort... ge..."

Sie wendet sich um, sie bietet ihm ruhig das gewohnte Lächeln, das köstlich war und köstlich ist, aber nun ruht so viel Schmerz schaffende Schönheit in ihm, da er meint, sie wisse überhaupt nichts von ihm, bestehe ganz allein und für sich...

(,Wird man auch das noch lernen müssen? Und selbst ertragen lernen?... fort...')

„Ah, Herr Assessor, da ist mein Bruder. Darf ich die Herren bekannt machen –?"

Nur einen Augenblick zögert er vor der ausgestreckten Hand, die lang, knochig und ein wenig feucht ist, er nimmt sie, er verbeugt sich. Mit einem ganz hellen Erstaunen fühlt er ein Zittern in den Knien, das Herz dumpf und langsam schlagen, ein Verwundern steigt in ihm auf, daß er noch beobachten kann, eine Stimme spricht in ihm:

‚Das ist der Schmerz' und verhallt, er hört den Assessor reden: „Ich verdanke ihrem Fräulein Schwester eine reizende Stunde. Sie machte mir Hoffnung..."

„Ja...?"

„... daß wir heute abend vielleicht eine Segelpartie machen könnten. Freilich ist der Wind noch sehr frisch, wenn wir aber den großen Kutter nehmen –"

„Ich weiß wirklich nicht... Wenn Gerda..."

„Wie gesagt, Herr Assessor, kann ich jetzt noch nichts bestimmen. Vielleicht heute nachmittag –"

Sie gibt ihm ihre Hand. „Adieu."

„Adieu."

Sie schauen der sich zurückziehenden langen Gestalt nach, das höfliche Lächeln verblaßt, sie sehen einander an, er senkt scheu die Augen, dann sagt er: „Gehen wir."

„Wohin?"

„Den Strand hinauf. Nein, nicht jene Seite. Diese hier. Ich mag das Hügelland nicht vor Augen haben. Am besten, man sähe nichts mehr. Man wäre am Ende."

(‚Dieses Man erleichtert das Aussprechen von vielem. Ach, daß erst das Reden, die Vorwürfe in Gang wären, alles wäre leichter.')

Lange gingen sie stumm. Mit gesenktem Kopf blickte er starr vor sich hin, in seinem Hirn bildeten sich Sätze um Sätze, aber im Versuch, schon zu reden, zergehen sie und neue bilden sich...

Sie nun beginnt: „Deine Geschäfte gingen glatt?"

Und er: „Vielleicht... es ist dir wohl gleich."

Sie schweigen lange, plötzlich wendet sie sich um, sie breitet ihre Arme nach jenem Hochland, das sie in manchem verliebten Traum erreichten. „Dort! Dort!"

Er betrachtet schweigend dieses überschöne Gesicht, das ein üppiges, atmendes Fruchtland zu sein scheint,

Entzücken läßt sein Herz erzittern, es schwillt an, zu ihr möchte er stürzen ..., er betrachtet diesen schwach getrennten Mund, der, atmend, das Herrlichste ist der ganzen Erde ..., aber das Entzücken ebbt ab, ein paar Klänge noch von fern ..., und er fühlt, wie ungeschickt er dasteht, wie lächerlich ...

Sie wendet sich zu ihm, ihre Geste ist zusammengefallen, ihr schöner Mund bebt kläglich, da sie fragt: „Was ist? Was ist denn, Liebster?"

Er betrachtet sie, anders möchte er sie ansehen, da er spürt, daß sein Blick bereits alles verrät, aber er kann nicht. Mit hängenden Lidern, tränengebeizten Augen schaut er an, die vor ihm steht.

Sie begreift. „Es ist alles vorbei? Du liebst mich nicht mehr?"

„Schlimmer: alles vorbei und liebe dich noch wie je."
„Toni!"
„Gerda!"
„Wie wir uns lieben!"
„Wie unglücklich wir sind!"

Es ist dasselbe Schluchzen, das die berührenden Brüste erzittern macht. Dieselben Tränen sind es, die ihre wie seine Wange feuchten. Dieser Schmerz, der sie beide fing, ist die letzte Wonne, die allerhöchste des Glückes.

Sie gleiten aneinander nieder, sie fassen sich bei den Händen, die sie mit feuchten Küssen überströmen, und so verwandt sind sie in dieser Stunde miteinander, daß alle Reizung fremden Fleisches aufhört: es ist der eigene Leib oder der des Geschwisters, den sie küssen. Dies ist ein Busen, dieses ein männliches Glied, – was verschlägt's?: *ein* Leib.

„Wie ich dich verraten habe, heute, viele Male – wie fern wir voneinander sind, fühlen wir uns nicht!"

„Armer, du!"

„Zum ersten Male beim Onkel, ein Zufall rettete mich. Den ihm verdankten Sieg wollte ich stolz dir bringen, da kam Inge."

„Du warst fern. Ich dachte deiner. Das Geld war zu Ende. Wir müssen doch leben, Lieber."

„Ich weiß nicht, was es war. Vielleicht war es Stolz darauf, daß du mich so vieles lehrtest, ich wollte ihr beweisen -"

„Wir haben nichts. Mein bißchen Geld ist längst alle. Die Wirtin schreibt nicht mehr an."

„Ach . . ., es zählt nicht. Ich weiß, du bist gut . . ., wir beide sind es. Aber wir geraten hinein in die dunklen Torweggänge, tiefer und dunkler. Die Liebe, die uns leitete, ließ längst die führende Hand entgleiten, wir stehen da, und nur unser unsägliches fremdes Weinen ist es, das wir noch hören: nichts mehr von dir . . ."

„Halte ein, ich bitte dich!"

Und das Meer . . .

Sie gingen am Strande zurück. Ihre Hände lagen leicht ineinander, ein guter Strom von Geborgenheit, Wärme durchfloß sie.

Und in der Sonne glänzte drüben manch Hausdach, auf den grünen und blauen Hügeln, Wälder mußten dort sein, ihre letzten Bäume standen über den Wänden weißer Kreidebrüche. Eine feierliche Stille stieg wie je von dort hoch und vergrößerte die Sehnsucht beider, die einem Heimweh glich.

„Wir werden es nie erreichen", murmelte er.

„Ja -?"

„Nie werden wir zum seligen Hügelland kommen. Uns ist es schon zu viel, dies unten zu behaupten. Immer von neuem verlieren wir den Weg unter unsern Füßen. – Was ist –?"

Ein Kind lief an seiner Seite, redete: „Vater ist die Zeit zu lang geworden. Außerdem wär der Wind zu stark. Sie möchten am Abend wiederkommen."

Er sah seitlich. Neben der Landungsbrücke tanzte das Boot. Das Segel schlug lose.

Sie sahen sich an. „Wenn wir –?"

Und schon liefen sie Hand in Hand über die Bretter des Steges, er zerrte das Boot am Strick näher, eine Welle hob es, sie fiel hinein, stolperte, saß, und schon war er am Steuer, ließ das Schwert hinab, holte das Segel an den Wind.

Der Junge schrie: „Sie dürfen nicht – ohne Vatern – bei dem Wind –"

Ein Herr oben murrte: „So ein Wahnsinn! In dieser Jolle..."

Er sah hinauf. „Was?! Das könnte Ihnen passen, am Abend im großen Kutter –"

Und schon waren sie frei, schossen dahin, dicht streifte mit Strudel und Schaum das Wasser am schrägen Vordeck, und als sie nun zurücksahen, war der Strand fern und ferne die Brücke: frei.

„Frei!" rief er. „Ferne all jenen!" Und: „Wir erreichen es doch! Dieses wenigstens werden wir doch erreichen."

Sie saß ihm gegenüber, eine Strähne hatte sich gelöst, mit sanfter Schwingung lehnte sie an der Wange, ihr Auge sah verwirrt auf das rasch vorüberstreichende Wasser, mit seinem Grün und Blau, mit Schaum, Blasen und Glätte.

Und nun lag auch die Brandung hinter ihnen, und die Dünung war da, voll, schaumlos und dunkel kamen die großen Wogen dem Boot entgegen; er saß und hatte acht, sie rechtwinklig anzusegeln, um kein Wasser überzunehmen. Das Boot hob sich, stieg, stieg, und nun glitt es dahin, rasch, rasch, der nächsten blauenden Wand entgegen.

Er atmete langsam und tief. Ein unendliches Glücksgefühl ließ sein Herz groß werden. Dieses hatte er vergessen, diesen tiefsten Rausch seiner Knabenjahre, die endlosen Segelfahrten den Fluß hinab, auf das Meer hinaus.

Nun war es wieder da, dieses Gleiten vorm Wind, dieses Heben und Senken, dieses straffe Zerren der Segelleine und das stille Geräusch des Wassers hinterm Heck. Hier war die unendliche Stille, die wie keine das Herz erhob. Er wußte, nun würde bald der Augenblick kommen, wo er schreien mußte, schreien aus diesem tiefsten Glücksgefühl heraus, wortlose wilde Schreie, derer man sich an jedem andern Ort geschämt hätte, für niemandes Ohr, und am Ende würde wieder die Stille da sein, die ungeheure, von Wasser und Wind.

Er holte das Segel an, drückte aufs Ruder und im ebenen Wandern von links nach rechts breitete sich nun das erwünschte Hügelland vor ihm. Die Abhänge hinauf liefen die erntegoldenen, saftgrünen Felderflächen, warfen sich bis an den dunklen Rand der Forsten, und er meinte, den Randsteig zu sehn, zwischen Buchen und Sommerung, von Brombeerranken überhangen, wo sie heute noch gehen würden. Er meinte, seine blühenden Kleefelder zu riechen, den Duft des Waldes, und all dies und das staubige prickelnde Aroma jener ansteigenden grauen Landstraße vermischte sich mit dem Duft des tangblühenden Meeres zu einem Ganzen, das in seiner Herrlichkeit unerträglich war. Er stieß einen Schrei aus, schnellte ihn hinein in die strahlende Blaukuppel unter das langflüglige Getrieb der Möwen. Und noch einen. Und einen dritten.

Er lauschte ihnen nach.

Aber verändert erreichten sie von neuem sein Ohr, blaß, verfärbt, angstvoll, und er verstand, senkte den Blick aus dem Blau, richtete ihn auf die Gefährtin, die da rief: „Anton!" Und wieder: „Anton!" Und wieder: „Anton!"

„Ja –?"

Da saß sie, zusammengekauert, bleich, ihr Mund war so weich und hilflos, verschoben, auf der Stirn eine senkrechte Falte und die Brauen ganz dicht über den Augen.

„Ja –?"

Hervorgestoßen: „Wir wollen umkehren, du!"

Er fragt: „Umkehren –?"

„Ja, siehst du nicht –?"

Er sieht und versteht: sie ist bleich, ihr ist schlecht.

„Das ist schlimm. Aber du mußt aushalten, du! Wir können nicht umkehren. Wir sind zu leicht, um zu kreuzen."

„Wir können nicht umkehren –?"

„Nein."

„Aber ..."

„Siehst du, wir fahren bis drüben ans Ufer, und wenn du dann nicht mehr magst, nehmen wir einen Wagen und fahren heim."

„Bis ans Ufer ..." Sie wendet sich und mißt die Entfernung. „Bist du verrückt! So lange soll ich noch –? Kehre um, sage ich dir."

„Aber ich kann nicht. Wir würden kentern."

„Unsinn! Du willst nur dorthin. Der Fischer kehrt doch auch um."

So ermüdend ist es, gegen Wind und Wellen anzuschreien, und sie ist ein Kind, sie versteht rein gar nichts, sie will auf, zu ihm hin, sich neben ihn setzen.

„Achtung! Bleib!!" brüllt er.

Als sie aufstand, legte sich das Boot ganz schief, die

Mastspitze schien das Wasser zu berühren, sie wankt, sie scheint über Bord –, aber sie fällt auf ihren Sitz zurück, das Boot richtet sich wieder auf, eine Woge Wasser schwabbert im Raum.

Sie hat die Augen geschlossen, ihre Farbe ist ein graues Weiß, nun sieht er kleine Schweißperlen auf der Stirn, sie beugt sich über den Bootsrand. Dann lehnt sie wieder, mit geschlossenen Augen, schwer atmend. Von Zeit zu Zeit späht sie rasch zu ihm hin, ihr Blick ist kalt, feindlich, fliehend. Sie spricht kein Wort, aber langsam beginnt er, aus diesem Schweigen, diesen Blicken, den Weg ihrer wahnsinnigen Angst zu erraten. Ihn schaudert. Er will sprechen, räuspert sich, aber dann versteht er, daß hier jedes Wort unsinnig ist, daß es nur einen Beweis gibt. Er räuspert sich noch einmal, deutet auf den Topf, ruft: „Du mußt Wasser ausschöpfen, es segelt sich zu schwer."

Wieder der rasche böse Blick, dann beugt sie sich wortlos, beginnt zu schöpfen.

Aber sie hält inne, eine plötzliche Wut verzerrt ihr Gesicht, sie sieht ihn haßerfüllt an, sie schreit: „Also das hast du gewollt, das! Wie feige du bist, wie gemein! Da, da!"

Sie sieht ihn funkelnd an, macht eine Geste, sieht den Topf in ihrer Hand und wirft ihn über Bord.

Er sieht nach ihm. Der ist nur halb gefüllt, dreht sich im Wasser, einen Augenblick läßt er das Ruder los, greift nach ihm, aber schon ist der vorbei, schon ganz hinten, ein kleines, weißes Rund tanzt er über den Rücken einer Welle und ist fort.

Als er wieder nach ihr sieht, richtet sie sich gerade vom Bootsrand auf; nun ist ihr Haar ganz gelöst, es weht um das bleiche, feuchte Gesicht, über das Tränen der Angst laufen. Sie schluchzt: „Oh, ich will nicht sterben, ich will nicht, noch nicht! Oh, bitte, bitte –."

„Aber. Liebste, du sollst doch nicht. Sieh, eine halbe Stunde noch und wir sind am Ufer. Halt aus! Nein, sterben sollst du nicht!"

„Nein, nicht wahr? Oh, bitte, bitte, lieber Tonerl, laß uns an Land. Ich kann nicht mehr! Ich will auch alles tun, was du willst."

Er nickt nur, sanft möchte er zu ihr sprechen, an ihrer Seite sitzen, sie streicheln; Schulter an Schulter, ganz in die Süßigkeit der Liebe eingehüllt, möchte er die Schwäche der Starken genießen, sich an dem Duft ihrer Angst berauschen, aber er muß am Steuer sitzen, die gestraffte Segelleine in der Hand; kaum daß er ihr einen raschen Blick senden kann über Achten auf Wind, über Spähen nach Böen, die von ferne schon die Haut der Dünung schauern machen.

Und nun hört er abgerissen dieses Klagen in Wogenrauschen hinaus, lächerlich nah, lächerlich fern von der klagenden Liebsten, auch sein Herz schauert unter dem Winde ihrer Worte, die sie vor sich hin spricht, ein schönes Tier, das nichts, nichts, nichts versteht.

„Aber was soll denn werden, wenn du beim ersten schon so böse wirst! Wir wollen doch leben! Glaubst du, da reicht Trinkgeld und Gehalt? Nicht so weit! Das muß doch sein. Und was macht es dir? Glaubst du, ich liebte jene? Es sind so viele, sie gleiten vorüber, kaum erinnere ich mich an einen. Aber dich, dich liebe ich!"

Sie sah zu ihm. Da sie das tausendfach Beteuerte von neuem sprach, hatte selbst jetzt ihre Stimme einen Glanz von jener Sonne, die, ohne Untergang, über all ihren Nächten und Tagen stille gestanden hatte; von jener rauchigen ersten Nacht in der Bar an hatte ihr Schein ihre Augen geweitet, ihre Herzen für ein Gefühl, und nur eines, geglüht.

Auch sie dachte wohl jener Nacht, in der durch den Zigarettenqualm ihr Glanz gegangen kam, ein erstes

Mal. „Ich habe dich geliebt vom ersten Sehen, gleich als du eintratst, klopfte mein Herz. Habe ich Mätzchen gemacht, mit dir gespielt, hinausgezögert? Eine andere, jede hätte es getan, weißt du. Ich nicht. Ich bin nicht so. Und selbst eben noch, als ich glaubte, du wolltest mich töten und dich mit, liebte ich dich. Selbst da noch! Aber ich brauche nicht zu sterben, nein?"

„Nein", murmelte er, aber sein Herz zitterte.

„Wir sind bald da?"

„Bald", und seine Hand am Steuer bebte.

„Bald, ja. Wir werden einen Wagen nehmen, wir wollen in den Wald fahren, auf einer Lichtung wollen wir liegen und die Rehe erwarten. Wir werden dort gewesen sein."

Aber in ihm sprach es: „Wir werden nie dorthin kommen, nein, nie." Seine Augen suchten den endlosen Schaumstreifen am Ufer ab. Senkrecht entstieg die Steilküste einem weiß zerrissenen Meer. Zwischen dem Gepeitschtem der Brandung erkannte er die schwarzen Flächen ungeheurer Steine. Und sie jagten grade draufzu.

„Wir können nicht landen hier, nein. Und weiter oben, weiter unten das gleiche. Wir müssen kreuzen, müssen zurück, aber wir können nicht, denn das Boot ist zu leicht. Und kreuze ich vorm Winde, schlagen wir um. Es ist zu weit zum Ufer. Ob sie schwimmen kann? Ich darf sie nicht fragen. – Ah, nun kommt es doch soweit, wie sie fürchtete. Wir werden ertrinken, wir beide, und sie wird mich im Sterben hassen, weil sie meint, ich hätte es gewollt. – Es bleibt nichts, ich muß das Kreuzen versuchen. In zwei Minuten ist es zu spät, dann sind wir zu nah an den Felsen.

Er hob sein Gesicht ihr entgegen, nun entfärbt wie das ihre. „Du."

Sie sah ihn an, fragte: „Ja?"

Er zeigte auf die Brandung. „Wir kommen nicht durch, wir müssen zurück."

Sie folgte seinem Blick, rasch, sah ihn wieder an, und in einem Augenblick hatte sie alles begriffen. „Ja", sagte sie, nur: „Ja."

Sie zitterte. Er sah ihre Mühe, den Mund fest zu halten, der bebte. Aber – und noch einmal glänzten aller Traum, alle Erfüllung, alle Seligkeit des Daseins in ihrem Blick –, aber dann lehnte sie sich vor, zu ihm, sie streckte die Hand aus. „Liebster!"

Seine Hände mußten halten, festhalten, da lehnte er sich vor, seine zitternden Lippen streiften die glatte Haut derer, die er einzig im Leben geliebt, in seiner Brust schwoll ein dumpfer, wirrer Klang wie der einer tiefen, fernen Trommel...

„Und nun..."

Er gab ihr die Weisungen, lehnte sich zurück, das Segel flappte ohne Wind, er richtete sich wieder auf. „So geht es nicht. Zu leicht. Ich muß vorm Wind... Wenn ich rufe, gehe gleich auf die andere Seite. Aber ganz schnell, ganz... Heuho!"

Das Boot neigte sich, neigte sich, neigte sich...

Eine atemlose Sekunde sah er das Wasser eine Handbreit von seinem Gesicht, rasch gleitend, grün, mit den Spuren von Schaum. „Wie schnell es ist, dahinein... Aber ich darf nicht, ich muß an sie... Inge!"

Und dann war es dunkel um ihn, kühl, er tauchte tief, tief, fuhr hoch, fühlte wieder Sonne auf dem Scheitel, blinzelte, sah –:

Und da trieb das Boot, kieloben, dichtbei, ein paar Schwimmstöße, er faßte es schnaufend, und da lagen zwei Hände schon neben den seinen, ein gerötetes feuchtes Gesicht, tauchte neben ihm auf, und sie lachte, wie sie lachte: „Das war ein Bad, Segelmeister!"

Sie ruhten, gestützt auf den Boden des Bootes. Eine

ungeheure Leichtigkeit erfüllte beide, nach der Angst eben beseligte sie ein unerhörter Rausch, da zu sein, zu atmen, zu schwimmen.

„Sieh doch, wie hoch das Boot liegt! Es muß Luftkästen haben. Wir drehen es um. Vielleicht kommen wir ans Ufer."

„Wir kommen hin! Wie sollten wir nicht? Jetzt sterben –? Ah bah!"

Und sie kamen ans Ufer.

Taumelnd in seinem Arm war sie über den steinigen Boden die letzten Schritte gegangen, nun lag sie schwer atmend da, ihre Augen waren geschlossen. Er hockte an ihrer Seite, hielt ihre Hand, rief sie bei den liebsten Namen. Er sah das blasse Gesicht an, das gealtert schien, voller Falten, und an ein anderes Alter mahnte es ihn, das für sie kommen würde. „Aber gemeinsam werden wir hineingehen, wir beide. Daß es spät sein möge, daß der Weg lang sein möge und, da es nicht anders sein kann, schwer. Was werden wir alles ertragen müssen! Wie wir leiden werden! Nun sehe ich alles, und ich weiß wohl, daß da keine Demütigung sein wird, die ich nicht ertragen werde, keine Schande, der ich nicht halb schon entgegen komme, um ihretwillen. Um ihretwillen? Für mich selbst werde ich abends in Abseits-Lokalen sitzen und zitternden, schmerzenden Herzens lauschen, wie sie mit Liebhabern lacht, deren Geld in meine Hände gehen wird. Denn ich kann nicht verzichten, schon hält mich der Luxus fest, und jene Zeiten sind fern, wo ich an ein Haus im Walde glaubte mit Bedürfnislosigkeit. Vielleicht werde ich auch Kellner sein, an ihrer Seite werde ich stehn, ihr die Platte reichen, und auch das Letzte wird mir kaum erspart bleiben, zu stehlen und Strafe zu leiden. Aber am Ende werde ich immer in ihre Arme zurückkehren, sie wird mich für alles belohnen, und schließlich wird es so sein, als wären wir stets ganz allein gewesen, die einzigen Menschen."

Er spähte in ihr Gesicht. „Gutes, liebes Gesicht, schönstes, einziges auf der Welt. Für mich hast du gelächelt und geweint, immer warst du mein schönster Gruß, mein seligstes Glück. Du hobest dich als ein Übermenschliches in mein Leben hinein, das sich sonst verloren hätte in den Niederungen des Bürgers. Um deinetwillen, nur um deinetwillen ist das Leben schön. Wie ich dich liebe!"

Sie hob die Augen, sie lächelte sanft: „Wie wir uns lieben!"

Ihre Arme schlangen sich um seinen Hals, sie küßten sich.

Inhalt

Der junge Goedeschal   5
Anton und Gerda 281

Falladas Frühwerk 1–2
ISBN 3-351-02235-2
Fallada, Der junge Goedeschal
ISBN 3-351-02236-0

1. Auflage 1993
© Aufbau-Verlag Berlin und Weimar GmbH 1993
Schutzumschlag- und Einbandgestaltung Ute Henkel
Typographie Peter Friederici
Schrift 10/12 Times New Roman
Satz Dörlemann-Satz, Lemförde
Druck und Binden Claussen & Bosse, Leck
Printed in Germany